HET VERKEERDE MEISJE

David Hewson bij Boekerij:

De Killing 1
De Killing 2
De Killing 3
Poppenhuis
Het verkeerde meisje

www.boekerij.nl

David Hewson

HET VERKEERDE MEISJE

ISBN 978-90-225-6911-5
ISBN 978-94-0230-437-4 (e-boek)
NUR 330

Oorspronkelijke titel: *The Wrong Girl*
Vertaling: Gert van Santen
Omslagontwerp: Wil Immink Design
Omslagbeeld: Wil Immink/Thinkstock
Zetwerk: Mat-Zet bv, Soest

1

Er was iets nieuws op het voordek van de woonboot. Ze stond tussen de dode planten, het rottende hout en het verspreid liggende gereedschap en rees als een stralend baken boven het wintergrauwe water van de Prinsengracht uit: een levensgrote, zilverkleurige, plastic ballerina met een fonkelend, gekleurd lichtsnoer om haar hals, die op slanke benen een pirouette draaide.

Pieter Vos' terriër Sam zat aan de voeten van de pop en vroeg zich af of hij zou grommen of het ding zou likken. Rond de halsband over zijn dichte, ruwe vacht was een bonte slinger gedraaid. De hond vond het maar niets.

Het was de derde zondag van november. Kerstmis was niet meer ver weg en Sinterklaas stond voor de deur. De goedheiligman had de lange reis uit Spanje achter de rug en voer nu aan boord van zijn stoomboot de Amstel op. Het was kwart over twee.

Rechercheur Vos, die vandaag in de middagploeg zat, had vertrouwd gezelschap voor dit welkome intermezzo op de agenda van de Amsterdamse politie: twee van zijn politieagenten in burger van verschillende en soms botsende generaties. De relaxte rechercheur Dirk van der Berg – halverwege de veertig, fervent bierliefhebber en behorend tot het meubilair van het bureau aan de Marnixstraat – haalde het hondje aan en sprak liefkozende woordjes tegen het dier. Laura Bakker uit Friesland, die onlangs vijfentwintig was geworden en recentelijk bij het korps was gekomen, droeg een dikke winterjas. Haar lange rode haar viel om haar schouders en ze wierp een nijdige blik in de richting van de pop op de boeg. Vos wierp een blik op zijn eigen kleren: de gebruikelijke donkerblauwe duffelse jas, een verschoten spijkerbroek en sportschoenen die hun beste tijd hadden gehad. Hij had deze week naar de kapper gewild, maar was in plaats daarvan naar een Deense film gegaan. De krullende, donkere lokken hingen losjes over zijn kraag, wat hem af en toe een vuile blik opleverde van Frank de Groot, de commissaris van politie.

Zeven maanden geleden had een merkwaardige moordzaak rond een poppenhuis in een museum hem ruw uit zijn trieste, eenzame woonbootleventje gerukt en hem teruggebracht bij de Amsterdamse politie. Sommige dingen waren sindsdien veranderd. Enkele andere niet.

'Wat is dat in godsnaam?' vroeg Bakker.

'Ik vind het wel wat,' verklaarde Van der Berg voordat er een discussie kon ontstaan. 'Wat het ook mag zijn...'

Bakker stampte met haar zware schoenen de loopplank op, haalde zonder iets te vragen een witte envelop uit de brievenbus en hield hem Vos voor. Er stond een logo van de gemeenteraad op.

'Wedden dat het weer een waarschuwing is over de staat van je woonboot? Als je dat ding niet een keer fatsoenlijk opknapt, heb je straks een boete aan je broek.'

'Ik ben ermee bezig...'

Ze wierp een blik op de zwart geschilderde, gammele opbouw waarvan de ramen met tape bij elkaar werden gehouden en schudde haar hoofd.

'Een van de winkels om de hoek wilde hem wegdoen,' zei Vos, en hij wees op de ballerinapop. 'Ik vond hem eigenlijk wel passen.'

'Ik ook,' beaamde Van der Berg. Hij wierp een hoopvolle blik in de richting van De Drie Vaten, aan de overkant van de straat op de hoek van de Elandsgracht. Vos' stamkroeg was een bruin buurtcafé met zwarte bakstenen buitenmuren, een kale plankenvloer en gammele stoelen, dat het grootste deel van de dag was geopend. Het was er nu al druk. Je kwam er voor een lekker biertje, een snack, een kop koffie en een praatje. Het was een tweede thuis voor veel mensen uit de buurt, onder wie dorstige politieagenten van het bureau aan de Marnixstraat bij de kruising met de Elandsgracht. 'Is er nog tijd voor...?'

'We hebben dienst!' zei Bakker, en ze gooide wanhopig haar armen in de lucht.

Van der Berg was een zwaargebouwde man met een vriendelijk, enigszins afgeleefd gezicht. Hij keek beledigd.

'De dienst begint pas over een kwartier. Ik wilde alleen vragen of er nog tijd was voor een bak koffie.'

'Niet echt,' zei Vos, en hij schudde zijn hoofd.

Ze hadden een drukke, maar aangename dag voor de boeg. Sinterklaas zou in Amsterdam worden verwelkomd tijdens de intocht die live op de televisie zou worden uitgezonden. Er werden zeker driehonderdduizend bezoekers verwacht en er waren meer dan duizend politieagenten op de been. Tijdens de tocht van Sinterklaas over de Amstel was het centrum van de stad voor alle verkeer gesloten. De stoomboot werd omringd door een groot aantal privéscheepjes met mensen die een glimp van de goedheiligman wilden opvangen. Na aankomst zou de sint op zijn witte schimmel een optocht door de stad maken die eindigde op het Leidseplein. Daar zou hij door de burgemeester worden verwelkomd, waarna hij de menigte zou toespreken vanaf het bordes van de Stadsschouwburg. Overal waar hij kwam werd Sinterklaas vergezeld door vrolijk lachende Zwarte Pieten die snoepgoed uitdeelden aan alle kinderen – en aan verbaasde toeristen, die hun ogen uitkeken.

Als de sint op 6 december weer naar Spanje vertrok, kwam het land in de kerstsfeer. De pepernoten en de chocoladeletters maakten plaats voor kerststollen en musketkransjes, terwijl de etalages zich vulden met dennentakken en nepsneeuw.

Er was een tijd geweest waarin Vos het feest ook had gevierd. Toen hij zelf een gezin had. Een vrouw, Liesbeth, en een dochter, Anneliese. De poppenhuiszaak had hem dat alles ontnomen.

Vos bukte zich en glimlachte naar zijn hond. De wit met bruine foxterriër keek hem aan.

'Je kunt niet mee naar het werk, vriend. Zelfs niet op een dag als vandaag.'

Sam bespeurde iets in de toon van zijn stem en versmalde zijn ogen, wachtend op wat er zou komen.

De riem kwam tevoorschijn en Sams kop ging omlaag. Vos liep met de hond naar De Drie Vaten en leverde hem samen met een zak vuile was bij het café af, een bijkomend privilege dat hem door eigenaresse Sofia Albers werd verleend. De terriër trok aan de riem. Hij wilde terug naar de gracht.

Van der Berg en Laura Bakker keken zwijgend toe. Bakker schudde opnieuw haar hoofd.

‘Oké,’ zei Vos toen hij weer bij de boot was. ‘Aan de slag. Weten jullie wat? Als we klaar zijn trakteer ik jullie op een lekkere hap. Ik weet een tentje dat de hele nacht open is.’

‘Bedoel je bier, chips en gratis gekookte eieren?’ vroeg Bakker.

‘Nee. Echt eten. In een restaurant.’

‘Ergens waar ze een fatsoenlijk toilet hebben? Ken je zulke gelegenheden? Echt?’

‘Zolang ze er’ – Van der Berg maakte een gebaar alsof hij een slok van een biertje nam – ‘ben ik je man. O, jee...’

Hij wees op De Drie Vaten, waarvan de zwarte bakstenen gevel aan de Elandsgracht een hoek maakte met de Prinsengracht. Meeuwen pikten aan afval op straat. Twee mannen, die ondanks het vroege tijdstip al dronken waren, stonden geduldig in de rij te wachten om hun lege flessen in de glasbak te gooien. Ernaast zette Sam zich schrap. Het dier weigerde naar binnen te gaan en wierp een dreigende blik vol hondenverontwaardiging in de richting van de woonboot.

‘Jammer dat we hem niet mee kunnen nemen,’ zei Bakker. ‘Ik bedoel... het is Sinterklaas. Wat kan er nou gebeuren?’

Vos keek haar even aan, zei niets, liep naar de hond en loodste hem aan zijn halsband het café in.

Toen hij weer naar buiten kwam keek hij uit over de Prinsengracht.

‘Lees jij geen kranten?’ vroeg Van der Berg. ‘Er wordt misschien tegen Zwarte Piet gedemonstreerd. Er schijnen mensen te zijn die hem racistisch vinden of zo. Respectloos.’

Terwijl hij het zei, naderde aan hun kant van de Prinsengracht een van sints hulpjes. Hij was lang, stevig gebouwd en droeg een enorme afropruik met overdreven kroeshaar, een glimmend rood pak en een belachelijke baret. Hij glimlachte, blij als een kind, droeg een bruine tas en hield voorbijgangers een visnet met een lange steel voor.

‘Het is ook respectloos,’ verzuchtte Bakker. ‘Dit is grutverdrie de eenentwintigste eeuw.’

Van der Berg sloeg zijn armen over elkaar en begon de preek af te draaien die Vos al zo vaak had moeten aanhoren. De keerzijde van de medaille.

‘Het is gewoon traditie,’ besloot hij.

‘Dat was ophangen ook. En het berenbijten.’

‘Jongedame...’

Vos sloot zijn ogen. Hij kon geen woord bedenken waarmee je de slimme, onbeholpen rechercheur uit Friesland nog sneller op de kast kon krijgen.

Op dat moment werd de Zwarte Piet de commotie gewaar. Hij haastte zich over de klinkers in Bakkers richting, maakte een gracieuze buiging, zei hoe knap ze was, deed een handvol snoepgoed in zijn visnet en hield het haar voor.

Bakker stopte midden in haar tirade, glimlachte en pakte een paar pepernoten. Ze kamde met een hand haar haar naar achteren toen de man in het fleurige kostuum haar nog meer complimentjes gaf.

'En nu braaf zijn, hoor,' voegde Zwarte Piet eraan toe, terwijl hij aanstalten maakte om te vertrekken. 'Anders zeg ik het tegen Sinterklaas.'

'Ik ben dol op die dingen,' zei ze giechelend, om vervolgens enigszins schuldbewust een pepernoot in haar mond te steken.

'Ik ook,' zei Van der Berg met een blik op de twee overgebleven exemplaren in haar hand.

Bakker negeerde hem.

'Wat vind jij ervan?' vroeg ze, terwijl ze zich omdraaide en naar Vos keek. 'Van volwassen mannen die zich zwart schminken met Sinterklaas?' Ze knikten naar Van der Berg. 'Ben je het met hém eens? Of met mij?'

Sam verscheen achter een venster van het café en kraste met een poot over het glas. Hij kwispelstaartte vreugdeloos.

'Voor de dag ermee,' voegde Bakker eraan toe.

'Ik vind,' antwoordde Vos met zijn blik op de Zwarte Piet, die vrolijk verder huppelde langs de gracht, 'dat het tijd is om aan het werk te gaan.'

Nog een Zwarte Piet, maar deze was klein en gezet. Hij had een rossige baard die plakkerig was van de zwarte schmink. De splinternieuwe pruik stond scheef op zijn hoofd en had een overdreven glans. Hij luisterde naar het aanzwellende rumoer van de menigte die voortschuifelde over straat. Zijn schichtige ogen schoten alle kanten op.

De spullen lagen op de beloofde plek, in de derde afvalcontainer van achteren in een smal, doodlopend steegje. Een blauwe, precies zoals ze hadden gezegd.

Twee pistolen. Twee messen. Drie granaten. Een eind touw. Een paar repen stof die als mondproppen of blinddoeken dienst konden doen. Vijfduizend euro in een bundeltje en een vals Belgisch paspoort met een foto die twee dagen eerder was gemaakt in een hokje op het Centraal Station.

Een vel papier met geprinte instructies. Wat hij moest doen. Waarnaar hij moest uitkijken. Waar hij naartoe moest.

Hij was geboren in het noorden van Engeland. Geradicaliseerd na een tijdje in de gevangenis omdat hij ergens dronken had ingebroken. Toen hij weer vrij was, had hij een vlassig baardje laten staan en was hij een djellaba gaan dragen. Hij was tekeergegaan bij begrafenisstoeten van soldaten die in Afghanistan waren omgekomen. Hij had naar de juiste imams geluisterd. En hij had geleerd hoe hij leuzen moest brullen terwijl hij zijn wijsvinger in de richting van een camera priemde.

Nadat hij zijn naam in Mujahied Bouali had veranderd, had zelfs zijn moeder, een verpleegster, die haar man had verloren toen hij vier was, niets meer van hem willen weten. Hij zat er niet mee. Hij deed wat hem was opgedragen, en op een dag was het telefoontje gekomen. Niet Syrië of Somalië, zoals hij had verwacht, maar Amsterdam, onder de vleugels van een nieuwe meester. Een strenge, autocratische man die hem dingen had bijgebracht die hij al een tijdje had geweten, maar nooit onder ogen had willen zien.

Ze waren nu allemaal zijn vijand. Alle ongelovigen. Er was geen middenweg. Burgers bestonden niet. De decadente, onnadenkende massa leunde achterover en keek toe terwijl de wereld ineenstortte.

Er waren rechtschapenen en gedoemden. Daartussen was niets.

Behalve het geld was er een foto van een jong meisje in een roze jasje. Een vel met instructies die hij uit het hoofd moest leren om zich er vervolgens van te ontdoen.

Hij las ze zorgvuldig en nam de foto goed in zich op. Die zag eruit alsof hij heimelijk op straat was genomen. Even vroeg hij zich af hoe ze zou heten. Toen besefte hij dat het er niet toe deed.

Hij borg de wapens, de messen, het touw en de repen stof in zijn roodfluwelen tas bij het snoepgoed.

Christelijk snoepgoed. Maar voedsel kende geen geloof.

Hij nam er een uit en proefde. Best lekker, dacht hij. En dat kwam waarschijnlijk door de specerijen die ze in het Oosten hadden gestolen.

Met zijn tas over zijn schouder liep hij het steegje uit. Het pak dat ze hem hadden gegeven was felgroen en te wijd. Op de bruine baret stond een felroze pluim.

Normaal gesproken zou hij zich belachelijk hebben gevoeld. Maar vandaag niet.

Het huis van Kuyper bevond zich op tien minuten fietsen van Vos' woonboot in een drukker, welvarender gedeelte van de stad, achter de Jordaan. Het was vier eeuwen oud en had drie verdiepingen en een piepklein trapgeveltje. Het stond aan de Herenmarkt, schuin tegenover het West-Indisch Huis, dat ooit het hoofdkwartier was geweest van de West-Indische Compagnie. Henk Kuyper vond het een interessante locatie. Op de binnenplaats van het statige herenhuis stond een standbeeld van Peter Stuyvesant, de zeventiende-eeuwse gouverneur van de voormalige overzeese provincie Nieuw-Nederland. De aristocraat was de kolonie kwijtgeraakt aan de Engelsen, die het door hem Nieuw-Amsterdam genoemde puntje van Manhattan tot New York hadden omgedoopt.

Tussen de computersessies en chatgesprekken met zijn wereldwijde netwerk van contactpersonen liep Kuyper soms naar het pleintje om er een kop koffie te drinken, naar de onverzettelijke trekken te staren van de man die het belangrijkste steunpunt van de Nieuwe Wereld had weggegeven en zich af te vragen wat hij van de eenentwintigste eeuw zou hebben gevonden. Eerdere versterkingen van Stuyvesant in Amerika stonden tegenwoordig bekend als Wall Street, Broad Street – ooit een gracht – en Broadway. De man die vanwege zijn houten rechterbeen de bijnaam 'Pieter Poot' had gekregen, lag begraven in de grafkelder van een kerk in The Bowery in Manhattan – zijn vroegere bouwerij – op het terrein van de voormalige familiekapel. Kuyper had er rondgelopen tijdens de Occupy Wall Street-protesten en er een tijdje in de buurt gekampeerd. Starend naar de eenvoudige stenen gedenkplaat in de westelijke muur die Stuyvesants laatste rustplaats aangaf, had hij nagedacht over de afstand tussen daar en hier.

Toch was Peter Stuyvesant voor de meeste mensen in de eenentwintigste eeuw alleen maar een sigarettenmerk. Zo ging het nu eenmaal met geschiedenis.

'Henk!' De stem van zijn vrouw kwam omhoog van de benedenliggende verdieping, schril en kribbig. Hij hield niet zo van mensenmassa's. 'We zijn zover. Ga je mee of niet?'

'Niet,' fluisterde hij tegen het drukke beeldscherm.

Het was zondag, maar zijn contactpersonen wisten niet van ophouden. Er zaten zeven e-mails in zijn postvak. Twee uit Den Haag. Twee uit Amerika. Drie uit het Midden-Oosten.

Hij hoorde haar de trap op stampen. Kuypers kantoor bevond zich onder het puntdak achter het geveltje. Het was een kleine ruimte die uitzicht bood op de klinkerstraat en de kinderspeelplaats achter het West-Indisch Huis. De hijsbalk boven de ramen was tegenwoordig hoofdzakelijk voor de sier, maar hij zat er waarschijnlijk al minstens drie eeuwen. Hij hield van deze kamer. Hij was er op zichzelf, afgezonderd van de rest van het huis. Een plek waar hij kon nadenken.

'Kom je nou nog mee?'

Ze bleef in de deuropening staan met haar hand op de bovendorpel. Ze droeg een te korte winterjas. Saskia stond naast haar. Renata Kuyper was Belgische, afkomstig uit Brussel. Ze hadden elkaar ontmoet tijdens een bloedhete zomer, toen hij op een missie was in Kosovo. Ze had als studente aan een onderzoeksproject gewerkt. Ze was knap, had kort, bruin haar en gedroeg zich druk en ongedurig. Het was een korte, hartstochtelijke romance geweest in broeierige hotelkamers die roken naar cederhout en haar geur. Daarbuiten was de Balkan langzaam bezig geweest zich te herstellen van de nachtmerrie van de burgeroorlog.

Het was Henk Kuyper nauwelijks opgevallen. Ze waren smoorverliefd geweest. Toen was halverwege die wilde zomer haar alleenstaande vader onverwachts overleden. Het telefoontje was gekomen toen ze samen in bed lagen. Daarna had ze zich aan Henk vastgeklampt. Binnen een tijdsbestek van drie maanden waren ze getrouwd. Nog eens drie maanden later, in Amsterdam, bleek Renata zwanger. In een drukke, onbekende stad waar ze niemand kende had ze moeten leren omgaan met het idee dat ze echtgenote was en moeder zou worden.

'Ga je mee, papa?' vroeg Saskia.

Ze was acht en zou in januari negen worden. Het evenbeeld van haar moeder. Een smal, bleek gezicht. Hoge jukbeenderen. Blond haar dat later bruin zou worden, net als dat van Renata. Haar ogen waren zo blauw en helder als saffieren. Ze glimlachte niet veel, net als haar moeder.

'Ik ben bang van niet, schat...' Hij stond op vanachter zijn bureau, ging op zijn hurken voor haar zitten en raakte haar zorgvuldig geborstelde haar aan. Het was belangrijk om er tiptop uit te zien als je Sinterklaas en zijn hulpjes ging verwelkomen. 'Papa moet werken.'

Voor de buitenwereld was Kuyper consultant op het gebied van milieuzaken. Zijn specialiteit was bodemverontreiniging, een studie die hij aan de universiteit had gevolgd. Soms ging hij op zakenreis, meestal naar derdewereldlanden, waar het niet altijd veilig was. Maar dat was gewoon werk. Woorden die je op een visitekaartje zette. Hij bracht minstens de helft van zijn tijd anoniem op het internet door, waar hij op activistische internetfora advies gaf over elk denkbaar onderwerp, van *fracking* tot biobrandstof en genetisch gemodificeerde gewassen. Om de verantwoordelijken aan te pakken, en mensen uit de rechtse hoek. Om her en der brandjes te stichten en ze elders te doven. Altijd onder dezelfde anonieme online-identiteit die hij doelbewust had gekozen: Stuyvesant. Hij gebruikte zelfs een portret van de oude man als avatar.

Saskia trok een pruillip.

'Wil je Sinterklaas dan niet zien?'

Hij glimlachte, maar gaf geen antwoord.

Ze begon af te tellen op haar gehandschoende vingers.

'Je hebt hem gemist op de boot. Je hebt hem gemist toen hij op zijn paard reed...'

Zijn vrouw keek hem aan.

'Je kunt toch wel één dagje overslaan met het redden van de wereld, Henk? Even wat leuks doen met je gezin?'

Kuyper duwde zijn bril omhoog op zijn neus en slaakte een zucht. Vervolgens wees hij op de computer.

'Je weet dat ik niet van mensenmassa's hou. Al die drukte...' Hij raakte zijn dochters wang aan. 'Daar houdt papa gewoon niet zo van.'

Het meisje stampvoette en sloeg haar magere armen om haar bovenlichaam, strak tegen de knalroze jas die hij een week eerder voor haar had gekocht. My Little Pony. Haar favoriet van de boeken en de televisie. Hij stak een hand uit en kneep zachtjes in haar elleboog.

'Die heb je van Sinterklaas gekregen, hè? Hij is al vroeg dit jaar.'

'Nee.' De pruillip werd groter. 'Ik heb hem van jou.'

'Misschien ben ik Zwarte Piet wel. In vermomming.' Hij gebaarde naar de deur. 'Gaan jullie maar. Vanavond maak ik het goed, dan eten we pizza. Beloofd.'

Hij luisterde naar hoe ze de smalle trap af liepen. Een paar zware voetstappen, een paar lichte. Vervolgens rolde hij zijn stoel naar het venster en keek omlaag, naar de straat. Zijn vrouw duwde de dure oranje bakfiets naar buiten die hij voor ze had gekocht. Ze stapte op. Saskia ging in de bak zitten.

Zijn telefoon ging over. Het gesprek duurde nog geen minuut.

Aan de overkant van de straat zag hij de eerste Zwarte Piet. Er struinden er honderden door de stad, tot groot vermaak van de buitenlandse toeristen. Iedereen kon een pak huren en wat schmink en lipstick opdoen, zo'n suffe pruik opzetten, een jasje met tierelantijntjes en een fleurige pofbroek aantrekken en gouden oorringen indoen. Als je dan nog een zak met snoep kocht, kon je dat aan iedereen uitdelen die je tegenkwam.

Een aantal van zijn onlinecontactpersonen had zich erover beklaagd. Dat het racistische stereotypen waren. Kuyper had gedaan wat hij graag deed op het internet: mensen corrigeren. Zwarte Piet had waarschijnlijk niets met Afrika te maken. Het idee stamde van een oudere, duisterder traditie waarvan de wortels niet uitsluitend een geografische oorsprong hadden. Volgens een theorie stelden ze duivels voor die in naam van het goede door Sint-Nicolaas waren geknecht.

Hij wist niet zeker of het klopte, maar hij genoot ervan om mensen op hun plaats te zetten.

Hij zag een tweede Piet de hoek om komen, de Herenmarkt op. Het was alsof hij zich had verscholen achter de glijbanen op het speelplaatsje. Alsof hij op iemand had gewacht.

Saskia zwaaide, en ze riep iets. Hij hoorde haar opgewonden stem omhoogkomen uit de straat.

De nieuwe Piet droeg een felgroen pak en een bruine baret met een roze veer. Hij glimlachte niet.

Als hij het meisje al hoorde, liet Zwarte Piet dat niet merken. Hij had een roestige fiets aan de hand en liep het oude ijzeren pissoir binnen dat bij de brug over de Brouwersgracht stond, waar de Herenmarkt richting centrum ging.

Kinderen krijgen niet altijd wat ze vragen, zei Henk Kuyper in gedachten, en hij richtte zich weer op zijn e-mails.

Toen ze bij het Leidseplein kwamen, waar de optocht op zijn hoogtepunt was, was Bakker heel blij dat ze Sam niet hadden meegenomen. Ze was een plattelandsmeisje uit Dokkum en woonde pas sinds de lente in Amsterdam. Thuis had ze de sinterklaasoptocht een paar keer op tv gezien, maar dat had haar onmogelijk op de realiteit kunnen voorbereiden.

De stad was veranderd in één uitgelaten mensenkluwen. De massa strekte zich uit van het IJ tot aan het centrum, de musea en de grachtengordel. Jong en oud hadden glitters en versieringen in het haar. Vaders droegen peuters op hun schouders. Moeders hielden baby's in de lucht, hoewel ze te jong waren om te beseffen wat alle herrie en alle kleuren betekenden. Iedereen probeerde een glimp op te vangen van Sinterklaas in zijn rode tabberd, die op zijn witte schimmel over het Rokin reed, wuivend naar de menigte.

Vos en Van der Berg moesten op deze dag talloze malen dienst hebben gehad. Ze wisten waar ze moesten staan en wat ze moesten doen. Ze luisterden naar de radio en bleven aan de rand van het gedrang, op de uitkijk naar zakkenrollers, zatlappen en lastige drugsgebruikers om die onopvallend te verwijderen.

Er was al een Zwarte Piet met lange vingers ingerekend. De man was uiterst discreet aangehouden door Van der Berg terwijl hij een portemonnee uit de achterzak probeerde te wriemelen van iemand die zo dom was geweest om alleen in een sweatshirt en een spijkerbroek de straat op te gaan. Ze waren schappelijker geweest tegen lastposten die te veel bier ophadden. Een knikje van Van der Berg, een woordje van Vos, een vuile blik van Bakker, en de onbenullen kozen eieren voor hun geld.

Politieagenten in uniform hielden zich bezig met het zichtbare deel van de operatie – mensen naar de voor het publiek bestemde plekken loodsen om ze op voldoende afstand te houden van de route die de sinterklaasoptocht volgde door het hart van Amsterdam. Het ging om beheersing, niet om dwang. Driehonderdduizend mensen… geen politiemacht ter wereld kon hopen meer te doen.

Ze hadden de optocht gevolgd tot aan de laatste bocht, bij het Leidseplein. Het was inmiddels twintig over drie. Over tien minuten zou Sinterklaas hier arriveren om te worden verwelkomd door de burgemeester. Om tien voor vier zou hij de kinderen van de stad toespreken vanaf het bordes van de Stadsschouwburg, waarna iedereen zijns weegs zou gaan, naar de hotdogkraampjes, de snoepverkopers, de winkels en ten slotte voldaan naar huis.

Vos en Van der Berg maakten een babbeltje met een man in een clownspak die haast niet meer op zijn benen kon staan. Ze adviseerden hem naar huis te gaan en een dutje te doen.

Uit eten met deze twee mannen. Over het algemeen leken ze te leven van cafésnacks en bier. Laura Bakker had geen idee wat Vos met 'echt eten' bedoelde. Of van wat voor restaurants hij hield. Ze hadden elkaar zeven maanden geleden voor het eerst ontmoet tijdens de poppenhuiszaak. Inmiddels maakte ze officieel deel uit van zijn team in burger. Ze waren behalve collega's ook vrienden. Ze had medelijden met hem. Ergens vermoedde ze dat hij ook medelijden met haar had omdat ze in haar eentje naar Amsterdam was gekomen en hier nauwelijks vrienden had.

Geen één, eerlijk gezegd.

Ze vroeg zich juist af waar ze de kerstdagen zou doorbrengen – in Amsterdam, of thuis in Dokkum – toen ze achter zich een boze stem hoorde. Ze draaide zich om. Een lange vrouw in een duur uitziende modieuze jas ging ergens over tekeer tegen een politieagente. Ze omklemde de hand van een verveeld uit haar ogen kijkend meisje in een knalroze jasje met pony's erop.

Bakker liep erheen, toonde haar legitimatie en bood glimlachend aan haar te helpen.

'Waarom luisteren jullie niet naar me?' zei de vrouw, die steeds bozer werd. 'Er is hier iets niet in de haak.'

De Oude Nieuwstraat bevond zich op vijf minuten lopen van het huis van Kuyper aan de Herenmarkt. Het was een smal, oud straatje achter de gracht die door Amsterdammers 'het' Singel werd genoemd. Hanna Bublik, die net negen maanden in de stad was na haar vlucht uit Georgië, woonde er met haar acht jaar oude dochter Natalya in het dakkamertje van een smal huis in de buurt van de Lijnbaanssteeg. De woning was nauwelijks groter dan Henk Kuypers kantoor. Er stonden twee eenpersoonsbedden. De badkamer met toilet moesten ze delen met een jonge Filippijnse vrouw, Chantal Santos, die een verdieping lager woonde.

Overdag leek het op het eerste gezicht een gewone autovrije straat, zoals er in Amsterdam veel waren: overal fietsen, een buurtwinkeltje op de hoek, een paar coffeeshops en wat seksboetieks. Even verderop in de Spuistraat kon je Thais eten, je inschrijven voor scientology, op de tram stappen of naar het Amsterdam Museum lopen. Maar de Oude Nieuwstraat was geen gewoon stukje stad: er waren opvallend veel grote, lege ramen. Het werd het Singelgebied genoemd, een tweede rosse buurt buiten het grotere Wallengebied. Het was er goedkoper, en de 'ramen' werden vaker gebruikt door vrouwen uit de buurt. Er waren er zat te huur.

Hanna wist dat de middag in beslag zou worden genomen door Sinterklaas. Omdat ze elke euro kon gebruiken had ze haar dochter die ochtend bij Chantal achtergelaten om nog een paar uurtjes te werken in de dichtstbijzijnde vrije unit.

Twee klanten. Een Deen en een man uit Londen. Snel en probleemloos. Gemakkelijk verdiend. Na aftrek van de kosten had ze zeventig euro over. Genoeg om Natalya een leuke middag te bezorgen.

Dit jaar zouden ze van de feestdagen genieten, te beginnen met Sinterklaas. Dat had Hanna zichzelf beloofd. Natalya was nog maar een baby geweest toen de Russen en de Ossetiërs tijdens de korte Zuid-Ossetische oorlog hun woonplaats Gori waren binnengevallen. Haar echtgenoot, Natalya's vader, was bij de gevechten om het leven gekomen. Hij was bakker geweest en afkomstig uit een dorpje in de buurt van de grens. Zijn familie had na zijn dood niets meer van zijn Georgische vrouw en kind willen weten. Hetzelfde had voor haar eigen familie gegolden, die het niet had kunnen verkroppen dat ze met een Ossetiër was getrouwd. Gedreven door armoede en wanhoop was ze naar het Westen gegaan en liftend door Europa getrokken. Daarbij had ze alles gedaan wat nodig was om in leven te blijven.

'Mam,' zei Natalya terwijl ze haar nieuwe jasje aantrok. 'Waar heb je dit vandaan?'

Roze. My Little Pony-prints op de stof. Natalya begon groot te worden. Vragen te stellen. Dingen te begrijpen. De Nederlandse regering behandelde hen goed. Haar dochter ging naar een goede school en maakte zich de taal snel eigen. Ook de Engelse. Maar ze woonden nog steeds op een zolderkamertje midden in een hoerenbuurt, terwijl Hanna meestal zes dagen in de week moest werken, 's middags en 's avonds.

'Gevonden. Misschien was het van rijke mensen die het niet mooi vonden.' Ze glimlachte. 'Wat vind je ervan?'

Het meisje straalde. Ze had blond haar en een bleek, knap gezichtje. Kinderen werden gevormd door de wereld waarin ze opgroeiden. Natalya Bublik was pas acht, en in haar nog maar korte leven had ze haar liefhebbende vader en haar thuis verloren, was ze verstoten door beide kanten van haar familie en had ze gezien hoe haar moeder tot raamprostituee was verworden.

Ze kon een leugen van de waarheid onderscheiden. Ze wist ook wanneer ze hem moest negeren.

Natalya sloeg haar armen om haar jas. Het was het duurste kledingstuk dat ze ooit had gehad. Over zes maanden zou de jas te klein voor haar zijn. Haar moeder vroeg zich ongetwijfeld nu al af hoe ze het geld moest verdienen om hem te vervangen.

Er was een betere oplossing. Chantal Santos bleef erop hameren. Stoppen als zelfstandige en voor de Turk gaan werken, die overal in de buurt connecties had. Cem Yilmaz, een indrukwekkende spierbundel met een luxeappartement in de buurt van de Dam en lijntjes naar de betere escortbureaus in de stad. Yilmaz had een groot deel van de bovenkant van de seksmarkt in handen. Via Chantal had hij laten weten dat ze twee keer zo veel kon verdienen in de helft van de tijd die ze nu op haar rug lag of op haar knieën zat.

'Zullen we gaan, mam?' zei Natalya, en ze pakte haar moeders hand vast.

Dit zou hun eerste winter in Amsterdam worden. Als goede moeder had ze haar licht opgestoken over Sinterklaas. Ze wilde dat Natalya zich dit haar hele leven zou blijven herinneren. Ze zouden zich in de drukte begeven om de sint op zijn paard door de stad te zien rijden. Ze zouden naar hem luisteren als hij de kinderen toesprak vanaf het bordes van de Stadsschouwburg op het Leidseplein. Daarna zouden ze samen een patatje mét gaan eten en giechelen als kleine meisjes. En ten slotte zouden ze teruggaan naar hun dakkamertje in de Oude Nieuwstraat, waar Hanna haar dochter zou instoppen. Vervolgens zou ze een leeg raam zoeken voor de avond, zich uitkleden tot op haar beha en haar slipje en op de stoel voor het raam gaan zitten, wachtend op een klant. Naar de deur lopen als er werd gebeld. Onderhandelen over de prijs. Opendoen. De gordijnen dichttrekken. Haar geest afsluiten. De zaak afhandelen. Wachten op de volgende.

Op de trap kwam Chantal hun tegemoet. Natalya wendde haar blik af toen ze haar zag. De twee konden niet met elkaar overweg, wat begrijpelijk was. Het Filippijnse meisje deed geen poging te verbergen wat ze deed. Ze was trots op haar donkere, verleidelijke uiterlijk en schepte op over het geld dat ze ermee verdiende. Maar soms had Hanna geen andere keus en moest ze haar dochter bij de jonge vrouw achterlaten.

'Wacht maar even in het halletje,' zei Hanna, en ze keek toe hoe het roze jasje de trap af danste.

'Hij is er weer over begonnen,' zei het meisje toen Natalya weg was.
'Yilmaz?'
'Cem.'
Ze droeg een krap T-shirtje met daaronder iets wat er als een bikini uitzag. Hanna vroeg zich af hoe dit meisje zich zou voelen als ze op een dag besefte dat ze oud begon te worden.
'Ik wil voor niemand werken. Dat heb ik al gezegd.'
'Iedere keer als je je kleren uittrekt werk je voor iemand. Toch?'
Hanna stak haar hand uit, pakte het meisje bij de schouder en draaide haar een stukje. Het symbool van eigendom was op een lompe manier in haar huid gebrand. Twee zwierige, felblauwe letters, de initialen van zijn naam: CY.
'Ik wil geen tattoo van een vent op mijn rug. Zeg maar tegen hem dat ik ervoor bedank.'
'Het deed niet echt pijn,' zei Chantal knorrig.
'Het gaat me niet om de pijn,' zei ze, en ze vroeg zich af of het meisje enig idee had van de dingen die Hanna met haar achtentwintig jaar had gezien.
'Ik heb tweeduizend euro gekregen, alleen voor die tattoo.' Ze tikte op de blauwe letters. Ze waren pas een paar weken oud. De spottende glimlach verdween heel even. 'Het wordt erger als je blijft weigeren. En ik hoef in elk geval niet meer achter zo'n stom raam te zitten.'
Er kwam een stem omhoog door het trappenhuis.
'Mam? Gaan we nou?'
Hanna Bublik dwong zichzelf te glimlachen. Ze had Chantal nodig. Soms, in elk geval.
'Fijn dat je vanmorgen op Natalya hebt gepast.'
'Je moet niet in de ochtenden werken,' zei het meisje. 'Dat is nergens voor nodig.'
'Kom je mee naar Sinterklaas?'
Een grijns. Kort en onoprecht.
'Ik moet naar mijn eigen suikeroompje. Heeft Cem voor me geregeld.'
Ze wilde nog iets anders zeggen.
'Nat zegt dat ze nachtmerries heeft. Over monsters. Iets groots en zwarts. Iets wat jullie achternazit. Op de trap.'
'Natalya? Nachtmerries...?'
'Monsters op klaarlichte dag.' Het Filippijnse meisje lachte zwakjes. 'Kinderen...'

'Veel plezier,' zei Hanna. Ze liep de trap af, nam haar dochter bij de hand en ging naar buiten, de Oude Nieuwstraat in.

Ze vroeg Natalya naar de monsters. Die hadden zich een jaar of twee na Gori aangediend. Ze had eigenlijk gehoopt dat ze die in Georgië hadden achtergelaten.

Toen het antwoord eindelijk kwam, kon ze er niet veel mee. Chantal Santos, een dom hoertje dat zich liet meeslepen door iets wat ze niet begreep, had waarschijnlijk een enorm verhaal te horen gekregen.

'Hoe zagen ze eruit?' vroeg Hanna, hoewel ze het antwoord kende. Zij kon ze zich ook voor de geest halen.

Zwarte demonen van rook en donder met vuur in hun lijf, vergezeld van vonken en minibliksemschichten. Het soort dat over Gori was uitgezwermd gedurende de bloederige nacht waarin de wereld om hen heen was ingestort.

'Zoals altijd,' antwoordde haar dochter op zachte maar besliste toon. En daar bleef het bij.

Hanna trok haar goedkope zwarte nylon parka dicht. Het was koud op straat.

'Monsters bestaan niet,' zei ze. 'En als het wel zo was, zou ik ze allemaal doodmaken.'

Met haar armen over elkaar geslagen luisterde Laura Bakker al even sceptisch als de politieagente naast haar naar het verhaal van de vrouw die Renata Kuyper heette. Ze ging keurig gekleed, had een verzorgd, bruin kapsel, een smal, zorgelijk gezicht en een Belgisch accent. Ze was met haar dochter vanaf de Herenmarkt naar het Leidseplein gekomen en had haar bakfiets in een zijstraat geparkeerd om naar de optocht te kijken. Ze waren de hele weg van huis naar hier gevolgd door een Zwarte Piet op een roestige fiets die hen onafgebroken in de gaten had gehouden, maar niet naar hen toe was gekomen en geen snoepgoed had aangeboden. Hij had hen alleen gestalkt.

De agente keek even naar Bakker en rolde met haar ogen.

'Waarom zou hij zoiets doen?' vroeg Bakker, terwijl de fanfare voor de schouwburg het volgende slappe feestnummer inzette.

'Hoe moet ik dat nou weten?'

Haar stem klonk schril en geërgerd.

'Het is Sinterklaas. Er lopen hier weet ik niet hoeveel Zwarte Pieten rond,' zei Bakker. 'Honderden. Misschien hebt u er wel meer dan één...'

'Hij reed op een fiets, hij volgde ons en hij hield ons in de gaten. Hij droeg een groen...'

'Er zijn er zo veel die een groen pak dragen,' onderbrak de agente haar.

'Kijk dan... daar...'

'Misschien is het beter als u en uw dochter naar huis gaan,' stelde Bakker voor. 'Ik heb de indruk dat u een beetje van slag bent.'

Er klonk gejoel van het plein, gevolgd door een enorm applaus. Sinterklaas was verschenen op zijn paard, omringd door een klein leger van Zwarte Pieten. Over een paar minuten zou hij op het bordes verschijnen en zou de menigte verstommen voor de traditionele toespraken.

'Kijk,' zei de vrouw. 'Daar is hij...'

Ze wees op een gestalte in het groen die zich vlak bij een van de smalle zijstraatjes bevond waar veel toeristische restaurants waren gevestigd.

Bakker slaakte een zucht, draaide zich om en observeerde de man nauwlettend, zoals ze had geleerd door haar werk met Vos. Hij zag niet alleen de wereld om zich heen, maar ook de mensen erin. Hoe ze pasten in de smalle, soms chaotische straten van Amsterdam. Hij probeerde zich in hen te verplaatsen. Wat had deze mannen en vrouwen hier gebracht? Wat was hun verhaal?

Die werkwijze deed Bakker beseffen dat ze geïnteresseerd was in wat ze zag. De Zwarte Piet was van gemiddelde lengte, had een zwart geschminkt gezicht en een grote pruik met krullen. Hij droeg een groen satijnen pak, een baret en een pofbroek. Over zijn schouder hing een rode tas die vol snoepgoed moest zitten om aan de kinderen uit te delen. Maar dat deed hij niet. Het was alsof de tas niet bestond. Hij keek om zich heen. Op zoek naar iets.

Deze Piet had geen roestige fiets, maar hij paste op de een of andere manier niet in het plaatje.

Vos en Van der Berg waren nog steeds in gesprek met de benevelde clown, die eruitzag alsof hij op het punt stond in elkaar te zakken. Bakker zei tegen de vrouw en haar dochter dat ze bij de agente moest blijven en liep naar de Piet toe om een praatje te maken.

Er liepen momenteel veel eigenaardige types rond. Er was zelfs een stel bezig ab te seilen van een van de gebouwen. Iedereen die er lol in had om zich te verkleden, snoepgoed uit te delen en de pias uit te hangen kon zijn gang gaan.

'Ik heb een klacht gekregen van een vrouw die denkt dat u haar volgt. Ik neem aan dat het een vergissing is.'

Geen reactie. Alleen twee erg witte boze ogen die haar aanstaarden vanonder de glanzende krullen.

'Mag ik uw identiteitsbewijs even zien?'

De Piet gromde. Hij stak een gehandschoende hand onder het losse elastiek van de groene pofbroek, wriemelde wat en haalde iets tevoorschijn wat ze onmiddellijk herkende.

Het was de kaart van Koeman, ook een rechercheur in burger uit het team van Vos.

Ze nam hem op en onderdrukte een lachje. Koeman vouwde zijn groene armen voor zijn borst en tikte met zijn rechtervoet op straat.

'Ben je aan het werk?' vroeg ze. 'Of doe je dit voor je lol?'

Aangezien Koeman zich het grootste deel van de tijd als een zak gedroeg, leek het een voor de hand liggende vraag.

'Wat denk je zelf?'

'Geen idee. Daarom vraag ik het.'

Hij sloot zijn ogen even.

'Ik heb straatdienst.'

Ze wees op de vrouw die had geklaagd. Renata Kuyper priemde opnieuw een vinger in de richting van de agente.

'Heb jij haar helemaal vanaf de Herenmarkt hiernaartoe gevolgd?'

'Nee,' zei hij op beledigde toon. 'Waarom zou ik dat doen?'

'Ze zegt dat ze door een zwarte Piet is gevolgd. In een groen pak.'

Koeman reikte in zijn tas en bood haar met een norse blik een hand kruidnootjes aan.

De fanfare was gestopt, en ze konden Renata Kuyper uit alle macht horen schreeuwen, zelfs boven het aanzwellende rumoer van de menigte uit. Bakker wierp een blik op het bordes van de schouwburg. Sinterklaas was verschenen, samen met de burgemeester, en ze liepen naar de microfoon.

Er miste iets.

Het meisje in het roze jasje.

Bakker liep haastig terug. Koeman volgde haar.

'Henk! Henk!' riep Renata Kuyper in haar telefoon. 'In godsnaam,

waar zit je? Kom alsjeblieft hiernaartoe. Ik ben Saskia kwijt...'
Ze zweeg en wierp een dreigende blik op Koeman.
'Hij is rechercheur,' legde Bakker uit.
De vrouwelijke agente begon boos te worden.
'Zoals gezegd, het is Sinterklaas. Er raken wel vaker kinderen zoek in de drukte. We vinden haar wel. Jezus. U hoeft niet zo'n stampij te maken.'
De vrouw was nog steeds aan de telefoon en schreeuwde – zo nam Bakker aan – tegen de voicemail.
'We vinden haar wel,' herhaalde Bakker.
De commotie had nu ook de aandacht van Pieter Vos getrokken. Hij klopte de dronkenlap op de rug, adviseerde hem naar huis te gaan en kwam op het groepje af. Vos en Van der Berg leken Koeman onmiddellijk te herkennen. Misschien deed hij dit elk jaar.
Bakker keek naar hen: radio in de hand, alert, klaar om in actie te komen.
'We hebben een vermist meisje. Roze jas.' Ze draaide zich om naar de vrouw. 'Hoe heet ze?'
Renata Kuyper gaf het op en liet haar telefoon zakken.
'Saskia Kuyper. Ze is pas acht.'
Ze leek precies op haar moeder, herinnerde Bakker zich. Hetzelfde gespannen, smalle, bleke gezicht.
Vos knikte, stelde zich voor en begon uit te leggen dat er overal op het plein agenten rondliepen die erop getraind waren om zoekgeraakte kinderen terug te vinden. Het gebeurde elk jaar wel een paar keer, en ze doken altijd weer op.
Het volgende moment nam Sinterklaas het woord. Een diepe, rechtschapen stem galmde over het Leidseplein.
'Kinderen van Amsterdam...'
De eerste explosie daverde over het plein, zwaar, krachtig en pijnlijk. Het geluid ging vergezeld van een verblindend licht dat directe omstanders deed duizelen en door hun knieën deed zakken.
Er volgde een secondenlange, geschokte stilte. Toen klonk een uitzinnige, doordringende schreeuw. De eerste van vele.

Die avond, toen er op de Marnixstraat tijd was voor een adempauze, zou worden vastgesteld dat de aanslag bij lange na niet zo bedreigend was geweest als hij had geleken. De explosies waren veroorzaakt door flitsgranaten: beangstigend, maar relatief onschuldig. Een politieagent had lichte brandwonden opgelopen toen hij had geprobeerd er een weg te halen bij een groepje kinderen in de buurt van de schouwburg. Zeven omstanders waren in het ziekenhuis behandeld voor een shock, of omdat ze tijdens de paniek die was uitgebroken een hersenschudding of een gebroken arm of been hadden opgelopen.

Het had allemaal veel erger kunnen zijn. Maar – en dat gold voor iedereen op het Leidseplein die middag – Hanna Bublik en haar dochter Natalya wisten daar niets van. Het enige wat ze zagen was chaos. Op het moment dat Sinterklaas op het bordes aan zijn toespraak begon, zag ze iets door de lucht vliegen wat vlak voor de schouwburg op de grond belandde en plotseling met een flits en een enorme knal ontplofte. Er volgden nog twee explosies, waarna de situatie op het plein – waar duizenden mensen aanwezig waren, onder wie jonge kinderen – volledig uit de hand liep.

Ze had zelf de oorlog in Gori meegemaakt. Ze wist hoe een granaat klonk. Ze herkende het felle, verblindende licht en de oorverdovende knal die daar direct op volgende. Toen het derde projectiel op het overvolle plein ontplofte, voelde ze behalve de vertrouwde paniek een grimmige vastberadenheid.

Vluchten.

Overleven.

Schuilen.

Zonder een woord te zeggen pakte ze Natalya's hand vast en trok het meisje naar zich toe. Ze keek om zich heen. Ze zag een zee van ontzette, verbijsterde gezichten. Het ene moment was het Leidseplein nog een vrolijke mensenmenigte, het volgende een angstig gillende horde. Ze kende dit gedeelte van de stad nauwelijks, en ze had er geen idee van waar ze naartoe moest.

Gori bleef om allerlei redenen door haar hoofd spoken. Daar was ze jong, onschuldig en bang geweest. Terwijl haar echtgenoot met een geweer in zijn hand rond hun huisje had geslopen, vastbesloten om zijn vrouw en zijn dochter te beschermen, had zij zich met Natalya schuilgehouden in het zolderkamertje, zich afvragend hoe de wereld zo was geworden.

Het enige wat ze wilden was geborgenheid en wat geld. De spelletjes die de politici speelden – culturen en talen tegen elkaar opzetten om er zelf beter van te worden –, betekenden niets op het dierbare plekje dat ze hun thuis noemden. Maar plotseling was het monster opgedoemd: tanks, soldaten, militaire voertuigen en zware wapens die de stad omsingelden en haar opsplitsten in twee partijen, overwinnaars en verslagenen, verenigd door bloed.

Met haar kindje in haar armen had ze ternauwernood het vege lijf weten te redden, en toen ze in de buurt van de weg die naar hun eenvoudige huisje voerde een glimp had opgevangen van het verminkte lichaam van haar echtgenoot, had ze gezworen zich nooit meer te laten intimideren. Als de zwartheid opnieuw over haar zou neerdalen, zou ze vechten, ervoor zorgen dat niemand de mensen van wie ze hield iets zou aandoen.

In de chaos op het Leidseplein betekende dat maar één ding: denk aan jezelf en aan je kind, aan niemand anders. Ze greep met haar linkerarm Natalya's roze jasje vast en begon zich met haar ellebogen een weg door de meute te banen. Verderop was een smal straatje. Niet al te druk. Andere mensen leken een goed heenkomen te zoeken in de richting van de bredere straten.

Vastberaden, en vloekend in een taal die niemand anders begreep, haastte ze zich ernaartoe, weg van de rook en de paniek op het plein.

Je zegt geen sorry. Je biedt geen excuses aan.

Dit was de wereld die ze kende, een wereld waarin ze op eigen kracht moest zien te overleven. En overleven zouden ze.

Met Natalya dicht tegen zich aan gedrukt baande ze zich vechtend, schreeuwend, stompend en trappend een weg naar de rand van het plein. Waren er meer explosies? Ze wist het niet. Dit was Gori niet. Ze zag geen lichamen op de grond. Geen bloed. Alleen angst en paniek. Dat was voldoende.

Ze had geen idee hoe lang het duurde. Op een gegeven moment werd het duwen en trekken minder. Ze vond de ruimte om voorover te buigen en haar dochter op de arm te nemen, zoals ze in Gori had gedaan. Nu was het een ander kind. Natalya sloeg haar sterke armen om haar hals. Hanna had moeite met haar gewicht en worstelde zich een weg door de uitdunnende menigte.

Achter hen gilden sirenes. Mensen schreeuwden. Via de geluidsinstallatie die Sinterklaas had gebruikt werden berichten omgeroepen. Verzoeken om kalm te blijven. Te voorkomen dat mensen onder de voet werden gelopen. Te wachten op hulp.

Niemand had dat in Georgië gezegd. Om de eenvoudige reden dat er geen hulp was gekomen.

Nog een laatste duw en ze waren erdoor. Hijgend, licht in het hoofd en met pijnlijke armen van het gewicht van haar dochter liet ze het tumult achter zich. Ze droeg Natalya de smalle straat door en schoot een donker, doodlopend steegje naast een shoarmazaak in. Ze zette haar dochter op de grond en vroeg zich af wat ze moest zeggen.

Natalya had een blik in haar ogen die Hanna Bublik maar al te goed kende. Het was niet alleen angst. Het was ook een boze, niet-begrijpende verbijstering waarin een vraag lag die nooit zou worden beantwoord. Waarom?

'Mama,' zei ze met een zacht, angstig stemmetje terwijl ze wachtten in de schaduw.

'Maak je geen zorgen, schat,' zei Hanna. 'Het is voorbij. We blijven hier. Alles komt...'

Om de een of andere reden moest ze steeds weer denken aan wat Chantal Santos had gezegd. Ze hadden meer geld nodig. Een beter leven dan dit. Als dat betekende dat ze de naam van een Turkse crimineel op haar schouder moest laten tatoeëren, was dat misschien niet eens zo veel gevraagd.

Het geluid van de sirenes achter haar nam in kracht af. Misschien was het allemaal een zieke, wrede practical joke. Misschien was er niemand gewond. Ze had Amsterdam leren kennen als een weliswaar verdorven, maar veilige stad.

'Alles komt goed.'

'Mama,' zei Natalya opnieuw. De angst was nog steeds niet uit haar stem verdwenen.

Haar moeder keek op. Het meisje had haar blik niet op haar moeder gericht. De arm van haar opvallende roze jasje was uitgestrekt in de richting van iets wat Hanna niet kon zien.

Toen ze zich omdraaide verscheen er iets groens in haar blikveld, gevolgd door pijn. En daarna de zwartheid, toen de wereld begon te draaien en ze op de harde, koude straatstenen terechtkwam.

Er bestond een procedure voor dit soort situaties. Een verzameling richtlijnen die door de jaren heen met veel geduld was opgesteld en geoefend. De hulpdiensten begonnen te arriveren en politieagenten probeerden de mensen weg te loodsen van de plaats waar de explosies zich hadden voorgedaan.

Vos en Bakker hadden alles op alles gezet om na te gaan of er gewonden waren, terwijl Van der Berg zonder een woord te zeggen in de richting van de tramhalte was vertrokken, waar de granaten vandaan leken te zijn gekomen.

Mevrouw Kuyper werd steeds hysterischer. Ze schreeuwde afwisselend de naam van haar dochter en krijste in haar mobieltje in een poging haar echtgenoot te pakken te krijgen.

Bakker probeerde haar gerust te stellen. Vos zei dat ze ermee op moest houden. Het Leidseplein was vol met mensen die familieleden uit het oog waren verloren. Ze hadden andere prioriteiten. Ze moesten de veiligheid van de aanwezigen zien te garanderen.

Renata Kuyper slaakte een aantal luide vloeken en begon zich een weg door de menigte te banen. Ze bewoog haar hoofd koortsachtig van links naar rechts en riep de naam van haar dochter.

Vos nam haar bij de arm en hield haar tegen.

'We vinden uw dochter wel. U kunt het beste hier blijven...'

Het volgende moment ging haar telefoon, en ze keek op het schermpje. Hoop, angst en verwarring wisselden elkaar af op haar gezicht.

'Dat heb je niet nodig,' zei de Zwarte Piet, en hij pakte het mobieltje uit Saskia Kuypers hand toen ze op het icoontje van haar moeders nummer drukte.

Ze knipperde met haar ogen en zei niets. Dit was een volwassen man. Iemand die hoorde te weten hoe de dingen werkten. Toch leek hij nerveus. Misschien wel meer dan zij.

'Daar laten ze bommen mee afgaan,' voegde hij eraan toe. 'Door een nummer te bellen.'

Hij stak het mobieltje in zijn zak. Zijn groene pak glansde in de winterzon.

Ze huiverde, ondanks haar roze My Little Pony-jas, keek naar hem, maar bewoog zich niet. Hij had haar gevonden onder het bordes van de schouwburg, waar ze de commotie had willen ontvluchten.

Ze had nooit eerder zo veel herrie gehoord, en ze had er geen idee van waar haar moeder stond. Ze was alleen een stukje naar voren gelopen om Sinterklaas te kunnen zien op het bordes. Juist toen ze een glimp van een man in een rood pak had opgevangen, had de grond onder haar voeten gebeefd.

'Je vader zoekt je, Saskia. Je moeder ook. Ik breng je wel naar ze toe.'

Hij had een afstandelijke, buitenlandse stem en sprak in het Engels. De klank ervan paste niet bij het zwarte gezicht, de felrode lippen en de hagelwitte tanden.

Ze bleef staan waar ze stond. Hij reikte in zijn tas en hield haar wat snoepgoed voor.

'Toe maar,' zei hij, terwijl ze naar de glimmende voorwerpen in zijn witte handschoen staarde.

Papa hield niet van snoepgoed. Hij zei dat het slecht was voor je tanden. Dat je ingewanden ervan gingen rotten. En dat je er net zo van ging ruiken als de andere kinderen.

Saskia stak haar hand uit om een snoepje te pakken. Zijn vingers sloten zich om die van haar. Niet zo krachtig dat ze wilde schreeuwen, maar wel genoeg om ze niet los te kunnen trekken.

'Ik zal je laten zien waar ze zijn,' zei hij, en hij wees in de richting van de brug over de gracht.

De Prinsengracht. Haar vader ging daar soms naar een kantoor. Ze was een keer met hem meegegaan en had urenlang in haar eentje in een kamer gezeten terwijl hij aan het werk was.

Misschien...

'Kom maar mee,' zei hij, en hij trok aan haar hand.

Ze verroerde geen vin, plaatste de hakken van haar zwarte lakschoentjes stevig op het trottoir en leunde naar achteren om hem tegen te houden. Vervolgens stak ze haar hand in de jaszak van zijn groene pak en griste het telefoontje eruit dat ze voor haar achtste verjaardag had gekregen. Een goedkope Samsung. Niet de iPhone waar ze om had gevraagd.

We moeten haar niet verwennen.

Mama zei dat vaak.

'Ik kan ook gewoon even bellen,' zei ze tegen hem. Ze plaatste haar vinger op het schermpje en hield hem op zijn plek. Ze kon nog net de bezettoon horen voordat hij de telefoon uit haar handen trok, haar bij de schouder pakte en haar meesleurde door de chaotische mensenmassa die alleen oog had voor zichzelf.

Zo kon het komen dat niemand het meisje opmerkte, dat zich krijsend verzette terwijl een gestalte in het groen haar wegloodste uit de chaos op het Leidseplein in de richting van de lege straten verderop.

Aan de andere kant van het plein, in de kolkende massa, staarde haar radeloze moeder nog steeds naar het scherm van haar telefoon.

Ze zag ertegenop de ringtoon die ze voor hem had ingesteld te beantwoorden.

Maar ze had gewoon geen keus.

'Henk,' zei ze voordat hij iets kon zeggen. 'We zijn op het Leidseplein. Je moet nu meteen komen.'

Er volgde een korte stilte. Hij zou haar hiervan de schuld geven. Ze zag de zure, veroordelende blik al voor zich.

Maar ze moest het zeggen.

'Saskia is zoek. Ik weet niet waar ze is.'

Twee minuten na de eerste explosie belde Frank de Groot, de commissaris van het bureau aan de Marnixstraat, met Vos om te vragen of alles in orde was met hem en zijn team.

'Voor zover ik dat kan beoordelen wel,' zei Vos tegen hem. 'Weet je al of er slachtoffers zijn?'

'Het ziet eruit als vuurwerk,' zei De Groot. 'Op de monitors in elk geval. Maar...'

'Heb je gekeken?'

Er volgde een korte stilte, en toen: 'Wat dacht jij dan?'

'Kun je zien wie die granaten heeft gegooid?'

'Iemand in een groen pietenpak. In de buurt van de tramhalte.'

Precies waar Van der Berg had gezegd.

'Dirk is ermee bezig,' zei Vos. 'We gaan zo naar hem toe. We hebben een vrouw gesproken die zei dat ze vanaf de Herenmarkt door zo iemand was gevolgd. Check anders de camera's even. En stuur nog wat mensen...'

'Ho, ho, ho,' onderbrak De Groot hem. 'Het ziet ernaar uit dat dit buiten onze bevoegdheid valt. Terrorisme...'

'Sinds wanneer gooien terroristen met vuurwerk?' vroeg Vos.

Mevrouw Kuyper was nog steeds aan de telefoon. Ze had tranen in haar ogen. Bakker stond bij haar. Dit was niet de aanslag die Vos in eerste instantie had gevreesd. Er was nergens bloed te zien. Er waren alleen een hoop geschokte en bange mensen.

Voordat De Groot kon antwoorden, voegde Vos eraan toe: 'Ik heb hier ouders die hun kinderen kwijt zijn. We moeten een verzamelpunt opzetten.'

'Ja, oké. Maar ik wil niet dat je achter mensen aan gaat. De AIVD zit op de zaak.'

Vos vroeg zich even af of hij het goed had gehoord. De Algemene Inlichtingen- en Veiligheidsdienst was verantwoordelijk voor de nationale veiligheid. De dienst maakte geen deel uit van de politie. En de timing…

'Nu al?' vroeg hij. 'Het is net drie minuten geleden gebeurd. Zaten ze erop te wachten of zo?'

'Heb je de dienstmededeling niet gelezen voor je aan het werk ging?' vroeg De Groot. 'Het dreigingsniveau is verhoogd tot substantieel. Het heeft te maken met die imam die in de gevangenis zit. Er stond in dat…'

'Ik dacht dat het over Sinterklaas ging,' bekende Vos. 'Niet over terroristen.'

'Ja. Nou ja…' De Groot was iemand die zelden aarzelde.

'Wat wil je dat ik doe, Frank?'

'De AIVD heeft een stel mensen op het Leidseplein.'

'Dus ze wisten dat dit kon gebeuren?' vroeg Vos opnieuw.

'Niet alles tegelijk,' antwoordde De Groot geërgerd. 'De baas heet Mirjam Fransen. Als…'

'Wat wil je dat ik doe?'

De Groot liet een stilte vallen. Ten slotte zei hij: 'Wat ze maar van je vragen. Denk je echt dat we geluk hebben gehad? Dat er niemand gewond is?'

Vos keek om zich heen. Het begon langzaam maar zeker wat rustiger te worden. Er werd niet meer geschreeuwd. De mensen probeerden hun zelfbeheersing terug te vinden. En hun kinderen.

'Het lijkt er wel op. We moeten het hele plein ontruimen.' Hij herinnerde zich verhalen over bomaanslagen in het verleden. In een aantal gevallen was sprake geweest van een valse start om mensen naar een andere locatie te lokken die uiteindelijk veel gevaarlijker was gebleken. 'Wie weet wat we nog meer kunnen verwachten?'

Opnieuw een lange pauze.

'Dat heb ik ook gezegd,' antwoordde De Groot. 'Maar die dame van de AIVD vond het allemaal onzin. Ze willen geen paniek. Iedereen moet rustig vertrekken. Daarna kunnen zij hun mensen eropaf sturen.'

Vos knikte en zei min of meer tegen zichzelf: 'Is dat wel zo'n goed idee?'

'Luister, Vos. Blijf gewoon waar je bent en doe wat je kunt. Ik neem wel weer contact met je op,' zei De Groot, en hij verbrak de verbinding.

Er kwam een lange man op hen af. Op Renata Kuypers gezicht verscheen een blik die tegelijkertijd dankbaar en behoedzaam was. De man bleef voor haar staan, en ze keken elkaar aan. Hij was mager en droeg een duur uitziende winterjas die hem een zakelijke uitstraling gaf. Vreemd voor een zondag. Hij was begin dertig en droeg een bril met een donker montuur. Zijn haar was donker, en hij had een strak gezicht.

Vos liep ernaartoe. Bakker probeerde behulpzaam te zijn.

'Meneer Kuyper?' vroeg ze.

Hij knikte.

'We vinden uw dochter wel,' voegde ze eraan toe.

Kuyper schonk zijn vrouw een verwijtende blik.

'Dat mag ik hopen.'

Van der Berg belde vanaf de andere kant van het plein en zei: 'Ik dacht dat ik hem had, Pieter.'

'En?'

'De AIVD is hier.' Er zat een scherp randje aan zijn stem. Niemand vond het prettig als deze mensen hun voor de voeten liepen. 'Ze schijnen te denken dat dit hun zaak is.'

Vos vroeg waar hij precies was. Hij gebaarde Bakker dat ze mee moest komen en zei tegen de Kuypers dat ze bij de politie in de buurt moesten blijven. Hij dacht even na en belde Van der Berg terug.

'Ga geen ruzie met ze maken zonder mij,' zei hij. 'Ik ben er over een minuut.'

In het achterafsteegje kwam Hanna Bublik langzaam bij. Haar hoofd bonsde, en ze besefte dat ze op de straatstenen lag. Ze veegde met haar arm over haar voorhoofd. Pijn, maar geen bloed.

Ze keek ongerust om zich heen. In het steegje was niemand te zien. Geen roze jasje. Geen zachte, bezorgde jonge stem.

Terwijl ze overeind krabbelde verdween het winterlicht van de straat en viel er een schaduw op haar. Glanzend groen, een zwart geschminkt gezicht, een grote pruik, rode lippen en geen glimlach. Ze herinnerde zich dat ze in elkaar was gezakt toen Natalya begon te schreeuwen…

Ze was klaar om te vechten.

Maar toen stak hij een hand op, en ze besefte dat deze Zwarte Piet op de een of andere manier anders leek. Respectvol. Hij had iets in zijn vingers. Een politielegitimatiebewijs. Er stond een naam op: Koeman.

'Gaat het?' vroeg hij. 'Ik ben van de politie.' Hij deed een stap naar achteren zodat het licht op haar viel. 'Wat is er gebeurd?'

'Natalya...'

Ze beende langs hem heen en liep het plein op. Het was afgeladen, maar ordelijker dan ze het zich herinnerde. De geluidsinstallatie waarvan Sinterklaas gebruik had gemaakt spoorde iedereen aan om het plein rustig te verlaten via de meest voor de hand liggende route.

'Iemand heeft me bewusteloos geslagen en mijn dochter meegenomen.'

'Waar komt u vandaan?' vroeg hij.

Het leek een onzinnige vraag.

'Wat maakt dat nou uit? Begrijpt u wat ik zeg?'

'Is – alles – oké?'

'Ja!' riep ze, en ze voegde er een aantal vloeken aan toe die hij onmogelijk kon begrijpen. 'Waar is mijn dochter? Iemand heeft haar meegenomen!'

'Er zijn momenteel tientallen ouders op zoek naar hun kind,' beet de agent die Koeman heette haar toe. 'Een of andere gek heeft een stel rookbommen laten afgaan of zo. Hoe heet ze?'

'Natalya.'

Hij veegde langs zijn wang met de mouw van zijn groene pak. De schmink begon af te geven. Ze zag dat er een bleek gezicht onder zat. Hij leek moe. Verward. Boos.

'Of weet u wat,' zei Koeman, 'mag ik uw identiteitsbewijs even zien?'

In het besef dat ze van de regen in de drup belandde, zocht ze met tegenzin in haar tas en overhandigde hem haar paspoort. Hij keek er even naar.

'Toerist?'

'Ik woon hier. Mijn dochter heet Natalya Bublik. Ze is acht. Wanneer gaat u haar zoeken?'

Hij gaf het paspoort terug.

'Werkt u hier?'

'Doet dat er iets toe?'

Hij nam haar op. Ze kende die uitdrukking.
'Ze is acht...'
'Dat hebt u al gezegd,' onderbrak hij haar. Hij haalde een notitieboekje uit zijn groene broek en krabbelde er iets op. 'Ik zal haar naam doorgeven.' Hij overhandigde haar het notitieboekje en de pen. 'Blijf aan de rand van het plein en hou de mededelingen in de gaten. Er komt een verzamelpunt voor vermiste kinderen...'
Op dat moment werd het haar te veel.
'Een of andere klootzak heeft me bewusteloos geslagen en mijn dochter meegenomen.'
Ze greep het groene jasje vast. 'Hij zag er precies zo uit als u. Wie bent u...?'
'Of misschien is ze ervandoor gegaan,' zei de agent. 'Bang geworden.' Hij haalde zijn schouders op. 'Er lopen hier vandaag een hoop mensen rond die zich een ongeluk zijn geschrokken. Duizenden. We werken eraan. Hanna...'
De manier waarop hij haar naam uitsprak was voor haar genoeg. Deze man had prioriteiten. En een verdachte Georgische vrouw die haar dochter kwijt was behoorde daar niet toe.
Ze trakteerde hem op een paar vloeken en ging zelf op zoek naar Natalya.

Van der Berg stond bij de tramhalte en begon boos te worden. De menigte was bezig zich te verspreiden. De medische teams deden hun werk, wat aanzienlijk minder was dan ze hadden verwacht.
Toen Vos en Bakker arriveerden, was hij in discussie met een vrouw van halverwege de dertig. Ze had een spits gezicht, ravenzwart haar en droeg een zwarte regenjas. Haar huid had een kleur die afkomstig moest zijn van een zonnestudio.
'Hij ging die kant op,' hield de rechercheur vol, en hij priemde een vinger in de richting van de Lijnbaansgracht, een smalle straat die in de richting van muziekcentrum De Melkweg voerde.
'Dat weten we,' zei de vrouw, en ze haalde een groot formaat smartphone tevoorschijn.
Vos liep op het tweetal af en stelde zichzelf en Bakker voor. Het was Mirjam Fransen van de AIVD, de vrouw over wie De Groot het had gehad. Ze beschikte op de een of andere manier al over gecombineerd beeldmateriaal van de camera's op het plein. Ze zagen hoe een zwar-

tepietfiguur in een groen pak zijn arm boven de menigte uitstak en de eerste granaat gooide. Ergens verscheen een rookwolk. Toen nog twee.

'Jullie zijn verantwoordelijk voor de ordehandhaving,' zei Mirjam Fransen tegen hen. 'Zorg ervoor dat de mensen het plein veilig verlaten en kijk of jullie wat van die vermiste kinderen bij hun ouders terug kunnen krijgen.'

'Als jullie hulp nodig hebben...' zei Vos.

De megatelefoon ging over. Ze beantwoordde de oproep met behulp van een oortje. Het bericht was kort en leek haar te bevallen.

'Niet nodig,' zei de vrouw tegen hem. Ze draaide zich om in de richting van de Lijnbaansgracht en verdween in de menigte.

Rennen.

Hij was er nooit goed in geweest, ook niet voordat hij zijn naam had veranderd.

Hij voelde zich kleverig in het groene pak, en hij was zich ervan bewust dat zijn zwarte schmink begon uit te lopen door het zweet. De warme, ongemakkelijke pruik had hij afgezet, waarna hij via de smalle straat was teruggerend naar de plek waar hij de verstopte spullen had opgepikt.

Het geld zat in zijn zak. Het was meer dan hij ooit had gehad. Hij had er alleen geen idee van hoe hij het moest gebruiken. Hoe hij het moest uitgeven om uit Amsterdam weg te komen. De man had gezegd dat hij het zou regelen. De man had gezegd dat hij op de plaats zou staan waar de spullen hadden gelegen. Hij had er moeten zijn. Bouali had alles gedaan wat hem was gevraagd. Hij had de granaten gegooid, hoewel het meer speelgoeddingen hadden geleken. Hij had het meisje meegenomen, zoals ze hadden gevraagd. Hij had haar naar de plek gebracht die op de kaart was aangegeven. Daar had hij de zaak geregeld zonder zich af te vragen waar hij mee bezig was.

Maar het enige wat hij op die smerige, donkere locatie had aangetroffen was rommel en een paar ratten. Het tumult op het Leidseplein en het sporadische geluid van een sirene klonken als kattengejank in de verte.

Hij wachtte twee minuten. Vervolgens trok hij de rest van het zwartepietenpak uit. Eronder droeg hij een wit sweatshirt en een spijkerbroek. Het enig overgebleven voorwerp was de rode tas die voor het snoepgoed was bedoeld. Het geld zat erin. En belastend bewijsmateriaal. Hij haalde de bankbiljetten, het pistool en de kogels eruit en gooide de rest in de gracht.

De afgelopen drie nachten hadden ze voor hem een kamer geregeld in een flat voor restaurantpersoneel, niet ver van het Centraal Station. Het was te gevaarlijk om daar nu naar terug te gaan. Zijn paspoort zat in de achterzak van zijn spijkerbroek. Zijn oude Engelse naam. Een foto van vroeger.

Misschien…

De sirene kwam dichterbij. Hij kon niet helder denken.

Hij stak zijn hoofd om de hoek en keek in de richting van het Leidseplein.

Vervolgens draaide hij zich om en begon weer te rennen. Een man met een glimmend, zwart gezicht waarvan de schmink op zijn witte sweatshirt druppelde, zwaaiend met zijn armen en met een pistool in zijn broek. Hij vluchtte onzeker in de richting van een wirwar van smalle straatjes en steegjes en grachten. De Jordaan.

Henk Kuyper leek geen bezwaar te hebben tegen het verzoek van de politie. In de buurt van de schouwburg blijven en kijken hoe de bedrukte, ontredderde menigte het Leidseplein verliet. Luisteren naar de geluidsinstallatie die de mensen verzocht rustig te blijven. Zijn radeloze echtgenote beloven dat alles in orde zou komen. Iedereen was veilig.

Het verzamelpunt voor vermiste familieleden was vlakbij. Vijftien minuten later was hun dochter nog steeds niet terecht.

Zijn vrouw keek naar hem en zei: 'Dit is niet mijn schuld.'

'Wiens schuld is het dan wel?' vroeg hij, terwijl hij met samengeknepen ogen het plein afspeurde.

'Waarom geef je mij altijd de schuld?'

'Dat doe ik niet.'

'Je had ook mee kunnen komen, Henk. Je had erbij kunnen zijn. Misschien zou…'

Henks kille, droevige blik legde haar het zwijgen op. Dat lukte hem altijd als hij wilde.

Ze haalde haar telefoon tevoorschijn. Die ochtend, voordat ze zich zorgen was gaan maken over de Zwarte Piet die hen volgde, was ze met de oranje bakfiets blijven staan op het plaatsje voor het Anne

Frank Huis aan de Prinsengracht. Daar had ze een foto gemaakt van Saskia in de fietsbak.

Het blonde haar netjes gekamd. Acht jaar oud en in haar roze jasje met pony's erop. Zich uitslovend om te glimlachen naar een groepje verveelde toeristen dat stond te wachten voor een museum dat aan een ander verdwenen kind was gewijd.

Maar dit was niet die afschuwelijke wereld. Dit was geen bezet Amsterdam dat overheerst werd door monsters. Dankzij Henks familie hadden ze het financieel goed en waren ze in staat om de ergste klappen van de ingestorte economie op te vangen. Door zijn werk was hij in conflict geraakt met zijn bezadigde, aristocratische vader. Maar Lucas Kuyper had de geldkraan niet dichtgedraaid. Hij was er altijd voor ze. Een stille, grijze tegenwoordigheid die klaarstond om te helpen wanneer dat nodig was.

De naam Kuyper dateerde van eeuwen terug en behoorde tot de kleine Amsterdamse adel. De Kuypers zorgden goed voor hun familie en lieten niemand vallen.

'Dit soort dingen gebeurt niet met ons,' zei ze tegen hem op een toon alsof ze zichzelf daarvan probeerde te overtuigen.

Ze liep bij hem weg toen ze bij het verzamelpunt waren en omklemde de telefoon met haar hand. De foto van Saskia was er nog: een klein meisje in een bakfiets. De roze jas was te groot. Hij paste sowieso niet bij haar. Ze droeg hem alleen omdat Henk met het ding was thuisgekomen en had gezegd dat hij hem in een opwelling had gekocht. Een cadeautje. Zomaar. Dat deed hij af en toe. Hij hield van zijn dochter. Meer dan van zijn vrouw.

Met haar arm in de lucht en de telefoon met de foto in haar hand baande Renata zich een weg door de uitdunnende menigte. Ze liet iedereen Saskia's foto zien met de vraag of iemand misschien wist waar haar dochter was.

Er kwam een beeld in haar op. Deden moeders overal op aarde niet hetzelfde? In arme landen? Landen waarvan Henk dacht dat hij ze hielp? Als er een bom ontplofte? Of sluipschutters zich verschansten in nabijgelegen gebouwen?

Een moeder. Een verdwenen kind. Was er verschil tussen een Amsterdamse echtgenote uit de betere kringen en een vluchtelinge van wie de zoon of dochter uit haar leven was weggerukt?

Henk zou daar wel iets over weten te zeggen. Een sneer om haar duidelijk te maken hoe dom ze was om zoiets te denken. Wat haar – hun – mening ook was, de maatschappij dacht er anders over. De armen waren arm. De rijken waren rijk. En niemand daartussenin leek in staat om daar ook maar iets aan te veranderen.

Henk stond bij de andere zenuwachtige ouders. Wachtend op het moment dat deze vreemde dag tot een goed einde zou komen. Alsof ze de bakfiets zouden ophalen, Saskia erin zouden zetten en gewoon naar huis zouden gaan. Samen avondeten en over ditjes en datjes praten terwijl hij de onvermijdelijke fles wijn opende. Na afloop zou hij naar zijn kantoor in het dakkamertje gaan om zich te verliezen in de computer en alle mensen die hij op aarde kende. Voor haar waren het vreemden, maar hem lagen ze nader aan het hart dan zijn eigen vlees en bloed.

Ze struikelde toen ze van het trottoir stapte en het plein op liep. Er verscheen een hand die voorkwam dat ze viel. Ze keek op en deinsde terug. Een zwartepietenpak. Ditmaal rood. Opnieuw hetzelfde zwarte gezicht.

Renata deed een stap naar achteren en liet de telefoon zien. Het koddige hoofd schudde van nee.

Ze haastte zich verder en hield iedereen aan die ze tegenkwam. Ze was zich ervan bewust dat het zinloos was. Irrationeel zou Henk zeggen. Onbezonnen. Onproductief. Maar wat moest ze anders?

Een paar minuten later bevond ze zich aan de overkant. Ze draaide zich om en zag hoe de mensen rustig het plein verlieten. De meldingen over de luidsprekers leken minder dwingend. Eerder bemoedigend en geruststellend. Vermisten werden naar het verzamelpunt geroepen. Vlak bij de plek waar Henk had gestaan.

Met haar verstand op nul bleef ze met de foto zwaaien. Nergens ook maar een teken van Saskia. Plotseling viel er een schaduw op de telefoon, en ze zag een hand die ernaar reikte.

Een vrouw van ongeveer haar leeftijd. Met een harder gezicht. Slanker, en gekleed in een goedkoop nylon jack en een zwarte spijkerbroek. Een wanhoop in haar ogen die Renata dacht te herkennen.

‘Hebt u haar gezien?’ vroeg ze de vrouw.

Een woordenstroom. Een vreemde taal. Onverstaanbaar. De hand ging opnieuw naar de telefoon, en Renata dacht: verkeerde plaats en verkeerde tijd voor een roofoverval. Amsterdam verkeerde in chaos, en dit buitenlandse kreng wilde een telefoon pikken met een foto van een jong meisje op het scherm. Een glimlachend meisje in een roze jas.

Ze trok de telefoon weg, deed een stap naar achteren en staarde naar de vrouw. Alsof ze het had moeten weten.

Niet nu. Niet nu er een kind wordt vermist.

De vrouw pakte haar arm met de telefoon, bracht het scherm naar haar gezicht en tuurde naar de foto.

Het volgende moment liet ze los met iets wat klonk als een zachte vloek in een vreemde taal. Met hangende schouders en tranen in haar ogen verdween ze in de menigte.

De telefoon ging. Henks nummer.

'Ik heb haar,' zei hij, verder niets.

Vos was de eerste die ze zag. Een groep mannen in het zwart, gewapend en met bivakmutsen op. Ze haastten zich naar de uithoeken van het plein en in de richting van De Melkweg. AIVD-agenten, nam hij aan.

Het interesseerde hem niet dat De Groot had gezegd dat hij zich er niet mee mocht bemoeien. Dit was zijn stad. Dit waren zijn mensen. Types in bivakmutsen hoorden hier niet thuis.

Koeman, die bezig was het laatste restje zwarte schmink van zijn gezicht te vegen, klaagde zoals gewoonlijk. Over wat een zootje het allemaal was. Dat mensen – ook de politie – niet wisten wat ze moesten doen.

'Dirk,' zei Vos tegen Van der Berg. 'Jij regelt de boel hier.' Hij wierp een blik op Bakker en Koeman, zei dat ze met hem mee moesten komen en begon zich een weg te banen door de mensen die het plein verlieten. Toen hij aan de andere kant stond, keek hij de smalle straat in die naar het muziekcentrum voerde. De mannen van de AIVD waren er al voorbij en renden nu langs de grijze gebouwen aan het Raamplein achter een verre gedaante aan die voortdurend over zijn schouder keek en inmiddels de volgende brug had bereikt.

Een man in een wit sweatshirt en een spijkerbroek. Een zwart geschminkt gezicht, zoals dat van Koeman.

Vos zette zich in beweging. Meer dan een drafje kon hij er niet van maken. Bakker, die jonger was, en fitter dan de rest, begon te rennen. Haar lange benen en lange armen maakten pompende bewegingen en haar rode haar wapperde achter haar aan.

'Ze zijn gewapend,' riep Vos in de wetenschap dat het zinloos was om haar duidelijk te maken dat ze afstand moest houden.

'Ik ook,' riep ze over haar schouder, en ze klopte op haar jas. Even later was ze over de licht oplopende brug. Haar zware voetstappen op de straatstenen maakten zo veel lawaai dat een groepje meerkoeten geschrokken begon te klapwieken en wegrende over het water.

Vos had zijn pistool zoals gewoonlijk in zijn kluisje laten liggen. Het was immers de intocht van Sinterklaas. Waarom zou hij een wapen nodig hebben?

Ongeveer vierhonderd meter verderop schoot de vluchtende man een zijstraat in, achtervolgd door zwarte gestalten. Bakker was zo snel dat ze op hen begon in te lopen. Ze was ondertussen te ver weg voor Vos om nog iets tegen haar te kunnen roepen. Als ze al naar hem zou luisteren. Koeman hobbelde puffend achter hem aan.

De AIVD-mannen renden de hoek om, op de hielen gezeten door Bakker.

Op het Leidseplein wachtte Dirk van der Berg af. Hij luisterde naar de radio en keek ondertussen naar de mensen die rustig het plein verlieten. In zijn dertig jaar bij de Amsterdamse politie had hij heel wat meegemaakt, en hij wist één ding zeker: hier klopte iets niet.

Terwijl hij het vrolijk uitgedoste sinterklaaspubliek observeerde, besefte hij plotseling wat het was.

Terroristen zouden geen flitsgranaten in de menigte gooien bij een dergelijk evenement. Dat was niet hun stijl. Terroristen waren of lafaards, of helden. Ze installeerden hun bommen op een verborgen plek, stelden een timer in en maakten dat ze wegkwamen, of ze droegen ze trots op hun lichaam. Bomgordels of wapens die iedereen kon zien, klaar voor het martelaarschap dat ze verwachtten.

'Hier zit een luchtje aan,' mompelde hij, en hij liet zijn blik over het plein gaan.

Renata Kuyper was vertrokken. Haar echtgenoot ook. Hij nam aan dat ze hun dochter hadden gevonden. Waarom zouden ze anders bij het verzamelpunt zijn weggegaan?

Er ontstond een opening in de menigte. Van der Berg keek ernaar. Een grote groep feestelijk uitgedoste kinderen, vergezeld door volwassenen.

In de Leidsestraat, de straat die naar het centrum voerde, stond een zwarte bestelbus geparkeerd, vlak bij de delicatessenwinkel van Eichholz. Gewoon op de tramrails, die vandaag voor een keer niet werden gebruikt omdat het openbaar vervoer volledig was stilgelegd in verband met de sinterklaasintocht.

Terwijl hij keek, bleef er een Zwarte Piet bij de achterdeuren van de bestelbus staan. De man was gekleed in het groen. Hij had een jong meisje met blond haar aan de hand. Ze droeg een roze jas. Terwijl hij haar stevig vasthield opende hij de deuren en duwde haar min of meer naar binnen.

Mensen wilden hun kinderen van de straat hebben. Dat was begrijpelijk, overwoog Van der Berg. Maar de binnenstad was afgesloten voor alle verkeer. Hij zag niet in hoe iemand hier zomaar kon komen.

Toen draaide het kind zich om en zag hij het. Ze hoorde niet bij die man. Ze werd tegen haar wil door hem meegenomen.

Behalve het busje was de straat leeg. Ze konden binnen een paar tellen verdwenen zijn.

Een plotseling gevoel van blinde paniek overviel hem, het soort paniek dat een politieagent soms overvalt als hem allerlei doemscenario's door het hoofd schieten.

Misschien ging dit helemaal niet om onschuldig vuurwerk dat was afgestoken in een mensenmenigte. Niet direct, in elk geval. Het ging erom paniek te zaaien en in de commotie een jong meisje te ontvoeren, wetende dat degenen die er getuige van waren niet zouden beseffen wat er werkelijk aan de hand was.

Hij begon te rennen en te schreeuwen. Juist op dat moment reed een grijze MPV van de AIVD langs die hem de weg versperde. De ramen waren van getint veiligheidsglas en ondoorzichtig voor de buitenwereld. Er volgden nog twee auto's.

Van der Berg sprong naar achteren en vloekte.

Tegen de tijd dat de weg voor hem weer vrij was, was het zwarte busje verdwenen.

Het was een lange weg geweest, van een achterbuurt in Lancashire, waar hij in armoede was opgegroeid met een moeder die nauwelijks tijd voor hem had, via de misdaad, via de gevangenis en via de ontdekking van een soort thuis in een vreemd geloof. Hij was geboren als Martin Bowers, maar de radicale imam in de moskee in Engeland had hem een nieuwe naam gegeven: Mujahied Bouali. Nu was hij vierentwintig en rende hij door een smalle straat in Amsterdam terwijl het zweet door de zwarte schmink op zijn gezicht liep.

Ze hadden hem niet verteld wat hij moest doen als het ernaar uitzag dat hij zou worden aangehouden. Dat was vreemd. De mensen die hem de dag ervoor hadden geïnstrueerd, hadden hem de granaten laten zien die hij later samen met de wapens zou oppikken. Ze hadden hem al het andere verteld. Wat hij moest doen. Hoe hij het moest doen. Waar hij na afloop naartoe moest.

Naar een schuiladres in de rosse buurt. Maar dat was een heel eind hiervandaan. Te ver.

Hij had moeite met de hobbelige straatstenen, en tijdens het rennen viel er geld uit zijn zakken. Er was geen tijd meer om over zijn schouder te kijken. Ze zaten hem op de hielen. Hij probeerde gelijkmatiger adem te halen en harder te rennen, sneller.

Maar de drank en de sigaretten waaraan hij zich als Martin Bowers te goed had gedaan eisten nu hun tol.

Links was een smal steegje. Schaduwen. Misschien kon hij zich daar verschuilen en zouden ze hem voorbijlopen. Hij schoot naar links, struikelde over een scheef liggend putdeksel en sloeg tegen de grond. Hij kreunde toen hij zijn knokkels schaafde, die de stenen raakten toen hij zijn gezicht probeerde te beschermen.

Toen hij opkeek, wist hij dat het voorbij was. Het was een doodlopend steegje met even verderop een hoge bakstenen muur. Geen ramen. Geen mensen. Alleen vuilnisbakken en een geschrokken kat die pijlsnel wegschoot.

'Shit,' mompelde hij. Hij hoorde zijn oude stem, een verbitterd, gruizig dialect uit Lancashire, waaruit alle hoop en het beetje liefde dat er ooit in had gelegen, door de jaren heen waren weggeëbd.

Denk nou zelf eens na.

Dat had hij al een tijd niet gedaan. Zij deden dat voor hem.

Achter hem klonken voetstappen. Een metalige klank waaraan hij niet wilde denken.

Hij zag een vrouw. Streng gezicht en zwart haar. De baas. Dat kon hij zien.

'Doe geen domme dingen,' beval ze in het Engels. 'Je bent aangehouden.' Ze glimlachte. 'We zijn benieuwd naar wat je te zeggen hebt.'

'Ik weet niks,' gromde hij, half verscholen in de schaduwen, starend naar haar harde, uitdrukkingsloze gezicht. 'En zelfs als ik iets zou weten…'

De mannen die om haar heen stonden hadden hun machinepistolen op hem gericht. Maar zij waren niet de enigen met een wapen.

'Dat zullen we nog wel eens zien,' zei ze, en ze knikte naar een grote, sterke man met een bivakmuts die naast haar stond. Hij had een machinepistool in de ene hand en handboeien in de andere. 'Vat hem in zijn kraag.'

'Neem jij bevelen aan van een vrouw?' riep Bouali met zijn ordinaire, Noord-Engelse stem. 'Noemen jullie dat hier een man?'

Haar ogen waren op hem gericht. Kil en emotieloos.

'Doe wat je gezegd wordt, mannetje,' zei ze. 'Je...'

Martin Bowers, bijgenaamd Mujahied Bouali, draaide zich om op de grond, vond het pistool in zijn riem en omklemde de kolf. Soms gebeurden er dingen zonder dat hij erbij na hoefde te denken. Die deed hij dan gewoon.

Hij richtte het pistool op hen voordat hij het zelfs maar besefte.

De telefoon in Vos' jaszak ging. Hij was net voorbij De Melkweg. Hij vloekte, bleef staan en keek buiten adem naar het scherm.

Van der Berg. Niet iemand die tijd of woorden verspilde.

'Ja?'

'Er is hier iets niet in de haak. Volgens mij zag ik net een kind ontvoerd worden. Een roze jas, waar die mensen het ook over hadden.'

'Waar?'

'In de buurt van het plein. Een zwarte bestelbus. Hij is weggereden in de richting van het centrum. Ik had het nummer kunnen hebben als die verrekte AIVD'ers hier niet als gekken zouden rondscheuren.' Een korte stilte. 'Waar zit je? Waar is Laura?'

Achter de AIVD'ers aan. Uit het zicht verdwenen.

'We zijn zo terug. Ik denk dat ze hem te pakken hebben.'

'Wie?' schreeuwde Van der Berg. 'Ik heb hem híér gezien. Hij duwde dat kind in een busje.' Er viel opnieuw een stilte. Ze dachten allebei hetzelfde. 'Zouden er meer dan één zijn?'

'Daar lijkt het wel op...'

De eenden en meerkoeten in de gracht fladderden op en vulden de lucht met het geluid van klapwiekende vleugels en geërgerde, schelle kreten. Het volgende moment klonk het staccato geratel van machinepistolen.

Saskia.

Een roze jas. Een lange gestalte die de hand van een jong meisje vasthield. Renata rende zo hard ze kon door de smalle straat, De Melkweg voorbij in de richting van de Leidsegracht.

Rechts van haar was het moderne, bakstenen politiebureau. Daar hadden ze weinig aan gehad. Het was Henk geweest die haar had gevonden. Roekeloze Henk. Onnadenkende Henk.

Dat zou hij haar voor de voeten werpen. Dat wist ze gewoon. Maar op dat moment kon het haar niet schelen.

Ze rende op haar dochter af, boog zich voorover en sloot haar in haar armen. Ze keek naar haar bleke, verbaasde gezichtje en durfde de voor de hand liggende vraag niet te stellen... *Waar heb jij in vredesnaam gezeten?*

'Alles is goed,' zei Henk op vlakke, verveelde toon. 'Ze was verdwaald. Dat was alles. Laten we naar huis gaan.'

Hij gaf haar een aai over haar bol.

'Ik trakteer op ijs. Of...'

Ergens klonk een schreeuw. En toen een geluid dat op geweervuur leek.

Vervolgens gebeurden er drie dingen tegelijk, niet meer dan een paar passen van elkaar vandaan, op zichzelf staand, maar toch verband met elkaar houdend.

Laura Bakker bereikte het doodlopende steegje waar het AIVD-team naartoe was gerend in hun achtervolging van Zwarte Piet. Op de grond lag een bebloed lichaam in een onnatuurlijke houding. Ernaast stond een vrouw met een hard gezicht in een mantelpakje tegen een radio te schreeuwen.

Er werd een muur van mannen gevormd toen Bakker verscheen. Haar legitimatie deed niet ter zake. Ze hadden machinepistolen. Kogelwerende vesten. Bivakmutsen en een oproeruitrusting. Ze duwden haar achteruit totdat ze niets meer kon zien en lieten haar briesend en vloekend op straat staan. Ze stampte met haar zware schoenen op de klinkers, maar het hielp allemaal niets.

Terwijl de Kuypers hun armen om hun dochter sloegen als een schild kwam er een lange blonde vrouw op hen af rennen. Ze schreeuwde iets in een vreemde taal. Ze was uitzinnig. Radeloos.

Jij hebt geprobeerd mijn telefoon te pikken.

Een willekeurige gedachte. Ongewenst, gezien de omstandigheden. Renata merkte nauwelijks dat haar echtgenoot wegglipte, haar de rug toekeerde en iets mompelde over dat hij iemand moest bellen. Vervolgens verdween hij over de brug.

Pieter Vos zag een deel van deze gebeurtenissen, evenals Laura Bakker, toen ze terugkwam van het bloedige tafereel in het steegje. Hetzelfde gold voor Dirk van der Berg, die inmiddels het Leidseplein had verlaten. Aangezien ze een neus voor problemen hadden werden de drie rechercheurs als vanzelf door het opmerkelijke gezelschap aangetrokken.

Daar, naast het meisje, haar moeder en de radeloze vrouw, keek Bakker naar Vos. Ze kon nog steeds nauwelijks geloven wat er was gebeurd en zei: 'Ze hebben hem gewoon doodgeschoten.'

'Waar is mijn dochter?' gilde Hanna Bublik in gebrekkig Nederlands, terwijl ze het meisje in de roze jas vastgreep, totdat Renata Kuyper Saskia uit haar klauwende vingers trok.

Van der Berg wierp een blik op Vos. Een knikje. Hij leek het te weten.

Een geluid. Een hoge toon. Een opgewekt kinderdeuntje, om een specifieke beller aan te duiden. Renata Kuyper haalde haar telefoon uit haar zak, keek op het scherm en richtte zich tot haar dochter. Ze vroeg: 'Saskia...?'

Het meisje zweeg. Ze had haar blik op de gracht en de terugkerende vogels gericht.

'Dit komt van jouw telefoon,' zei Renata.

Vos tok het mobieltje uit de koude vingers van de moeder. 'Een videogesprek,' zei hij, en hij tikte op het scherm.

Er verscheen een gezicht. Zwart van schmink. Felrode lippen. Witte tanden.

'Ik wil de moeder spreken,' zei deze nieuwe Zwarte Piet.

'Ik ben Pieter Vos. Groepschef recherche bij de Amsterdamse politie.'

Het gezicht lachte. De tanden waren perfect en regelmatig.

'Dat is ook goed.'

Een ambulance kwam op hoge snelheid en met jankende sirene de hoek om, op weg naar de straat waar de mannen met de machinepistolen zich bevonden.

'Mijn broeder Mujahied is nu een martelaar, nietwaar? We luisteren naar jullie radio's. We zijn op de hoogte van jullie doen en laten. Jullie hebben hem vermoord.'

De luidspreker stond op het hoogste volume zodat iedereen hem kon horen. De stem klonk on-Nederlands, en het accent was moeilijk te plaatsen.

'Ik weet niet wat er is gebeurd. Wij zijn van de politie. Er is een meisje...' begon Vos.

'Jullie zijn allemaal hetzelfde. Honden en misdadigers.'

'Wat wil je?'

'Wij hebben het kind van Kuyper,' zei de Zwarte Piet. 'De kleindochter van die verdomde soldaat...'

'Nee,' onderbrak Vos hem.

De witte ogen sperden zich wijd open van de woede.

'Spreek me niet tegen! Srebrenica is nu twintig jaar geleden. Er zijn daar achtduizend burgers vermoord. En nog veel meer in Irak en Afghanistan. Denken jullie soms dat we niet kunnen tellen? Het nageslacht van die moordenaar is nu in onze handen.'

Vos keek naar het meisje, dat door zorgzame armen tegen de benen van haar moeder werd gedrukt. Vervolgens wierp hij een blik op de andere vrouw. Een buitenlandse. Ze straalde uitzichtloze armoede uit.

Roze jasjes.

'Saskia Kuyper is hier bij mij. Ze is veilig bij haar moeder. Jullie hebben het verkeerde kind te pakken. Ze heeft dezelfde kleur jas, maar...'

Hanna Bublik griste de telefoon uit zijn hand en wierp het gezicht op het scherm een woeste blik toe.

'Ze is acht. Ze komt uit Georgië. Ze heeft geen vader. Geen geld. Geen...'

Een vermanende vinger en een autoritair handgebaar legden haar het zwijgen op.

'Ik wil met de man spreken,' zei Zwarte Piet. 'Alleen met hem.'

Hanna probeerde het opnieuw, maar kreeg dezelfde reactie. Vos keek naar haar en knikte, en ze gaf hem de telefoon terug.

'Het klopt wat ze zegt,' zei hij met nadruk. 'Jullie hebben het verkeerde meisje te pakken. Laat haar gaan. Als de bliksem. En maak dat je wegkomt voordat we je vinden...'

Het zwarte gezicht lachte opnieuw. Toen veranderde het beeld. Een korte blik op wat een kleine ruimte leek. Houten wanden. Iets kwam Vos vertrouwd voor.

Ten slotte een gestalte in de hoek.

Misschien was het een stomme vergissing. Ze leek wel wat op de dochter van Kuyper. Misschien iets knapper, met steil blond haar en grote, angstige ogen.

Er zat rode tape over haar mond. Haar handen waren met touw vastgebonden en lagen in haar schoot. Het roze jasje zag er groezelig en vlekkerig uit.

Hanna greep opnieuw de telefoon en begon te krijsen als een wild dier.

'Als je haar ook maar iets aandoet, vermoord ik je. Dat zweer ik...'

Een plotselinge beweging op het scherm. Een hand greep het meisje vast, sleurde haar naar de camera en rukte de tape van haar mond.

Toen ze schreeuwde, leek het meer van woede dan van pijn. Een sterk kind. Een sterke moeder. Maar de vrouw zweeg nu.

'Naam!' blafte de Zwarte Piet.

Stilte.

'Naam!'

'Natalya Bublik,' zei het meisje met een vastberaden, uitdagende stem.

Vos keek naar de muren. De plankenvloer. Niet naar haar. Hij probeerde zich voor te stellen waar dit kon zijn. Niet ver weg. Daar was geen tijd voor geweest.

Zwarte Piet plakte nieuwe tape over haar mond en duwde haar terug in de hoek. Er lagen kussens. Misschien een provisorisch bed.

'Ze is een onschuldig kind,' bracht Vos naar voren. 'Laat haar gaan.'

'Er waren ook onschuldige kinderen in Srebrenica. In Irak. Afghanistan. Somalië. En mannen en vrouwen. Heb je voor hen ook zo je best gedaan, politieman?'

'Wat wil je nou?'

'Ik wil dat mijn broeder Ismail wordt vrijgelaten en naar een land wordt gevlogen dat hem niet vermoordt.' Een schouderophalen. Een blik in de hoek. 'En wat geld. Ik had liever het nageslacht van die moordenaar van een Kuyper als onderpand gehad om hem vrij te krijgen, maar een kind is een kind.'

Het donkere gezicht tuurde in de camera en glimlachte.

'In plaats daarvan houd ik dit meisje hier.' Hij lachte. 'Waarom zou ik de moed van een klootzak als Kuyper testen als ik het geweten van gewone mensen als jullie op de proef kan stellen?'

'Laat haar gaan,' smeekte Vos. 'Het is niet rechtvaardig om een kind te ontvoeren...'

'Rechtvaardigheid is wat we er zelf van maken. Ik neem genoegen met dit kind. Morgen laat ik je mijn eisen weten. Op deze telefoon. Geen andere.'

Het volgende moment was hij verdwenen. Hanna Bublik vloekte. Saskia Kuyper hield haar moeders been vast en sloot haar ogen.

De eenden en meerkoeten keerden terug in het water en begonnen te kwetteren alsof er niets was gebeurd. Vos keek naar Laura Bakker en Dirk van der Berg.

'Ze zit op een boot,' zei hij.

Vier uur later op de Marnixstraat bracht Mirjam Fransen hen op de hoogte over Ismail Alamy, de Marokkaan wiens lot nu verbonden was met dat van Natalya Bublik. Eenenvijftig jaar oud, actief ronselaar voor terroristische doelen via het internet. Woonde sinds zes jaar in Nederland. Hij werd door de AIVD verdacht van banden met een aantal verboden groeperingen in de Hoorn van Afrika, waaronder Al Shabaab. Hij was getraind in Afghanistan en werd gezocht in drie landen in het Midden-Oosten wegens samenzwering, het beramen van bomaanslagen en poging tot moord.

Alamy was een van de weinige bekende leden van een ongrijpbare terroristische cel onder leiding van een zekere Il Barbone. Deze geboren Saudiër woonde al jaren in Italië. Daar had hij ook zijn bijnaam opgedaan, inclusief het gerucht dat hij een zware baard zou hebben. Fransen wilde er niet veel over kwijt. Vertrouwelijk, zei ze. Ze hoefden alleen te weten dat Barbone achter iets zat wat totaal niet te vergelijken was met de gebruikelijke islamistische terroristische groeperingen, die luidruchtig en duidelijk zichtbaar waren en relatief eenvoudig konden worden gevolgd. Dit ging om een goedgeorganiseerde operationele unit die zich bezighield met planning en financiering, een unit die in stilte werkte, vaak via conventionele kanalen, om geld, personen en informatie door West-Europa te verplaatsen. Terrorisme als bedrijfsmatig proces, dag in dag uit, lastig te detecteren.

Gedurende de afgelopen vierentwintig maanden had Alamy zich

onafgebroken tegen zijn uitlevering verzet. Momenteel wachtte hij in een isoleercel in het detentiecentrum op Schiphol de uitspraak af van zijn laatste beroep bij het Europese Hof voor de Rechten van de Mens. Wanneer hij dat zou hebben verloren – binnen enkele dagen – zou hij volgens Fransen worden uitgezet en met een militair vliegtuig naar een bevriende Midden-Oosterse natie worden gebracht, waar hij terecht zou moeten staan.

'Dat kunnen jullie niet doen zolang we het meisje nog niet hebben,' zei Vos.

Ook Bakker had zich bij het groepje in het kantoor van De Groot gevoegd. Fransen had haar substituut meegenomen, een potige man die Thom Geerts heette, een grijze regenjas droeg en een crewcut had. Hij zag er niet al te snugger uit. De Marnixstraat had inmiddels een kleine zestig rechercheurs op de zaak gezet, die de beelden van de beveiligingscamera's en telefoongegevens natrokken en getuigenverklaringen opnamen. Het telefoontje naar Saskia's mobieltje was tot stand gekomen via het internet en kon niet worden getraceerd. De zwarte bestelbus was leeg teruggevonden bij het Centraal Station. Ze hadden een valse toegangspas gebruikt om in de buurt van het Leidseplein te kunnen komen.

Deze mannen hadden zich voorbereid.

'We baseren overheidsbeleid niet op de acties van criminelen,' zei Geerts emotieloos.

'Jullie zijn al jaren bezig die kerel het land uit te krijgen,' zei De Groot tegen het AIVD-duo. 'Een paar dagen meer maakt ook niet uit. Hij loopt echt niet weg. We hebben die tijd hard nodig.'

Geerts stond op het punt hiertegenin te gaan toen Fransen een hand op zijn arm legde, een zuur glimlachje op haar gezicht toverde en zei: 'Akkoord. We kunnen nog wel even wachten. In elk geval een paar dagen.'

Laura Bakker zat tijdens de complete briefing in stilte te mokken. Fransen had al aan het begin toegegeven dat ze van tevoren waren gewaarschuwd voor een mogelijke aanslag tijdens de sinterklaasintocht. Geen details. Alleen geruchten. Ze zei dat er onvoldoende informatie was geweest om de politie op de hoogte te stellen. Ze hadden moeten beseffen dat het dreigingsniveau die ochtend was opgeschroefd. De normale gang van zaken onder dergelijke omstandigheden.

'Als we dat hadden geweten...' zei Bakker.

Mirjam Fransen haalde haar schouders op.
'Wat zouden jullie dan hebben gedaan? We hadden een aantal teams op locatie. Dat was voldoende. We konden moeilijk de intocht afgelasten.' Een zuinig glimlachje. 'Toch?'
Commissaris De Groot schonk haar een dreigende blik.
'Ik had beter geïnformeerd moeten worden. Maar daar hebben we het nu niet over.'
'Inderdaad.' Ze keek op haar horloge. 'Ik moet terug naar kantoor. Ik reken erop dat jullie de praktische kant van de zaak afhandelen. Contact met de familie. Trouwens, dat Georgische hoertje... heeft ze de juiste papieren?'
Hanna Bublik werd beneden ondervraagd door Dirk van der Berg en een vrouwelijke agente. Het zag ernaar uit dat ze niet veel te zeggen had.
'Haar wettelijke status is momenteel niet mijn prioriteit,' zei Vos. 'Even over de ruimte waar dat meisje wordt vastgehouden. Het zag eruit als een boot.'
Fransen trok haar wenkbrauwen op.
'Weet u dat zeker?'
'Ik woon zelf op een boot. Dan herken je zoiets. Laag plafond. Plankenvloer...'
'Er liggen weet ik niet hoeveel boten in Amsterdam,' zei ze. 'Veel geluk...'
'Waarom hebben jullie die man doodgeschoten?' vroeg Bakker.
Fransen haalde haar schouders op.
'Dat had je niet gevraagd als je erbij was geweest.' Ze keek de jonge politieagente recht in de ogen. 'Bouali had een pistool. Het zag ernaar uit dat hij het ging gebruiken. We hebben hem eerst gewaarschuwd.'
'Ik heb anders geen waarschuwing gehoord,' merkte Bakker op.
Mirjam Fransen liet een korte stilte vallen en vroeg: 'Wil je soms zeggen dat ik lieg?'
'Ik zeg alleen dat ik geen waarschuwing heb gehoord.'
'En ik zeg je dat die waarschuwing is gegeven. Bouali had een pistool. Die idioot richtte het op ons. Ik had hem ook liever levend ingerekend. Misschien had hij ons dan het een en ander kunnen vertellen.'
De dode man was van oorsprong een Brit. Hij had zijn naam veranderd toen hij zich had aangesloten bij een radicale imam in het noorden van Engeland. Het team van Vos had al met wat mensen ge-

sproken in de slonzige woning waar hij een kamertje had gehad. Zijn huisgenoten waren hoofdzakelijk buitenlanders die in restaurants in de buurt werkten. Niemand had hem gekend, en hij was er maar een paar dagen geweest. Hij had het grootste deel van de tijd elders doorgebracht en had weinig gezegd.

De AIVD-vrouw richtte zich tot Vos en stak een hand uit.

'Ik heb die telefoon nu nodig. Wij regelen dat met die gesprekken wel.'

Vos verroerde zich niet.

'De telefoon,' herhaalde ze.

Frank de Groot stond op en ging op de rand van zijn bureau zitten.

'De ontvoerder heeft duidelijk te kennen gegeven dat hij alleen met Vos praat.'

'Zij zijn niet degenen die hier de dienst uitmaken,' zei Geerts.

'Als ze een meisje van acht gegijzeld houden, dan doen ze dat wel,' antwoordde De Groot. 'Wij houden de telefoon. Vos praat met ze. We houden jullie uiteraard op de hoogte van de ontwikkelingen.' Hij liet een stilte vallen. 'Het zou prettig zijn als dat andersom ook zou gebeuren.'

Mirjam Fransen schonk hem een nijdige blik.

'Willen jullie nu echt dat ik hiermee naar de minister ga?'

'Nee. Ik wil dat jullie met ons samenwerken. Zodat we Natalya Bublik weer thuiskrijgen. Die Alamy op het vliegveld... dat is jullie pakkie-an. Wij...'

'Ik kan je gewoon passeren, De Groot.'

Hij knikte.

'Ja, dat klopt. Maar ik vraag me af hoe zoiets eruitziet. Hoe dit ook uitpakt, we zullen ons na afloop allebei moeten verantwoorden. Moeten ze er soms achter komen dat we meteen al over bevoegdheden zijn gaan ruziën? Terwijl het leven van een jong meisje op het spel staat?'

Dat was tegen het zere been. Maar ze bonden in en vertrokken niet veel later naar hun eigen kantoor.

'Ze hadden het ons moeten vertellen,' zei Vos toen ze weg waren. Hij kreeg als reactie een 'zeker weten' van Bakker.

'Klopt,' beaamde De Groot. 'Maar dat hebben ze niet gedaan.'

De Kuypers gebruikten het avondeten in hun gezellige huis aan de Herenmarkt. Een tafel bij het raam. Een lichtsnoer met rood, groen en blauw knipperde patroontjes tegen het glas.

Buiten dineerden mensen in het West-Indisch Huis. In het speeltuintje hing een stel dronkenlappen rond die zaten te klieren op de schommels.

Saskia was naar bed gegaan. Ze was doodmoe en chagrijnig. Alsof haar iets was afgepikt.

Henk Kuyper zei weinig en dronk veel. Hij kon niet wachten om weer naar zijn computer te gaan.

Terwijl Renata aan de restjes van een pizza plukte die ze bij de biologische winkel om de hoek had gekocht, begon ze voorzichtig over wat er die middag was gebeurd.

'Het was een vergissing,' zei hij. 'We hebben geluk gehad.'

Hij schonk nog meer rode wijn in en staarde naar haar. Een knappe man met lang, golvend, donker haar. Er kon de laatste tijd geen glimlach meer vanaf.

'Waar heb je gezeten?' vroeg Renata.

Hij kreunde en keek op zijn horloge.

'Moeten we het daar nu weer over hebben? Ik had werk te doen. Sorry.' Hij stak een arm uit en nam haar hand in de zijne. Dit was het soort blik dat haar gunstig stemde als ze ruzie hadden. 'Je hoeft jezelf niks te verwijten.'

'Dat doe ik ook niet.'

'Goed zo.'

'Ik bedoel, waar was je ineens toen die vrouw kwam opdagen?'

Zijn humeur kon erg snel omslaan. Het was opnieuw duister en kil.

'Dat heb ik toch gezegd. Ik moest een telefoontje plegen.'

'Maar…'

'Niks te maren. Ik heb Saskia gevonden. Ik ben teruggegaan, die… verrekte heksenketel in, en daar was ze. Ik zag het jasje dat ik voor haar had gekocht. Toen heb ik haar meegenomen. Wat wil je nou…?'

Het geluid van de deurbel voorkwam dat de woordenwisseling uit de hand liep. Renata liep naar beneden en deed open. Het was Henks vader, Lucas, een stroeve, lange man. Hij was steviger gebouwd dan zijn zoon. Iets over de zestig. Hij had nog steeds de uitstraling van een legerofficier, en hij zag er altijd keurig verzorgd en gladgeschoren uit.

Hoewel hij een fatsoenlijk mens was, was zijn leven bijna geruïneerd door één foute beslissing met afschuwelijke gevolgen. Henk en Lucas konden het al jaren niet echt met elkaar vinden.

'Heeft hij even tijd voor me?'

Henk kwam naar beneden, bleef achter Renata op de trap staan en vroeg kortaf: 'Wat is er?'

De oudere man stapte ongevraagd naar binnen. Zijn zoon schonk hem een norse blik.

'Ik wil helpen. Wat dacht je dan? Jij en Renata en Saskia... jullie hebben beveiliging nodig. Ik kan wel wat regelen.'

'Beveiliging? Jij? Serieus?'

Wat twintig jaar eerder in Bosnië was gebeurd zou geen van beide mannen ooit vergeten. Ze beseften en accepteerden dat. Henk was destijds nog een kind geweest en had op een internaat gezeten. Hij had het zwaar te verduren gehad toen de kranten zijn vader over de hekel hadden gehaald.

Lucas was destijds majoor geweest met een NAVO-missie. Hij had tussen twee vuren gestaan. Zijn opdracht was geweest de vrede te bewaren, maar hij had onvoldoende autoriteit en troepen gehad om die vrede af te dwingen. Er was een fout gemaakt. Als gevolg daarvan waren duizenden onschuldige burgers om het leven gekomen. Na een officieel onderzoek was Lucas Kuyper vrijgepleit van alle schuld. Maar dat had geen einde gemaakt aan de minachting en de haat jegens hem.

'Niet weer, Henk,' waarschuwde de oudere man.

'Hoezo niet? Omdat je het niet wilt horen?'

'Precies. Ik wil graag betalen voor wat discrete beveiliging rond het huis...'

'Nee, dank je.'

'Henk...'

Hij liep de trap af, naar de deur, en keek zijn vader recht in de ogen.

'We hebben je niet nodig. We zijn Kuypers. Amsterdamse adel. Niet een stel arme Bosnische moslims die je jaren geleden had moeten helpen.'

Lucas Kuyper sloot zijn ogen even. Er verscheen een gekwelde blik op zijn gegroefde, grauwe gezicht.

'De AIVD heeft gebeld. Ze hebben me verteld wat er is gebeurd. En waarom.'

Henk sloeg zijn armen over elkaar en grijnsde.

'Kijk eens aan, wat een verrassing. Die klootzakken laten je ook nooit met rust, hè? Hebben ze je soms ook een dossier over mij gegeven?'

'Wat jij met je leven doet is jouw zaak. Maar Saskia en Renata...'

Henk Kuyper deed een stap naar voren en hield de deur open.

'Ik kan heel goed voor mijn eigen gezin zorgen.' Hij knikte naar de donkere straat buiten. 'Bel de volgende keer even. Ik hoor het graag van tevoren als je langskomt. Of weet je wat... laat helemaal maar zitten.'

Er verscheen heel even iets van boosheid op Lucas Kuypers strakke gezicht.

'Mag ik mijn eigen kleindochter niet eens zien?'

'Ze ligt in bed. Ze is moe.'

'Henk...' zei Renata op verzoenende toon. 'We kunnen altijd...'

'Het is een lange dag geweest. Voor ons allemaal.' Hij knikte opnieuw in de richting van de straat. 'We redden ons wel.'

De gereserveerde man in de lange regenjas liep de motregen in. Zijn vrouw leefde niet meer en hij woonde in een herenhuis in de grachtengordel. Renata ging er regelmatig met Saskia op bezoek. Hij was eenzaam, en hij was altijd blij hen te zien. Henk kwam er nooit.

'We kunnen het schudden als hij de geldkraan dichtdraait,' zei ze, en ze had onmiddellijk spijt van de inhalige toon van haar opmerking. Ze had het niet zo bedoeld.

Henk gebaarde met zijn hand om aan te geven dat ze de trap weer op moest.

'Dat doet hij nooit. Stel je voor, de schande. Een Kuyper in de bijstand.'

Ze volgde hem de eetkamer in en keek naar hem terwijl hij ging zitten en naar de wijnfles reikte.

'Saskia is dol op haar opa. Ze snapt niet waarom jij dat niet bent.'

Hij knikte.

'Als ze wat ouder is leg ik het haar wel een keer uit. Over Srebrenica. Over macht en oorlog en wat soldaten als hij doen. Dan begrijpt ze het.'

'Je bent te goed voor deze wereld,' zei ze, terwijl hij nog een glas wijn inschonk.

'Je zou samen met mij wat kunnen drinken,' stelde hij voor. 'Wie weet helpt dat wat.'

'Denk je?' vroeg ze.

'Misschien ook niet.'

Ze begreep nog steeds niet waarom hij ineens was weggelopen nadat hij Saskia had gevonden.

'Trek alsjeblieft niet nog een fles open,' zei ze. Ze liep naar de woonkamer en zette de tv aan.

Een paar minuten later hoorde ze hem de trap op stommelen naar zijn kantoortje in de dakkamer.

Het nieuws ging maar over één ding. De aanslag op het Leidseplein. Er werd helemaal niets over een vermist meisje gezegd. Interesseerde het Henk iets? Of wie dan ook?

Ze verzamelde al haar moed en liep op haar tenen de trap op. De deur naar het kantoortje stond op een kier. Hij zat achter de computer. Het fletse schijnsel van de monitor verlichtte zijn emotieloze gezicht.

'Kunnen we even praten?'

Hij slaakte een zucht en stond op vanachter zijn bureau.

'Nu even niet,' zei hij, en hij sloot de deur voor haar neus.

De Groot luisterde dertig minuten naar de AIVD. Vervolgens besteedde hij anderhalf uur aan het bestuderen van het logboek. Ten slotte riep de commissaris iedereen naar zijn kantoor om het onderzoek van die avond te evalueren.

'Mirjam Fransen heeft op één punt gelijk, Pieter. Er liggen heel veel boten in Amsterdam. En die doodgeschoten idioot heeft ons niet één aanwijzing opgeleverd.'

Frank de Groot schudde zijn hoofd.

'Ik wil dat jullie er morgen allemaal met je hoofd bij zijn als dat telefoontje komt. Praat nog even met de moeder. Zeg dat we doen wat we kunnen. Controleer of we op koers zitten. Daarna gaan jullie naar huis om wat te slapen.'

Bakker bewoog zich niet.

'Ik wil graag de beelden bekijken die we van het Leidseplein hebben.'

De Groot fronste zijn wenkbrauwen.

'Er zijn een stuk of veertig camera's. Dat gaat je dagen kosten. Misschien wel weken.'

Daar was ze niet blij mee. Vos al evenmin. Ze hadden aan de hand van een eerste gesprek met Saskia Kuyper en anderen op het plein een voorlopige versie van de gebeurtenissen kunnen reconstrueren. Bouali had het meisje meegenomen toen ze in de buurt van de Stadsschouwburg liep en haar beloofd haar naar haar ouders terug te brengen. Saskia vond dat hij zich raar had gedragen, en toen hij even niet had opgelet was ze weggeglipt.

Naar wat daarna was gebeurd konden ze alleen maar raden. Verondersteld werd dat Bouali een van zijn handlangers had gewaarschuwd, die eveneens als Zwarte Piet was verkleed en per abuis Natalya Bublik had ontvoerd. De twee meisjes leken op elkaar en droegen dezelfde roze jas met een heel specifiek ontwerp.

'Ik vind de timing nogal... verwarrend,' zei Bakker. 'En wat dat meisje van Kuyper betreft...'

'Wat is daarmee?' vroeg Vos.

Hij had een tijdje bij het gesprek gezeten. Hem was niets bijzonders opgevallen.

'Ze klonk ontzettend vaag,' klaagde Bakker. 'Dat is alles.'

'Ze is acht,' bromde De Groot. 'Wat had je dan verwacht?'

'Wat meer details. Het was bijna alsof ze een verhaaltje opdreunde.'

'Oké, dit gaat nergens over,' zei de commissaris resoluut. 'Er waren op het moment van de aanslag ongeveer tienduizend mensen op het Leidseplein. Het leek erop dat er bommen waren afgegaan. Het meisje was net ontvoerd. Ik vind het niet echt gek dat zo'n kind dan geen fatsoenlijke getuigenverklaring aflegt.'

'Daarom wil ik de videobeelden bekijken.'

De Groot keek naar Vos alsof hij wilde zeggen: regel jij dit even?

'We moeten er inderdaad naar kijken,' beaamde Vos. 'Maar dat doen we morgen.'

Hij stond op en veegde zijn blauwe spijkerbroek en zijn afgedragen duffelse jas schoon. Er zat nog steeds stof op van de chaos op het Leidseplein.

Beneden ontdekten ze dat Hanna Bublik het bureau al had verlaten. Van der Berg was er niet in geslaagd haar langer te laten blijven.

'Ik moet het bestaan van bier op deze planeet gaan herbevestigen,' zei de rechercheur op klaaglijke toon.

Stilte.

'Pieter?' vroeg hij.

'Vanavond niet,' zei Vos. Hij liep zonder nog een woord te zeggen naar buiten, wandelde via de Elandsgracht naar De Drie Vaten om Sam op te halen en loodste de hond via de loopplank de koude, donkere woonboot op.

De politie had haar best gedaan om vriendelijk te zijn, met name de wat onverzorgde, beleefde brigadier die schijnbaar de leiding had. Toen de vage beloften ten slotte uitgeput waren, werd ze door een welwillende rechercheur met waterige oogjes die Van der Berg heette naar de receptie gebracht. Hij gaf haar zijn eigen visitekaartje en dat van de brigadier, Vos, en bood aan om iemand te regelen die haar naar huis zou brengen. Terwijl ze stonden te praten kwam er een andere man op hen af, die er opgelaten en schuldbewust uitzag. Hij stelde zich voor als Koeman en zei dat hij de als Zwarte Piet verklede rechercheur was die ze als eerste had verteld dat Natalya was verdwenen. Degene die haar niet serieus had genomen.

Toen hij zich stotterend begon te verontschuldigen schonk ze hem een korte blik en liep de deur uit.

De miezerige novemberregen legde een schittering op de brede straat voor het politiebureau. Ze had evenmin behoefte aan een lift naar huis als aan een verontschuldiging. Het enige wat ze wilde was dat Natalya naar huis kwam.

Ze leken te weten welke prijs daarvoor moest worden betaald. De vrijlating van een man van wie ze nog nooit had gehoord. En misschien geld. Hoeveel wist ze niet. Ze hadden er ook niet echt iets over kwijt gewild. Ze was een vreemdeling. Met een toeristenvisum. Ze mocht hier officieel niet werken, zelfs niet als prostituee. Het enige wat ze bezat was drieënhalf duizend euro contant geld in een envelop onder Natalya's matras. Het stapeltje was gestaag gegroeid gedurende de maanden dat ze had gewerkt.

Zodra ze op de vijf mille zat, wilde ze een eigen flatje huren. Proberen een fatsoenlijke baan te vinden. Misschien iets als kapster. Of op kleine kinderen passen. Dat zag ze wel zitten. Ze had het idee dat ze er goed in zou zijn. Misschien was ze overdreven beschermend, maar dat zou na een jaar of wat wel slijten. Ooit zouden ze normaal worden, zoals ze in Gori waren geweest. Ooit zou ze over straat kunnen lopen zonder het gevoel te hebben dat de mensen naar haar keken.

Het kostte haar twintig minuten om terug te lopen naar de Oude

Nieuwstraat. De rode lampjes achter de ramen naast haar huis waren aan. Er zaten meisjes in hun ondergoed die glimlachten en wenkten naar de paar mannen met capuchons op die heen en weer liepen over de glanzende straatstenen, grotendeels om te kijken.

Chantal kwam haar op de trap tegemoet. Ze zag er geschokt en bezorgd uit. Ze had ook geen make-up op.

'De politie is geweest,' zei het Filippijnse meisje. 'Ze zeiden dat Nat is ontvoerd.'

Ze kortte de naam van haar dochter altijd af. Daar ergerde ze zich dood aan.

'Wat willen ze, Hanna?'

'Geen idee,' antwoordde ze, en dat was de waarheid.

'Maar...'

'Nu even niet!'

Ze was niet van plan om er met het meisje over te praten. En dat was niet omdat ze haar op de Marnixstraat hadden gezegd met niemand over de zaak te spreken.

Chantal verplaatste haar gewicht naar haar andere blote voet. Ze droeg een meisjesachtige pyjama met een bloemetjespatroon. Het werk zat erop voor vandaag.

Ze keek via het trapgat omhoog alsof ze iets wilde zeggen.

'Wat is er?'

'Ik ben de hele middag weg geweest. Er was niemand thuis. En toen ik terugkwam...' Ze knikte naar de deur. 'Stond hij open. Er is iemand in onze kamers geweest. Ze hebben kleren van me gepikt. Ik had geen...'

Hanna haastte zich de smalle trap op naar het dakkamertje. De deur stond open. Toen ze naar binnen ging zag ze onmiddellijk wat er was gebeurd.

De weinige kleren die ze hadden, lagen verspreid over de grond. Natalya's eenpersoonsbed stond op zijn kant en het matras lag op de vloer.

De bruine bubbelenvelop waarin al hun geld had gezeten was opengescheurd en leeg. Ze hadden zelfs de halsketting meegenomen die ze jaren geleden bij haar huwelijk van haar man had gekregen. Het was een goedkope hanger van barnsteen aan een zilveren kettinkje. Maar ze had hem bewaard, en af en toe mocht Natalya hem dragen. Een herinnering aan de tijd dat ze een gezin waren geweest. Samen. Verliefd. Schijnbaar veilig.

Chantal verscheen achter haar in de deuropening en zei: 'Ik heb geen idee hoe ze binnen zijn gekomen.'

Alsof dat er iets toe deed.

'Ze willen morgen de huur,' voegde de Filippijnse eraan toe. 'Gaat dat lukken?'

'Ik ben bang van niet. Kan ik wat van je lenen?'

Chantal zei niets.

Hanna werd boos.

'Ik heb jou altijd geld geleend als je krap zat. Je weet dat je het terugkrijgt. En voor Natalya... misschien heb ik voor haar ook geld nodig.'

Haar ronde, bruine ogen werden groot.

'Hoe bedoel je?'

'Ik... ik weet het niet. Dat hebben ze niet gezegd. Ik heb geen...'

Geen familie. Geen vrienden. Niemand die ze om hulp kon vragen. Dat was de prijs van haar vlucht naar Nederland. Daarom was het zo belangrijk dat hun niets overkwam zolang ze geen vaste grond onder de voeten had.

Ze zette zonder erbij na te denken Natalya's bed weer op zijn poten, legde het matras erop en stopte de lakens in. Ze moesten worden gewassen. Net als sommige kleren.

Het roze jasje.

Een plotselinge golf van spijt bracht tranen in haar ogen. Volgens de sympathieke rechercheur van het bureau aan de Marnixstraat was daardoor de persoonsverwisseling veroorzaakt. Het feit dat haar dochter en het kind van een of ander rijk Nederlands gezin hetzelfde kledingstuk hadden gedragen. Een jasje dat Hanna zelf nooit zou hebben gekocht. Het was veel te duur. Ze had het toevallig cadeau gekregen. Een aardigheidje van een klant die hen later op straat had gezien en haar niet lang daarna nog een keer had bezocht toen ze achter het raam zat.

'Je kunt natuurlijk altijd met Cem praten,' zei Chantal. 'Doe gewoon wat hij wil, dan komt het met dat geld wel goed. Misschien...' Haar hand ging naar haar haar. 'Misschien kan hij ook helpen met Natalya. Hij kent een hoop mensen.'

'Ook terroristen?'

Dat had de politie haar verteld. Ze hadden haar ontvoerd omdat ze dachten dat ze de kleindochter was van een omstreden Nederlandse militair, iemand die een paar decennia terug in een bloedbad verwikkeld was geraakt.

Een zwart monster dat de trap op rolde. Loze grootspraak: *Dan zou ik het doodmaken*. Wat voor moeder was ze geweest?

'Ik weet het niet,' dreinde het meisje. 'Het was maar een idee. Je zou de politie kunnen bellen. Over het geld...'

'Ik heb toch niet gezegd dat ze geld hebben gepikt? Of wel soms?'

'Waarom wil je dan van mij lenen?' beet Chantal terug. Ze draaide zich om, liep de trap af en gooide haar deur dicht.

Ze had nu geen keus meer. Geen enkele.

Hanna Bublik nam een douche en zocht wat kleren uit om te gaan werken. Toen ze op het punt stond de deur uit te gaan, ging haar telefoon. Het was de brigadier van de Marnixstraat, Vos.

'Weet je al iets?' vroeg ze.

'We zijn met wat aanwijzingen bezig.' Hij klonk als een slechte leugenaar. 'Ik was nog iets vergeten te vragen. Ken je iemand met een boot?'

Die vraag verbaasde haar.

'Een boot? Serieus?'

Hij slaakte een zucht. Het was een geduldig geluid. Niet tegen haar gericht.

'Ja, serieus. Ik denk dat ze op een boot zit.'

'We kennen hier eigenlijk helemaal niemand. En zeker geen mensen met een boot.'

Hij vergewiste zich ervan dat ze zijn mobiele nummer had en zei dat ze hem altijd mocht bellen, ook 's nachts.

'Is er iets wat ik nu kan doen om te helpen?' vroeg hij.

Ze keek het kamertje rond, en haar blik viel op de bruine envelop.

'Ik kan niet echt iets bedenken. Afgezien van het voor de hand liggende.'

'Ik zorg ervoor dat je Natalya terugkrijgt. We geven ze wat ze willen.'

'Ook geld?'

'Als het niet anders kan.'

Er leek verder niets te zeggen of te vragen. Nadat de verbinding was verbroken pakte ze haar kleren, de goedkope condooms en de gels en stopte alles in de plastic toilettas die bij de beautyset had gezeten die haar man haar met hun laatste kerst samen cadeau had gedaan. Ze wandelde de Oude Nieuwstraat in, vond een leeg raam, belde het nummer van de verhuurder en betaalde voor drie uur. Dat kostte haar de helft van het geld dat ze nog bezat.

De kleine cabine was veel te warm door de elektrische open haard. Het rook er naar vocht en zweet van haar voorgangster.

Ze kleedde zich uit tot op haar goedkope goudglanzige beha en slipje en ging op de barkruk voor het raam zitten. Daar werd ze geconfronteerd met wat ze van tevoren al had kunnen bedenken. Niemand wilde een huilend hoertje, hoe goedkoop ze ook was.

Aan de andere kant van de stad ging Natalya Bublik op de plek zitten die haar was aangewezen. Ze sloeg haar armen om het roze jasje dat ze vanaf het begin al niets had gevonden. De enige vaste punten in haar begrensde leventje op dat moment waren geluiden: het zachte klotsen van water tegen een houten romp, het incidentele krijsen van een vogel en het gedender en getoeter van treinen die het Centraal Station in en uit reden.

Zwarte Piet was nog op de boot. Misschien waren het er wel twee, achter de op slot gedraaide houten deur. Ze was van plan om alles te doen wat ze wilden. Want ergens, ver weg in de zachte, vormloze diepten van haar geheugen, klonk een echo van deze vreemde aaneenschakeling van gebeurtenissen. In een verhaal dat haar moeder haar had verteld. Of een halfvergeten, lang geleden begraven herinnering, verborgen in de nachtmerrie die maar bleef terugkeren: die over een schimmig monster dat de trap op rolde.

Of het nu echt was of verbeelding, er was hier een boodschap, één die ze niet zou vergeten.

Zit stil en zeg geen woord.

Wees niets. Doe niets, behalve wachten, en kijk en denk na.

Dan komt er een punt waarop je onzichtbaar bent. En op dat ene, kostbare moment kun je ontsnappen.

2

Hanna Bublik stond Vos op te wachten toen hij de volgende ochtend bij het bureau aan de Marnixstraat verscheen. Sam trippelde naast hem aan zijn riem. Sofia Albers moest de stad uit om haar zieke moeder te bezoeken. Iemand van de administratie zou op de hond passen totdat ze terug was.

'Sinds wanneer nemen ze bij de politie huisdieren mee naar het werk?' vroeg ze toen de kleine terriër bij haar voeten ging zitten en met zijn levenslustige oogjes om aandacht begon te bedelen.

'Sam is geen huisdier. Hij vindt het niet leuk om alleen te worden gelaten.'

De hond zette een poot tegen haar been. De vrouw droeg dezelfde kleren als de dag ervoor. Een imitatiedesignjasje van nylon dat voor leer moest doorgaan. Een goedkope spijkerbroek. Geen make-up op haar dunne, gegroefde gezicht. Alles aan deze vrouw straalde armoede uit, en daar was ze niet blij mee.

'Niet doen, Sam,' zei hij op vriendelijke toon, en hij overhandigde de riem aan de behulpzame collega van het kantoor die naar buiten was gekomen om hen te begroeten.

Hanna keek de vrouw na, die vrolijk tegen Sam keuvelde terwijl ze hem meenam.

'Ik had Natalya een hond beloofd. Zodra we op onszelf zouden wonen.'

'Ik ben ervan overtuigd dat ze er een krijgt.'

Hij haalde een kop koffie. Bakker verscheen. Ze kleedde zich minder opvallend nu ze zich thuis begon te voelen op de Marnixstraat. Geen zelfgemaakte kleren meer van haar tante uit Dokkum. Vandaag droeg ze een zwarte broek en een blauw jasje met daaronder een effen trui. Haar rode haar had ze strak achter op haar hoofd geknoopt. Het was een look die zei: *ik ben een pro*. En: *ik ben hier en ik blijf hier*.

Ze begaven zich gedrieën naar een verhoorkamer. De opnameapparatuur bleef uit.

'Dus jullie hebben nog niks?' zei Hanna nadat Vos haar op de hoogte had gebracht over de voortgang van het onderzoek.

'Nee,' zei hij zonder omhaal. 'We weten dat hij je dochter heeft meegenomen. We weten ook dat ze nog in de stad is. We zijn momenteel op zoek naar handlangers van de man die is doodgeschoten.'

'Niks, dus,' herhaalde ze.

'Luister, Hanna,' zei Bakker. 'Dit is de belangrijkste informatie die we momenteel hebben. We doen alles wat we kunnen om Natalya vrij te krijgen.'

'En hij belt vandaag,' voegde Vos eraan toe. 'Hij moet wel. Ze willen iets. En zolang dat het geval is…'

De verloren blik op Hanna's gezicht deed hem verder zwijgen.

'Ken je mensen in Amsterdam?' vroeg Bakker haar.

'De meeste mensen die ik ontmoet vertellen me hun naam niet. Niet hun echte, in elk geval.'

Vos keek onwillekeurig op zijn horloge. Hanna schonk hem een nijdige blik.

'Zit ik jullie tijd hier soms te verdoen?'

'Nee. Ik vroeg me alleen af wanneer hij zou bellen.'

'Hij zei dat hij geld wilde,' zei ze. 'Hoeveel?'

Dat had Vos zich ook afgevraagd.

'Daar was hij nogal vaag over…'

'Hoe moet ik hem betalen? Iemand als ik?'

Een goede vraag. Een die hem zorgen baarde.

'Ik stel voor dat we ons daar pas druk om maken als het zover is.'

'En die man die hij vrij wil hebben? Wie is dat?'

Vos was ervan uitgegaan dat die vraag hem niet zou worden gesteld. Dat in de kranten van die ochtend alle antwoorden zouden staan. Ze stonden vol over de aanslag op het Leidseplein en de dood van een jonge Brit die een buitenlandse naam had aangenomen en drie flitsgranaten in de menigte had geworpen. Maar er werd met geen woord gerept over de ontvoering van een kind. Gezien de tijd die de pers had gehad om aan het verhaal te werken kon er maar één verklaring zijn. Iemand – De Groot of de AIVD – had volledige mediastilte geëist en gekregen op grond van het feit dat de zaak erdoor in gevaar kon worden gebracht.

Hij vertelde haar kort wat hij wist.

'Ik wil die man spreken, die Alamy,' zei Hanna Bublik. 'Ik wil hem recht in de ogen kijken en hem vragen waarom mijn dochter me is afgenomen.'

'Ik stel voor dat we hier een plekje voor je zoeken waar je kunt zitten,' opperde Bakker. 'Dan kunnen we je de hele dag op de hoogte houden van de ontwikkelingen.'

'Nee!' Haar stem was niet schel. Verre van hysterisch. Hij klonk resoluut en beheerst, en toen ze sprak, keek ze alleen naar Vos. 'Wat schiet ik daarmee op?'

'Als...'

'Wilde jij de videobeelden niet gaan bestuderen?' onderbrak Vos haar.

Bakker knikte.

'Begin daar dan maar vast mee. Wij praten wel met Alamy. Laten we maar eens zien wat hij te zeggen heeft. Of hij misschien een boodschap heeft die we kunnen doorgeven...'

Hanna keek hem verrast aan. Alsof ze niet gewend was dat mensen haar serieus namen.

'Meen je dat?'

Hij stond op en controleerde Renata Kuypers telefoon. De batterij was nog grotendeels vol en het bereik was goed.

'We moeten gaan. Laura, ga naar De Groot. Zorg ervoor dat we de beveiligde unit op Schiphol binnen kunnen. We houden het kort. Alamy speelt het spelletje mee – of niet.'

Hanna dronk haar koffie op en stond op. Ze keek dankbaar.

'En als de ontvoerder belt?' vroeg Bakker.

Hij haalde de telefoon tevoorschijn.

'Alles wat via deze lijn binnenkomt wordt in de gaten gehouden, of ik er nu ben of niet. De regelkamer kan meeluisteren vanaf het moment dat ik opneem. Hij zal niet bellen met een traceerbare telefoon. We weten dat...'

'Maar...'

Hij wees op de deur.

'Regel het maar met Frank,' zei hij. 'Wij zijn weg.'

Een onbehaaglijk ontbijt in het smalle huis aan de Herenmarkt. Saskia speelde met haar lepel in de muesli, maar at nauwelijks. Henk Kuyper at gestaag door en zei geen woord. Ondertussen las hij de krant. Hij zag er een beetje uit alsof hij een kater had.

'Waarom wordt er niks gezegd over wat er is gebeurd?' vroeg Renata na een tijdje. 'Dat meisje...'

'Ze drukken wat ze van hogerhand krijgen opgelegd,' mompelde hij, en hij pakte nog een croissant. 'Wat dacht je dan?'

Renata knipperde met haar ogen en moest moeite doen om haar woede binnen te houden.

'Dit is geen spelletje. Of een van je kruistochten. Dit gaat over echte mensen. Dat meisje wordt vermist...'

Saskia streek haar lange blonde haar naar achteren, drukte haar handen op haar oren en kneep haar ogen stijf dicht.

Henk knikte naar hun dochter.

'Denk je niet dat ze genoeg heeft doorgemaakt?'

'Jezus! Dat valt in het niet bij wat die arme vrouw moet doorstaan. Wat ben jij voor iemand?'

Hij stak een hand uit, raakte Saskia's haar aan en streelde haar wang. Ze opende haar ogen en glimlachte naar hem. Renata slaagde er niet in de blik op het gezicht van haar dochter te doorgronden. Het meisje had altijd een hechtere band gehad met haar vader. Henk was er nooit om haar de les te lezen. Hij zat altijd boven achter zijn computer en pleegde onhoorbare telefoontjes. Bezig de wereld te verbeteren. En wijn te drinken. Zij was altijd degene die tegen Saskia zei dat ze haar kamer op moest ruimen en dat ze eerst haar huiswerk moest doen, hoe vervelend ze dat ook vond.

'Ga je klaarmaken voor school, lieverd,' zei hij. 'Papa en mama moeten even praten.'

Het meisje stond meteen op van tafel, liep naar de badkamer en sloot de deur.

'Ze gaat niet naar school,' zei Renata. 'Het is niet veilig.'

Henk lachte.

'Er is niks om je zorgen over te maken. En als dat wel zo was, zou het hier krioelen van de politie.'

'Je vader...'

Henk boog zich naar voren over de tafel en pakte haar handen vast. Dat deed hij altijd als hij iets wilde.

'Dacht je nou echt dat ik haar naar buiten zou laten gaan als ik dacht dat er ook maar de geringste kans bestond dat ze gevaar liep?'

Hij probeerde de bewijslast bij haar te leggen. Zoals altijd. Ze kende zijn tactiek maar al te goed.

'Nee. Maar als Lucas bereid is beveiliging te regelen...'

'Ik wil niet meer van hem dan we nodig hebben. Hij is tenslotte de reden waarom ze het op haar hadden gemunt.'

'Maar...'

'Hij zei dat hij in plaats daarvan dat Georgische kind zou gijzelen. Dat heb je toch zelf gehoord? Dat heb je me verteld.'

Dat zat haar ook dwars.

'Waar was je? Waarom ben je niet bij ons gebleven?'

Hij trok een gezicht.

'Ik kreeg een telefoontje. Dit begint vervelend te worden.'

'Van het werk? Op zondag?'

'Van het werk. Het was internationaal. Heel belangrijk.'

De politie had de Georgische vrouw meegenomen naar bureau Marnixstraat nadat haar dochter was ontvoerd, terwijl zij en Saskia waren verhoord in een busje vlak bij De Melkweg. Henk was er halverwege bij gekomen.

'Ik had je nodig...'

Hij trok zijn handen terug.

'Ik heb Saskia gevonden. Ik ben over het plein gaan rondlopen totdat ik haar jas zag. Ze was alleen en had zich verstopt in de buurt van de winkels. Terwijl jij...'

'Ik wist niet wat ik moest doen!' krijste Renata.

'Je bent overstuur,' zei hij. 'Begrijpelijk. Ik breng haar vandaag wel naar school. Ik praat wel even met de leraren om te vragen of ze een oogje op haar willen houden.'

'Waarom kunnen wij niet normaal zijn?' prevelde ze.

'Ik begrijp niet wat je bedoelt. Wat heb ik nu weer fout gedaan?'

'Ik begrijp nog steeds niet hoe ze aan die man is ontsnapt.'

Hij staarde haar aan een schudde zijn hoofd.

'Dat heeft ze ons verteld. Ze is weggerend toen hij even niet oplette.'

'Toen hij even niet oplette?' herhaalde Renata met een schrille, overslaande stem. 'Gewoon zomaar?'

'Je klinkt alsof je liever had gezien dat ze niet was ontsnapt.'

Ze smeet haar mes op tafel. Ergens sloeg een kerkklok. Buiten koerden duiven. Een auto claxonneerde. De stad ging haar gang, zich onbewust van het feit dat ergens in de schaduwen een tragedie loerde, wachtend om toe te slaan.

'Zeg dat niet, Henk! Waag het niet om dat te zeggen.'

'Ik ga haar naar school brengen...'

'Ik wil een paar dagen weg met Saskia.'

Henk hield zijn hoofd schuin.

'Waar wil je naartoe?'

'Spanje. Italië. Een weekje maar.'

'Wie regelt de tickets? Wie boekt het hotel? Kun je dat wel aan?'

'Ik red me heus wel...'

Hij lachte het idee weg. Ze zag hem op zijn horloge kijken, zijn tablet oppakken en de berichten doorlezen, alsof dit gesprek er niet toe deed.

'Je wilt dat ik wegga, hè?' vroeg ze, en ze wachtte op de storm die zou losbarsten.

Toch gebeurde dat zelden. Zelfs wanneer hij het aan de stok had met zijn vader.

'Begin nou niet weer,' zei hij met een zucht. 'Je bent van slag. Als je een tijdje weg wilt vind ik dat prima, maar dan wel alleen. Saskia blijft hier. Wij redden ons wel.'

Hij tikte op het scherm.

'Zeg maar waar je naartoe wilt. Ik regel de boeking wel. Rome? In Marokko is het misschien warmer.' Hij hield zijn blik op haar gevestigd. 'Als je iemand ontmoet, vind ik dat echt geen punt.'

Ze sloot haar ogen en vloekte zacht.

'Is het nu al zo ver met ons gekomen?' fluisterde Renata.

Toen ze haar ogen weer opende was Saskia terug, klaar voor school. Henk had zijn armen om haar heen.

'Volgens mij moet mama er een tijdje tussenuit,' zei hij met zijn blik op zijn dochter. 'Wat denk jij?'

Papa's kleine meisje. Zoals altijd.

'Ja,' zei Saskia.

Renata haastte zich naar de deur en pakte haar jas. 'Tijd om naar school te gaan,' zei ze. 'Pak je spullen.'

Saskia bleef bij de tafel staan met haar hoofd omlaag. Haar mooie blonde haar was netjes gekamd. Ze kwam pas toen haar moeder haar voor de derde keer riep.

Hij keek toe terwijl ze vertrokken. Vervolgens wierp hij een blik op zijn horloge, pleegde een telefoontje en ging zelf ook de deur uit.

De Groot regelde Vos' bezoek aan het detentiecentrum op Schiphol onmiddellijk. Bakker ging terug naar haar kantoor, waar ze Van der Berg trof. Hij zat gebogen voor een computerscherm en staarde naar de videobeelden van de dag ervoor.

'Ik had moeten beseffen dat er iets ging gebeuren,' zei hij. 'Meteen al toen Pieter zei dat hij ons op een etentje wilde trakteren.'

'Bier. Een tosti. Een gekookt ei.' Ze trok een stoel naar zich toe en ging naast hem zitten. 'Ik ben er intussen wel aan gewend.'

Het was bijna zes maanden geleden dat De Groot haar een vast contract had gegeven na de zaak met het poppenhuis. De lichtgeraakte, naïeve jonge vrouw die ze toen was geweest, was inmiddels wat volwassener geworden. De mensen op de Marnixstraat hadden haar geaccepteerd. Laura Bakker had Vos er weer bovenop gekregen nadat hij was ingestort en uit de gratie geraakt. Niemand anders was daarin geslaagd.

'Alles goed met Pieter?' vroeg Van der Berg.

Hij was een eigenaardige man. Zwaar gebouwd, een beetje een stuntel en op het eerste gezicht wat laks. Hij ging na het werk zelden rechtstreeks naar huis, naar zijn vrouw. Er was onderweg altijd wel een kroeg waar hij nog even een biertje dronk. Maar Vos had haar verteld dat hij een van de bekwaamste rechercheurs in het gebouw was. De beste, als het om een moordonderzoek ging.

'Volgens mij is hij wel oké. Ik wou alleen dat hij zijn boot een keer opknapte. Het is nog steeds een puinhoop.'

'Klopt.' Van der Berg glimlachte vriendelijk. 'Maar hij is tevreden. Hij heeft zijn hondje. En die leuke meid van het café, die zijn was doet...'

Was hij nu aan het vissen? Ze was er niet zeker van.

'Hij kan niet op deze voet doorgaan.'

'Waarom niet?' vroeg Van der Berg.

'Omdat... Er komt een keer een moment dat je volwassen moet worden.'

Hij snoof en tikte met zijn vinger op het beeldscherm, zoals sommige mensen nu eenmaal doen.

'We hebben hier videomateriaal van weet ik niet hoeveel camera's.

We kunnen dit beter aan de technische recherche overlaten. Het is veel te veel om er nu iets mee te doen.'

'Wat hebben we nog meer?'

Koeman was bezig informatie in te winnen over de handlangers van de dode Brit, maar daar zat niet echt schot in.

'Heb je een roze jasje gezien?' vroeg ze, en ze wees op de monitor.

'Een paar.' Hij spoelde een stukje terug en vond de betreffende beelden. Het moest het meisje van Bublik zijn op het moment dat ze werd ontvoerd. Ze stond op het Leidseplein aan de kant van het centrum, samen met een Zwarte Piet in een groen pak. Bakker keek naar de tijd: net twee minuten na de eerste granaat.

'Dat klopt gewoon niet,' zei ze.

Hij keek geïnteresseerd.

'Waarom niet?'

'Niet genoeg tijd. Saskia zei dat ze bij haar moeder was weggelopen omdat die met een agente stond te kibbelen. Ze wilde Sinterklaas zien. Toen de granaten afgingen heeft Bouali – Bowers, of hoe die man ook heet – haar meegenomen.'

'Klopt,' beaamde hij.

Bakker riep een kaart van het gebied op.

'Ze zijn in de richting van het casino gelopen, en toen hij even niet oplette is ze ervandoor gegaan.'

Van der Berg knikte.

'Dat kost minstens twee minuten,' vervolgde Bakker. 'Waarschijnlijk meer.'

Ze moesten ervan uitgaan dat er in elk geval twee Zwarte Pieten bij de ontvoeringspoging waren betrokken. Hoe kon Saskia's telefoon anders van eigenaar zijn gewisseld? Nadat Saskia zich uit de voeten had gemaakt, had de tweede Piet in de verwarring Natalya meegenomen toen hij het roze jasje zag.

'Misschien klopt de tijdcode op de camera niet,' opperde hij.

Ze keek hem zwijgend aan.

'Of jij moet een ander idee hebben,' voegde Van der Berg eraan toe.

Bakker haalde een kopie van de getuigenverklaringen van Renata Kuyper en haar dochter tevoorschijn, die de dag ervoor waren opgenomen.

'Hoe wist de eerste Zwarte Piet dat ze een roze jasje droeg?'

Van der Berg fronste zijn wenkbrauwen.

'Omdat hij haar helemaal vanaf hun huis aan de Herenmarkt was gevolgd. Het moet een fluitje van een cent zijn geweest om te achterhalen dat Lucas Kuypers kleindochter daar woonde. Hij zag wat voor kleren het meisje aanhad en heeft dat doorgegeven aan zijn handlanger.'

Ze zweeg.

Van der Berg bestudeerde de andere beelden van het plein.

'Dus je raakt het meisje kwijt dat je in eerste instantie wilt ontvoeren,' zei hij. 'Je spreekt af met je handlanger. Overhandigt hem de telefoon die je van het kind hebt gepikt. En de handlanger ontvoert per ongeluk het eerste het beste meisje dat zo'n zelfde jasje draagt. Het zou kunnen, maar ik vind het een sterk verhaal.'

'Timing,' zei Bakker, en ze wees naar de klok op het beeldscherm. 'Het lijkt erop dat Zwarte Piet nummer twee Natalya heeft ontvoerd rond de tijd dat Saskia de benen heeft genomen. Misschien iets eerder.'

Van der Berg trok zijn neus op.

'We moeten dat meisje en haar moeder nog een keer ondervragen.'

'En de vader,' voegde Bakker eraan toe.

Van der Berg richtte zijn blik weer op het beeldscherm.

'Ik zie hem trouwens nergens. Waar is die man in vredesnaam naartoe gegaan. Wat...?'

Hij zweeg. Koeman was de kamer binnengekomen. Zijn geverfde snor hing nog meer af dan anders. Hij werd vergezeld door Thom Geerts, de vreugdeloze AIVD-agent, die een onderzoekende blik in zijn ogen had.

'Onze spionnenvrienden willen weten of we al iets hebben gevonden,' zei Koeman tegen hen.

'We zijn nog aan het zoeken,' antwoordde Van der Berg met een blik op de grote, verzorgd geklede man. 'Ook goeiemorgen, trouwens.'

Koeman gromde iets en liep weg.

'Ik wil weten hoe ver jullie zijn,' zei Geerts. 'Waar is Vos?'

'Die is weggeroepen,' zei Bakker tegen hem. 'Geen idee waarvoor.'

'Dus jullie weten niet waar jullie superieur is?'

'Ik heb hem met zijn hond gezien,' zei Van der Berg met een grijns. 'Misschien moest Sam even worden uitgelaten.'

De AIVD-man schonk hem een norse blik.

'Hebben jullie hier geen kledingvoorschriften? Stuur me maar een update via de mail. Ik heb het druk.'

'Dat geloof ik graag,' mompelde Van der Berg terwijl hij de man zag weglopen met zijn telefoon in zijn hand.

Bakker rolde haar stoel naar achteren en vloekte zacht. Van der Berg was op het werk verschenen in zijn sjofele bruine colbertje, een zwarte broek en lichtbruine schoenen. Vos ging altijd gekleed in een duffelse jas, een zwarte trui en een oude spijkerbroek. Ze bezorgden het korps wat dat betrof niet echt een goede naam, en dat wisten ze maar al te goed. Maar het interesseerde ze absoluut niet.

'Zijn ze altijd zo?' vroeg Bakker.

'Niet altijd,' zei Van der Berg.

'Als hij het vriendelijk had gevraagd, hadden we het wel verteld. Toch?'

'Misschien,' antwoordde hij, en hij knikte naar haar zwarte mantelpakje. 'Jij ziet er trouwens tiptop uit. Heeft je tante dat gemaakt?'

'C&A. In de uitverkoop.'

Hij grinnikte en trok aan de revers van zijn bruine colbert.

'Dat van mij ook!'

Bakker keek afwezig. Dat kwam wel vaker voor. Dan droomde ze weg in haar eigen wereldje.

'Wanneer?' vroeg ze.

Hij liet het jasje los.

'Een tijdje terug. Een jaar of twee...'

'Nee, Dirk. Ik bedoel, wanneer belt hij? De man die Natalya heeft ontvoerd.'

Een lusteloos glimlachje.

'Wanneer hij zin heeft. Daar kunnen wij verder niks aan doen. We zullen gewoon moeten wachten.'

'Ik heb een hekel aan wachten. En aan die kerel van de AIVD hebben we ook niks.' Ze liet een korte stilte vallen. 'Wat zullen we doen?'

Hij wees op de monitor met de videobeelden.

'Waarom proberen we daar niet wat wijzer van te worden?'

Vos en Hanna Bublik werden meteen doorgelaten toen ze op Schiphol arriveerden. Twee agenten vergezelden hen naar de beveiligde unit naast de enorme luchthaventerminal. Bepaalde gedeelten leken vrij normaal, zoals de cellenblokken voor personen die bij aankomst waren opgesloten en nu op uitzetting wachtten. Er was ook een buitenruimte, waar mensen een frisse neus konden halen of wat konden sporten. Toen ze voorbijliepen zagen ze hoe enkele mannen lusteloos een balletje trapten. Ze vervolgden hun weg via een lange doorgang tussen hoge hekken. Daarna veranderde de sfeer. Ze moesten door een lichaamsscanner en werden gefouilleerd. Opnieuw een identiteitscontrole. De agenten moesten niets van Hanna Bublik hebben en waren erg stroef tegen haar.

Toen ze nog even contact opnamen met de Marnixstraat om te zien of er nieuws was, zei Vos bij wijze van verontschuldiging: 'Ze hebben geen idee. Als ze het wisten...'

Hanna keek hem even aan en vroeg waarom er niets in de kranten stond. Hij vertelde haar over de mediablack-out.

'En als het dat andere meisje was geweest? Dat Nederlandse meisje met haar rijke ouders?'

'Dan zou het precies hetzelfde zijn gegaan,' zei Vos, hoewel hij zich afvroeg of ze hem geloofde.

Na een paar minuten werden ze via een elektronische veiligheidsdeur in een smalle gang gelaten die was afgesloten van de buitenwereld. Een grijze metalen vloer, grijze metalen muren. Deuren op regelmatige afstand van elkaar met alleen een getralied controleraampje en een smartslot.

'Er gaan twee mensen mee naar binnen,' zei de bewaker. 'Zo zijn de regels.'

Vos had de avond ervoor het dossier gelezen. Ismail Alamy noemde zichzelf imam. Er waren bewijzen dat hij een flink aantal jonge mannen had geradicaliseerd. Enkelen van hen had hij naar madrassa's in Pakistan gestuurd, die banden hadden met extremistische groeperingen, waaronder het netwerk dat geleid werd door de schimmige figuur Barbone. Er waren echter nooit wapens bij hem gevonden en hij was zelf nooit van geweld beschuldigd.

'Geen probleem,' zei hij, en ze liepen de kleine cel binnen. Er stond één bed, dat netjes was opgemaakt. Een klein venster keek uit over de luchtplaats. Op de lakens zat een kleine, onopvallende man in kleermakerszit. Hij droeg een feloranje overall. Ondanks zijn enorm lange baard leek hij jonger dan eenenvijftig, de leeftijd die hij volgens de rapporten zou hebben. Hij had een opgewekt, beweeglijk gezicht en bruine ogen die de bezoekers bij binnenkomst opnamen en beoordeelden.

‘Waar is mijn advocaat?’ vroeg Alamy in goed Engels.

‘Die hebt u niet nodig,’ zei Vos, en hij toonde zijn legitimatie. Aan de muur tegenover hem hing een kleine televisie. ‘Weet u wat er gisteren is gebeurd? De aanslag? In de stad?’

De Marokkaan lachte en gebaarde naar zijn cel.

‘Voor het geval het u is ontgaan – ik heb een alibi.’

Hanna staarde naar hem.

‘Wie is die vrouw?’ vroeg Alamy. ‘Ze ziet er niet uit als politieagente.’

‘Dat is ze ook niet,’ zei Vos, en hij vertelde hem het verhaal dat niet op de televisie werd verteld.

Natalya Bublik had op de een of andere manier toch wat geslapen. Toen ze wakker werd, zag ze dat er daglicht naar binnen lekte door de spleetjes in de zoldering. Het meisje was niet onbekend met kleine ruimten. In de Oude Nieuwstraat deelde ze een dakkamertje met haar moeder. Daarvoor hadden ze door Georgië gereisd. Ze waren nergens lang gebleven. Soms hadden ze zelfs een nacht buiten geslapen. Om mannen uit de weg te gaan die geld wilden. Ze was oud genoeg om dat te begrijpen.

Ze was lang voor haar leeftijd, en oplettend. Er was een spel dat ze al speelde zolang ze het zich kon herinneren. Een spel dat haar weghaalde uit de wereld als die slecht was.

Dit leek een goed moment om het tevoorschijn te halen. Ze gebruikte eerst het draagbare toilet in de hoek van de benauwde ruimte en waste haar handen en haar gezicht in het fonteintje met behulp van het kleine stukje zeep dat ze hadden neergelegd. Daarna at ze van het brood dat ze op een bord had gevonden en dronk ze de jus d’orange op. Ten slotte liep ze terug naar het bed, ging op het harde matras liggen en sloot haar ogen.

Stel je voor…

Eenden. Ze kon ze vlakbij horen snateren, kibbelend als de kleine kinderen op de speelplaats bij de school die haar moeder voor haar had gevonden. Af en toe dacht ze zelfs dat ze hun pootjes met zwemvliezen tegen de romp kon horen tikken.

Er voeren boten voorbij. Met kleine motoren. Ze veroorzaakten rimpelingen en golven. Er hing een geur van diesel en mufheid. Het was hier niet druk, dacht ze.

Een spoorweg. Er reden veel treinen. Niet dichtbij, maar ook weer niet zo ver weg dat ze het geluid niet thuis kon brengen. In haar hoofd stelde ze zich de mensen voor die erin zaten, die naar hun werk gingen, naar school of naar de stad om redenen die ze maar al te goed kende, maar waarover ze nooit sprak. Het was niet alleen het zwarte monster dat hen overal volgde en 's nachts op de loer lag. Soms waren het mannen. Schutterige, verlegen mannen die langs de ramen in de rosse buurt schuifelden. Daar lag een link, een waarvan haar moeder tegelijkertijd blij en verdrietig werd.

Het had met geld te maken. Een cadeautje dat ze pas had gekregen. De roze jas met de pony's. Hij was duur geweest volgens haar moeder. Des te meer reden om hem te verkopen, dacht Natalya. Ze hadden het geld nodig, en ze vond roze een afschuwelijke kleur. Ze had er bovendien geen idee van wat je met een pony moest.

Het was het warmste kledingstuk dat ze bezat, maar het hield de kou nauwelijks tegen.

Buiten hoorde ze voetstappen. Plotseling werd ze overvallen door een golf van schuldgevoel. Ze had de hele tijd liggen luisteren naar dingen die haar misschien gerust zouden stellen. De vogels. De verre geluiden van de stad. En ondertussen had ze geen aandacht geschonken aan het feit dat er een man in de aangrenzende kamer was. De hele tijd al.

Op dat moment was het er in elk geval maar één. Daar was ze van overtuigd. Soms was hij aan de telefoon, maar hij sprak te zacht om te kunnen verstaan wat hij zei. Eén keer was hij, dacht ze, naar buiten gegaan. Ze had voetstappen op een trap gehoord, toen op het dek boven haar en daarna op de loopplank. Even daarna was hij teruggekomen.

Of iemand anders. Ze had er geen idee van, en dat vond ze vreselijk irritant.

Een tijdje later was hij begonnen met het verplaatsen van dingen.

Een andere man. Dat was wat haar verbeelding haar vertelde. Ze wisselden elkaar af. Zoals leraren op school. Of bewakers in een gevangenis.

Natalya keek om zich heen en vond dat ze een goed idee had van waar ze was. In de boeg van een boot die zachtjes op het water deinde. Een ruimte zo klein dat hij waarschijnlijk als opslaghok diende, niet om in te wonen. Dat kon alleen een kind. Maar voor hoe lang?

Op dat moment zag ze de zwart geschilderde deur, die waarschijnlijk naar de kajuit voerde, knerpend opengaan. Ze kwam overeind en bleef op het bed zitten. Ze was even nieuwsgierig als bang. Zou hij nog steeds dat rare groene pak aanhebben? De krullenpruik? De zwarte schmink? De rode lippen? De witte ogen en tanden?

In de deuropening verscheen een grote schaduw, en toen kwam hij binnen. Hij was zo lang dat hij moest bukken om zijn hoofd niet te stoten.

Een man in een spijkerbroek, een zwart jasje en met een zwarte bivakmuts op.

Ze wilde lachen en een beledigende opmerking maken.

Ben je bang van mij? Een meisje van acht? Een buitenlands kind van wie de moeder met vreemde mannen moet omgaan zodat we te eten hebben?

Maar ze wist dat dat niet verstandig zou zijn.

'Ik wil naar huis,' zei ze in plaats daarvan.

Hij had een tas van een supermarkt in zijn hand. Marqt. De biologische winkel waar haar moeder graag boodschappen zou doen – als ze het zich kon veroorloven. Hij haalde een pakje crackers en wat kaasjes tevoorschijn. Brood en wat flesjes fris. Een paar wc-rollen. Een tandenborstel en tandpasta. Een paar zakjes met felgekleurde snoepjes. Een doos kleurpotloden, een kleurboek en een goedkope spelcomputer.

'Ik wil douchen. Ik wil mijn haar wassen.'

De bivakmuts knikte. Hij leek erdoor verrast.

'Dat kan niet,' zei hij. 'Nog niet.'

Hij legde de spelcomputer op tafel.

Ze staarde naar het roze plastic ding. Ook met een pony.

'Ik hou niet van kinderspelletjes,' zei Natalya, en ze keek hem aan.

Een man die te laf was om zijn gezicht te laten zien. Wie droeg er nu een bivakmuts voor een schoolkind? Ze had de pest aan de mannen met wie haar moeder omging op straat. Zelfs de man die het cadeautje had achtergelaten.

'Blijf netjes hier, doe wat we zeggen en gedraag je, dan overkomt je niks, Natalya.'

Hij was een Nederlander. Hij klonk... als een leraar bij haar op school. Slim. Zelfverzekerd. Het verbaasde hem dat ze niet bang voor hem was.

We, dacht ze.

Dus ze had gelijk. Hij was niet alleen.

Een schermutseling tussen de eenden buiten veranderde plotseling in een luidruchtig en agressief gesnater. Hij pakte de spelcomputer van tafel, stak hem in zijn zak en maakte aanstalten om te vertrekken.

Ze reikte naar het kleurboek.

'Dit is voor kleuters,' zei ze. 'Ik wil iets met puzzels. Getallen.'

Hij bukte zich, nam het boek uit haar handen en bladerde erdoorheen. Achterin vond hij iets, en hij gaf haar het boek terug.

Sommen. Optellen. Aftrekken. Vermenigvuldigen en delen.

Ze waren eenvoudig. Natalya pakte een pen en begon een voor een de antwoorden op te schrijven.

'Dit is ook voor kleuters,' klaagde ze.

Hij nam het boek terug en keek ernaar vanachter de bivakmuts.

Een leraar, dacht ze. Die deden dat ook.

'Je hebt er één fout,' zei hij, en hij tikte met zijn vinger op de vierde som van boven.

Drie keer dertien. Om de een of andere reden had ze '41' opgeschreven. Ze kraste het antwoord door, corrigeerde het en sloeg de bladzijde om. Opnieuw kleurspelletjes, en plaatjes met 'zoek de 10 verschillen'. Ze gaf hem het kleurboek aan en zei niets.

'Ik zal proberen wat moeilijkers voor je te vinden,' zei hij. Hij vertrok en sloot het deurtje achter zich.

Een hangslot, dacht ze. En aan de andere kant een grendel.

Ze trok het zakje met snoepjes open, pakte er een paar uit en stak ze in haar mond.

Buiten de stad, in een andere cel, luisterde Ismail Alamy. Af en toe knikte hij. Toen Vos zijn verhaal had afgestoken, spreidde hij zijn handen, trok een gezicht en vroeg: 'En...?'

'Er is een onschuldig kind ontvoerd om u vrij te krijgen.'

'Ik heb hier niks mee te maken,' zei de Marokkaan met klem. 'Ik wist niets van dit plan. Ik heb geen idee wie die broeders zouden kunnen zijn. Hebt u soms reden om iets anders te geloven?'

Hij bracht zijn hand omhoog, een ingestudeerd gebaar. Een wijsvinger en een lange, oranje mouw wezen in hun richting. Op dat moment was Alamy de imam van de video's.

'Ik ben zo onschuldig als dat kind. En toch kwijn ik weg in deze gevangenis. Zonder aanklacht. Zonder bewijs. Omdat ze me terug willen sturen naar een regime waar niet de zogenaamde democratie heerst die jullie hier verheerlijken. Waar ze mannen en vrouwen martelen...'

'Dit gaat niet om u,' onderbrak Hanna hem. 'Dit gaat om mijn dochter.'

'Mijn handen zijn schoon,' zei hij, terwijl hij deed alsof hij ze waste. 'Waarom verspilt u uw tijd? Trouwens...' Er verscheen plotseling een grijns op zijn gezicht. 'Ik krijg binnenkort nieuws van het hof uit Straatsburg. Dan ben ik een vrij man. Ik heb hier geen strafblad. Er rust geen smet op mijn persoon. Er is geen enkele reden om mij van mijn vrijheid te beroven.'

Hij was het land binnengekomen op een vals Libisch paspoort en had beweerd dat hij was gevlucht voor het regime van Kadhafi. Vos kende het hele verhaal en was vastbesloten niet toe te happen.

'Ik wil alleen dat u een verklaring aflegt die we aan de ontvoerders kunnen overbrengen,' zei hij. 'Deze mensen zijn uw aanhangers. Als u ze vraagt Natalya Bublik vrij te laten, doen ze dat misschien.'

De Marokkaan schonk hem een dreigende blik.

'Ik ben een man van God. Ik heb geen aanhangers. Ik zou niet weten wie die broeders waren.'

Hanna knipperde met haar ogen, balde haar handen tot vuisten en boog zich naar hem toe. Ze keek hem recht in de ogen.

'Ze is mijn dochter. Het enige wat ik heb. Ze heeft geen vader meer. Die is omgekomen in de zoveelste stompzinnige oorlog.'

'Denkt u soms dat u de enige bent?' vroeg Alamy. 'Denkt u dan niet dat ik geen duizend... misschien wel honderdduizend tragedies tegenover die van u kan stellen?'

'Wat maakt het uit als u iets zegt en ze negeren u?' vroeg Hanna. Haar krachtige stem sloeg bijna over. 'Dat kan toch geen kwaad? En als ze luisteren...'

'Wat dan?' vroeg hij nors. 'Wat zou ik moeten zeggen?'

'Dat ze mijn dochter laten gaan,' zei ze op smekende toon. 'Ze is pas acht. Ze heeft hier niks mee te maken.'

Het kleine beetje geamuseerde vriendelijkheid dat op zijn gezicht lag, verdween.

'We hebben hier allemaal mee te maken, vrouw. De wereld is verdeeld. In goed en kwaad. In degenen die geloven en kunnen worden gered, en degenen die ontkennen en daarvoor zullen branden.'

Vos zweeg. Hij had de hoop nog niet opgegeven.

'Een korte verklaring,' drong ze aan. 'U zegt dat u niet wilt dat mijn dochter uit uw naam wordt vastgehouden. U hoeft geen partij te kiezen. Geen ingewikkelde redenen te geven.'

De imam aarzelde.

Vos vond de situatie om meerdere redenen interessant.

Plotseling vloog de deur open. Alamy keek op, en alle twijfel verdween van zijn gezicht.

Het was Mirjam Fransen. Ze was furieus.

'Wat is hier aan de hand, Vos?' vroeg de AIVD-vrouw op scherpe toon. 'Wie heeft jou hier toestemming voor gegeven?'

Vos schudde zijn hoofd.

'Volgen jullie me soms?'

'Geerts is op de Marnixstraat geweest. Ze zeiden dat je de deur uit was. Het was kinderspel om erachter te komen waarnaartoe.'

Alamy rechtte zijn rug en schonk het drietal een dreigende blik.

'Ik heb niks meer te zeggen. Dit... gesprek is afgelopen.'

Hanna stapte onmiddellijk op hem af, greep de mouw van zijn oranje overall vast en keek hem smekend aan. De tranen stonden in haar ogen.

'Haal die hoer hier weg,' siste hij. 'Haal...'

Ze kon zich niet langer beheersen. Ze haalde uit met haar handen. Ze schreeuwde. Ze rukte aan zijn mouwen.

Vos pakte haar haastig bij de armen, loodste haar naar de deur en duwde haar langs Fransen en de twee bewakers de gang in.

'Hoe weet hij wie ik ben?' vroeg Hanna op scherpe toon. 'Wie heeft hem dat gezegd? Jij?'

'Niemand...'

'Draag ik soms een speldje? Staat het op mijn voorhoofd?'

'Hanna. Luister nou...'

Mirjam Fransen kwam naar buiten. Ze sloeg haar armen over elkaar en keek geïnteresseerd toe, maar ze bemoeide zich er niet mee.

'Je hebt hem aangeraakt,' zei Vos. 'Dat is alles...'

'Als ik dat mens van Kuyper was geweest...'

'Dan zou hij hetzelfde hebben gezegd.' Vos draaide zich om naar Fransen. 'Als we nog even met Alamy kunnen praten, geeft hij ons misschien die verklaring. Eén zinnetje maar. Dat is alles. Dat hij deze actie niet goedkeurt. Dat zou...'

Fransen keek naar de twee bewakers.

'Deze gevangene is onze verantwoordelijkheid. De politie heeft hier niks te zoeken. Jullie laten niemand meer bij hem zonder mijn toestemming. Is dat duidelijk?'

Ze kenden haar. Ze knikten.

'Vijf minuten,' smeekte Vos. 'Waarom zou dat een probleem zijn?'

Ze wees op de elektronische deur aan het einde van de gang.

'Er spelen hier zaken van nationale veiligheid die jullie niet aangaan, Vos. Ga terug naar de Marnixstraat, doe je werk en bemoei je niet met dat van ons.'

'Vijf minuten,' probeerde hij tegen beter weten in.

'Vergeet het maar.' Ze wenkte de bewakers. 'Breng ze weg.'

Saskia's school bevond zich een klein stukje lopen van de Herenmarkt, op een rustige locatie met een kleine speelplaats. Renata Kuyper haalde een cappuccino bij een nabijgelegen café, ging op een bankje in de buurt van het hek zitten en probeerde na te denken. De koffie werd koud. Ze haalde een nieuwe beker, sloot haar ogen en belde naar huis. Er werd niet opgenomen. Ze belde naar Henks mobiele telefoon en kreeg zijn voicemail.

Even later was het pauze, en een luidruchtige troep kinderen, stuk voor stuk goed gekleed en afkomstig uit goed gesitueerde Amsterdamse gezinnen, stroomde het pleintje op. Ze keek naar de kinderen, die met ballen stuiterden, kwebbelden en speelden op de glijbanen, de schommels en de draaimolen.

Ze slaagde er niet in het beeld van een ander meisje elders in de stad uit haar hoofd te krijgen. Bang. Opgesloten. En geen woord erover in de krant. De AIVD had Henk gisteravond gebeld om te zeggen dat ze hun mond moesten houden over wat er was gebeurd. Volgens hen kon publiciteit het kind in gevaar brengen.

Aan de overkant van de straat, op de speelplaats bij de gracht, rende Saskia rond met haar klasgenootjes. Ze droeg nog steeds het roze jasje dat Henk voor haar had gekocht. Ondanks alles wat er was gebeurd had ze het die ochtend per se aan gewild, en Henk had Saskia, tot Renata's afschuw, haar zin gegeven. Ze was geen slim kind. Dat stelde Henk teleur. Niet dat hij zijn dochter dat liet merken.

Renata nipte van haar verse koffie. Plotseling kwam er iemand op het bankje naast haar zitten. Het gebeurde zo onverwacht dat ze even schrok.

Hij droeg een dikke winterjas en had een triest, langgerekt en bleek gezicht met gegroefde, zorgvuldig gladgeschoren wangen. Lucas Kuyper was nog niet echt op leeftijd, maar de jaren en de stress begonnen zich af te tekenen.

Hij had ook een papieren koffiebeker in zijn hand. Er kringelde damp uit omhoog. Hij tikte tegen haar beker en glimlachte.

Er volgde een gesprek over alledaagse dingen, en ze wisselden simpele beleefdheden uit. Henks vader was zo ouderwets. Hij was ontspannen in zijn manier van doen, rustig en bedachtzaam in zijn praten. Het was moeilijk om je hem als militair voor te stellen. Net zoals het soms moeilijk was om je voor te stellen dat Henk een jachtige freelanceactivist was die zich steeds weer in nieuwe campagnes stortte, meestal via het internet. Waar ze om draaiden was haar niet duidelijk.

'Je zegt toch niet tegen hem dat ik hier ben geweest?'

'Natuurlijk niet, Lucas. Niet als jij dat niet wilt.'

'Dat lijkt me het beste. Na gisteravond...'

Het was niet alleen gisteravond. Er leek altijd een ijzige kilte tussen hen te hangen. Ze had wel eens de indruk dat het opzettelijk was.

'Je blijft hier toch niet de hele dag rondhangen?' zei ze. 'Echt... als de politie zich zorgen om ons zou maken, zouden ze wel hier zijn.'

Hij haalde zijn schouders op.

'Ik weet het. Je hebt vast gelijk. Alleen... ik heb eerlijk gezegd niet veel anders te doen. Ik dacht, laat ik even een ommetje maken.'

Drie jaar terug was zijn vrouw overleden. Henk had op de begrafenis bijna geen woord tegen zijn vader gezegd. Tegenwoordig woonde Lucas alleen in de buurt van de Negen Straatjes. Als hij zin had struinde hij de winkeltjes af en kocht hij cadeautjes die Saskia niet nodig had om vervolgens terug te gaan naar zijn grote, lege herenhuis, waar niemand op hem wachtte. Er kwam alleen twee keer per week een schoonmaakster.

Wat er in Bosnië was gebeurd, leek zijn leven en zijn relatie met zijn zoon te hebben verwoest. Er was geen weg terug. En nu leek het erop dat ze Saskia er ook bijna door waren kwijtgeraakt.

'Waarom blijf je jezelf de schuld geven van Srebrenica?' vroeg ze. 'Ze zijn tot de conclusie gekomen dat het niet jouw fout was.'

'Henk denkt daar anders over.'

'Klopt. Maar Henk ziet zelden het goede in de mensen.'

'Het kan voor hem ook niet gemakkelijk zijn geweest,' zei Lucas Kuyper. 'Al die haat. Een deel daarvan heeft híj over zich heen gekregen.'

'Maar ze hebben je vrijgepleit. Waarom zou je daartegenin gaan?'

Dat leek hem niet tevreden te stellen.

'Omdat ík daar was en zíj niet. We hadden er geen idee van dat die mensen zouden worden afgeslacht. En zelfs als we dat wel zouden hebben geweten...' Hij sloot zijn ogen, en er lag zo veel pijn op zijn gegroefde gezicht dat ze wilde dat hij stopte. 'Het probleem is... zelfs dan hadden we het niet tegen kunnen houden. We waren een vredesmacht. Geen leger. We waren niet uitgerust om te vechten. Als ik het materieel en het mandaat had gehad...'

'Dan was jij ook dood geweest.'

Hij knikte.

'Misschien wel. Maar als dat was gebeurd, zou er een reactie zijn gekomen. Dan zouden die achtduizend onschuldige burgers het misschien hebben overleefd. Of op een ander moment weer in de ellende terecht zijn gekomen.'

De Kuypers waren een familie van militairen. Lucas was de laatste uit een lange rij legerofficieren die meer dan anderhalve eeuw terugging. Met Henk was daar een einde aan gekomen.

'Je hebt je plicht gedaan,' zei Renata resoluut.

'Echt?' antwoordde hij met een opmerkelijk randje aan zijn stem. 'Henk zat op het internaat toen de zaak in het nieuws kwam. Hij heeft een rottijd doorgemaakt. Ik... ik heb me erdoorheen weten te slaan. Ergens voelde het als een opluchting. Al het gif dat tegen me werd gespuid... het was verdiend.'

Ze legde een hand op zijn arm.

'Je moet niet zo denken.'

Er lag een sombere blik op zijn gezicht.

'Nee? Gisteren heeft iemand geprobeerd je dochter te ontvoeren. Om wat ik heb gedaan... of niet heb gedaan... bijna twintig jaar geleden. Denk je dat ik het zomaar kan vergeten?'

Ze wist even niet wat ze moest zeggen.

'En Henk lijkt met de dag een grotere hekel aan me te krijgen,' voegde hij eraan toe.

Aan de overkant van de straat begonnen de kinderen de school binnen te gaan. De lessen begonnen weer. Saskia was veilig in het comfortabele, besloten wereldje dat Lucas' geld voor hen had gekocht.

Hij keek haar recht in de ogen. In zijn blik lag een staalharde vastberadenheid, die er ook moest zijn geweest toen hij nog in uniform had gelopen.

'Ben je gelukkig?'

'Nee,' antwoordde ze zonder erover na te denken. 'Maar dat geldt voor zo veel mensen.'

'Je hebt het volste recht om gelukkig te zijn,' zei hij. Hij klonk bijna boos. 'Wij waren het wel. Toen ik zo oud was als Henk nu, was ik beroepsmilitair. We hadden één vijand. De Russen. Er was geen hond die dacht dat er ooit oorlog zou komen. Toen viel de Berlijnse Muur, en iedereen stond te juichen.'

Ze glimlachte en klopte op zijn knie.

'Dat is geschiedenis, Lucas. Het ligt allemaal achter ons. Je moet het loslaten.'

'Een vriend van me was erbij toen de Muur werd neergehaald. Hij vertelde me dat iedereen in Berlijn uitzinnig was. En toen zei hij dat het vanaf dat moment allemaal bergafwaarts zou gaan. Er is geen evenwicht meer om ons op onze plaats te houden. Vroeger waren er duidelijke partijen. Toen wisten we waar we stonden. Een decennium later moesten we naar de Balkan om gewone burgers ervan te weerhouden hun buren te vermoorden. Als Henk ook in het leger was gegaan, had hij naar Irak of Afghanistan gemoeten of God mag weten waarnaartoe.'

Hij dronk zijn koffie op en drukte de beker in elkaar in zijn vuist.

'Ik ben niet de enige die gefaald heeft. We hebben allemaal gefaald. En langzaam maar zeker begint de boel steeds verder in elkaar te storten.' Lucas Kuypers gezicht werd grimmig en hard. 'Terroristen in Amsterdam die op klaarlichte dag kinderen ontvoeren.'

'Des te meer reden om jezelf niet de schuld te geven,' zei ze.

'Maar Henk geeft me wel de schuld. Hij haat me.'

'Mij ook, denk ik.'

'Hij heeft geen reden om je te haten, Renata. Dat geloof ik geen seconde.'

'Misschien heeft hij geen reden nodig.'

Hij leunde naar achteren op het bankje, sloot zijn ogen en zocht naar woorden.

'Denk je erover om bij hem weg te gaan?'

'Is het zo duidelijk?' vroeg ze.

Hij knikte en zei: 'Ja.'

'Maar waar moet ik naartoe?' vroeg ze. Ze beseften allebei dat ze naar een uitnodiging viste. Zijn huis was groot en leeg. Ze kon zich voorstellen dat ze er zou wonen.

'Ik weet het niet,' antwoordde hij. 'We brengen allemaal offers. De prijs van een beetje vreugde is vaak een beetje pijn. Je hebt een prachtige dochter...'

Ze voelde tranen opkomen, en ze vroeg zich af wat hij daarvan zou denken.

'Het enige wat ik wil is mijn gezin. Een normaal gezin. Een liefhebbend gezin. Dat is het enige wat ik ooit heb gewild...'

De speelplaats was verlaten en bood nu een troosteloze aanblik.

'Trouwens, Saskia zou nooit meekomen,' zei ze beslist. 'Ze zijn heel close. Alsof er... een of ander geheim tussen hen is. Ik begrijp het niet. Het enige wat ik weet is dat ik er niet tussen kan komen. Nooit.'

'Dit is niet het moment om overhaaste beslissingen te nemen.'

'Overhaast?' vroeg ze. 'Je denkt toch niet dat dit iets van gisteren is? We hebben het al jaren moeilijk. Is je dat niet opgevallen?'

Ze zweeg, maar Lucas zei niets meer.

Na een korte stilte klonk in haar tas een onbekende ringtoon. Henk had haar vanochtend een van zijn reservemobieltjes gegeven. De politie had dat van haar gehouden vanwege het verwachte telefoontje over het Georgische meisje.

'Waar zit je?' vroeg hij.

'Ik maak even een ommetje.'

Ze kon hem horen zuchten. In de verte klonk verkeer. Hij was ook ergens op straat. Ze dacht dat ze het ratelen van een trein hoorde.

'Nu weet ik nog niet waar je bent.'

'Ik ben bij school, oké?'

'Die idioten van de Marnixstraat hebben gebeld. Ze willen ons spreken. Saskia ook. Iets over inconsistenties in de getuigenverklaringen.'

Lucas schoof een stukje van haar weg over de bank, alsof hij het niet wilde horen. De paniek van de dag ervoor kwam plotseling weer in alle hevigheid terug.

'Wat voor inconsistenties?'

'Geen idee. Wil jij Saskia even ophalen van school? Aan het eind van de Elandsgracht zit een café, aan de kant van de Prinsengracht, vlak bij de brug.'

'Ik kan er over een kwartier zijn...'

'Ik niet. Ik heb het druk. Ik zie je om half twaalf in het café. Dan gaan we van daaruit samen naar het bureau.'

Hij verbrak de verbinding zonder verder nog iets te zeggen. Lucas had zijn hoed in zijn hand en maakte aanstalten om te vertrekken.

'Ik ben blij je even te hebben gesproken,' zei hij terwijl hij opstond. Ze volgde zijn voorbeeld. 'En wat Srebrenica betreft...'

'Wat is daarmee?'

'Het is niet echt een onderwerp waar ik graag over praat.'

'Misschien zou je dat juist moeten doen. Misschien dat Henk en jij...'

'We doen het stap voor stap,' zei hij. 'Je moet als familie altijd je best doen om samen te blijven. Als de band eenmaal scheuren begint te vertonen, wordt het moeilijk om de boel bij elkaar te houden. Henk houdt van je. Saskia ook. Wij allemaal.'

Ze wist niet wat ze moest zeggen. Hij tikte tegen zijn hoed en vertrok.

Vos reed Hanna Bublik naar het centrum terug. Renata Kuypers telefoon in zijn zak bleef zwijgen. Het voelde op de een of andere manier als een beschuldiging.

Het verkeer werd steeds drukker. Hanna keek hem aan en vroeg op gespannen toon: 'Wat moet ik als ze om geld vragen?'

'Het belangrijkste is dat de dialoog wordt aangegaan. Daarna zien we wel weer.'

Ze sloeg haar armen om het goedkope jack dat ze droeg, hoewel het niet koud was in de auto.

'Je kunt zo lang als je wilt in mijn kantoor blijven,' merkte Vos op. 'Dan kan ik het je laten weten zodra hij belt.'

Ze staarde naar buiten door het portierraam terwijl ze over het lange, rechte stuk Marnixstraat reden dat langs het politiebureau voerde.

'Dus je gaat de hele dag zitten wachten tot de telefoon gaat?'

'Laten we hopen van niet,' zei Vos.

'Waarom zou ik dan in de buurt moeten blijven?'

'Ik probeer te helpen.'

'Ik heb maar één ding dat ik de mensen kan geven, en dat is niet iets wat die lui willen.'

'Ik kan een agente regelen om je gezelschap te houden. Misschien kunnen we hulp...'

'Ik wil mijn dochter terug. Dat is alles. Ik heb verder niks van jullie nodig.'

Vos verloor niet snel zijn zelfbeheersing, maar Hanna Bublik haalde hem het bloed onder de nagels vandaan. Hij zette de auto stil tegenover de beveiligde ingang van het bureau.

'We doen allemaal wat we kunnen, Hanna. We vinden je dochter wel.'

Ze schonk hem een dreigende blik.

'Je doet alsof het niks is.'

'Ik meen het. Of we achterhalen de locatie waar die kerel haar vasthoudt, of we onderhandelen over haar vrijlating.'

'Ze is de dochter van een hoer. Illegaal. Wat valt er te onderhandelen?'

Soms werkte medeleven niet.

'Is er soms iets anders wat je van me wilt?' vroeg hij. 'Zeg het maar, dan weet ik het tenminste.'

Ze worstelde met zijn vraag.

'Ik snap het, Vos. Je leeft met ons mee. Het probleem is...' Ze keek bijna schuldig. 'Een vrouw als ik maakt zich altijd zorgen als iemand om haar lijkt te geven. Ik kan er gewoon weinig mee. Sorry. Maar dat is mijn probleem. Niet het jouwe.'

Ze pakte haar tas en keek hoeveel geld ze had. Vos zag dat het niet veel was. Hij reikte naar zijn portemonnee, maar ze legde een hand op zijn arm.

'Ik stap er hier uit. Ik moet naar iemand toe. Bel me als je nieuws hebt.'

Hij zag haar de straat oversteken, linea recta door het drukke verkeer, een hand opstekend om een drammerige taxichauffeur af te weren. Ze was niet knap, maar wel aantrekkelijk. Door haar lengte en haar rechte rug straalde ze iets van trots uit in haar imitatieleren jasje en haar spijkerbroek. Hij kon zich voorstellen dat er mensen voor haar raam bleven staan als ze op een barkruk onder een rode lamp zat. Een flauw glimlachje zou al volstaan.

Ze liep verder in de richting van het centrum. Nog even en ze was in de Negen Straatjes, het winkelgebied waar de Amsterdamse middenklasse haar luxeartikelen kocht. De rosse buurt lag niet ver daarachter.

Laura Bakker dacht waarschijnlijk dat ze iemand als Hanna weer op het rechte pad konden brengen. Niemand koos bewust voor een leven als prostituee. Het was een tijdelijke oplossing, misschien de enige keus die iemand op een bepaald moment had. Maar Bakker was nieuw in de stad en bezat nog haar jeugdige optimisme. Vos had een tijdje bij de zedenpolitie gewerkt, waar hij te maken had gehad met veel van de criminelen die aan het hoofd stonden van de sekssyndicaten en daar met harde, soms gewelddadige hand de scepter zwaaiden. De meeste vrouwen die achter het raam werkten, gaven het uiteindelijk op vanwege hun leeftijd en gebrek aan klandizie. Zo simpel lag het.

Er klonk een onbekende ringtoon. Hij haalde Renata Kuypers mobieltje tevoorschijn en keek op het scherm. Anoniem. Hij wachtte een paar tellen in de wetenschap dat de regelkamer een poging zou doen het telefoontje te traceren. Ze zouden er ongetwijfeld achter komen dat het gesprek via een internetverbinding verliep, wat in het gunstigste geval een globale locatie ergens in de stad zou opleveren, lang niet zo nauwkeurig als een zendmast voor mobiele telefonie.

Nadat het belsignaal voor de vierde keer had geklonken, nam hij op.

Vos werd zo in beslag genomen door het telefoontje dat de korte en merkwaardige ontmoeting aan de overkant van de straat hem ontging. De Kuypers die het bureau aan de Marnixstraat binnengingen met Saskia aan haar vaders hand.

En Hanna Bublik die op een vreemde manier naar hen staarde, alsof het feit dat ze hen zag iets betekende.

'Ga niet naar me op zoek,' zei de man. 'Doe wat ik zeg, anders ben jij verantwoordelijk voor wat er met het kind gebeurt.'

Vos keek op zijn horloge. Zeventien minuten voor twaalf.

'Wat wil je?' vroeg hij.

'Ik wil dat mijn broeder vrijkomt.'

De stem was Nederlands, ontwikkeld, rustig en met een accent dat hij niet kon plaatsen. Misschien gekunsteld. De man sprak langzaam en zelfverzekerd, alsof hij zich geen zorgen maakte over de mogelijkheid dat hij zou worden getraceerd.

'Ik wil zeker weten dat het meisje veilig is en in goede gezondheid verkeert.'

Een korte stilte. Toen zei een jong meisje met een hoog stemmetje zonder hoorbare angst: 'Ik ben Natalya. Wie bent u?'

'Ik ben politieagent. Pieter Vos. Je moeder was hier net nog, Natalya. Jammer dat je haar hebt gemist. Is alles...?'

Er klonk een geluid, gevolgd door een boze schreeuw, mogelijk van pijn. Toen kwam de man weer aan de lijn.

'Dat was het,' zei de man.

'Heb je haar geslagen?'

'Nog niet.' Hij klonk beledigd door de vraag. 'Ze is... behoorlijk lastig. Het zal wel in de genen zitten.'

'Wat weet je over de moeder?'

'Dat wat het meisje me heeft verteld. Is dit soms een verhoor?'

Vos probeerde zich een achtjarig meisje voor te stellen dat aan een vreemde – een man die bovendien kwaad in de zin had – vertelde dat haar moeder prostituee was. Dat viel hem niet makkelijk.

'Ik wil dat je voor Alamy een vliegtuig regelt vanaf Schiphol. We laten de bestemming nog weten. Bij aankomst wil ik een veilige doortocht. En' – hij bedacht het ter plekke – 'honderdduizend euro.'

'Toe maar.'

'Jij hebt contact met de regering,' zei de man. 'Je regelt het maar.'

'Ik heb wat tijd nodig. Geef me een dag.'

'Een dag?' Hij klonk verontwaardigd. 'Wil je het meisje levend terug of niet?'

'Het ligt niet zo simpel. We hebben politieke toestemming nodig voor het geld. En om het vliegtuig te regelen. Denk je soms dat ik alleen maar met mijn vingers hoef te knippen om zoiets voor elkaar te krijgen?'

'Akkoord. Een dag,' zei de man. 'Maar geen geintjes.'

Dat ging snel. En simpel.

'Dat begrijp ik. Ik wil nog één keer met Natalya praten.'

Een lange zucht. Even later kwam ze weer aan de lijn.

'Je moeder houdt van je,' zei Vos. 'Morgen ben je weer thuis. Dat beloof ik.'

Er volgde een korte stilte. Op de achtergrond klonk een geluid dat hij niet thuis kon brengen.

'Dank u wel,' zei Natalya Bublik heel langzaam en heel beleefd.

De verbinding werd verbroken. Hij nam onmiddellijk contact op met Bakker.

'Hebben jullie meegeluisterd?'

Ze bevond zich met Van der Berg, Koeman en de rest van het team in het hoofdkantoor, waar ze voor de computer zat en de binnengekomen data van de trackingsoftware naliep.

'Hij belde via Skype,' zei ze.

'Hebben jullie het telefoontje opgenomen?'

'Natuurlijk!'

'Goed zo. Ik kom eraan. Ik hoorde iets op de achtergrond. De laatste keer, toen Natalya heel langzaam sprak. Volgens mij deed ze dat met opzet. Probeer te achterhalen wat het is.'

Hij had de verbinding nog niet verbroken of zijn telefoon ging. Het was Mirjam Fransen. Het gesprek met de ontvoerder was ook doorgeschakeld naar het AIVD-kantoor in het centrum van de stad.

Hij zei tegen haar dat hij op het bureau aan de Marnixstraat was. Als ze de zaak wilde bespreken moest ze daar maar naartoe komen.

'Ik heb het te druk, Vos,' zei ze. 'Nog één ding.'

'En dat is?' vroeg hij toen ze zweeg.

'Hou hem aan het lijntje en laat hem denken dat we hem geven wat hij wil.'

'Oké.'

'Je begrijpt hopelijk wel dat hij niks krijgt. De Nederlandse regering onderhandelt niet met criminelen. Er wordt geen losgeld betaald en Ismail Alamy blijft zitten waar hij zit.'

Hij startte de auto en zocht naar een gaatje in het verkeer.

'Wil jij het de moeder vertellen?'

'Wij hebben wel wat beters te doen. Ik laat het aan jou over.'

Ze verbrak de verbinding. Vos belde Hanna Bublik en kreeg haar voicemail.

Na de auto te hebben geparkeerd liep hij het bureau binnen. Bakker en Van der Berg hadden inmiddels specialisten aan het werk gezet die bezig waren met het telefoongesprek. De familie Kuyper zat in een verhoorkamer.

'Wat doen die hier...?' zei hij.

'Er klopt iets niet,' zei Bakker. 'De technische mensen hebben een minuut of twintig nodig om de kwaliteit van het telefoongesprek te verbeteren. Kunnen we ondertussen even met de Kuypers praten?'

'Heeft de AIVD al iets?'

'Als dat al zo is, dan hebben ze ons in elk geval niks verteld,' zei Van der Berg, en hij trok een gezicht. 'We moeten zien te achterhalen wat er gisteren precies is gebeurd, Pieter. De Kuypers kunnen ons daar misschien bij helpen.'

Vos probeerde het nummer van Hanna Bublik nog een keer. Er werd nog steeds niet opgenomen. Hij keek naar de drie mensen in de verhoorkamer. Ze waren allemaal goed gekleed. Het meisje zat dichter bij haar vader dan bij haar moeder. Ze zagen eruit alsof ze goed in de slappe was zaten. Niet dat ze er zo veel gelukkiger door leken.

'Oké,' zei hij.

Ze had het adres van Chantal Santos. Het was een oud gebouw in de Spooksteeg, een voetgangersstraatje tussen de Zeedijk en de Oudezijds Achterburgwal. De muren zaten vol graffiti, en er stond een hoog ijzeren hek met scherpe punten dat 's nachts gesloten was om fout volk buiten te houden. De steeg bevond zich in het hart van de rosse buurt, maar was verstoken van de nering die de levensader vormde van dit gedeelte van de stad.

Cem Yilmaz verdiende zijn geld met die nering. Hij was zevenendertig en afkomstig uit Ankara. Na een verblijf in Hamburg was hij in Amsterdam terechtgekomen. Yilmaz was een kolos van een man met indrukwekkende spieren. In zijn penthouse stonden fitnesstoestellen – bij het raam, zodat iedereen ze kon zien. Yilmaz was eigenaar van het hele pand. Daarnaast bezat hij talloze rijen met prostitutieramen verspreid over de stad, vier seksclubs, een pizzeria en een winkeltje dat grappige condooms verkocht. Het grootste deel van zijn bedrijven was legaal. Alleen de manier waarop hij zijn meisjes behandelde als hij vond dat ze over de schreef gingen, dreigde hem onder de aandacht te brengen van de politie. Maar de meisjes waren sowieso te bang om te klagen.

Hanna wist wat Yilmaz was. Ze wist ook het een en ander over zijn achtergrond. Toen ze aanbelde en zich meldde via de intercom, was ze in gedachten al bezig te bedenken wat ze zou doen als hij haar binnenliet. De deur zoemde. Ze betrad een modern atrium achter de oude gevel, zag dat de lift openstond en drukte op de knop voor de bovenste verdieping.

De lift kwam direct op de woonkamer uit. Yilmaz zat in zijn eentje op een enorme, knalrode sofa. Hij had een strak gezicht met rusteloze, uitpuilende ogen en zijn huid had de kleur van flets leer. Hij deed haar denken aan sommigen van de criminelen met wie haar echtgenoot kort contact had gehad in Gori. Schurken die je een bezoekje brachten om beschermingsgeld te eisen. Meestal ter bescherming tegen henzelf.

De Turk droeg een felblauwe trainingsbroek. Zijn blote borst glom van het zweet. De ruimte rook naar krachttraining. Hij zei dat ze moest gaan zitten, rolde over de sofa om een doos van de koffietafel te pakken, nam er een sigaar uit en stak hem op. De lichte ruimte begon zich te vullen met rook. Hanna had hem één keer eerder gezien, toen hij door de buurt reed in zijn Maserati. Yilmaz pronkte graag met zijn rijkdom.

'Ik heb je vier keer gevraagd of je hier wilde komen, mevrouw Bublik. En je hebt vier keer geweigerd.' Hij had een zware baritonstem en sprak op zelfverzekerde toon. 'Waarom sta je nu ineens voor de deur?'

Ze vroeg zich af hoeveel ze moest zeggen. De politie was heel duidelijk geweest. Hoe minder mensen van Natalya's ontvoering wisten, hoe beter. Maar ze tastten in het duister.

Daarom vertelde ze het hem. Over de aanslag op het Leidseplein een dag eerder. Daar was hij uiteraard van op de hoogte. Hij luisterde zonder een spier te vertrekken naar het verhaal van Natalya's ontvoering. Hanna liet de Kuypers erbuiten. Die leken niet relevant.

Hij hoorde haar aan, knikte en maakte voor zichzelf een kopje Turkse koffie. Hij bood Hanna er ook een aan. Ze nipte van de sterke, zwarte vloeistof. Het bezinksel op de bodem leek wel modder. Toen ze klaar was, trok hij zijn enorme schouders een paar keer op, pakte een handdoek en begon het zweet van zijn borst en zijn biceps te vegen.

'En waarom vertel je me dit?' vroeg hij.

'Ik dacht dat je me misschien zou kunnen helpen.'

'Hoe?'

Dit was pijnlijk. Maar ze moest het zeggen.

'Ik hoorde dat je ook moslim bent.'

Hij kneep zijn grote ogen samen.

'Denk je soms dat elke moslim een terrorist is?'

'Nee.'

Maar ze had geruchten gehoord. Er ging geld van de bendes naar de broederschappen. Dat was een van de manieren om meisjes de stad binnen te smokkelen, met name uit de Kaukasische landen die na het uiteenvallen van de Sovjet-Unie onafhankelijk waren geworden. Soms werden ze door Georgië vervoerd. Iedereen wist ervan.

'Ik wilde het gewoon vragen. Voor het geval je iets had gehoord. Je zou het me kunnen vertellen. Als een gunst.'

Hij dronk zijn koffie op en zette het kopje op de tafel voor hem.

'Waar zie je me voor aan? Een liefdadigheidsinstelling? Hoeveel mensen verlenen Cem Yilmaz een gunst?' Hij nam haar van top tot teen op. 'Hoeveel gunsten heb jij mij verleend?'

Om de een of andere reden brandde er een enorm vuur in de open haard. Houtblokken knisperden onder een grote, oude schoorsteen. Het maakte de kamer veel te warm en versterkte Yilmaz' geur.

'Ik heb nooit iets gedaan om tussen jou en je meisjes te komen. Dat zou ik nooit doen.'

'Niks is niks, mevrouw Bublik. Je wilt mijn hulp. Waarom zou ik je die geven?'

Niet nu, dacht ze. Niet nu Natalya is ontvoerd. Zijn geld aannemen was, zo had ze begrepen, een enkele reis. Op die beslissing terugkomen was niet mogelijk. Niet als je leven je lief was.

'Ik wil alleen mijn dochter terug. Als dat achter de rug is... kunnen we praten.'

Opnieuw die blik. Van top tot teen. Als een slager die vlees keurt.

'Je ziet er niet gek uit. We zouden er allebei beter van kunnen worden. Je zou meer kunnen verdienen dan je ooit in je eentje achter een raam zou krijgen. Zeggen ze dat ze geld willen? Hoeveel?'

'Ik weet het niet.'

'Hoeveel heb je?'

'Niet veel. Misschien... misschien dat de politie me helpt.'

Hij lachte.

'Waarom zouden die je helpen? Je bent geen Nederlandse. Je bent niet meer dan een stuk vlees voor ze.'

'Alsof ik voor jou iets anders zou zijn.'

Het was eruit voor ze het wist, en ze had er onmiddellijk spijt van. Toch leek hij niet beledigd. Als zijn blik al iets verraadde was het respect.

'Mijn aanbod was in goed vertrouwen,' zei Yilmaz nadrukkelijk. 'Ik ben een zakenman, dat is alles. We maken een afspraak en daar varen we allebei wel bij. Als je voor me wilt werken, zou ik je eventueel kunnen helpen. Vragen stellen aan mensen die misschien een antwoord hebben. Wie weet...' Hij haalde zijn schouders op. 'Ik kan niks garanderen. Maar als ik geen vragen stel, komen er natuurlijk ook geen antwoorden.'

'Ik kan niet werken zolang dit gaande is.'

Hij schudde zijn grote, kortgeknipte hoofd.

'Maar gisteravond zat je achter het raam en was je op zoek naar klanten. Of dat probeerde je.'

Ze keek hem zwijgend aan.

'Die ramen zijn van mij, mevrouw Bublik. Ik ben een prima verhuurder en een uitstekende werkgever. Het enige wat ik van je vraag is loyaliteit.'

'Ik vraag het je heel vriendelijk,' zei ze zacht.

'Ik hoor het.'

Yilmaz liep naar een bureau bij het brede venster dat uitkeek over de gracht. Hij wenkte haar, trok een la open en liet haar de inhoud zien. Hij zat vol met geld. Euro's. Britse ponden. Amerikaanse dollars. Bankbiljetten in valuta die ze niet herkende. Veel.

'Geld moet rollen.' Hij pakte een stapeltje eurobiljetten en hield het haar voor. 'Het enige wat ik van je wil is dat je deel uitmaakt van mijn damesfamilie. Je hoeft niet meer te vernikkelen in zo'n koud hok. Je krijgt betere heren die meer betalen. Je werkt minder.'

En ik ben je slaaf.

Hij wist dat ze dat dacht. Ze zag het in zijn ogen.

'Ze is pas acht,' zei ze op smekende toon. 'Ze is alles wat ik heb.'

'Ik wil je heel graag helpen. Maar een man als ik heeft altijd een prijs.' Hij lachte. 'Wat is het probleem? Het is een prijs die je toch al betaalt.'

Ze zei dat ze erover na wilde denken en vroeg om een telefoonnummer. Hij trok een gezicht, noteerde zijn nummer, vroeg het hare en legde vervolgens het stapeltje bankbiljetten terug in de la.

'Ik zal in elk geval wat rondvragen,' zei hij. 'Ik ben geen onmens, alleen praktisch.'

Hij opende een andere la, haalde een flacon met olie tevoorschijn en haalde de stop eraf. Ze rook een krachtige, aromatische geur, bijna vrouwelijk.

Yilmaz hield haar de flacon voor en zei: 'Je zou me nu een plezier kunnen doen door dit in te wrijven.'

Ze haalde haar telefoon tevoorschijn en voerde zijn nummer in.

Het icoontje van de voicemail knipperde. Zenuwachtig en met trillende vingers luisterde ze het bericht af.

Het was Vos, die haar vroeg naar de Marnixstraat te komen. Ze hadden iets.

'Ik moet weg,' zei ze. 'De politie wil me spreken.'

Yilmaz keek haar zwijgend na.

Buiten in de met graffiti bekladde Spooksteeg vroeg ze zich af wat ze van de Turk moest denken. Zou hij inderdaad mensen kennen? Of wilde hij haar gewoon inlijven in zijn harem vol gewillige hoertjes?

Ze had er geen idee van. Ze belde Vos, kreeg zijn voicemail en sprak in dat ze onderweg was.

Henk Kuyper was onvermurwbaar: ze werden gezamenlijk ondervraagd of helemaal niet.

Van der Berg luisterde hoofdschuddend naar zijn gedrein. Vos zat achter een bureau en vroeg zich af wanneer de technische recherche met een bruikbare versie van het opgenomen telefoongesprek zou komen. Ze hadden al klaar moeten zijn. Bakker sloeg voortdurend haar lange benen over elkaar en weer van elkaar en onderstreepte de voorstelling met ongeduldige, geërgerde zuchtjes.

'We beschuldigen u nergens van,' zei Van der Berg tegen de lange, stuurs uit zijn ogen kijkende man aan de andere kant van de tafel.

'Ik wil niet dat Saskia apart wordt ondervraagd. Je kunt een achtjarig meisje niet verhoren alsof ze een crimineel is.'

'Niemand heeft ook maar iets in die richting gesuggereerd,' onderbrak Vos hem. 'Het punt is alleen...' Hij had van tevoren kort met Bakker gesproken en haar aantekeningen doorgenomen. 'We willen gewoon zeker weten dat we begrijpen wat u gisteren gezien denkt te hebben.'

Kuyper leunde achterover op zijn stoel. Zijn vrouw zat aan het hoofd van de tafel, en het meisje bevond zich tussen hen in, dicht bij haar vader.

'Ik heb het niet zo op de politie,' mopperde hij. 'Jullie zijn altijd partijdig.'

Van der Berg knipperde met zijn ogen.

'Partijdig? We proberen een ontvoerd meisje te vinden. Het had ook uw dochter kunnen zijn.'

'Maar dat is niet zo. Als jullie gewoon je werk hadden gedaan was dit misschien helemaal niet...'

'Wat mij betreft kunnen we beginnen,' onderbrak Renata hem. 'Jullie kunnen vragen wat jullie willen.'

Het stel schonk elkaar een akelige, kille blik. Saskia haalde een glimmend mobieltje tevoorschijn en begon er een spelletje op te spelen. Bakker zette een laptop op tafel en liet hen de videobeelden zien. Als de timing klopte – en er was geen reden om daaraan te twijfelen – had ze iets gezien. Natalya Bublik was vlak na Saskia's verdwijning meegenomen. Het was denkbaar dat het een vergissing was van de kant van de ontvoerders. Twee mensen die op zoek waren naar een roze jasje. Maar toch was er iets wat niet leek te kloppen.

Renata volgde alles nauwlettend en luisterde naar Bakker, die beschreef hoe de gebeurtenissen elkaar hadden opgevolgd.

'Ik weet niet wat jullie van me willen horen,' zei ze ten slotte. 'Saskia is weggelopen toen ik op het plein stond. Ze wilde Sinterklaas zien. Toen hoorden we de explosies. Even later kwam Henk. Hij is de menigte in gelopen en heeft haar gevonden.'

'Waar?' vroeg Vos, en hij keek hem recht in de ogen.

'Achter de Stadsschouwburg,' zei Kuyper. 'Het leek me de meest voor de hand liggende plek om haar te zoeken.' Hij wierp een zure, sarcastische blik op zijn vrouw. 'Tenminste, zo zag ik het. Als je als bang kind wilt ontsnappen aan een vreemde man, en overal om je heen zijn mensen in paniek, dan probeer je je te verstoppen, toch? Saskia?'

Het meisje keek op van haar telefoon en zei op verveelde, prikkelbare toon: 'Ik probeerde me te verstoppen. En toen heeft papa me gevonden.'

Bakker keek naar de telefoon.

'Heb je een nieuw mobieltje, Saskia?'

'Ik heb een paar reservetelefoons,' snauwde haar vader. 'Dat is toch niks bijzonders?'

Het meisje ging weer verder met haar spelletje.

'Hoe ben je aan Zwarte Piet ontsnapt?' vroeg Bakker.

'Weggerend.'

Daarmee was voor haar de kous blijkbaar af.

'Hield hij je dan niet vast?'

'Niet toen ik wegrende. Toen liet hij me los.' Ze keek naar haar vader. 'Dat heb ik toch goed gedaan?'

'Je hebt het helemaal goed gedaan,' zei hij, en hij klopte zachtjes op haar hand. 'Even later heb ik haar gevonden en haar teruggebracht.'

Saskia had nog steeds het roze jasje aan.

'Gezien de omstandigheden,' zei Bakker, 'verbaast het me dat ze die jas nog steeds draagt.'

'Het was niet mijn idee,' beet Renata. 'Ik heb gezegd dat ze iets anders aan moest trekken. Maar dat werd zoals gewoonlijk genegeerd.'

Kuyper schonk haar een woeste blik.

'Waarom zou ze die jas niet meer mogen dragen? Ze vindt hem mooi. We hebben geluk gehad. Meer niet. Ik heb geen idee wat jullie met die' – hij gebaarde met een vinger naar de laptop – 'timing willen. Waarom hebben jullie ons daarbij nodig? Kunnen jullie niet beter naar dat andere kind op zoek?' Hij aarzelde even, maar zei het toch. 'En die Alamy kunnen jullie net zo goed vrijlaten. Hij heeft niks in de gevangenis te zoeken.'

'Bent u op de hoogte van de zaak?' vroeg Vos.

'Voldoende. Jullie hebben geen enkel bewijs dat hij hier een misdaad heeft gepleegd. Alleen omdat hij dingen zegt die jullie niet aanstaan willen jullie hem uitzetten naar een land dat niet eens doet alsof het zich bekommert om gerechtigheid. Of democratie. Of vrijheid. Wat...'

Zijn vrouw schonk hem een giftige blik.

'Dit is niet het moment voor een preek, Henk,' zei ze zacht.

'O nee? Als ze Alamy niet voor jandoedel in de gevangenis hadden gegooid, zouden we hier waarschijnlijk niet zitten.'

Er werd een paar keer hard op de deur geklopt. Bakker deed open. Het was Koeman. Ze luisterde naar wat hij te zeggen had en keek vervolgens naar Vos. Hij begreep de hint en liep naar buiten.

'We hebben iets gehoord op de opname,' zei de rechercheur. 'Eenden en treinen. Ze hebben het volume zo ver mogelijk opgevoerd en hadden het idee dat er iets werd omgeroepen.' Hij zweeg even. 'Het moet in de buurt van een station zijn. Waarschijnlijk Centraal.'

'Een boot,' zei Vos. 'Ik wist dat het een boot was.'

'Precies,' beaamde Koeman. 'Dat betekent waarschijnlijk dat ze ergens in het Westerdok zit. Dat ligt volgens mij het meest voor de hand. Ik heb er agenten op afgestuurd om rond te vragen.'

'Ik wil er zelf naartoe,' zei Vos, en hij keek naar Bakker. 'Regel een auto.'

'Wat doen we met dat stel?' vroeg ze, en ze keek over haar schouder naar de verhoorkamer.

Van der Berg had zich inmiddels bij hen gevoegd.

'Het is helaas niet verboden om een ontzettende eikel te zijn,' zei hij. 'Volgens mij probeert die arrogante zak ons op de kast te krijgen. Het lijkt me het beste om hem die lol niet te gunnen.'

'Ze hebben ons niks nieuws te vertellen,' voegde Vos eraan toe. 'Je hebt gezien hoe het er op het Leidseplein aan toeging. Als een stel Zwarte Pieten daar op zoek was naar een meisje in een roze jas is het niet echt vreemd dat ze zich hebben vergist...'

'Maar de timing...!'

'Westerdok,' zei hij. 'Waar blijft die auto?' Hij knikte naar Van der Berg. 'We gaan met z'n drieën.'

'Trouwens,' voegde Koeman eraan toe, 'die gezellige dame van de AIVD heeft gebeld om te vragen hoe ver we zijn. En de moeder zit in een verhoorkamer en wil je spreken. Ze zegt dat het belangrijk is.'

'Zeg maar tegen Fransen dat we nog aan het zoeken zijn. En ik heb nu geen tijd voor de moeder. Hou haar maar even aan de praat.'

De rechercheur trok een gezicht.

'Ze is nog steeds kwaad op me omdat ik gisteren zo lullig tegen haar deed. Begrijpelijk.'

'Ga maar even koffie met haar drinken,' zei Vos, en hij klopte hem op de schouder. 'Leg het bij. Zeg dat het je spijt. Vraag of ze misschien hulp nodig heeft. Het is een aardig mens. Ze is niet gek.'

Hij draaide zich om en liep de verhoorkamer weer binnen. Kuyper stond op. Zijn dochter deed hetzelfde.

'Bedankt voor jullie tijd,' zei Vos tegen ze. 'We stellen het op prijs. Jullie kunnen gaan.'

'Dat dacht ik al,' zei Henk Kuyper, en hij loodste zijn gezin de gang in, langs de receptie en het gebouw uit.

Er klonken opnieuw voetstappen in het aangrenzende vertrek. Natalya luisterde aandachtig. Door de spleetjes in de plankenvloer kon ze zien dat het donker begon te worden. Ze hoorde ergens treinen. Mensen die op stap gingen of naar huis.

Een paar uur eerder was de zwarte bivakmuts teruggekomen met meer eten: een sandwich met oude kaas, een zakje chips en een flesje frisdrank met prik. Ze had tegen hem gezegd dat ze niet van prik hield. Hij had geen antwoord gegeven en ergens een glas water gehaald. Nadat hij haar kamertje had verlaten, had ze nog net kunnen horen dat hij de telefoon opnam. Het was de man die haar het boek had gebracht, daar was ze van overtuigd. Niet die van de avond ervoor.

Verveeld en meer dan een beetje boos wachtte ze af met haar blik op de deur gericht. Hij kwam binnen. Dezelfde kleren en hetzelfde zwarte masker om zijn gezicht te verbergen. Maar hij zette de bivakmuts pas op toen hij in de deuropening stond.

Ze zag iets. Ze zag hem.

En misschien besefte hij het ook.

Ze deed alsof haar neus bloedde en keek naar het eten terwijl hij de sandwich uitpakte.

'Ik heb de sommen gemaakt die ik van je heb gekregen.' Ze haalde het kleurboek tevoorschijn en bladerde naar de pagina die ze die ochtend had gedaan. 'Wil je ze nakijken?'

Hij bromde iets over dat hij het druk had. Deze had een accent. Net als die van de avond ervoor. De Zwarte Piet die haar had meegenomen.

Ze zijn maar met z'n tweeën, dacht ze. Ze wisselden elkaar af, lieten haar urenlang alleen, opgesloten in de boegruimte van een boot ergens in de buurt van het station.

'Ben je bang voor me?' vroeg Natalya.

Hij keek op. Hij had zijn handen vol afval, net als die voortsjokkende types die ze op straat wel eens in vuilnisbakken zag rommelen.

'Hou je mond, meisje,' zei deze Zwarte Piet tegen haar. 'Ken je plaats.'

Ze hield haar hoofd schuin en keek naar hem.

'Welke plaats is dat?'

Hij hief zijn hand. Ze vertrok geen spier. Deze was heel anders.

'Je bent acht jaar oud, Natalya Bublik. Hou je mond en wees blij dat je nog leeft.'

De andere man had haar naam nooit genoemd. Hij had er ook niet naar gevraagd. En toch wisten ze hoe ze heette.

Ze boog haar hoofd, pakte het kleurboek en een kleurpotlood en tekende iets.

Hij keek niet naar haar. Toen ging zijn telefoon weer. Hij liep het kamertje uit en vergrendelde de deur achter zich.

Natalya vond de lege pagina achter het omslag en begon te tekenen. En te schrijven.

Ze dacht terug aan het korte gesprek dat ze had gehoord en aan wat ze dacht te hebben gezien.

Toen bladerde ze naar de laatste pagina en schreef zorgvuldig twee regels – in het Nederlands, zodat iemand anders het gemakkelijk zou kunnen lezen.

De ene heet Karlied of zo. Volgens mij is hij een soort baas.

Hij heeft een donkere huid en een lange zwarte baard die glimt, net als een piraat.

En ten slotte, terwijl haar hand beefde bij de gedachte...

Volgens mij weet hij dat ik hem heb gezien.

Hanna Bublik zat met Koeman – die zich doodongelukkig voelde – in een klein, bedompt verhoorkamertje van bureau Marnixstraat. Ze zei niet wat ze tegen Vos had willen zeggen, omdat dat alleen voor hem bestemd was. Dit was de idioot die hen een dag eerder had laten stikken. Hij had zich achterdochtig opgesteld, terwijl hij haar had moeten helpen en had moeten luisteren naar wat ze te vertellen had.

Ze negeerde de koffie en hoorde hem aan terwijl hij een poging deed zijn gedrag te rechtvaardigen.

'Kan ik iets te eten voor je halen?' vroeg hij ten slotte.

'Zo arm ben ik ook weer niet.'

'Het was aardig bedoeld.'

Ze schonk hem een vuile blik en keek op haar horloge.

'Wanneer komt Vos terug?'

'Geen idee. Ik kan je anders wel bellen als we iets weten.'

Ze keek in zijn trieste, waterige ogen.

'Denk je dat ze mijn dochter vinden?'

'Ja,' zei hij zonder overtuiging.

'Dan blijf ik hier wachten.'

Buiten in de gang ontstond beroering. Door de deur zag ze de vrouw met het harde gezicht, die duidelijk geen gewone politieagente was, vastberaden langsbenen. Ze werd vergezeld door de grote man die haar de dag ervoor had vergezeld op het Leidseplein. Hanna nam aan dat ze van een of andere inlichtingendienst waren. Ze hadden het niet echt op de politie. Dat gevoel was trouwens wederzijds.

Koeman, die het ook zag en hoorde, vloekte zacht.

Mirjam Fransen eiste op luide en gedecideerde toon een onderhoud met Frank de Groot. Ze klonk niet blij.

Het Westerdok liep bij benadering vanaf het spoor tot aan het IJ. In het ooit in verval geraakte havengebied was inmiddels een spiksplinternieuwe wijk verrezen. Aan de stationkant stonden hotels, cafés en het nieuwe Paleis van Justitie, dat het oude aan de Prinsengracht verving, niet ver van waar Vos woonde. De aangrenzende eilandjes boden plaats aan appartementencomplexen, bedrijfspanden en leegstaande pakhuizen. In de grauwe grachten lagen lange rijen met woonboten.

Toen Vos, Bakker en Van der Berg arriveerden, liepen er twintig politieagenten rond, die bij de mensen aanklopten om vragen te stellen. Van der Berg parkeerde de auto niet ver van het Paleis van Justitie en wierp een blik op de lange rij boten die zich in noordelijke richting uitstrekte langs de rechte straat. Het waren er minstens vijftig. De agenten hadden inmiddels een derde afgewerkt.

'Hier kan het niet zijn,' zei Bakker. 'Veel te toegankelijk.'

'Klopt,' beaamde Vos.

Dit was niet echt een autovriendelijk gebied. De straten waren smal en liepen soms dood op een voetpad of brug.

Vos stapte uit, sprak een paar agenten aan en kwam terug met twee fietsen.

Van der Berg keek zorgelijk. Hij was geen fietsmens. Vos droeg hem op in de buurt van de auto te blijven om op de radio te letten en hen op de hoogte te houden. Hij overhandigde een fiets aan Bakker, en samen begaven ze zich op weg naar de aangrenzende eilandjes, waar ze door rustige straatjes met woningen en bedrijfjes reden op een steenworp afstand van de drukke stad.

Een paar minuten later waren ze aan de overkant. Ze keken naar de boten, en Vos fronste zijn wenkbrauwen. Het Westerdok trok blijkbaar geld aan. Dit was meer een jachthaven dan een woongemeenschap. Hij zag luxespeedboten en zelfs zeewaardige motorjachten. Echte woonboten hadden een vaste ligplaats. Die waren aangesloten op het lichtnet en hadden telefoon, water en riolering. Permanente woningen op het water.

'Waar zijn we naar op zoek?' vroeg Bakker, terwijl ze bleven staan voor een luxejacht met op het achterschip een stel dat bij een gaskachel zat, van een glas wijn nipte en hen argwanend opnam.

'Iets ouds,' zei hij. 'Zoals een klipper. Een boot die je niet zomaar verplaatst.'

Hij stapte van zijn fiets en liep naar het jacht. De man op het achterschip stond op. Hij rookte een sigaar en zag er goed doorvoed en welgesteld uit. Hij vertrok geen spier toen Vos zijn politielegitimatie toonde en naar onbekenden en woonboten vroeg.

'Die vind je hier niet,' zei de man. 'Dan moet u in die richting zoeken...' Hij gebaarde naar het westen. 'Daar liggen er een paar.'

'Wonen er mensen?' vroeg Vos.

Hij haalde zijn brede schouders op.

'Ik geloof het wel, maar als je geld wilt verdienen verkoop je zo'n boot aan een speculant. Die verhuurt ze voor vijftienhonderd euro per week aan toeristen. Dan kunnen zij er de hele dag hun hoofd stoten en tussen de vochtige muren zitten.'

Vos bedankte de man.

Bakker liep samen met Vos naar de fietsen terug.

'Als jij iemand zou ontvoeren, zou je diegene dan mee naar huis nemen?' vroeg hij.

'Nee. Dan zou ik ergens wat huren.'

'Precies.'

Hij belde Van der Berg en vroeg of hij iemand op het bureau naar websites van woonbootverhuurders in het Westerdokgebied wilde laten kijken. Vervolgens fietsten ze via de brug over de Bickersgracht de Galgenstraat in en begonnen hun voelsprieten uit te steken. Ook hier liepen politieagenten rond. Maar de man op het jacht had het bij het verkeerde eind gehad. Er waren hier nauwelijks oude woonboten, en de boten die ze zagen, waren stuk voor stuk onverhuurd. Nadat ze bijna een uur hadden rondgevraagd, hadden ze nog steeds niemand gevonden die een jong meisje aan boord van een klipper had zien gaan.

Nog tien minuten vruchteloos zoeken. Inmiddels was de avond gevallen, en het was bewolkt en donker. Ze trapten door smalle, slecht verlichte straatjes en waren nog niets opgeschoten, toen Van der Berg belde met nieuws. Op internet waren zeven woonboten gevonden die voor korte perioden werden verhuurd. Vier ervan waren vrij. Van twee andere waren de huurders net vertrokken. De laatste lag in de Realengracht, een stukje naar het noorden.

'Ik stuur er iemand naartoe,' zei Van der Berg.
'Niet nodig,' zei Vos. 'We zijn er vlakbij.'

Mirjam Fransen en Thom Geerts moesten buiten het kantoor van De Groot wachten tot hij terugkwam van een managementvergadering op een andere locatie. Toen hij arriveerde, volgden ze hem luid protesterend het vertrek binnen.

Koeman was vanaf de receptie met De Groot meegelopen om hem te waarschuwen en hem op de hoogte te brengen van het weinige wat ze wisten van de situatie in het Westerdokgebied.

De Groot was gehecht aan zijn kantoor. Het keek uit over de Marnixstraat en de brede Elandsgracht die uitkwam bij Vos' woonboot. Het was een plek waar hij kon nadenken. Maar niet als er twee idioten van de veiligheidsdienst aan zijn hoofd liepen te zaniken.

Hij hoorde Fransens gejeremieer aan, keek even naar Koeman en zei: 'Waar gaat dit over? We volgen gewoon een aanwijzing op. Dat is alles. We hebben nog niks concreets. Geen adres. Geen...'

'Godsamme. We hebben een telefoontje met eenden, treinen en een stationsomroep,' zei Koeman. 'We vermoeden dat het uit het Westerdokgebied komt, maar we kunnen er ook naast zitten. Voor hetzelfde geld is die smeerlap de stad uit met het meisje.'

Fransen ging zitten. Geerts volgde haar voorbeeld. Het was alsof hij elke beweging van haar spiegelde.

'Het is belangrijk dat jullie ons op de hoogte houden,' zei ze. 'Dit is de tweede keer vandaag dat Vos de hort op is zonder iemand iets te vertellen.'

'Wat is dat nou voor flauwekul?' brieste Koeman. 'We hebben geen tijd om jullie voor elke scheet te bellen. Hoe zit het trouwens met die Alamy? En het losgeld? Wat moeten we doen als die klootzak morgen belt en ons een deadline geeft?'

'Er komt geen losgeld,' zei Geerts beslist. 'Dat hebben we al gezegd. De Nederlandse regering gaat niet in op afpersing.'

De Groot wachtte af. Maar er kwam niets meer.

'Wat doen we dan?' vroeg hij.

'Hou hem aan het lijntje,' zei Fransen. 'Rek het nog een dag. We verwachten een uitspraak van het hof over Alamy's beroep. Misschien verandert dat de zaak.'

Koeman krabde op zijn hoofd en vroeg: 'Hoezo?'

'Zeg maar tegen hem dat er problemen zijn met het regelen van het vliegtuig,' opperde Geerts, de vraag negerend. 'Probeer nog een dag extra te krijgen. Desnoods nog een, als het moet.'

'En ondertussen proberen jullie hem te vinden,' voegde Fransen eraan toe. 'Hoe klinkt dat?'

Koeman rolde met zijn ogen en zei: 'We doen ons best.'

'Waar in het Westerdok zoeken jullie?' vroeg Fransen.

'In het hele gebied,' zei De Groot. 'Er valt nog niks te melden. Zodra er nieuws is' – hij wierp een blik in de richting van de deur – 'zijn jullie de eersten die het horen.'

'Hebben jullie nu misschien al iets voor ons?' vroeg Koeman. 'Iets waar we wat aan hebben?'

'Als dat zo was zouden jullie het weten,' antwoordde Fransen. 'Waar zit Vos? Waar precíes?'

Koeman zweeg. De commissaris ook.

'Oké,' zei Fransen. 'Zo is het mooi geweest.' Ze knikte naar de rechercheur. 'Wegwezen. Ik wil De Groot onder vier ogen spreken.'

Het smalle oude huis aan de Herenmarkt voelde koud aan. De winter naderde op de nachtwind, die kwam opzetten over het koude water van het IJ.

Ze aten de maaltijd die Renata op tafel had gezet: kant-en-klare spaghetti carbonara van de Marqt om de hoek. Alles in dit huis kwam ergens vandaan, dacht ze. Niets ervan was zelf gemaakt of van haar.

De zwangerschap was niet gepland, maar toen de baby een meisje bleek, was ze vol hoop. Samen zouden ze een buffer kunnen vormen tegen Henks sterke, veeleisende persoonlijkheid. Maar niet lang na Saskia's geboorte begon hij zich met haar te bemoeien. Renata was niet in staat om een band met haar dochter op te bouwen omdat hij er steeds tussenkwam. Om de kinderwagen te duwen, tegen haar te praten, voor haar te zingen. Hij hield haar voor zichzelf. Nog een bezitting die in gereedheid werd gebracht voor het moment dat hij haar kon gebruiken.

Bij hem moest alles zijn eigen plekje hebben. Netjes opgeborgen. Voorspelbaar. Ze kreeg dan ook instructies mee als ze boodschappen ging doen bij de biologische supermarkt: de juiste levensmiddelen, niets uit China, niets uit massaproductie. Hoewel het uiteindelijk allemaal hetzelfde smaakte. Zijn kieskeurigheid was gewoon de zoveelste uiting van zijn behoefte om haar te overheersen.

En te bekritiseren. Dat was ook belangrijk. Hij had haar al laten weten dat de parmezaan niet helemaal vers smaakte. Ze had de kaas twee dagen eerder – de vorige keer dat ze kant-en-klaar aten – zorgvuldig geraspt en in een luchtdicht afgesloten bakje bewaard. Maar Henk met zijn subtiele, verfijnde smaak proefde er natuurlijk weer iets ouds en droogs in. Haar was het niet opgevallen. In de toekomst zou ze alles altijd vers moeten raspen. Als ze dan te veel maakte, kon hij weer tegen haar gaan zeveren als hij erachter kwam dat ze de restjes in de gftbak had gegooid.

Ze zag hoe hij de pasta rond zijn vork draaide en zorgvuldig op zijn lepel legde met een behendigheid en een precisie die zij nooit zou kunnen evenaren. Saskia volgde nu zijn voorbeeld. Ze kopieerde hem altijd.

Haar gedachten dwaalden opnieuw af naar de Georgische vrouw. Hanna Bublik. Ze had op het politiebureau naar haar naam gevraagd, en om de een of andere reden had de jonge vrouwelijke rechercheur, Bakker, haar die gegeven.

Wat voor leven had ze met haar dochter geleid? Hoe voelde het om arm te zijn? Hoe wanhopig moest een vrouw zijn om 's avonds achter zo'n raam te gaan zitten om te proberen een wildvreemde haar harde twijfelaar in te lokken en hem een beurt te geven als een levende machine? En dat alles voor het bedrag dat zij in één keer uitgaf bij de Marqt om voor Henk de wijn te kopen die hij lekker vond, de kaas waarvan hij hield, de juiste pasta, vlees van een biologische boerderij en sla die er zo vreemd en exotisch uitzag dat ze geen idee had wat het eigenlijk was.

De vrouw en haar kind moesten door een soort hel zijn gegaan. Maar hun hel was niet de enige.

Ze keek naar Henk en zei: 'Hoe heb je Saskia eigenlijk gevonden op het Leidseplein? Ik snap het nog steeds niet.'

Het meisje slaakte een zucht en keek naar haar bord met eten. Ze legde haar mes en vork op de overgebleven pasta, stond op van tafel en mompelde dat ze naar haar kamer ging om te lezen.

'Weet je,' zei hij loom toen ze weg was, 'ik heb al lang geleden geaccepteerd dat ik nooit een bedankje krijg voor wat ik doe. Maar ondankbaarheid vind ik gezien de omstandigheden behoorlijk lomp.'

'Er wordt een meisje vermist. Als we op de een of andere manier kunnen helpen...'

'Dat heet observatie,' onderbrak hij haar. 'Je zou het ook eens moeten proberen.'

'Dat is niet eerlijk,' mopperde ze. 'Ik doe mijn best.'

Hij stak een hand uit en klopte zachtjes op die van haar.

'Dat weet ik ook wel.'

Hij pakte de wijnfles. Een biologische Amarone. Te zwaar voor haar, dat wist hij. Hij schonk zichzelf zorgvuldig bij en walste de wijn alvorens hij een slokje nam.

'Ik neem aan dat je niet langer van plan bent om er een weekje tussenuit te gaan,' zei hij. 'Mocht je je bedenken, mijn aanbod staat nog steeds.'

Plotseling kwam het in haar op dat hij dat misschien juist wilde. Dat ze vertrok. Misschien hoopte hij wel dat ze niet meer terugkwam. Dan zou hij Saskia voor zichzelf hebben en was de strijd definitief beslecht.

'Ik ben van gedachten veranderd. Ik blijf hier en sla me er wel doorheen.'

'Prima,' zei hij zonder overtuiging.

'Ik heb je vader vanochtend gezien. Hij bedoelt het goed, Henk. Hij heeft die haatdragende houding van je niet verdiend. Hij...'

'Goed?'

'Dat zeg ik.'

Hij keek haar aan. Ze kon zien dat hij aangeschoten was.

'Je denkt altijd dat je mensen kent,' zei hij enigszins onduidelijk. 'Maar dat is eigenlijk nooit zo.'

'Heb je het nu over mij? Of over mensen in het algemeen?'

Hij nam opnieuw een slok van de bloedrode wijn.

'Waarom haat je me, Henk?'

'Ik heb de energie niet om te haten,' zei hij met een plotselinge woeste blik. 'Haat is iets voor kinderen. Ik dacht echt dat je dat na al die tijd wel zou beseffen. Maar...'

Zijn telefoon ging. Het ding leek wel een verlengstuk van zijn lichaam. Hij had hem in een fractie van een seconde tevoorschijn gehaald en zijn vingers dansten over het scherm alsof ze elke millimeter kenden.

'Werk?' vroeg ze opgewekt.

'Ik moet even de deur uit.'

Dat was nieuw.

'De deur uit? Je bedoelt... de echte wereld in?'

Er verscheen een grijns op zijn gezicht, en hij knipoogde naar haar.

'Da's een goeie. Weet je zeker dat je niet een paar weekjes ergens naartoe wilt? Wij komen er hier wel uit. Ik let op Saskia en zij let op mij.'

'Ik blijf lekker hier,' zei Renata.

Hij pakte de fles Amarone op en zette hem voor haar neer. Hij was nog voor twee derde vol.

'Wil je een half glas overlaten voor wanneer ik terugkom?'

Ze schoof de fles in zijn richting over de tafel.

'Je mag hem helemaal hebben,' zei ze. 'Voor de verandering.'

De boot was een klipper. Hij leek wel wat op die van Vos, maar hij zag er beter onderhouden uit, was iets minder oud en een stuk netter. Hij lag bij de kruising van twee grachten onder een rij bomen die hun bladeren lieten vallen in de winterwind. In de kajuit brandde licht. Achter de gesloten gordijnen konden ze een gestalte ontwaren die heen en weer liep. Even later verscheen een tweede, kleinere gedaante. Er werden woorden gewisseld die ze niet konden horen. Het kleine silhouet verdween alsof het ergens naartoe was gestuurd.

Vos zette zijn fiets tegen het huis tegenover de klipper. Bakker deed hetzelfde.

'Kunnen we niet iets op de kajuit doen?' zei ze. 'Een microfoontje of zo? Om ze af te luisteren?'

'Waarschijnlijk wel,' bevestigde hij, en hij maakte aanstalten om naar de waterkant te lopen.

'Pieter!' zei ze, en ze legde een hand op zijn arm.

Hij draaide zich om en glimlachte.

'Ik woon zelf op een boot, Laura. Ik weet hoe het is. Het is geen huis. Je zit lager dan alles om je heen. Je kijkt niet naar buiten. Dat gaat niet zomaar. Daarom was ik er ook meteen zo van gecharmeerd. Het is net een soort... cocon.'

De lange straat lag er verlaten bij. Er was niemand die naar hen keek.

'Ze verwachten ons niet. Trouwens... het is waarschijnlijk tijdverspilling.'

Hij liep verder. Bakker volgde hem. Op een paar stappen van de kade haalde ze hem in. Voordat Vos haar kon tegenhouden haalde ze een latex handschoen tevoorschijn, trok hem over haar rechterhand en pakte iets uit een smeulende barbecue naast de loopplank.

Vos haalde zijn zaklamp tevoorschijn. Het was het verbrande overblijfsel van een zwartepietenpak. Groene stof met roetvlekken en deels verkoold. Een plooikraag. Een zwarte pet.

'We laten een team komen...' begon Vos, maar toen verstijfde hij. Er kwamen geluiden uit de boot. Er ging licht aan. Er klonk een stem. Mannelijk. Autoritair.

Bakker had haar pistool al in de hand. Ze had een paar weken terug nog een vuurwapentraining gedaan en kon beter met die dingen uit de voeten dan hij ooit zou kunnen.

De deur ging open. Het silhouet van een man die orders blafte. Een grote man.

Vos keek naar Bakker en zei dat ze moest wachten.

Maar ze was jong en gedreven, en het volgende moment rende ze al over de loopplank met haar wapen in de aanslag. Niets kon haar tegenhouden.

Koeman sloot de deur achter zich. De twee AIVD-agenten keken De Groot aan. De commissaris leunde achterover op zijn stoel en wreef zijn zwarte walrussnor.

Hij was een slimme, intelligente man, die ontspannen met zijn eigen mensen omging. Maar hij had de pest aan gedoe met iedereen van buiten. Met name anonieme agenten die nooit een uniform hadden gedragen en nooit precies zeiden wie er aan hun touwtjes trok.

'Nou?' vroeg hij.

'Over een paar minuten krijg je een e-mail uit Den Haag. De minister is persoonlijk in de zaak geïnteresseerd. Ze is gebrand op een goede afloop.'

'Zijn we dat niet allemaal?' vroeg De Groot.

'De minister wil dat de bevoegdheden duidelijk zijn,' zei Geerts.

Dit stel was net een komisch duo. Ze praatten bovendien in raadsels.

'De bevoegdheden lijken me duidelijk, toch? Jullie gaan over de nationale veiligheid. Wij houden ons bezig met strafrechtelijk onderzoek. Ontvoering is een misdrijf. Het is onze taak om dat meisje te vinden. Daar kan ik heel goed jullie hulp bij gebruiken. Als jullie iets weten wat ons kan helpen, hoor ik dat graag. Maar...'

'Zo simpel ligt het niet,' zei Fransen met een zucht. 'We hebben het over Ismail Alamy. Er zijn meerdere partijen in hem geïnteresseerd. Wij. De mensen in het Midden-Oosten.' Ze liet een pauze vallen om haar volgende woorden kracht bij te zetten. 'En de Amerikanen willen ook een praatje met hem maken.'

'Laat de Amerikanen dan maar een bezoekje brengen aan die cel in Schiphol.'

'Deze man zou ons op het spoor van Barbone kunnen zetten,' zei Geerts. 'Dat heeft wat ons betreft prioriteit. Vos had daar nooit naartoe mogen gaan. Wist je dat hij op Schiphol is geweest?'

Een zwaktebod. Hij was niet van plan antwoord te geven.

'Dat dacht ik al,' zei de AIVD-man. 'Dit gaat je boven de pet, De Groot. Het is maar beter dat je dat beseft.'

'Met dit soort geintjes helpen mensen hun carrière om zeep,' voegde Fransen eraan toe. 'Zoiets is meestal professionele zelfmoord.'

De Groot keek naar hen, schudde zijn hoofd en lachte.

'Bedoelen jullie nou echt dat jullie niet willen dat we dit meisje vinden?'

'Er staat meer op het spel dan het leven van de dochter van een illegaal hoertje,' antwoordde Fransen. 'Meer dan je je kunt voorstellen.'

'Heb je zelf kinderen?' vroeg hij.

'Dat doet er niet toe,' beet Fransen hem toe. 'Ik moet een klus zien te klaren.'

'Dus het antwoord op mijn vraag is... ja. Je wilt dat we stoppen met zoeken.'

Ze keken elkaar even aan. Toen zei Fransen: 'Ik wil weten waar jullie naartoe gaan. Ik wil van jullie horen wat jullie vinden. Ik wil dat jullie me vertellen wat jullie van plan zijn. Voordat jullie het doen. En als ik zeg dat jullie niks doen, dan doen jullie niks.'

De commissaris sloeg zijn armen over elkaar en zweeg.

'Waar is Vos?' vroeg ze.

'Pieter?' zei De Groot opgewekt. 'De meest getalenteerde man die ik heb rondlopen. Maar hij haalt me regelmatig het bloed onder de nagels vandaan. Hij is amper aan te sturen. Gaat op eigen houtje op pad. Zegt niet waar hij naartoe gaat. Neemt zijn telefoon niet op. En als je dan op het punt staat hem te vermoorden... komt hij terug met alles wat je nodig hebt, op een presenteerblaadje, compleet met een strik eromheen. Tenminste, soms. Op zulke momenten zou je hem het liefst even knuffelen.'

Hij slaakte een lange, afgemeten zucht.

'Dus zo staan de zaken. Er gaat niks veranderen. Niet bij hem en niet bij mij.'

Mirjam Fransen schonk hem een woeste blik.

'Ik zorg ervoor dat jullie allebei kunnen inpakken.'

'Ik zou zeggen, probeer het,' zei De Groot. 'Je vergeet alleen één ding. Die mediablack-out duurt niet eeuwig. Op een gegeven moment komt daar een einde aan. Dan volgt er publiciteit. En een intern onderzoek. Misschien zelfs een gerechtelijk onderzoek, als we de zaak echt verknallen. Wie zal het zeggen?'

Er verscheen even iets van bezorgdheid op hun gezicht, en op dat moment wist hij dat hij had gewonnen. Voorlopig, in elk geval.

'Wat denk je dat er gebeurt als de mensen erachter komen dat jullie willens en wetens het leven van een achtjarig meisje op het spel hebben gezet, of ze nu Georgisch is of illegaal of weet ik veel? Zouden ze jullie totaalplaatje zien? Of iets simpelers?'

Fransen gaf geen antwoord.

'Het is maar een idee,' voegde hij eraan toe, en hij keek opnieuw naar de deur. 'Als ik iets concreets heb laat ik het jullie weten.'

Nadat ze waren vertrokken belde hij Vos, maar hij kreeg de voicemail. Hij nam contact op met de regelkamer. Daar konden ze hem traceren via zijn radio.

Westerdok, zei de telefonist. Er was iets gaande, en er was versterking onderweg.

Een lange, potige gestalte die ergens naar reikte. Bakker rende verder, ondanks Vos' waarschuwing, en ze riep naar de man dat hij plat op de grond moest gaan liggen, op de vochtige planken van de woonboot.

Achter hen klonk het geluid van auto's. Toen koplampen. Stemmen. Rennende voeten.

Vos stormde de loopplank over en wenste in stilte dat ze eens één keer deed wat hij zei. Hij zag het gezicht van de man terwijl Bakker korte metten met hem maakte. Een snor. Waarschijnlijk ergens in de vijftig. Zichtbaar geschrokken.

Er gleed iets uit zijn vingers wat in het zwarte water viel. Een paar eenden snaterden verbolgen.

Vos wist het niet zeker, maar het leek op een telefoon.
Hij liep door naar de deur van de boot en beende naar binnen. De lichten waren aan. Het zag er keurig uit. Rechts was een deurtje, waarschijnlijk naar het vooronder. Er zat een zwaar hangslot op dat openhing. Het beslag leek nieuw.

In het achterschip van de boot stond een klein Aziatisch vrouwtje in een roze werkschort. Ze had een stofzuiger en een plumeau in haar handen en staarde hem gepikeerd aan.

'Is er een meisje aan boord?' vroeg Vos, hoewel hij het antwoord al wist.

'Geen meisje,' zei ze verbouwereerd. 'Wie bent u? Wat doet u? Zomaar binnenkomen. Meneer Smits... hij zo superboos op u.'

Vos keek om zich heen. Ze moest al een tijdje druk in de weer zijn geweest. De ruimte zag er kraakhelder uit, en onwillekeurig vroeg hij zich af wat ze met haar boenwas en haar plumeau had weggewerkt. Hij toonde haar zijn politielegitimatie, verzocht haar naar buiten te gaan en volgde haar. De grote man met de snor zat op het dek en deed zijn beklag. Van der Berg was inmiddels gearriveerd met een stel agenten in uniform.

Ze haalden Smits van de boot en zetten hem in een politiewagen. Smits was een kwabbig type met een bierbuik en een chagrijnige uitstraling. Zijn verhaal leek heel plausibel. Hij was de eigenaar van de klipper en woonde om de hoek. Toen hij een uur geleden langs de boot was gelopen, had hij gezien dat er niemand was. Hij was naar binnen gegaan. Het had eruitgezien alsof de vakantiegasten waren vertrokken. Ze hadden de woonboot drie dagen geleden geboekt en waren binnengelaten door de mensen van het verhuurbureau. Hij had ze zelf niet gezien, maar het was duidelijk dat ze weg waren.

'Soms vertrekken mensen voortijdig,' zei Smits. 'Bijvoorbeeld omdat ze de buurt niet leuk vinden of de boot niet bevalt. Ik zag dat er niemand meer was, dus ik heb de schoonmaakster gebeld. Ik dacht, misschien zit er voor morgen nog een lastminuteboeking in.'

Hij gebaarde naar Bakker.

'En dan staat ineens dat idiote mens hier met een pistool naar me te zwaaien.'

'U bent de eigenaar,' wierp Bakker hem voor de voeten. 'U hoort gegevens te hebben van uw huurders. In elk geval kopieën van de paspoorten. Wat hebt u aan informatie?'

Hij haalde zijn schouders op.

'Het was druk. Het zou maar voor een week zijn. Ze hebben ook niet om een bon gevraagd of zo.'

'Kunt u ze beschrijven?' vroeg Bakker op scherpe toon.

'Vraag maar aan het verhuurbureau. Ik zei toch dat die ze binnen hadden gelaten? Ik heb die mensen zelf niet gezien.'

Vos droeg Van der Berg op de buurt af te zetten en de deuren langs te gaan om te vragen of iemand had gezien wie de boot had gebruikt. Verder moest er een forensisch team komen om te onderzoeken of er misschien toch nog sporen waren achtergebleven.

Toen dat was geregeld ging hij weer naar binnen. Bakker volgde hem. Met latex handschoenen aan openden ze de deur naar het vooronder en keken naar binnen.

Een zwarte plankenvloer. Dezelfde die ze op de telefoon hadden gezien.

'Dit moet het zijn,' zei Bakker. 'Waarom zouden ze weg zijn gegaan?'

'Misschien waren ze dat sowieso van plan.' Vos probeerde zich in de ontvoerders te verplaatsen. Bepaalde stappen leken logisch. 'Ze weten dat zoiets dagen kan gaan duren. Waarschijnlijk hebben ze meerdere locaties verspreid over de stad.' Hij keek haar aan. 'Denk je niet?'

Er schoot hem iets te binnen.

'Ze kunnen alleen 's nachts over straat. Overdag is te riskant. Bel eens met de Marnixstraat om te vragen of ze naar de beelden van de verkeerscamera's willen kijken.'

Bakker luisterde maar met een half oor. Haar blik was gevestigd op iets in de kleine ruimte. Wat gekrabbel in het condensvocht op het glas van de piepkleine patrijspoort.

Ze bukte zich om haar hoofd niet te stoten, liep naar binnen en keek van dichtbij. Het vooronder rook naar het ontsmettingsmiddel van het draagbare toilet in de hoek, naar stilstaand water en naar diesel van buiten.

Vos kwam bij haar staan. Vijf woorden in de waterdruppeltjes op het glas.

Mam, ik hou van je.

Bakker vloekte. Ze draaide zich om, beende het vooronder uit en stampte met haar zware schoenen naar buiten over de loopplank.

Ze wachtten een half uur terwijl de technische recherche alles in gereedheid bracht. Vos zei tegen Van der Berg dat hij naar huis moest gaan om wat slapen. Hij moest het twee keer tegen Bakker zeggen voordat ze luisterde.

Vervolgens ging hij op de motorkap van een van de politiewagens zitten en keek toe terwijl het team aan het werk ging. Het kon dagen duren voordat ze wat DNA hadden gevonden. Het verbrande zwartepietenpak zou misschien helemaal niets opleveren. Het verhuurbedrijf had ook geen bruikbare informatie. Het enige wat ze hadden was een reservering die gemaakt was via een niet te traceren tijdelijk e-mailadres.

Als ze de boot eerder hadden gevonden, zouden ze haar nu misschien hebben. Hij belde De Groot en bracht hem op de hoogte. De commissaris klonk gelaten, alsof hij hem iets wilde vertellen, maar dat niet kon.

'We moeten voorzichtig te werk gaan, Pieter,' zei De Groot ten slotte. 'Die Alamy compliceert de zaak. De AIVD probeert achter mijn rug om aan allerlei touwtjes te trekken. Er zijn mensen die ons in de gaten houden.'

'Is een meisje van acht niet belangrijk voor ze?' vroeg Vos.

'Het gaat ze om die imam. Misschien zit er meer achter dan we denken. Ga naar huis en probeer wat te slapen. We hebben het er morgenochtend over. Dan zien we wel waar we staan. En hou me op de hoogte. Ik wil weten wat er gebeurt.'

Vos sloot zich daarbij aan en verbrak de verbinding. Hij bracht de fiets terug die hij had geleend en begaf zich op weg naar huis, via de Herenmarkt, waar de Kuypers woonden, richting Jordaan.

Toen hij over de Noordermarkt liep, langs het gedrongen kerkje, ging Renata Kuypers telefoon. De restaurants zaten vol. Een stelletje liep gearmd over het trottoir aan de gracht. De stad was de nachtmerrie van de middag ervoor alweer vergeten en onwetend van haar nalatenschap.

Vos ging op een bankje onder een sierlijke straatlantaarn zitten en nam op.

'Ja,' zei hij.

'Geen geintjes, had ik gezegd. Wat had je in het Westerdok te zoeken?'

De regelkamer zou inmiddels op het gesprek zitten, de opname hebben gestart en op zoek zijn naar aanwijzingen in de stem. Maar Vos hoorde helemaal niets. Misschien begonnen ze voorzichtiger te worden.

‘Er is een meisje ontvoerd. Wij zijn van de politie. Verwacht je soms dat we de hele dag op onze kont blijven zitten?’

‘Ik verwacht dat jullie mijn broeder bevrijden. En dat ik mijn geld krijg.’

‘Wanneer?’ vroeg Vos, terwijl hij zich afvroeg hoe de man kon weten dat ze in het Westerdok waren geweest. Hoe was hij daar zo snel achter gekomen? Hadden ze misschien geweten dat de politie onderweg was?

‘Dat hoor je nog van me.’

‘Is ze veilig?’ vroeg hij. ‘Gaat het goed met haar? Kan ik haar spreken?’

‘Dat kind weet niet eens wie je bent. Wat heeft dat voor zin?’

‘Dan kan ik het tegen haar moeder zeggen. Je weet wie ze is. Gewoon een immigrante. Geen papieren. Geen geld. En jij hebt het enige van haar afgenomen wat…’

‘Maak me nou niet aan het huilen, Vos,’ onderbrak de man hem met een lach. ‘Want dat kan ik namelijk best.’

‘Morgen…’

‘Morgen bel ik je. Op dit nummer. In de middag. Dan maken we een afspraak. Als je weer achter ons aan komt, kun je het vergeten. Het is best een leuk kind. Het zou erg jammer zijn als je haar in de steek liet.’

De verbinding werd verbroken. Het verliefde stelletje stond te zoenen met de armen om elkaar heen, en er vielen schaduwen over het glinsterende water in de gracht. De kille adem van een winterwind begon zich een weg te banen door de straten van Amsterdam. Ergens, zo dacht Vos, zat een jong, vastberaden meisje gevangen, luisterend, piekerend en vol met vragen.

En hij kon helemaal niets voor haar doen.

Twintig minuten later stapte hij De Drie Vaten binnen. Iemand van de Marnixstraat had Sam naar het café gebracht. De hond begroette hem kwispelend. Hij had een levendige blik, hoewel hij al elf was. Sofia Albers, die op hem had gepast, hem te eten had gegeven en hem had uitgelaten, was hij alweer vergeten.

Sam lijkt op zijn baasje, dacht Vos. Hij glimlachte, bedankte haar en bestelde een biertje en een tosti. Hij ging aan een tafeltje bij het raam zitten en keek uit over de Prinsengracht. Er brandde geen licht in zijn woonboot. Hij dacht terug aan wat er eerder dat jaar was gebeurd, toen zijn dochter na lange tijd tevoorschijn was gekomen uit de duisternis, en hij in zekere zin ook. Vos had haar uiteindelijk weten te redden. Nu was ze samen met haar moeder aan de andere kant van de wereld en genoot ze van de Caraïbische zon. Ze kon zich er niet echt toe zetten terug te keren naar het decor van de nachtmerrie die hun gezin had verscheurd. De opluchting die hij voelde omdat hij haar had gevonden was oprecht, maar werd voortdurend getemperd door een schrijnend gevoel van verlies.

'Wil je dat ik morgen op hem pas?' vroeg Sofia toen ze de tosti kwam brengen.

'Als het kan. Hoe gaat het met je moeder?'

Ze haalde haar schouders op.

'Ze wordt oud, Pieter. Maar dat worden we allemaal.' Ze keek door het raam naar de sluimerende stad. 'Ik weet dat ik er niet naar mag vragen, maar... die toestand op het Leidseplein. Is dat opgelost?'

Hij glimlachte en zweeg.

'Dat zie ik dan maar als een antwoord,' zei ze met een schouderophalen. 'Mag ik er even bij komen zitten...?'

Er verscheen een gestalte in de deuropening. Vos keek op. Het was Hanna Bublik. Ze was bij de woonboot in het Westerdok geweest. Een van de politieagenten had haar verteld waar ze hem kon vinden. Het was tenslotte geen geheim.

'Ik ben alweer weg,' zei Sofia nadat de Georgische vrouw een kop koffie had besteld en tegenover hem had plaatsgenomen.

Hanna Bublik was boos. En terecht, dacht hij. Daarom gaf hij haar de gelegenheid om haar woede op hem af te reageren. Hij luisterde, knikte en deed wat hij kon om dingen uit te leggen. Dit was een zorgvuldig geplande ontvoering. De Zwarte Pieten mochten dan het verkeerde meisje van de straat hebben geplukt, ze wisten wat ze wilden en hoe ze dat voor elkaar moesten krijgen. Sommige aspecten van de zaak bleven hem dwarszitten. De losgeldeis leek op de een of andere manier niet te kloppen.

Maar Natalya's moeder wist al die dingen niet, en ze interesseerden haar ook niet. Het enige wat ze zag, was onvermogen. De politie had achterhaald waar haar dochter werd vastgehouden, maar was te laat geweest. Vervolgens hadden ze de boot afgezet en geweigerd haar aan boord te laten toen ze had willen zien onder welke omstandigheden Natalya er opgesloten had gezeten. Hanna had dat onnodig en wreed geleken.

'We moeten de boot doorzoeken,' zei Vos toen hij de kans kreeg. 'Het is mogelijk dat we vingerafdrukken vinden, of DNA of ander materiaal dat ons kan helpen haar op te sporen. Dat is een wetenschappelijk proces. Ik mag er ook niet rondlopen als ze daarmee bezig zijn. Maar...'

Hij haalde zijn telefoon tevoorschijn en zocht naar de foto van de woorden die Natalya op het raampje van de patrijspoort had geschreven.

'Ze zijn waarschijnlijk van plan om haar tot aan de overdracht regelmatig te verplaatsen. Altijd 's nachts, neem ik aan. Natalya heeft dit achtergelaten.'

Ze tuurde naar de foto, ontroerd door het handschrift in het condensvocht op het glas.

Deze vrouw huilt niet vaak, dacht hij. Maar op dat moment scheelde het niet veel.

'Volgens mij is je dochter een slimme meid. Ze denkt aan je. Waarschijnlijk vraagt ze zich af hoe ze kan ontsnappen.'

'Dat zit er wel in.'

De felheid was uit het gesprek verdwenen. Ze dronk van haar koffie en zei ja toen Vos haar vroeg of ze iets wilde eten. Er werden nog twee kaastosti's gebracht. Hij wilde dat hij iets meer voor haar kon doen.

'Waarom leef je zo met me mee?' vroeg ze.

'Omdat dat mijn werk is.'

'Dat is niet het enige. Een vrouw op het politiebureau heeft het me verteld. Over je eigen dochter. Hoe je hier nu woont. Op het water. In je eentje.'

Hij keek naar buiten, naar zijn boot. Boven de kaderand was weinig meer te zien dan het dek met daarop de potten met verwelkte bloemen en zieltogende groenten en de trotse gestalte van de plastic ballerina. Vos vertelde haar hoe zijn dochter Anneliese was verdwenen en bijna drie jaar later was teruggevonden. Levend, maar getraumatiseerd. Zo erg dat ze nog steeds bij haar moeder woonde in de Caraïben. En het zag er niet naar uit dat ze terug zou komen. Niet op korte termijn, in elk geval.

Terwijl hij het verhaal vertelde, legde Sam zijn pootjes op Vos' voeten en leunde tegen zijn rechterbeen, zoals hij deed als hij voelde dat er iets niet in orde was.

Sofia bracht hen een plankje met leverworst. Toen Sam de vleeswaren rook, sprong hij onder de tafel vandaan, begon aan zijn riem te trekken en liet een hoog blafje horen om de aandacht te trekken.

Hanna Bublik keek even geamuseerd. Het dier kefte opnieuw.

'Sam!' zei Vos op berispende toon. 'Denk aan je manieren.'

De hond probeerde het nog een keer.

'Hij heeft honger,' merkte ze op.

Sam blafte als om dat te bevestigen. Vos gaf hem een stuk worst. De hond nam het voorzichtig in zijn bek en at het op. Hij leek om een tweede stuk te gaan bedelen, maar bedacht zich en rolde zich op aan Vos' voeten.

'Is hij het enige wat je hebt?' vroeg ze. 'Nu je dochter aan de andere kant van de wereld zit?'

'Nee. Ik heb mijn werk. En mijn vrienden.' Hij knikte in de richting van het raam. 'Mijn thuis.'

Sam begon te snurken.

'Je leert dingen van een hond,' voegde hij eraan toe.

'Zoals wat?'

'Zoals...' Hij had er nog nooit echt over nagedacht. 'Zoals... Sam kijkt nooit achterom. Er gebeurt op de boot wel eens een... ongelukje. Dan laat hij zijn kop hangen. Alsof hij zich schaamt. Soms word ik daar boos om. Maar vijf minuten later is het weer voorbij. Het enige wat telt zijn het heden en de toekomst.'

'Wat moet het leven van een hond gemakkelijk zijn,' zei ze.

'Hij beseft alleen niet hoe klein hij is,' vervolgde Vos. 'Even verderop hebben ze een Deense dog. Een enorm beest. Maar hij is doodsbang van Sam. Steeds als ze elkaar tegenkomen gaat hij erachteraan. Het interesseert hem niks dat hij drie keer zo klein is. Hij ziet zichzelf als de sterkste. De baas. Dat is het enige wat telt.'

'Net als jij?' vroeg Hanna.

'Soms. Als het moet.' En er was nog iets. 'Weet je wat de belangrijkste les is die ik van hem heb geleerd? Hij is een terriër. Je hebt het zelf gezien. Als hij iets wil, geeft hij het niet op. Hij blaft. Hij blijft volhouden. Hij gaat door totdat hij zijn zin heeft. Het maakt niet uit hoe moeilijk het is... hoe hopeloos het eruitziet. Dat is Sam.'

Hij reikte omlaag, aaide de slapende hond over zijn kop en werd onthaald op een zacht grommen.

'Slim beestje,' zei ze.

'Niet echt. Alleen als het om dingen gaat die voor hem belangrijk zijn.'

'Dat is toch slim?'

Ze haalde haar tas tevoorschijn om te betalen. Ze rommelde wat in haar portemonnee, en er vielen een paar munten op de grond. Hij zag dat ze alleen een biljet van twintig euro had.

'Laat mij maar even,' zei hij.

'Ik reken mijn deel af.'

'Hanna!' Haar koppigheid was om razend van te worden. 'Ik betaal.'

'Vos haalde vier biljetten van vijftig euro tevoorschijn en legde ze op haar portemonnee. Ze sloot haar ogen even en schonk hem vervolgens een nijdige blik.

'Ik heb zelf geld.'

'Neem het nou gewoon aan, oké? Ik wil niet dat je werkt zolang dit aan de gang is. Misschien heb ik je binnenkort nodig.'

Ze maakte geen aanstalten om het geld te pakken.

'Jezus,' mompelde ze. 'Volgens mij begin ik seniel te worden. Ik wilde je nog wat vertellen. De man die ik vandaag zag. Bij het politiebureau. Met die kakmadam en haar ingebeelde dochter.'

'Renata Kuyper?'

'Wie is hij?'

'Haar echtgenoot. Hoezo?'

Ze trok een gezicht.

'Ik kon alleen maar aan Natalya denken. Dat jullie haar misschien zouden vinden.'

'Wat is er met hem?'

Ze slaakte een zucht.

'Ik kan het natuurlijk mis hebben.'

'Ken je hem?'

'We hebben zaken gedaan. Een week of twee geleden. De standaard twintig minuten.'

Vos leunde naar achteren op zijn gammele stoel.

'Even voor alle duidelijkheid. Dus jij hebt Henk Kuyper als klant gehad?'

'Als hij zo heet. Hij is een dag of vier, vijf later nog een keer langs geweest. Zo'n zeurderig type. Ik luister alleen naar ze. Dat soort verhalen gaan bij mij het ene oor in en het andere oor uit. Hij zei dat hij me op straat had gezien met mijn dochter. Hij vond het leuk dat ik een gezinnetje had. Bij hem thuis was het hommeles.'

Ze stak haar hand uit, pakte zijn glas en nam een slok bier.

‘Je zou je verbazen hoeveel mannen me vertellen dat ze bij wijze van spreken door hun vrouw zijn gestuurd.’

‘Herinner je je verder nog iets?’

‘Ik weet nog dat hij medelijden met zichzelf had. Hij voelde zich schuldig. Alsof hij eigenlijk niet had willen komen. Je ziet het wel vaker. Echt. Het punt is…’

Ze kneep haar ogen even stijf dicht alsof de herinnering haar pijn deed.

‘Die tweede keer nam hij iets voor me mee. Hij zei dat hij het voor zijn eigen dochter had gekocht, maar dat de maat niet goed was. Ik mocht het hebben als ik wilde.’

Vos ging verzitten op zijn stoel. De hond kwam overeind en keek naar hen.

‘Het roze jasje,’ zei hij.

‘Je denkt toch zeker niet dat ik me zoiets kan veroorloven? Ik was op weg naar de Marnixstraat om het je te vertellen. Ze zeiden dat je er niet was. Toen kwam die toestand met die boot. Het leek niet echt belangrijk.’

‘Ik wil dat je hem identificeert. We kunnen Kuyper morgen naar het bureau laten komen.’

Ze hield haar hoofd schuin.

‘Oké. Denk je dat ik goed op hun gezichten let? Ik denk dat hij het was. Ik heb hem vandaag maar even gezien.’

Ze pakte de bankbiljetten van haar portemonnee en smeet ze op tafel.

‘En dit heb ik niet nodig.’

Hij legde zijn hand op die van haar om haar tegen te houden. Van dichtbij verloor haar gezicht zijn hardheid. Ze zag er uitgeput uit. Maar niet verslagen.

‘Mannen die geld willen geven, willen daar altijd iets voor terug.’

‘Ik heb toch iets teruggekregen?’ zei hij. ‘Een reden om nog een keer met de Kuypers te praten.’

Ze schoof het geld naar hem toe.

‘Zorg dat je mijn dochter vindt, Vos. Dat is het enige wat ik van je wil.’

‘En als ze terug is? Wat dan?’

Haar gezicht stond weer hard.

‘Dan ga ik verder met overleven. Wat moet ik anders?’

'Als sekswerkster?'

'Noem me niet zo. Ik ben een hoer.'

'Er zijn manieren om eruit te stappen.'

'Natalya is degene die moet worden gered, niet ik.' Ze stopte de bijna lege portemonnee terug in haar tas. 'Bel me morgen maar. Maakt niet uit hoe laat.'

Ze vertrok. Een eenzame gestalte die de koude nacht in stapte en terugging naar haar kamertje aan de Oude Nieuwstraat. Sofia Albers kwam naar hem toe, ruimde de tafel af en zei dat het tijd was om te vertrekken.

Pieter Vos nam Sam mee naar buiten en belde het nachtteam. Rijnders had de leiding. Prima kerel. Hij zou Henk Kuyper natrekken. Terwijl ze in gesprek waren, stak het hondje zijn neus in de lucht en begon aan zijn riem te trekken. Hij was altijd op jacht. Altijd nieuwsgierig.

Kijk nooit achterom. Denk nooit dat je zo klein of onbeduidend bent dat je er niet toe doet. En geef vooral nooit op.

Drie belangrijke lessen die hij zonder het te beseffen had geleerd.

'Kom mee, Sam,' zei hij, en hij reikte omlaag om de borstelige vacht van de hond te strelen. Ze liepen via de loopplank de afgeleefde woonboot op met zijn afbladderende verf, de verwelkte planten en een zilverkleurige ballerina die glinsterde in het maanlicht. 'Tijd om te gaan slapen.'

In de brievenbus lag opnieuw een schrijven van de gemeente waarin hem werd meegedeeld dat de boot moest worden opgeknapt omdat er anders juridische stappen zouden volgen.

'Nu even niet,' mopperde Vos, en hij smeet de brief in het water.

3

Hanna Bublik sliep de hele nacht door en werd niet één keer wakker. Als gevolg daarvan was haar schuldgevoel des te pijnlijker toen door de dunne gordijnen van het dakkamerraam een scherpe winterzon naar binnen viel die de troosteloze wereld met zich meebracht.

De uitputting, zowel fysiek als psychisch, had haar tol geëist. De intrigerende, maar ontwijkende rechercheur Vos bracht haar van haar stuk. Wist of vermoedde hij meer dan hij zei? Of tastten de mannen en vrouwen op de Marnixstraat net zo in het duister als zij?

Ze vloekte zachtjes, rolde uit bed en checkte meteen haar telefoon. Er knipperde een icoontje. Zelfs de ringtoon had haar niet gewekt. Ze ging naar haar voicemail. Het was Vos. Hij klonk vriendelijk, vastbesloten en vaag. Ze hadden niets meer van de ontvoerder gehoord. Het forensisch team was nog steeds bezig met het doorzoeken van de boot in het Westerdok. Hij wilde dat ze nadacht over Henk Kuyper en of hij echt de man was die haar had bezocht. Dat moesten ze zeker weten vóór ze hem benaderden.

Kon ze hun die zekerheid bieden? Terwijl ze de gewone dagelijkse dingen deed, die zo vreemd leken zonder Natalya – wassen, aankleden, dezelfde zwarte spijkerbroek, het T-shirt en de trui – dacht ze daarover na. Er was maar één manier om het te redden in het eenzame, ongebonden bestaan waarvoor ze had gekozen. Dat was een ondoordringbare muur optrekken tussen de twee werelden waaruit haar leven bestond: de wereld van de vrouw achter het raam, en die van de liefhebbende moeder thuis. In de eerste was ze een robot, gevoelloos en onverschillig. In de tweede was ze de zorgzaamste ouder die ze kon zijn. Om ervoor te zorgen dat dat werkte moest ze zichzelf ook in tweeën splitsen. De prostituee, die haar nepsatijnen beha en slipje uittrok, ging liggen, zich omdraaide of knielde om te doen wat de mannen wilden, maakte nooit contact met de vrouw die zonder make-up door de stad liep en met school of de arts overlegde en ervoor probeerde te zorgen dat Natalya de beste jeugd kreeg die ze haar kon geven.

Ze was niet helemaal eerlijk geweest tegen Vos toen ze had gezegd dat ze nooit naar hun gezichten keek. De dingen waren zelden zo simpel als ze leken. Als ze aan het werk was, vluchtten haar gedachten meestal weg, terwijl haar lichaam zich bediende van spiergeheugen, gewoonten, trucjes en dingetjes van vroeger. Het enige wat ertoe deed was de dralende mannenparade tevredenstellen. Want dat betekende meer geld. Genoeg om vroeg naar huis te gaan als ze geluk had. De vrouw achter het raam richtte zich alleen op het fysieke. Huid die werd aangeraakt, standjes die werden ingenomen. Kreetjes en kreungeluiden die op het juiste moment werden geuit, alsof ze een aan lager wal geraakte actrice was.

En dan kwam de man klaar. Zo snel als ze dat voor elkaar kon krijgen zonder hem boos te maken. Wat niet altijd eenvoudig was.

Ze keek naar hun gezichten omdat ze daarvan af kon lezen hoe lang het nog zou duren. Meer niet. Ze zag geen persoon. Een identiteit die ze zich kon herinneren. Een spoor van een relatie die zich kon ontwikkelen.

De man die ze een dag eerder samen met de chic uitgedoste moeder van het Nederlandse meisje had gezien, kende ze. Hij had haar twee keer bezocht, en de laatste keer had hij een roze jasje bij haar achtergelaten dat haar – door een samenloop van omstandigheden die niemand leek te begrijpen – van haar dochter zou beroven.

En dat maakte de last op haar schouders nog zwaarder. Er ging bijna geen minuut voorbij zonder dat ze zich afvroeg wat er kon zijn gebeurd.

Stel dat Natalya iets anders had gedragen. Of dat ze Sinterklaas eerder in de stad hadden gezien en daarna ergens een pizza waren gaan eten. Deze aaneenschakeling van duistere gebeurtenissen leek aan elkaar te hangen van bizarre toevalligheden en factoren die ze uiteindelijk zelf in de hand had gehad. Omdat ze een ouder was. Dé ouder. De enige. Het was haar verantwoordelijkheid om de juiste keuzes te maken. Het was haar schuld als zaken zo uit de hand liepen.

Ze was geen vergevingsgezinde vrouw. Haar verleden had haar zo gemaakt. Maar als er een schuldige moest worden aangewezen, wist ze waar ze die moest zoeken. Bij zichzelf. Juist op het moment dat Natalya haar nodig had gehad, was ze in datgene veranderd wat ze het meeste vreesde: een slechte moeder. De slechtste.

Terwijl die bittere gedachten haar geest vergiftigden, liep ze de trap af om opnieuw naar de Marnixstraat te gaan.

Chantal stond in de gang. Ze zag er zoals altijd belachelijk uit in haar niemendalletjes, klaar voor een of andere klus die de Turk voor haar had geregeld.

En schuldbewust. Er lag een onzekere blik in haar donkere, onrustige ogen.

'Heb je al wat over Natty gehoord?'

'Ze heet Natalya,' flapte Hanna eruit.

Chantal schonk haar een venijnige blik.

'Sorry.'

'Nee. Ik heb nog niks gehoord.'

'Misschien kan Cem helpen.'

'Dat heb je al gezegd.'

Er was nog iets anders.

'Wat is er aan de hand?' vroeg Hanna.

'Ik heb Jerry gisteravond gesproken. De huur gaat omhoog.'

Jerry was de stroman van de werkelijke eigenaar van het gebouw. Daar was ze van overtuigd. De man had de bezorgde blik van iemand die altijd over zijn schouder keek.

'Hoeveel?'

'Voor jou zeshonderd euro.'

'Maar ik betaal nu vierhonderdvijftig euro! Hij had beloofd dat het een jaar hetzelfde zou blijven.'

De tiener haalde haar schouders op.

'Dat moet je met Jerry bespreken. Niet met mij. Ik geef het alleen maar door.'

'En jij?'

Chantal wierp een blik op de deur. Ze voelde zich in de hoek gedreven.

'Zelfde verhaal.' Haar kamer was twee keer zo groot en had een groter raam. 'Hij zegt dat het met terugwerkende kracht ingaat. Hij wil die extra 150 euro deze week hebben.'

'Jammer dat hij er niet voor kan zorgen dat er geen mensen in mijn kamer inbreken en al mijn geld pikken.'

Het meisje wiebelde opgelaten heen en weer.
'Ik zal er ook aan moeten geloven,' zei ze.
'Jij kunt hem betalen. Ik niet.'
'Ga dan met Cem praten! Dat heb ik je al tien keer gezegd!'
Hanna liep op haar af en glimlachte. Niet vriendelijk.
'Weet je wat wij met dieven doen? Waar ik vandaan kom?'
Stilte.
Ze pakte Chantals tengere, olijfkleurige rechterhand vast.
'We hakken hun vingers af. Een voor een.'
'Ik probeer je te helpen, Hanna, maar ik begin me af te vragen waarom ik al die moeite doe.'
'Misschien omdat iemand je dat heeft opgedragen? Heeft Cem mijn geld soms gepikt? Is dit huis ook van hem?'
Angst. Het stomme kind straalde altijd angst uit, hoe ze ook haar best deed om het te verbergen.
En dus deed ze wat kleine kinderen meestal doen als ze betrapt worden. Ze begon te huilen.
Daar heb je het antwoord, dacht Hanna. Het was niet nodig om er nog verder op door te gaan.
Cem Yilmaz wilde haar op zijn loonlijst, en hij was niet van plan om het op te geven.
'Zeg maar dat hij zijn geld krijgt,' zei ze. 'Zodra ik het heb verdiend.'
'Er is altijd een man die aan je touwtjes trekt!' schreeuwde Chantal snikkend tegen haar. 'Je bent niks anders dan ik.'
Hanna gaf haar een klap in het gezicht. Ze had er onmiddellijk spijt van.
Ze liep naar buiten en knipperde met haar ogen tegen het felle daglicht. Ze kreeg er zelf tranen van in de ogen. Ze veegde ze weg en liep het smalle klinkerstraatje in, de ramen langs, op zoek naar de beste plek. Ondertussen stelde ze zich in op het glimlachen naar de passerende mannen en het wenken met haar vinger. Ochtendklanten waren schaars en zeurden altijd over de prijs. Maar geld was geld.
Het raam dat ze wilde was leeg. Hetzelfde gold voor de straat. Ze bleef voor de deur staan en belde Vos. Het gesprek was kort.
'Weet je het zeker?' vroeg Vos.
'Dat zei ik toch? Hij was anders. Somber. Alsof hij zich schuldig voelde over de hele toestand. En normaal gesproken geven ze je ook

geen cadeautje voor je dochter. Ik herinner me trouwens nog iets…'

Vos wachtte.

'Toen hij me de jas bracht, vroeg hij iets over zondag en de intocht van Sinterklaas. Wat we van plan waren.'

'En?'

'Ik geloof dat ik zei dat we er ook naartoe gingen. Naar het Leidseplein. Denk ik…'

Vos aarzelde even en vroeg: 'Heb je tegen hem gezegd dat Natalya die jas zou dragen?'

Hanna dacht even na.

'Misschien. Ik weet het niet meer. Maar het lag natuurlijk wel voor de hand, toch? Het is het mooiste wat ze heeft. Ik heb eerlijk gezegd niet echt opgelet. We waren klaar. Ik wilde dat hij weg zou gaan.'

'Bedankt,' zei Vos. 'Dat is voldoende. Ik bel zodra ik iets hoor. Waar zit je?'

Ze keek naar het hoge raam. Het rode glas. De barkruk en de twijfelaar in de hoek naast de kleine douche met wasbak en toilet. Als ze de avond ervoor het geld van Vos had aangenomen, had ze dit kunnen vermijden. Maar nu niet. Niet nu Jerry geld van haar wilde dat ze niet had. Daarbij had het iets verleidelijks om achter dat raam te zitten. Om jezelf te verliezen achter het glas. Het was een zelfzuchtige ontsnapping aan het gevoel van machteloosheid dat ze had in de buitenwereld.

'In de buurt,' zei ze, en daar liet ze het bij.

Vos was even na zes uur opgestaan, waarna hij met de Marnixstraat had gebeld om alles door te nemen wat het nachtteam had gedaan. Dat kostte niet veel tijd. Nadat hij had gevraagd wat voor informatie ze over Henk Kuyper hadden gevonden, voerde hij twee telefoongesprekken: het eerste met de moeder van het vermiste meisje en het tweede met Laura Bakker om te vragen of ze met hem wilde ontbijten in De Drie Vaten.

Hij zat met Sam aan hun gebruikelijke tafeltje in het verhoogde gedeelte achterin toen ze arriveerde. Bakkers kledingsmaak was er niet beter op geworden. Ze droeg een groene broek met Schotse ruit, een bruine jas en zware zwarte schoenen. Ze marcheerde bonkend naar binnen, keek om zich heen en zei: 'Ik krijg altijd het idee dat je hier woont.'

De kleine terriër rende kwispelend op haar af en zette zijn poten tegen haar knieën. Omdat ze hem nooit wegstuurde, was Vos daar ook maar mee gestopt.

Er werden koffie en croissants gebracht zonder dat ze erom hoefden te vragen.

'Is dit echt nodig?' vroeg Bakker toen ze alleen waren.

'Hoe lang werk je nu op de Marnixstraat?'

Ze schudde haar hoofd, trok het rode haar naar achteren, dat in de weg zat, en bond het met een elastiekje in een slordige, losse paardenstaart.

'Een maand of acht, negen.'

'En je hebt nog niet één vakantiedag opgenomen.'

Ze deed haar mond open om te protesteren. De croissantkruimels vlogen alle kanten op.

'Echt, Laura. Het is niet goed om zo hard te werken zonder af en toe even vrij te nemen. Waarom ga je niet een weekje naar Dokkum? Ik weet zeker dat je tante...'

'Nu?' onderbrak ze hem. 'Vandaag?'

Hij knikte en zei: 'Volgens mij zou dat een goed idee zijn. Dit is een zware zaak. Het valt me op dat je er behoorlijk van in de stress raakt.'

'Hoe bedoel je?'

Sam, die gevoelig was voor stemverheffing, kwam overeind en trippelde weg in de richting van de bar.

'Ik wil alleen maar zeggen...'

'Wat heb ik verkeerd gedaan? Nou? Dat zou ik wel eens willen weten.'

'Niks specifieks...'

'Iets niet-specifieks dan? Je wilt me hier gewoon niet bij hebben, hè?'

Vos nam een grote slok koffie.

'Je kunt je vandaag ziek melden. Ik zorg ervoor dat je vanaf morgen vakantie...'

'Pieter? Wat is dit?'

'Niks,' zei hij met nadruk. 'Ik vind alleen...'

'Ik ga me niet ziek melden. En ik neem ook geen vakantie. Je krijgt me alleen uit het team als je me er persoonlijk uitzet.' Ze hief haar koffiekop bij wijze van toost. 'Dat is je goed recht. Maar dan wil ik wel een fatsoenlijke reden van je horen.'

'Je bent jong,' zei hij. 'Je hebt je carrière nog voor je. Zaken als deze kunnen die schaden.'

'Dus je wilt dat ik me niet meer met deze ontvoeringszaak bemoei omdat hij mijn vooruitzichten in gevaar zou kunnen brengen?'

'Daar komt het wel op neer.'

'Vergeet het maar. En nu de echte reden.'

Soms was ze slimmer dan goed voor haar was. Te snel met haar oordeel en niet flexibel genoeg. Hij was ooit ook zo geweest. Alleen door ervaring was hij veranderd.

Hij vertelde het haar.

Ze luisterde aandachtig en zei vervolgens: 'De AIVD. Dus we begeven ons in gevaarlijk vaarwater?'

'Levensgevaarlijk,' beaamde Vos.

'En we laten Kuyper naar de Marnixstraat komen? Mag ik erbij zijn?'

Jonge mensen dachten altijd rechtlijnig. Dat was een van de redenen waarom ze zo gemakkelijk in de problemen kwamen.

De hond, die zich op zijn gemak voelde bij Sofia Albers, bedelde om kaas bij een stamgast die zojuist was binnengekomen. De aanslag op het Leidseplein van twee dagen terug was niet vergeten. De kranten schreven er nog steeds over. Mensen spraken over hun ontzetting en hun boosheid. Maar het incident lag in het verleden. De stad had het achter zich gelaten. De door de AIVD ingestelde mediablack-out was nog steeds van kracht. Niemand wist dat ergens een jong meisje werd vastgehouden en dat haar leven afhing van één van drie dingen: de deskundigheid van de politie, de invrijheidstelling van een vermoedelijke terrorist en de betaling van een niet gespecificeerd losgeldbedrag.

Als de zaak in het nieuws was gekomen zou er voor dat laatste allang een inzamelingsactie zijn georganiseerd – een actie waarbij binnen enkele uren het beoogde gedrag zou zijn binnengehaald. Zo waren Amsterdammers nu eenmaal.

'Doe me een lol,' zei Bakker gedwee. 'Zeg gewoon wat ik moet doen.'

'Dat heb ik al gezegd, en je zei nee.'

Ze sloeg haar armen over elkaar en staarde hem zwijgend aan.

'Oké. Pak je fiets. We gaan even bij de Kuypers langs.'

'Thuis?'

‘De locatie is belangrijk, Laura. Als we Henk Kuyper vragen naar de Marnixstraat te komen is hij meteen op zijn hoede. Dan heeft hij de tijd om zich voor te bereiden en weet hij wat hij moet zeggen.’

‘Dus in plaats daarvan verrassen we hem thuis,’ zei ze met een knikje, en ze stond op. ‘Was je van plan dat mens van de AIVD op de hoogte te stellen? Als hij ooit voor ze heeft gewerkt…’

‘Lijkt me een beetje voorbarig, denk je ook niet? Dat komt een andere keer wel. Ze zijn nog steeds kwaad over gisteravond.’

Ze lachte.

‘Waarom maak je je eigenlijk zo druk om mijn carrière? Het interesseert je duidelijk geen bal wat er met de jouwe gebeurt.’

Vos liep naar de bar, rekende af en aaide de hond. Hij hoefde Sofia niet te vragen of ze op hem wilde passen.

Buiten in de felle zon wierp Vos een blik op zijn afgeleefde woonboot met de verwelkte planten, de ramen die met tape bij elkaar werden gehouden, de hondenspeeltjes en de zilverkleurige ballerina op het dek. ‘Ik kan altijd terug naar hoe het was. Daar zou ik geen probleem mee hebben.’ Hij haalde zijn schouders op. ‘Misschien zou het me zelfs beter bevallen.’

‘Dat denk je maar.’

‘En jij?’ vroeg hij opgewekt. ‘Wat zou jij doen?’

Op haar langgerekte, bleke gezicht verscheen een vertrouwde, licht geamuseerde stuurse blik. Vervolgens stapte ze op haar fiets. De mooie nieuwe die ze had gekocht toen ze een vaste aanstelling had gekregen bij de Marnixstraat. Een ouderwetse zwarte damesfiets van het merk Batavus met een hoog stuur, waardoor ze rechtop zat met haar hoofd in de lucht.

‘Gewoon waar ik zin in zou hebben,’ zei Bakker, en ze fietste weg langs de gracht.

Even voor tienen verscheen het AIVD-team onaangekondigd bij Frank de Groot op kantoor. Hij liet ze binnen en hoorde Mirjam Fransens vragen over het onderzoek aan. Op geen ervan had hij een eenduidig antwoord.

Toen vroeg ze: ‘Waar is Vos? En waar is die babbelzieke meid die hem overal volgt als een jong hondje?’

De Groot was een gemakkelijke man in de omgang, en hij was zich ervan bewust dat ze zich op gevaarlijk terrein bevonden. Hij begon niettemin een uitgesproken aversie te ontwikkelen tegen deze dame. Ze wilde alle informatie die hij had, maar was niet genegen daar veel voor terug te geven.

'Brigadier Vos is de deur uit,' zei hij.

'Je hebt de vraag gehoord,' gromde Thom Geerts. 'Waar is hij?'

Ze hadden blijkbaar vriendjes binnen de regering in Den Haag. En wat dan nog? Dit was Amsterdam. Zijn stad.

'Ik ben geen verantwoording verschuldigd aan de AIVD voor het doen en laten van mijn agenten. Daarbij weet ik niet elk moment van de dag waar ze zijn.'

'Dan zoek je het maar uit,' beval Fransen. 'Ik heb geen zin in nog zo'n blunder als gisteren.'

De Groot schoof zijn stoel naar achteren en nam hen op. Een chagrijnig uit haar ogen kijkende vrouw die eruitzag alsof ze op kantoor hoorde te zitten. Geerts had in het leger gezeten. Hij had de houding, de bouw, de vastberadenheid en de onverzoenlijke uitstraling van een bepaald type militair.

'Ik ben me er niet van bewust dat er gisteren is geblunderd. Vos had het volste recht om met die man op Schiphol te praten. Hij heeft de boot in het Westerdok opgespoord. Jammer dat de vogel was gevlogen. Als...'

Er werd op de deur geklopt. Van der Berg stormde naar binnen zonder op een antwoord te wachten.

'Ik denk,' zei hij met een knikje naar de televisie, 'dat je het nieuws even aan moet zetten.'

Hij keek geërgerd, iets wat niet bij hem paste. De Groot pakte de afstandsbediening en zocht het journaal op.

Het hoofdonderwerp was al begonnen, maar onder de nieuwslezer liep een *ticker* mee waarop een samenvatting was te zien. Het Europese Hof voor de Rechten van de Mens zou over enkele uren uitspraak doen inzake het beroep dat Ismail Alamy had aangetekend tegen zijn uitzetting. De nieuwszender baseerde de informatie op een lek. Volgens goed ingelichte bronnen zou de imam zijn zaak gaan winnen en zouden de rechters vandaag nog zijn invrijheidstelling bevelen. De mogelijkheden van de regering om de zaak opnieuw aan te vechten waren uitgeput. Alamy zou binnenkort een vrij man zijn. De openstaande arrestatiebevelen in het Midden-Oosten stonden ter discussie, en wel om twee redenen: het zogenaamde bewijs was op illegale wijze verkregen, en de kans bestond dat Alamy zou worden gemarteld als hij terecht zou staan in een van de landen die om zijn uitlevering hadden verzocht.

'Een grotere vernedering voor de regering is nauwelijks denkbaar,' zei de juridisch correspondent van de zender. 'Het ligt voor de hand dat Alamy een schadevergoeding zal eisen voor de achttien maanden die hij in de gevangenis heeft gezeten. Het bedrag kan oplopen tot enkele tonnen. Hij zou morgen al terug kunnen naar zijn sociale huurwoning en verder kunnen leven van zijn uitkering. Of het land verlaten om naar een bevriende natie te gaan. Voor degenen die zijn zaak hebben gesteund, ook hier in Nederland, is hij een held.'

Geerts pakte de afstandsbediening en zette de televisie uit. Hij vertrok geen spier. Hetzelfde gold voor Mirjam Fransen.

'Jullie wisten dat dit ging gebeuren,' zei Van der Berg. 'Jullie wisten dat de zaak ongegrond zou worden verklaard, en jullie hebben ons niks verteld.'

'Het is nog niet zover,' antwoordde Fransen. 'En als hij vrijkomt kunnen jullie hem arresteren voor de ontvoering van dat Georgische meisje.'

'Hoe dan?' brieste Van der Berg. 'Hij heeft ruim een jaar eenzame opsluiting achter de rug. Jullie hebben elk gesprek van hem afgeluisterd. Jezus... een beter alibi kun je niet bedenken.'

'Bedankt, Van der Berg,' zei De Groot, en hij gebaarde dat de rechercheur kon vertrekken.

Toen Van der Berg weg was, keek hij naar de twee AIVD-agenten en vroeg: 'Wisten jullie dit?'

'Volgens onze juridisch adviseurs had hij geen poot om op te staan,' zei Fransen zonder ook maar een moment te aarzelen. 'Ik had geen reden om dat te betwijfelen. We wisten dat er een beslissing aan zat te komen...' Ze keek op haar horloge. 'Ik ga overleggen met de advocaten. Misschien kunnen we iets bedenken om de zaak te rekken. Er moet een manier...'

'En hoe moet het met dat meisje?' onderbrak De Groot haar. 'Natalya Bublik. Weten jullie nog wie dat is?'

'Dat is jullie zaak,' antwoordde Fransen enigszins verbaasd. 'Daar hebben wij niks mee te maken.'

De Groot schudde zijn hoofd, alsof dat hem zou helpen beter te denken. Als Alamy werd vrijgelaten, zouden de ontvoerders het meisje dan ook laten gaan? Ze hadden geld geëist, wat sowieso vreemd was, zoals Vos naar voren had gebracht. Maar als Alamy op vrije voeten was, waarom zouden ze haar dan nog vasthouden en het risico lopen te worden opgepakt?

'Ze zetten haar waarschijnlijk af bij een bushalte of zo,' opperde Geerts. 'En als ze denken dat ze hen op de een of andere manier kan identificeren' – hij haalde zijn schouders op – 'dan is ze er geweest.'

Mirjam Fransen stond op met haar telefoon in haar hand.

'Kom niet in de buurt van Schiphol,' zei ze. 'Ik neem contact op als ik iets te melden heb.'

De Groot keek hen na tot ze waren verdwenen. Vervolgens belde hij Vos om hem op de hoogte te brengen van de ontwikkelingen. Tijdens het gesprek hoorde hij de stad op de achtergrond. Fietsers. Een gewone dag in Amsterdam.

Geerts had gelijk. Misschien zouden ze het meisje gewoon laten gaan. Maar het was niet meer dan een aanname.

Vos en Bakker waren afgestapt toen de telefoon ging. Ze waren op de Herenmarkt, bij de speelplaats. Saskia Kuyper zat chagrijnig op een schommel. Haar moeder keek toe. Ze had niet in de gaten dat er bezoek was. Ze had alleen oog voor haar dochter. Er hing iets duisters tussen hen, iets onheilspellends.

'Laten we hopen op een wonder,' zei De Groot met een sprankje optimisme in zijn stem.

'We moeten haar zien te vinden,' zei Vos meteen.

'Je kunt het proberen.'

'We hebben geen keus,' zei Vos resoluut. 'Als Alamy vrijkomt zijn ze de controle kwijt, en wij ook. Dan hebben we niks meer wat zij willen. En zij zitten met Natalya Bublik in hun maag, waar ze niks aan hebben, tenzij ze het risico van een losgeldoverdracht willen lopen.'

Stilte op de lijn. De Groot was een vriendelijke, fatsoenlijke man, klemgezet door een gestructureerde, rationele geest.

'Denk je echt dat Henk Kuyper erbij betrokken is?' vroeg hij.

'Ik weet het niet. Maar je hebt het dossier gelezen. Henk Kuyper heeft voor de AIVD gewerkt, totdat ze hem er vijf jaar geleden uit hebben gegooid omdat hij materiaal had gelekt naar de linkse pers. Het schijnt dat hij twee keer seks heeft gehad met Natalya's moeder en dat hij haar die roze jas heeft gegeven. Ze meent zich te herinneren dat hij haar heeft gevraagd of Natalya de jas op het Leidseplein zou dragen.'

'Weet ze dat niet zeker?' vroeg De Groot.

'Het was geen date, Frank. Ik kan me voorstellen dat ze er niet veel aandacht aan heeft besteed.' Vos kon zijn ogen niet van Laura Bakker afhouden. Ze keek naar de kinderen op de speelplaats, en haar langgerekte gezicht, dat op een alledaagse manier aantrekkelijk was, straalde bezorgdheid en melancholie uit. 'Zeg tegen Van der Berg dat hij blijft zoeken naar iemand die die doodgeschoten Brit kende. En ik stel het op prijs als je de AIVD niet vertelt waar ik uithang. Voorlopig.'

Opnieuw een stilte.

'Afgesproken?' vroeg hij.

'Afgesproken,' zei De Groot ten slotte.

Vos liep naar Bakker, en ze keek op. Renata Kuyper had hen nog steeds niet gezien. Ze keek met een afwezige blik naar haar dochter. Saskia zat op de schommel, die nauwelijks bewoog. Ze staarde strak voor zich uit.

'Ik was dol op mijn moeder,' zei Bakker. Haar stem klonk schor en onzeker, wat niets voor haar was. 'Ik mis haar nog steeds.'

'Die van mij woont buiten Utrecht,' zei Vos. 'Ik ga er eens in de maand op bezoek. We kunnen het prima met elkaar vinden sinds ik weer aan het werk ben.'

Ze knikte naar Renata Kuyper en haar dochter.

'Volgens mij zit er iets niet goed tussen die twee.'

'Nee,' zei hij. Hij liep met zijn fiets aan de hand naar de deur van het smalle herenhuis met de trapgevel, plaatste zijn vinger op de bel en hield hem daar totdat hij voetstappen de trap af hoorde komen.

Natalya bevond zich in een andere boot en luisterde naar de geluiden van kwekkende eenden en kabbelende golfjes tegen de romp.

Ze begon zich vies te voelen. Thuis deed ze elke dag schone kleren aan. Soms ging ze met haar moeder mee als die naar de wasserette ging en keek ze naar de lakens en T-shirts en onderbroeken die ronddraaiden in de machine.

Hier, in dit vreemde en onwerkelijke leven, was het alsof de tijd stil was blijven staan. Het enige wat anders was, was haar nieuwe cel, die ditmaal werd verlicht door twee matglazen patrijspoorten. Het was een badkamer met een toilet, een klein bad, een toilettafeltje en een spiegel.

Ze kon een douche nemen, als ze wilde. Dan zou ze zich schoon voelen. Anders. En misschien deed ze dat ook wel. Maar niet nu. Want hij was er. Of in elk geval een van hen. Ze kon er nu minstens drie onderscheiden. Een van de mannen had een rustige stem met een beschaafd Nederlands accent. De aardige man, dacht ze. De twee anderen waren buitenlanders. Humeurig. Eng. En bang.

Dit was zo'n held op sokken. Ze voelde de angst in zijn plotselinge, nerveuze bewegingen en ze hoorde hem nijdig grommen in de vreemde taal, gedempt door de badkamerdeur.

Bange mensen zijn zwak. Dat zei haar moeder tenminste altijd. Bange mensen konden ook gevaarlijk zijn. Omdat ze hun zwakheid probeerden te verbergen achter laf krachtvertoon.

Maar je moest ze wel onder druk zetten. Anders wist je nooit waar je aan toe was.

Vogels achter de raampjes. Ergens in de buurt luidde om het kwartier een kerkklok. Op het hele uur klonk een kort melodietje. Dat laatste was alweer even geleden. Als ze haar goedkope horloge nog had gehad – de eerste man had het haar afgenomen in het busje – zou het vermoedelijk op half elf staan.

En ze hadden haar nog steeds niets te eten gegeven. Het vertrek van de eerste boot was haastig en onverwacht geweest. Alsof iemand hen had gewaarschuwd dat ze haar moesten verplaatsen. Ze had een blinddoek om gekregen en ze was in een busje geduwd. Een korte rit door smalle, kronkelende straatjes. Daarna was ze via een loopplank in dit hok terechtgekomen.

De Nederlander had zich sindsdien niet meer vertoond. Misschien was hij ook bang. Het was alsof ze een voorwerp was geworden. Een meubelstuk dat te pas en te onpas kon worden verhuisd.

Die gedachte maakte haar woest. Ze moesten op de proef worden gesteld. Dat had haar moeder gezegd.

Natalya liep naar de dunne houten deur van de badkamer en begon er met een vuist op te bonzen. Schreeuwen of gillen deed ze niet. Ze hadden gezegd dat ze dan een prop in haar mond zouden stoppen. Maar ze hadden het niet over andere dingen gehad.

Ze bonsde drie keer op de deur. Toen wachtte ze om te luisteren. Hij was aan de telefoon. Ze hoorde een geluid en sloeg het op in haar geheugen.

Stilte. Ze bonsde opnieuw, twee keer. Even later ging de deur open. Het was een lange man. Hij droeg een zwarte bivakmuts met een baard eronder, een lichtblauwe spijkerbroek en een bruin leren jack met een bontkraag. Hij torende hoog boven haar uit en vroeg met een agressieve, buitenlandse stem: 'Wat is er?'

'Jullie hebben me niks te eten gegeven.'

Hij bleef roerloos staan. Misschien schaamde hij zich. Ze wilden haar niets aandoen. Geen van allen. Zo leek het tenminste.

'Ik haal wel wat voor je, meisje. En bons niet zo op de deur.'

Buiten hoorde ze het geluid van een bootje dat door de gracht pufte, vergezeld van harde, vrolijke stemmen. Amerikanen, dacht ze. Waarschijnlijk toeristen.

'Dat zou ik niet doen als ik te eten kreeg,' zei Natalya. Ze probeerde het te zeggen op de toon van een lerares die een ongehoorzaam kind een standje geeft. 'En een boek. En kleurpotloden. Dat kreeg ik van die andere man wel.'

'Die is er niet.'

Ze bleef staan waar ze stond.

'Wacht even,' zei hij, en hij liep weg van de deur.

Ze kon iets zien van de ruimte erachter. Het zag eruit als een lage, smalle woonkamer. Er was een bureau met een televisie en een computer. Stoelen en een bank. In de hoek zag ze een kookplaatje en een minikoelkast. De ramen waren hier groter en doorzichtig. Buiten zag ze de kademuren, en boven de zwarte bakstenen kon ze nog net de kale boomstammen onderscheiden.

En een trap die omhoogliep naar een openstaande deur, te oordelen naar het licht dat naar binnen viel over de plankenvloer van de boot.

Ze keek.

Hij keek.

Het was een grote man. En hij stond tussen haar en de buitenwereld. Natalya was snel en lenig en slim. Maar ze kon niet langs hem heen. Niet op dat moment. En dat wisten ze allebei.

Er stond een tas van een supermarkt bij het kookplaatje. Niet van de Marqt. De man boog zich over de boodschappen en zocht naar iets. Aan de muur hing een spiegel. Daarin kon ze precies zien wat hij deed, hoewel hij met zijn rug naar haar toe stond. Hij had een slecht humeur en maakte zich zorgen. Hij bestudeerde de spullen die iemand anders had gekocht. De bivakmuts paste niet goed. Hij kon niets zien. Nog steeds met zijn rug naar haar toe trok hij de voorkant van het ding omhoog om naar de levensmiddelen te kijken.

Toen volgde er een moment, zo kort, dat ze zelf niet wist hoeveel ze allebei zagen.

Een gezicht in het glas. Een donkere huid. Markant type. Zwarte ogen die in haar richting keken. Een baard als van een piraat.

Natalya ging de badkamer weer binnen en wachtte uit het zicht achter de deur.

Even later kwam hij terug met de bivakmuts weer omlaag. In zijn handen had hij een beker yoghurt, een croissant en een pak sinaasappelsap.

Ze pakte alles aan en zei: 'Ik zei toch dat de Nederlandse man me een boek had beloofd?'

Wat een leugen was. Een leugentje om bestwil. Misschien wist hij het. Maar volwassenen logen de hele tijd. Waar hadden kinderen het anders vandaan?

Ze zette het eten op het gesloten toiletdeksel. De man liep terug naar de tas en begon opnieuw te zoeken. Ditmaal hield hij zijn bivakmuts op.

Toen hij terugkwam had hij een kleurboek en een nieuw setje kleurpotloden bij zich. Ze keek naar het omslag. *My Little Pony*. Net als haar jas. Veel te meisjesachtig. Ze was er te oud voor. Maar ze pakte de spullen toch aan en keek toe terwijl de man de deur dichtdeed en leek te vergrendelen.

Dat slot moest nieuw zijn, dacht ze. Niemand deed een badkamer van de buitenkant op slot.

Natalya Bublik vroeg zich af wat het te betekenen had en of ze er misschien iets mee kon. Ze wachtte een paar minuten, at de yoghurt en de croissant en dronk van het sinaasappelsap. Vervolgens pakte ze het nieuwe kleurboek en de kleurpotloden. Ze kon niets bedenken om te schrijven.

Koeman werd naar de receptie van bureau Marnixstraat geroepen omdat een bezoeker er voor problemen zorgde. Hij wierp een blik in zijn richting en dacht: *Waarom krijg ik dat soort dingen altijd voor mijn kiezen?*

De man droeg een pak dat er ooit chic uit moest hebben gezien: donkerblauw met smalle grijze streepjes. Uit de rechterzak stak het mondstuk van een pijp, en de bult verraadde hoogstwaarschijnlijk een blikje tabak. Hij rook als een tachtigjarige die in een asbak woonde.

Terwijl hij begon te praten toonde hij twee identiteitskaarten. Een gewone Nederlandse ID-kaart en een oud militair identiteitsbewijs dat aangaf dat hij drie jaar eerder was ontslagen, niet lang nadat het Nederlandse leger zich uit Afghanistan had teruggetrokken. Hij was sergeant geweest bij het Regiment Infanterie Johan Willem Friso.

Hij heette Ferdi Pijpers, en hij had zojuist het nieuws gezien op de televisie. Koeman moest twee keer naar de identiteitsbewijzen kijken. Pijpers was negenendertig, maar hij zag er zeker tien jaar ouder uit. Zijn verweerde gezicht was gegroefd en getaand, ofwel als gevolg van vuil, of door de pijprook. Hij had een tic in zijn rechteroog en een zware, onrustige stem. Oorlogstrauma, dacht Koeman. Hij kende dit soort mensen. Na hun ontslag uit het leger lukte het ze niet meer om in de burgermaatschappij de draad weer op te pakken.

Hij hoorde zo geduldig mogelijk Pijpers' verhaal aan en zei ten slotte: 'Oké, Ferdi... doe nou eens even rustig, alsjeblieft.'

'Ik ben rustig,' zei Pijpers. 'Hebben jullie koffie?'

Het incident met Hanna Bublik zat Koeman nog steeds dwars. Hij wilde niet lomp of onwelwillend overkomen. Het probleem was alleen dat je je door dit werk soms vanzelf zo ging gedragen.

Hij haalde bij de automaat een beker koffie, die Ferdi Pijpers met trillende vingers aanpakte.

'Luister, je kunt altijd terecht bij de Militaire Geestelijke Gezondheidszorg. Daar kunnen ze je helpen.'

'Wie zegt dat ik hulp wil?' snauwde Pijpers, geërgerd door de opmerking. 'Júllie zijn degenen die hulp nodig hebben. Niet ik.'

'Hoezo?'

'Omdat die idioten in Straatsburg die klootzak van een Alamy weer de straat op laten gaan. En dan krijgen we nog meer shit zoals laatst op het Leidseplein.'

De rechercheur dacht hier even over na. De kranten hadden vol gestaan met artikelen over de aanslag van afgelopen zondag. De meeste hadden een uitgebreid profiel gebracht van Martin Bowers, de jonge Brit die in extremistische kringen verzeild was geraakt, zijn naam in Mujahied Bouali had veranderd en vervolgens naar Amsterdam was gereisd, waar hij was omgekomen in een achterafsteegje niet ver van de Marnixstraat. Maar dat was alles. Als gevolg van de door de AIVD ingestelde mediablack-out kwam Ismail Alamy niet in het verhaal voor. Althans, niet voor het publiek.

'Alamy zit al achttien maanden achter de tralies. Hij kan onmogelijk iets te maken hebben gehad met wat er op het Leidseplein is gebeurd. We zijn de zaak trouwens nog aan het onderzoeken, dus ik kan er niet over uitweiden, dat zul je begrijpen. Tenzij je reden hebt om aan te nemen dat hij een of andere connectie...'

'Ik heb alles gegeven voor mijn land,' onderbrak Pijpers hem. Hij klopte op zijn borst en morste koffie op tafel. 'Ik heb gezien wat die beesten doen als je ze vrij spel geeft. Ze zijn allemaal hetzelfde. Ze moorden net zo makkelijk als ze ademhalen. Achterlijke geitenneukers...'

'Ho, ho, ho,' zei Koeman. 'Dat soort dingen kun je niet zomaar zeggen. Daar zijn de mensen tegenwoordig erg gevoelig voor. Trouwens' – wat hij nu ging zeggen was waar, en goed om te weten – 'de meeste criminelen die ik heb ontmoet vinden zichzelf goede christenen of moslims of weet ik wat. Maar lui als Alamy... of die knul die zondag is doodgeschoten... dat zijn gewoon gestoorde randfiguren.'

'Je bent niet goed wijs,' zei Pijpers tegen hem. 'Dat geldt voor jullie allemaal. Jullie hebben geen idee wat er op je afkomt.'

Koeman wierp een blik op zijn horloge en keek vervolgens in de richting van de trap naar zijn kantoor. Er moest ook nog echt werk worden gedaan.

'En dat is?'

'Shariarechtbanken. Ze behandelen onze vrouwen als hoeren. Ze vertellen ons in ons eigen land hoe we ons moeten gedragen.' Hij tikte tegen zijn voorhoofd. 'Ik heb het met mijn eigen ogen gezien. Ik weet hoe het is.'

Koeman slaakte een zucht en sloot zijn ogen even.

'Luister, we hebben het momenteel erg druk. We zitten achter de mensen aan die we volgens jou in de gaten moeten houden. Criminelen. Van ons. Van hen. Soms een beetje van allebei.'

'Idioten,' voegde Pijpers eraan toe.

'Ik ben door de receptie gebeld omdat je had gezegd dat je nuttige informatie voor ons had. Ik zou het erg op prijs stellen als we het daar nu over konden hebben. Daarna kun je terug naar meneer Heineken en zijn vrienden. Want ik denk eerlijk gezegd dat die meer oor voor je hebben dan ik.'

Zo, dacht hij. Dat vriendelijke gedoe had niet lang geduurd.

'Jullie mogen die klootzak van een Alamy niet laten gaan. Ik ken die gasten. Beter dan jij ooit zult doen. Ik heb geen zin meer om naar apen te luisteren. Ik wil je baas spreken.'

'Waarover?'

Pijpers klopte het stof van zijn sjofele pak, alsof hij op sollicitatiegesprek ging.

'Dat is alleen voor zijn oren bestemd.'

Hij nam de vieze oude pijp uit zijn zak, zoog even op het mondstuk en haalde vervolgens een doosje tabak tevoorschijn.

'Ik wacht,' zei Pijpers.

'Dat doe je niet. En je gaat dat stinkding hier ook niet opsteken. Als je iets te zeggen hebt, kun je dat tegen mij doen.'

De man schonk hem een vuile blik, vloekte zacht en stond op.

'Ik had kunnen weten dat ik mijn tijd hier zou verdoen. Stelletje randdebielen,' mompelde hij met zijn pijp nog tussen zijn tanden.

Koeman probeerde te glimlachen.

'Ik raad je echt aan de MGGZ te overwegen. Je huisarts kan je doorverwijzen.'

'Ik hoef je medelijden niet. Weet je wat ik deed in het leger?'

'Dat kan ik wel raden.'

'Nee, dat kun je niet. Ik zat bij de Militaire Inlichtingen- en Veiligheidsdienst. Ik deed jouw werk. Alleen beter.'

Koeman stond op, haalde een briefje van twintig tevoorschijn en hield het voor Pijpers' boze, ongewassen gezicht.

'Als je me belooft dat je het aan eten besteedt. Niet aan drank of andere rotzooi.'

De man staarde zwijgend naar het geld.

'Imbecielen. Leeghoofden.'

'Ik heb het in elk geval geprobeerd,' verzuchtte Koeman terwijl hij hem nakeek.

Henk Kuyper nam hen mee naar de eetkamer op de eerste verdieping. Door de hoge ramen konden ze de speelplaats aan de overkant zien. Zijn echtgenote zat mistroostig op een bankje. Saskia praatte nauwelijks met de andere kinderen.

'Zal ik ze even halen?' vroeg hij. 'Ik moet bekennen dat dit me behoorlijk de keel begint uit te hangen. Kunnen jullie niet beter naar dat meisje zoeken?'

'Dat doen we ook,' zei Bakker, en ze ging zitten.

Vos keek haar even aan. Het was een blik die zei: 'Let op je toon.'

Hij ging op de stoel tegenover Kuyper zitten en vroeg hem wat hij in het dagelijks leven deed. Het antwoord zei hem niet veel. Milieuconsultancy. Liaison. Daarbij gaf hij op vrijwillige basis politiek advies aan iedereen die dat wenste. Hij maakte duidelijk dat geld niet op de eerste plaats kwam. Hij kwam uit een 'gegoede' familie. Middelen waren geen probleem.

'Zet je je ook in voor radicale zaken?' vroeg Bakker, zich in het gesprek mengend. 'Voor mensen als Ismail Alamy?'

'Ik steun mensen die door de rest van de samenleving worden genegeerd. Ik selecteer niet op basis van religie. Of huidskleur.'

'Dat is geen antwoord op de vraag,' zei ze.

Hij trok een gezicht.

'Ik heb nooit iets met Alamy gedaan. Ik heb een paar vergelijkbare zaken gehad, maar niet die.' Hij keek haar recht in de ogen. 'Maar als zijn advocaten naar me toe waren gekomen had ik gedaan wat ik kon. Afgaande op wat ik erover heb gelezen is er geen enkele reden om hem vast te houden. Of hem uit te leveren aan landen waar de ideeën of de rechtspraak in de verste verte niet op die van ons lijken. Als het geen bevriende mogendheden waren zouden we zoiets nooit doen. Waarom is het dan ineens anders als ze zogenaamd onze bondgenoten zijn?'

Ze gaven geen van beiden antwoord. Hij glimlachte sarcastisch en zei: 'Het doet er ook niet toe. Ik verwachtte geen antwoord. Jullie doen je werk, ik weet het. Daar gaat het om.'

'Zo goed mogelijk,' antwoordde Vos. 'Het punt is alleen dat je niet altijd aan de kant van de verdrukten hebt gestaan, nietwaar, Henk?'

De lange man die tegenover hen zat glimlachte niet meer.

'Sterker nog, je was vanuit hun standpunt gezien een onderdrukker. Je hebt als agent voor de AIVD gewerkt.' Vos liet een stilte vallen en keek hem onderzoekend aan. 'Wat is er gebeurd?'

'Ik ben een Kuyper. Onze familie kent een militaire traditie die generaties teruggaat. Die baan was me opgedrongen. Er was me niet eens wat gevraagd.'

'En toen heb je iets naar de kranten gelekt en hebben ze je eruit gegooid?' voegde Bakker eraan toe.

Hij dacht even na over zijn antwoord, haalde zijn schouders op en zei: 'Er zijn nu eenmaal dingen die de mensen horen te weten. De AIVD heeft dat uiteindelijk ook geaccepteerd. Ik ben nooit vervolgd, en mijn naam is nooit in de openbaarheid gekomen.' Hij keek de rechercheurs aan. 'Jullie zouden dit niet mogen weten. Het is vertrouwelijke informatie.'

'Er is een meisje ontvoerd,' zei Laura Bakker tegen hem. 'We stellen alles in het werk om haar te vinden.'

'Hier is niks te vinden,' zei hij kalm. 'Ik heb twee jaar voor de AIVD gewerkt. Mijn vader had die baan voor me geregeld. Ik had niet veel keus. Wat ik daar heb gezien...' Hij zweeg en fronste zijn wenkbrauwen. 'Hebben jullie echt tijd om hierover te filosoferen?'

'Dus door wat je bij de AIVD hebt meegemaakt heb je het licht gezien?' vroeg ze. 'En ben je geradicaliseerd? Net als die Britse knul die twee dagen geleden door je voormalige collega's is doodgeschoten?'

'Het ligt wel wat anders,' antwoordde hij op scherpe toon. 'Maar ik heb dingen gezien... en ik ben dingen te weten gekomen... die mijn beeld van de wereld hebben bijgesteld. We houden onszelf voor dat we in een vrije democratie leven, maar dat is een leugen. De rijken worden rijker en de armen worden armer. En ondertussen keren we degenen die onze hulp nodig hebben de rug toe. Als...'

'We zijn hier niet gekomen voor een preek, Henk,' onderbrak Bakker hem. 'We zijn op zoek naar een ontvoerd meisje. De dochter van een Georgische sekswerkster. Wij keren niemand de rug toe. Waar was je toen Saskia verdween?'

'Onderweg naar het Leidseplein,' zei hij. 'Renata was kwaad op me omdat ik geen tijd had om eerder naar de intocht te komen. Ik wilde proberen het goed te maken. Ik was er bijna toen ze belde en zei dat Saskia was verdwenen.'

'En toen?' vroeg Vos.

'Toen ben ik gaan zoeken en heb ik haar gevonden. Ik heb blijkbaar geluk gehad. Saskia ook.'

'Geluk,' zei Bakker.

'Precies,' beaamde hij.

'Was het ook geluk dat je Hanna Bublik dat roze jasje cadeau deed?' voegde Vos eraan toe terwijl hij Kuyper observeerde zonder dat er ook maar één beweging of één zenuwtrekje aan zijn blik ontsnapte. 'Nadat je haar had betaald voor seks? Een tweede keer?'

Henk Kuyper nam hem even zwijgend op. Vervolgens keek hij naar

Bakker en toen weer naar Vos. Hij lachte. Heel even maar.

'Ze heeft me gezien, hè? Toen ik gisteren het bureau aan de Marnixstraat binnenging? Ik had het kunnen weten.'

Hij stond op en wierp een blik naar buiten. Saskia was eindelijk aan het spelen met een jongetje. Ze had hem zo te zien behoorlijk onder de duim. Haar moeder zat ernaar te kijken met een papieren beker in haar hand.

'Koffie,' zei hij, en hij liep de keuken in.

Eén klant. Een stugge Amerikaanse knul die niet wist wat hij wilde en op alles probeerde af te dingen. Hanna Bublik wist hem binnen vijfentwintig minuten de deur uit te werken en wachtte nog een kwartier. Er kwam niemand meer langs haar raam, behalve een straatveger die lege bierblikjes opveegde van de avond ervoor.

Ze zat tijd te rekken, daar was ze zich maar al te goed van bewust. Ze nam het verlies van de drie uur die ze nog voor het raam te goed had voor lief, kleedde zich aan en liep naar buiten.

Het was een mooie vroege winterdag in Amsterdam, en ze werd meteen overmand door spijt. Ze had met Natalya naar de gracht gekund om de eendjes te voeren. Kunnen toekijken hoe ze speelde in het park. Ze had patat mét in een papieren puntzak kunnen kopen en op straat op kunnen eten.

In plaats daarvan liep ze door de stad in de richting van de Wallen en wierp ze een professionele blik op de meisjes die er werkten. In dit gedeelte van de stad waren meer klanten. Het kostte ook meer om hier aan de slag te gaan. Er waren verschillende mensen om zaken mee te doen. In de Oude Nieuwstraat wist ze tenminste zo'n beetje waar ze aan toe was.

Het was stil in de Spooksteeg op dit tijdstip van de ochtend. Ze belde aan bij het gebouw waar Yilmaz woonde en wachtte op een reactie. Het duurde even. Ze werd naar binnen gezoemd en nam de lift naar de bovenste verdieping. Ditmaal was ze niet verrast toen ze meteen in de woonkamer uitkwam.

De Turk was halfnaakt en droeg een slobberbroek. Zijn ontblote bovenlichaam was zo te zien met olie ingesmeerd. Hij was niet alleen. Er stond een gespierde blonde man in de kamer. Jonger. Ook onder het zweet en de olie. Ze hijgden allebei.

Hanna keek zonder iets te zeggen naar het tweetal. De jongere man had in het oog springende tatoeages verspreid over zijn torso. Twee ogen op zijn buik aan weerszijden van zijn navel. Een schedel in een mand op zijn rechterschouder. Een bloedend hart in een driehoek op zijn rug.

'We zijn nog niet klaar,' zei Yilmaz toen ze haar mond opende om iets te zeggen. 'Blijf daar maar even staan.' Hij grijnsde. 'Dan kun je kijken.'

Voor het loeiende vuur lag een mat op de grond. De Turk draaide zich om en legde zijn machtige, gespierde armen rond de pezige hals van de jongere man. Vervolgens begonnen ze te worstelen.

Ze had dit soort dingen ook in Georgië gezien. Grote, sterke kerels die zich wilden bewijzen. Was het iets seksueels? Ze wist het niet. Ze keek ook niet echt. Het ging een tijdje door. Ze hoorde gekreun, zag lichamen die elkaar beklommen, ellebogen, vuisten en vingers die grip probeerden te krijgen op glibberige huid. Toen draaide Yilmaz zijn tegenstander om en gooide hem met kracht tegen de mat. De jonge man stak zijn handen in de lucht om aan te geven dat hij zich gewonnen gaf. De Turk lachte, kwam overeind en trommelde met zijn vlakke handen op zijn indrukwekkende, getaande buik.

'Dmitri, Dmitri,' klaagde hij. 'Je maakt het me veel te gemakkelijk.'

De blonde man zei iets in een taal die als Russisch klonk. Een taal die Hanna altijd de rillingen bezorgde. Vervolgens stond hij op, glimlachend als een jochie dat een cadeautje verwacht. Hij pakte een handdoek en begon zich af te drogen. Een deel van het zweet en de olie verdween. Hij wierp een blik in de richting van wat eruitzag als een badkamer.

'Douche maar in je eigen tijd,' beval Yilmaz, en hij keek even naar Hanna. 'Ik heb zaken te doen.'

Hij liep naar het bureau en opende de lade met het geld. Hij haalde er wat bankbiljetten uit en overhandigde ze aan Dmitri.

'Je krijgt de helft,' zei de Turk. 'Je hebt het veel te snel opgegeven. Je hebt me laten winnen.' Er verscheen een brede grijns op zijn gezicht. 'De rest was gratis.'

De glimlach op het gezicht van de Rus verdween, maar hij protesteerde niet. Dmitri pakte zijn kleren en vertrok. Yilmaz verdween in de badkamer en kwam weer tevoorschijn in een pluizige witte kamerjas. Hij had twee flesjes vitaminewater in zijn hand en gaf haar er een. Iets met granaatappel.

'Nog nieuws?' vroeg hij terwijl hij plaatsnam op de leren bank.
'Nee. Ik vroeg me af of... of jij misschien iets had gehoord.'
De indrukwekkende schouders gingen op en neer.
'Ik heb je gezegd dat ik best bereid ben om je te helpen, mevrouw Bublik, maar dan wil ik wel dat je lid wordt van mijn familie. Een man beschermt geen vreemden. Het is een kwestie van geven en nemen.'
'Je zei dat je zou rondvragen. Mijn dochter is ontvoerd!'
Hij slaakte een zucht.
'Dat zei je gisteren ook. Maar vanochtend was je weer aan het werk. Om te proberen een paar euro's los te peuteren van toevallige voorbijgangers in de Oude Nieuwstraat. Echt...'
'Bespioneer je me soms?'
'Die panden zijn van mij. Ik hou mijn investering graag in de gaten.'
Ze dacht terug aan de inbraak in haar kamer, aan Chantals schuldbewuste blikken die ochtend en het nieuws dat Jerry de huur had verhoogd.
'Is dat hok waar ik in woon soms ook van jou?' Ze vroeg zich af of ze het zou zeggen. 'Kun jij overal zomaar naar binnen?'
Hij maakte een nonchalant handgebaar.
'Ik heb zo veel belangen. Meer dan je je kunt voorstellen. Wat doet dat ertoe? Je wilt dat je dochter weer thuiskomt. Dat kan ik begrijpen.' Hij nam een slok van zijn drankje en leunde achterover op de glimmende bank. 'Ik heb her en der wat rondgevraagd, hoewel je mij niks hebt aangeboden.'
Ze zweeg.
'Er lopen een hoop smeerlappen in deze stad rond. Ze zeggen van zichzelf dat ze vroom zijn, maar dat zijn ze niet.'
'Wat heb je gehoord?'
'Alleen maar kletspraat. Niks wat de moeite waard is. Als je wil dat ik je help, weet je wat je te doen staat.'
Op het bureau zoomde een telefoon. Hij liep ernaartoe en nam op. Hij wierp een blik op haar, plaatste zijn hand over de microfoon en zei: 'Ik moet dit even afhandelen. Blijf hier.'
Yilmaz liep door de deur aan de andere kant van de kamer. Ze hoorde zijn zware voetstappen in wat klonk als een lange gang. En toen was hij weg. Voorlopig, in elk geval.
Stelen was slecht. Het was iets wat ze nooit had gedaan. Maar nu...

Ze stond op en liep naar het bureau. Hij liet dit geld aan iedereen zien, dacht ze. Het was zijn manier om te zeggen: 'Ik heb het hier voor het zeggen. Ik maak mijn eigen regels.'

De deur naar de gang stond half open. Ze kon zijn stem horen. Vrij ver weg. Hij sprak Turks of zo. Op luide en autoritaire toon.

Ze trok de la open en staarde naar het geld. Wist hij hoeveel erin lag? Zou hij duizend euro missen?

Hanna pakte een paar briefjes van vijftig en voelde zich vreemd en vies. Geld moest worden verdiend, altijd. Op wat voor manier dan ook.

Maar ze pakte er toch wat van en stopte het in haar zak. De stapeltjes bankbiljetten verschoven. Achter het geld lagen andere dingen. Horloges. Telefoons. Portefeuilles.

En iets glimmends, een amberkleurige hanger aan een ketting. Goedkoop, maar heel mooi. Voor haar, in elk geval.

De ketting die haar echtgenoot haar de avond van hun trouwen had gegeven in Gori. Ze raakte het kettinkje aan, en vervolgens de doorzichtige, geelbruine steen.

Gestolen uit het dakkamertje waar ze woonde, samen met Natalya.

Helemaal achterin lagen een pistool en een doosje met munitie. Misschien was Yilmaz allang vergeten dat hij het wapen er ooit had weggeborgen. Het zat onder het stof, alsof het er voor noodgevallen lag en hij het al jaren niet had gebruikt. Cem Yilmaz was tenslotte de koning van zijn wereld. Hij had anderen die hem beschermden.

Er klonken voetstappen in de gang. Het geluid van een telefoongesprek dat werd beëindigd.

Ze liet het kettinkje los, stak haar hand naar binnen en pakte het wapen en de munitie. Ze stopte alles in haar tas, sloot de la, liep haastig terug naar het midden van de kamer en ging op de stoel zitten.

Yilmaz kwam het vertrek binnen en keek naar haar.

'Een man met fatsoen zou me helpen,' zei ze, alleen om iets te zeggen te hebben.

'En dat zal een man met fatsoen ook doen. Als je zover bent.'

Hij keek even naar het bureau. De la was dicht. Was dat daarnet ook al zo geweest? Ze wist het niet. Misschien bevond hij zich in dezelfde positie.

'En? Ben je zover, mevrouw Bublik?'

Hij had in hun kamer ingebroken toen ze bij de politie was. Hij had alles gestolen wat ze hadden om haar te dwingen hem om hulp te vragen. Ze had nooit in haar leven een vuurwapen gebruikt. Ze zou naar een internetcafé moeten om te leren hoe zo'n ding werkte. Maar ze besefte dat dit niet het juiste moment was. Cem Yilmaz was een beruchte gangster in de stad. Hij hoorde ongetwijfeld dingen die nooit de politie bereikten.

'Nog niet,' zei ze, en ze stond op, zich ervan bewust, en ook een beetje bang, dat dit hem waarschijnlijk woest zou maken.

In de Spooksteeg was een straatveger aan het werk. Hij veegde de rommel op en spoot desinfecterend spul op de klinkers. Het stonk er. Ze ging met haar gezicht naar de muur staan en duwde met trillende vingers het pistool en het kartonnen doosje met munitie zo diep mogelijk in haar tas. Vervolgens haalde ze haar telefoon tevoorschijn.

Geen berichten.

Er stonden drie kopjes macchiato op tafel. Bakker raakte het hare niet aan. Vos schoof dat van hem opzij. Buiten scheen de zon fel. Ze konden de kinderstemmen die van de speelplaats opstegen nog net horen.

'Wat willen jullie dat ik zeg?' vroeg Kuyper ten slotte.

'De waarheid zou wel fijn zijn,' opperde Bakker.

Hij keek naar haar en lachte. Vervolgens richtte hij zich tot Vos.

'Is ze altijd zo... pinnig?'

'Ik vind het een heel redelijk verzoek,' zei Vos tegen hem. 'Als je dat liever hebt kan ik je ook arresteren, dan kunnen we dit gesprek voortzetten op de Marnixstraat.'

'Arresteren? Hoezo?'

'Vanwege je extremistische sympathieën,' zei Bakker. 'Je hebt voor de AIVD gewerkt. Je bent klant geweest bij Natalya Bubliks moeder en je hebt haar het jasje gegeven waardoor haar dochter is ontvoerd. Je hebt gevraagd of ze naar het Leidseplein zou gaan. Vind je dat niet genoeg?'

'Hoe bedoel je? Waarom zou ik hebben gevraagd waar ze naartoe zou gaan?'

'Dat heeft ze gezegd,' antwoordde Vos.

'Doe niet zo belachelijk,' zei hij, en hij nipte terloops van zijn koffie. 'Misschien heb ik gevraagd wat ze die zondag met haar dochter ging doen. Meer niet. Mijn standpunten zijn trouwens volkomen legaal. En wat ik in het verleden heb gedaan is niet relevant. Bovendien is het niet verboden om seks te hebben met een prostituee. Als dat zo was, zouden de gevangenissen vol zitten.'

'En dat jasje?' vroeg Bakker.

Hij zette zijn kopje neer en keek haar aan.

'Hoe oud ben je?'

'Doet dat ertoe?'

'Voor mij wel.'

'Vijfentwintig.'

'Dan ben ik tien jaar ouder dan jij. Dat zijn lange jaren. Dingen veranderen.' Hij sloot zijn ogen even en zag er gedurende een ogenblik heel kwetsbaar uit. 'Ik heb op het nieuws gehoord dat Alamy vrijkomt. Het hof laat hem blijkbaar gaan. Is dat waar?'

'Misschien,' antwoordde Vos. 'Maar zolang er nog geen uitspraak is weten we dat niet zeker.'

'Dan laat hij haar toch wel gaan, neem ik aan?' zei hij met iets van hoop in zijn stem. 'Ik bedoel... waarom zou hij haar dan nog langer vasthouden?'

'Hoe moeten wij dat weten?' Bakker begon chagrijnig te worden, en dat baarde Vos altijd zorgen. 'We kunnen moeilijk stoppen met naar haar zoeken, nietwaar?'

Vos keek om zich heen.

'Je hebt zo'n geweldig leven, Henk. Geld. Een mooi huis. Een gezin. Wat heb je in vredesnaam in de rosse buurt te zoeken? Dat zou ik wel eens willen weten. Het blijft tussen ons.'

Stilte.

'Is het soms een verslaving?' vroeg Bakker op scherpe toon. 'Een paar keer per week. Je zegt gewoon dat je even een ommetje gaat maken. Weet Renata ervan...?'

'Die weet er niet van,' snauwde hij. 'En het is ook geen verslaving. Ik heb het maar twee keer gedaan. Met die vrouw.' Hij schoof de koffie van zich af en slaakte een zucht. 'Het kan me niet schelen of je dat gelooft.'

Vos liet een korte stilte vallen en stelde zijn vraag vervolgens opnieuw. 'Waarom?'

'Omdat het niet goed gaat tussen ons,' zei hij met een stuurse blik. 'Renata wil eigenlijk bij me weg, maar ze heeft er het lef niet voor. Ik trouwens ook niet. Saskia en haar moeder kunnen niet met elkaar overweg. Maar ze heeft wel een moeder nodig. Ik ben niet... genoeg.'

'Dus dan ga je de straat maar op en smijt je vijftig euro over de balk om een vluggertje te maken met een Oost-Europees hoertje?' zei Bakker.

'Ze is niet echt tactvol, hè?' zei hij tegen Vos.

'Soms is tact verspilde moeite,' antwoordde Vos. 'Maar ik snap nog steeds niet waarom je het hebt gedaan.'

'Uit pure frustratie. We hebben al maandenlang niet gevrijd. Ik heb het wel een keer geprobeerd. Ik had gedronken. Maar het zat er niet in. De avond erna... enfin, ik had behoorlijk wat op. Ik liep vanuit het centrum naar huis terug en kwam door de Oude Nieuwstraat. Toen zag ik die vrouw achter het raam zitten. Ze zag er... interessant uit. Intelligent. Je zou kunnen zeggen... anders.'

'En een paar dagen later ben je teruggegaan en heb je haar een roze jas voor haar dochter gegeven,' zei Bakker. 'Je zei dat het de verkeerde maat was, maar dat was niet zo, hè?'

'Nee.'

Hij leunde achterover in zijn stoel en sloot opnieuw zijn ogen.

'Shit. Wat een puinhoop is dit.'

Vos keek op zijn telefoon om te zien of er berichten waren. Niets.

'We moeten het weten, Henk. We moeten...'

'Ik zag haar op straat, oké? Met haar dochter. Een leuk meisje. Net Saskia. Je kon zien dat ze geen cent te makken hadden. En ik...' Hij maakte een weids gebaar met een hand. 'Ik doe alsof ik me inzet voor andere mensen terwijl ik op het geld van mijn vader teer. Later ben ik boodschappen gaan doen en heb ik dat jasje voor Saskia gekocht. Echt. Toen ik door de Oude Nieuwstraat kwam zat ze weer achter het raam.'

Hij trok een gezicht.

'Ik wilde geen seks, maar het was alsof... alsof ze het verwachtte of zo, alsof we een deal sloten. Een zakelijke transactie. Ik betaalde. Zij leverde. Op een gegeven moment kregen we het over haar dochter. Daar leefde ze helemaal van op. Ineens was ze meer dan alleen lustobject in een etalage. Ze bleef maar doorgaan over hoe graag haar dochter die zondag de intocht van Sinterklaas wilde zien.' Hij keek om zich heen. 'Dat soort enthousiasme kom je hier niet tegen. Dus ik heb een of ander verhaal uit mijn duim gezogen. Dat ik het jasje in de verkeerde maat had gekocht en dat zij het mocht hebben.'

Kuyper keek Vos aan.

'Het ging trouwens niet vanzelf. Volgens mij moet die vrouw niks van liefdadigheid hebben. Maar ze zei dat het meisje misschien wel iets nieuws kon gebruiken om aan te trekken met Sinterklaas. Dus ik heb het jasje daar achtergelaten. Vervolgens heb ik tegen mezelf gezegd dat ik nooit terug zou gaan. Ik wilde nooit meer zoiets doen.'

Bakker zei: 'En toen ben je weer naar die winkel gegaan om nog zo'n roze jas voor je dochter te kopen.'

Hij schonk haar een dreigende blik.

'Ja. Ik wilde haar een cadeautje geven. Mag dat soms niet?'

'Geen idee,' antwoordde Bakker. 'Zeg het maar.'

Dat maakte hem razend.

'Hoor eens even, ik had dat mens graag meer gegeven. Niet alleen die jas. Geld. Een paar honderd euro of zo. Maar dat stomme wijf wilde het niet aannemen. Ze zal er wel te trots voor zijn. Misschien vond ze dat ze niet echt een hoer was.'

'Misschien is ze dat vanuit haar standpunt gezien ook niet,' merkte Bakker op.

'Doe me een lol, zeg. Als je halfnaakt achter zo'n raam zit en mannen hun gang laat gaan voor een beetje geld... wat ben je dan wel?'

'Een moeder?' opperde Vos.

'Alleen buiten dat hok,' zei hij beslist. 'Dat heb ik met mijn eigen ogen gezien. Op straat. Daarom ben ik teruggegaan.'

Bakker deed haar benen van elkaar en keek hem recht in de ogen.

'Je liegt, Henk. Dat is zo klaar als een klontje.'

'Ik lieg helemaal niet. Jij bent gewoon jong en onnozel.' Hij knikte naar Vos. 'Vraag maar aan je baas. Hij kan erover meepraten.'

'Kunnen we dat onderwerp misschien even laten rusten...?'

Bakker stond op het punt te ontploffen, en Vos stak een hand uit om haar wat te kalmeren.

'Wat willen jullie nog meer weten?' vroeg Kuyper. 'Ik besef dat het er slecht uitziet, en dat is ook zo. Maar dat is iets tussen mijn vrouw en mij. Dat heeft niks met jullie te maken. Of met dat arme meisje. Als ik ook maar iets wist om jullie te helpen haar terug te vinden, zou ik het vertellen. Echt.'

Vos kwam overeind en kon het niet nalaten een blik uit het raam te werpen, op de speelplaats en de twee zwijgzame gestalten. Plotseling stond Saskia op, en ze liep weg, samen met de andere kinderen. Waarschijnlijk terug naar school, zo vermoedde hij.

'Ik hoop het,' zei hij. 'Als ik erachter kom dat er ook maar iets van dit verhaal niet klopt, kom ik je hoogstpersoonlijk halen voor een gesprekje op de Marnixstraat. En dat wordt een stuk minder gezellig.'

'Lijkt me redelijk.'

'Ik zie niet in waarom je vrouw zou moeten weten wat we hebben besproken,' voegde Vos eraan toe. 'Op dit moment niet, in elk geval.'

Bakker haalde diep adem en schonk de man tegenover haar een vuile blik, maar ze hield haar mond.

Kuyper stond op en liep naar de deur.

'Je vergist je. Ze moet het wel weten,' zei hij. 'En ze moet het van mij horen. Het wordt tijd...' Ze keken naar hem. Even zag hij eruit alsof hij ondraaglijke pijnen leed. 'Het wordt tijd dat we dit op de een of andere manier oplossen.' Hij liet zijn blik op hen rusten. 'Ik zou jullie eigenlijk dankbaar moeten zijn dat jullie het me hebben laten inzien. Misschien dat het ooit zover komt. De wonderen zijn de wereld nog niet uit.'

Buiten liepen ze langs de speelplaats. Renata zat alleen op een bankje en keek mistroostig voor zich uit, zich niet van hen bewust. Toen ging haar telefoon.

In deze droom stond ze boven aan de trap. Het monster beneden, dat dacht dat ze hem niet kon zien, grijnsde boosaardig. Het had honger.

En toen kwam het haar kant op. Stap voor stap. Langzaam en weloverwogen.

Buiten was het oorverdovende tumult van een wereld in chaos. Bommen en ratelende wapens. Schreeuwende mannen. Gillende vrouwen. De geur van iets scherps en heets. De muren van het gebouw, dat oud en stoffig was, bewogen zich onafgebroken naar binnen en naar buiten, als de borstkas van een reusachtig bakstenen dier dat op het punt stond de laatste adem uit te blazen.

Er kwam ook ergens bloed in voor. Het zat op het gezicht en de borst van een man van wie ze aannam dat hij haar vader was. Maar die was dood. Al heel lang. Het enige wat ze ooit van hem had gezien was de foto die haar moeder had meegenomen, helemaal vanuit Georgië naar Amsterdam. Een knappe, glimlachende man op het platteland, ergens in de zomer, met zijn arm om een jonge, gelukkige vrouw die een bloemenkrans in haar haar had.

De gewonde, stervende verschijning die ze in haar dromen zag, leek daar niet echt op. Maar dromen waren bedrog. En foto's ook.

Deze nachtmerrie dreunde al door haar hoofd zolang ze het zich kon herinneren. In het begin was ze huilend en badend in het zweet wakker geworden, als de dood voor de greep die de droom op haar had in een gammel ledikant dat naar pies rook – en soms erger – in het zielloze, verloren land waar ze doorheen reisde op weg van een onzeker verleden naar een breekbaar heden.

Maar in Amsterdam, in het dakkamertje waaraan ze gehecht was geraakt en waarvan ze zelfs was gaan houden, was haar slaap er eigenlijk niet meer door verstoord. Pas een week geleden was de droom teruggekeerd. Erger dan ooit. Luidruchtiger. Bloediger. En met een monster dat elke nacht dichterbij kwam.

Hij was nog steeds onzichtbaar, maar ze kon hem nu ruiken. Toen ze omlaag keek, zag ze iets bewegen in het donker. Hij was nog maar drie stappen links van haar, en dan had hij haar.

'Mama,' fluisterde ze.

'Mama is er niet,' zei het schepsel geamuseerd met een zware, vreemde stem.

'Mama!' riep ze uit.

Nog één trede de trap op. Ze zwaaide met haar arm door het duister tussen hen.

En maaide de droom weg. Herinneringen kwamen terug. Het besef dat ze nog op de tweede boot was, het hok waar de Zwarte Piet haar mee naartoe had genomen in de rammelende laadruimte van een oud en roestig busje.

'Mama is er niet.'

Natalya Bublik keek op, angstig, maar ook nieuwsgierig, omdat een Bublikvrouw dat altijd was. Haar moeder had haar dat verteld.

Het was gewoon een man, met een donkere huid en gladgeschoren. Een kaki-jack, als een soldaat. Een zwarte broek. Zware schoenen. Hij had iets in zijn hand. Ze keek. Een mobiele telefoon en een sleutelbos.

Geen bivakmuts, zag ze, en ze besefte dat dat om de een of andere reden niet goed was.

'Wie ben jij?' vroeg Natalya Bublik onomwonden terwijl ze in zijn donkere, gevoelloze ogen keek en er iets in probeerde te zien.

Hij gaf geen antwoord. Maar iemand achter hem zei wel iets, woorden waar ze helemaal niets van begreep. Toen kwam hij ook dichterbij. Hij was groter dan de eerste man en had een ruwe bruine zak in zijn handen. Op de zijkant stonden woorden. Misschien de naam van een bedrijf.

Hij schudde de zak uit. Het ding was groter dan zij.

'Stap hier in,' zei de man in nors en schraperig Nederlands.

Ze stond haastig op. Voordat ze kon gehoorzamen trokken ze de dikke jutezak over haar hoofd.

Dat was wat er gebeurde als je overdag in slaap viel. Dan kwamen de monsters je halen. Vreemde mannen die je behandelden alsof je hun eigendom was. Alsof je een ding was.

Ze tilden haar op; niet ruw, maar ook niet voorzichtig. Na te zijn gewaarschuwd dat ze stil moest zijn, werd ze uit het badkamertje gedragen, de frisse, koude stadslucht in.

Op de Noordermarkt, een paar minuten van het huis van Kuyper, remde Vos plotseling af en stapte van zijn fiets. Hij had gehoord dat hier een nieuwe kaaswinkel zat. Een leuk, klein zaakje aan het plein met de Noorderkerk bij de Prinsengracht. Bakker volgde hem naar binnen en klakte met haar tong. Vos kocht twee kaascroissants en liep ermee naar een bankje.

Op zaterdag stond het hier vol met kraampjes van de wekelijkse boerenmarkt. Maar vandaag was het dinsdag, en het was winter. Het plein was leeg.

Vos gaf haar een croissant en vroeg wat ze ervan vond.

'Volgens mij liegt hij,' zei ze.

'Ik bedoel de croissant.' Hij keek heel serieus. 'Een goede manier om een kaaswinkel te beoordelen. Ik bedoel... het gaat niet alleen om kaas.'

Ze nam een hapje en zei dat hij heerlijk smaakte. Hij proefde van de zijne en knikte.

'Niet zo lekker als die van mijn winkeltje aan de Elandsgracht.'

'Moeten we het nu echt over de kwaliteit van kaascroissants hebben?'

'Ik zit ondertussen ook te denken.'

'Wat denk je?'

'Dat ik wou dat je je ziek had gemeld.'

Ze trok een gezicht en schonk hem een vuile blik.

'Weinig kans.'

'Ik weet het,' zei hij. Hij nam nog een hap. De kruimels rolden over zijn afgedragen winterjas. 'Maar daarom kan ik het nog wel willen.'

'Hoezo...?'

'Omdat er iets niet klopt. We zien iets over het hoofd. Iets wat onze vrienden van de AIVD misschien wel in de gaten hebben. Ze wisten dat er op het Leidseplein iets ging gebeuren.'

'En ze hebben die Britse idioot wel verrekte snel overhoopgeschoten,' voegde Bakker eraan toe. 'Maar dat verandert niks aan het feit dat Henk Kuyper liegt, toch? We zouden hem moeten aanhouden.'

Vos werkte het laatste hapje van zijn croissant naar binnen. Vervolgens maakte hij een prop van de zak en gooide hem in de afvalbak die even verderop stond. Bakker probeerde het ook, maar miste.

'Hij liegt. Maar niet over alles. Zag je hoe hij keek toen hij het over zijn huwelijk had? Dat was echt. Hij voelt zich schuldig. Smerig. Misschien weet hij niet eens waarom hij het heeft gedaan. Of anders wil hij het gewoon niet zeggen.'

Er verscheen een flauw glimlachje op Bakkers gezicht, en ze stond voor de verandering eens niet te springen om iets te zeggen. Vos drong aan.

'Doen mannen dat soort dingen niet gewoon? Als ze een paar biertjes op hebben en... zin hebben?'

'Nou, ik niet...' wierp hij tegen.

'Ik had het niet over jou! Jij bent niet normaal.'

'Je wordt bedankt.'

'Zo bedoel ik het niet. Kuyper heeft voor de inlichtingendienst gewerkt. Hij weet hoe het eraan toegaat met operaties en wapens en zo. Hij is zo glad als een aal, en ik weet zeker dat hij ons iets op de mouw speldt. We zouden hem eigenlijk moeten arresteren.'

Vos gaf niet meteen antwoord. Het volgende moment ging zijn telefoon. Het was De Groot, die bevestigde dat Alamy zou vrijkomen. De man zou nog die middag uit het detentiecentrum op Schiphol worden ontslagen en overgedragen aan zijn advocate. Tot grote woede van de AIVD kon niemand daar ook maar iets aan doen. Als Alamy wilde, kon hij gewoon de weg oversteken, de luchthaventerminal binnenlopen en naar het buitenland vliegen.

'Is het al op het nieuws?' vroeg Vos.

'Als dat niet zo is, zal het in elk geval niet lang meer duren. Weten we al iets over het meisje?'

'Nee.'

'Is er niet gebeld naar de telefoon van die vrouw? Is er iets uit dat gesprek met Kuyper gekomen?'

'Niet echt.'

Er viel een stilte.

'Ik wil op Schiphol zijn als ze Alamy vrijlaten,' zei Vos. 'Misschien kan ik een verklaring van hem lospeuteren. Iets om de ontvoerders zover te krijgen dat ze Natalya laten gaan.'

'Best,' zei De Groot.

'En ik wil dat de mobiele en de vaste telefoon van Henk Kuyper worden afgetapt. Er is daar iets niet in de haak.'

De Groot slaakte een zucht.

'Dat zal ik via de AIVD moeten regelen. Hij heeft voor ze gewerkt. Ik kan ze niet zomaar passeren. Weet je het zeker?'

De vraag verraste Vos.

'Natuurlijk weet ik het zeker, anders zou ik het niet vragen. Hij heeft Hanna Bublik twee keer gezien. Hij heeft het met haar over het Leidseplein gehad. Hij heeft haar dat jasje gegeven. Uit medelijden en schuldgevoel, zegt hij. Misschien is dat zo. Misschien niet.'

'Ik praat wel met Fransen,' zei De Groot met een zucht, en hij verbrak de verbinding.

Naast elkaar – behalve wanneer er voetgangers in de weg liepen – fietsten ze terug langs het water. Even voor de Elandsgracht, niet ver van De Drie Vaten, ging de telefoon van Renata Kuyper in de zak van Vos' versleten jas.

Hij dacht al over dit gesprek na sinds hij had gehoord dat Alamy misschien op korte termijn in vrijheid zou worden gesteld. Het was belangrijk om beslagen ten ijs te komen, of, als dat mogelijk was, je tegenstander een stap voor te zijn. Liefst vier stappen, als het even kon.

'Ik heb het nieuws gezien. Jullie hebben verloren,' zei de beller op rustige toon. 'Nu weten jullie hoe dat voelt.'

Dezelfde man. Een buitenlander. Zelfverzekerd.

'Hoe is het met Natalya?' vroeg Vos. 'Kan ik haar spreken?'

Er klonken geluiden van verkeer. Van mensen. Hij was buiten, ergens waar het druk was en hij niet opviel. Weinig kans dat ze hem een tweede keer aan de hand van omgevingsgeluiden konden opsporen. Misschien, zo dacht Vos, had de man beseft dat ze op die manier het Westerdok hadden gevonden.

Er kwam een bericht binnen. Het was een foto van Natalya in het roze jasje op een klein bed. Ze had een tablet in haar handen met daarop het televisienieuws. Hoofdonderwerp: de bevestiging van Ismail Alamy's invrijheidstelling.

'Er valt niks meer voor jullie te onderhandelen,' zei Vos met oprechte overtuiging. 'Het is een kind van acht. Een jong meisje. Laat haar gaan. Zet haar ergens af en zeg dat ze naar een café moet gaan en ons moet bellen. Jullie zijn allang verdwenen tegen de tijd dat wij bij haar zijn.' Hij moest het zeggen. Ook omdat het deels de waarheid was. 'Momenteel ben ik alleen in Natalya geïnteresseerd. Niet in Ismail Alamy. Niet in jullie. Ze moet terug naar haar moeder.'

Aan de andere kant van de lijn klonk gelach.

'Wat is dat voor onzin, Vos? Ben jij nou rechercheur of sociaal werker?'

'Ik wil dat ze vrijkomt.'

'Echt? Waarom zijn jullie dan allemaal zo terughoudend?'

Dit was nieuw. Onverwacht.

'Terughoudend?' vroeg Vos.

'Er wordt een kind ontvoerd, maar de burger krijgt niks te horen. Wat is dit voor land? Waar een klein meisje kan verdwijnen zonder dat er een haan naar kraait?'

'Bij een ontvoeringszaak werkt publiciteit vaak averechts,' zei Vos.

'Voor jullie in elk geval wel.'

Zijn stem was beschaafd, opgewekt en geamuseerd.

'Wat willen jullie?' vroeg Vos.

'Geld.'

'Hanna Bublik is maar een arme immigrante. Ze heeft niks. Ze...'

'Ik weet wie de moeder is. Ik weet wat ze doet.'

'Hoe ben je daarachter gekomen?'

'Dat doet er niet toe. Je zult moeten betalen om het meisje terug te zien. Het maakt me niet uit hoe je aan het geld komt. Probeer het maar bij de rijke mensen. De Kuypers, bijvoorbeeld. Morgen bellen we weer om de details te bespreken.'

'Dat kan nu ook,' zei Vos snel. 'Hoeveel?'

'Morgen,' zei de man resoluut. 'Dan kunnen we dit... avontuur afhandelen. Linksom of rechtsom. Een fijne dag.'

De verbinding werd verbroken. Vos leunde tegen de muur.

Bakker kwam naar hem toe en zei: 'Volgens mij ging dat niet echt lekker.'

'Waarom wilde hij in vredesnaam geen bedrag noemen?'

'Ik zou het niet weten.'

'Echt niet?' gromde hij, en tot haar ergernis bleef het daarbij.

Vos nam direct contact op met de regelkamer om na te gaan of ze iets over het nummer konden vertellen. Het verbaasde hem niet dat ze niets hadden.

Een minuut later begonnen de e-mail en de aangehechte foto's en video's bij de geadresseerden binnen te komen. Alle landelijke kranten. Landelijke en internationale nieuwszenders. Nieuwsblogs. Radicale amateursites die niet waren getroffen door de black-out die de AIVD de gevestigde media had opgelegd.

Toen ze terugkwamen op de Marnixstraat was het verhaal overal breaking news, behalve in Nederland. Maar de landelijke media hadden geen keus, hoezeer de autoriteiten hen ook smeekten het zwijgen te bewaren.

Dit was de nieuwe tijd. Sommige dingen konden nu eenmaal niet onder de pet worden gehouden. Het zou niet lang duren of Natalya Bubliks foto zou op de Nederlandse televisie te zien zijn, zoals nu al op CNN en de BBC. Het was dezelfde foto die Vos eerder had gezien, en nog een paar andere.

'Ik moet Hanna bellen,' zei Vos. Maar hij kreeg alleen haar voicemail.

In de eetkamer, die uitkeek over de speelplaats, luisterde Renata Kuyper naar haar echtgenoot. Saskia was weer naar school.

Henk bracht zonder veel waarneembare emotie zijn wensen onder woorden, alsof dit een zakelijk gesprek was. Een transactie die werd afgehandeld. Een relatie die opnieuw werd omschreven.

Toen hij klaar was keek hij haar recht in de ogen en vroeg hij of ze vragen had.

Wel honderdduizend.

'Waarom?' was het enige dat ze kon uitbrengen.

'Omdat ik me verveelde,' zei hij. 'Omdat ik nieuwsgierig was. En ik voelde me gekwetst omdat je altijd naar de logeerkamer vertrok zodra je dacht dat Saskia sliep. Ik dacht dat je me niet meer wilde. Ik wilde...' Het leek even alsof hij niet wist wat hij moest zeggen. Dat kwam zelden voor. 'Ik wilde weten hoe het was om vrij te zijn. Vrij van emoties. Van liefde. Om te zien of er nog iets van betekenis over was.'

'En?'

'Ik geloof het niet.'

Ze knikte.

'Dus je bent naar de rosse buurt gegaan en hebt uit intellectuele nieuwsgierigheid de eerste de beste hoer geneukt? Niet omdat we apart slapen en je er zin in had?'

Hij luisterde nauwelijks.

'Ik heb haar de jas gegeven die ik voor Saskia had gekocht. Ik dacht dat dat de pijn misschien zou verzachten. Die van mij. Niet die van haar. Ik voelde me schuldig. Ik schaamde me. Maar ik heb het alleen maar erger gemaakt.'

'Maar je was helder genoeg om terug te gaan en nog zo'n jas te kopen?' vroeg ze. 'En mee naar huis te nemen? Omdat dat de zaak weer in balans zou brengen?'

Geen antwoord. Ze stond op, liep naar de kapstok, haalde het ponyjasje van haar dochter eraf en stopte het in de afvalbak.

'Voel je je nu beter?' vroeg hij.

'Wat wil je dan dat ik doe? Wat moet ik zeggen?'

'Dat we hieraan gaan werken,' antwoordde hij met een schouderophalen. 'Saskia heeft een moeder en een vader nodig. Ze is in de war. Bang. Ik kan haar niet in mijn eentje opvoeden. Ik weet dat ik een fout heb gemaakt. Dat geef ik toe. Het zal niet meer gebeuren. Ik zal...'

Hij draaide zich om naar het raam, waar het niet-ingeschakelde lichtsnoer een troosteloze aanblik bood.

'Ik zal meer tijd voor je maken. Ik doe wat nodig is. Counseling...'

'Je zou het me nooit hebben verteld, hè?' zei ze. 'Als je niet was betrapt. Als die hoer je niet had gezien in de Marnixstraat...'

'Er is een Italiaans gezegde, Renata. Beter een leugen die behaagt, dan een waarheid die je plaagt.'

'Je baseert een huwelijk niet op leugens!'

'Alsjeblieft, zeg. We zijn geen kinderen.'

Er ging een lichte huivering van angst door haar heen.

'Wat bedoel je?'

Hij schudde zijn hoofd en sloot zijn ogen even.

'Weet jij wat ik denk? Kan ik in jouw hoofd kijken? Nee. En dat wil ik ook niet. We slaan ons erdoorheen met wederzijdse instemming en onwetendheid. Jij. Ik.' Zijn hand bewoog zich naar het raam. 'De wereld daarbuiten.'

'Henk...'

'Ik heb het je niet verteld omdat ik bang was. Of omdat ik me schaamde. En ik ben ijdel genoeg om niet als een idioot te willen overkomen. Maar de belangrijkste reden was dat er niets mee te winnen viel. Het zijn de dingen die je weet die je kapotmaken. Niet de dingen waar je geen weet van hebt.'

Renata stond op.

'Wat ben je toch een misselijke zak. Ik...'

'Best,' zei hij met een knikje. 'Dat is je goed recht. Gooi het er maar uit. Ik heb het verdiend. Het feit dat je niet meer met mij in hetzelfde bed wilt slapen...'

'Dat is niet waar! Ik heb alleen...' Het was gebeurd zonder dat ze erover hadden gesproken en zonder dat ze er goed over had nagedacht. 'Ik besefte gewoon dat ik je niet meer kende. Je zat alleen nog maar de hele dag op je kantoor.'

'Dan ga ik dat veranderen. Voor Saskia. Voor jou.' Hij probeerde haar blik te vangen. 'En ook voor mezelf. We zijn een gezin. Dat moeten we blijven.'

Hij liep naar haar toe, pakte haar handen vast en kwam dichterbij. Ze vroeg zich af of dit de man weer was met wie ze destijds na de plotselinge dood van haar vader zo halsoverkop was getrouwd. Iemand die ze jaren kwijt was geweest. Sinds Saskia's geboorte, om de een of andere reden, alsof die gebeurtenis een wig tussen hen had gedreven. De komst van een kind. Iets wat een bron van vreugde had moeten zijn.

'Ik heb je nodig. Saskia heeft je nodig. Zeg maar wat je wilt. Ik zal mijn best doen.'

'En als het te laat is?' vroeg ze, evengoed aan zichzelf als aan hem.

Hij gaf geen antwoord op de vraag. Hij zei alleen dat hij even de deur uit ging om haar de tijd te geven na te denken.

Het volgende moment piepte zijn telefoon, en hij griste hem van tafel. Hij zette de tv aan en viel in een livereportage vanaf de poort van het detentiecentrum op Schiphol.

Renata luisterde naar de opgewonden stem van de verslaggever en vroeg: 'Wat betekent dat? Voor dat meisje?'

Hij leek in gedachten verzonken en zag er opnieuw doodongelukkig uit.

'Henk?'

'Geen idee,' bromde hij. Hij was plotseling weer zijn recente zelf.

Ze liet hem staan, starend naar het televisiescherm, en ging naar buiten, waar ze haar blik over de speelplaats en de school liet glijden.

Het was angst die hen bij elkaar hield, en die angst kwam van twee kanten. Er zat zoals gewoonlijk een logische, zakelijke en onbetwistbare kant aan zijn betoog. Maar er was nog iets anders: een beeld in haar hoofd. Een beeld dat ze niet van zich af kon zetten. De man met wie ze getrouwd was in een peeskamertje in de rosse buurt. Kreunend boven op een vrouw die... hoeveel mannen per dag afwerkte? Tien? Twintig?

De stad veranderde bij elke stap. Langzaam maar zeker verdween de luister van de Herenmarkt en werden de straten armoediger. De mensen ook. Armoediger en ongemanierder.

Ze liep verwachtingsvol door de Oude Nieuwstraat. Hoopvol. Zich afvragend hoe de vrouw er overdag uit zou zien tijdens haar pogingen om mannen in haar web te vangen.

Het was na de middag. Er waren een paar gordijnen gesloten. Bezet. De meeste vrouwen zaten in de etalage om hun lichaam aan te prijzen. Halfnaakte creaturen achter een glazen venster, scherp afgetekend onder het rode licht. In alle soorten en maten. Groot en klein, blank en zwart en alles ertussenin. Stuk voor stuk beantwoordden ze haar zoekende blik met verwarring.

Toen zag ze achter het een na laatste raam een vrouw die verrast iets naar achteren deinsde. Ze was slank, had lang, blond haar en droeg felrode lipstick en een roomkleurige, satijnen beha met dito slipje. Ze zat op een smalle barkruk achter het raam, en op haar buik waren striae zichtbaar. Maar misschien zagen de mannen dat niet eens.

Renata drukte op het belletje van de intercom en wachtte.

Vanachter het kantoorraam zagen Vos en Bakker de twee AIVD'ers het bureau aan de Marnixstraat verlaten via de hoofdingang. Ze stapten in een lange zwarte Mercedes sedan die op hen stond te wachten.

'Laat me eens raden,' zei Bakker. 'Schiphol.'

'Dat zal me een circus worden,' zei Van der Berg. 'Buiten staat de pers te wachten. En er wordt gedemonstreerd. Mensen die vinden dat hij aan de hoogste boom moet worden opgeknoopt. Er zijn er trouwens ook die óns dat toewensen.'

Van der Berg praatte hen bij over de zoektocht naar Natalya Bublik.

In de klipper in het Westerdok waren vingerafdrukken gevonden, maar geen ervan kwam in het systeem voor. Er waren ook wat DNA-monsters veiliggesteld. Deels van het meisje. De rest kon niet worden geïdentificeerd, maar alles wees erop dat er buiten de verhuurder en de schoonmaakster nog drie personen op de boot waren geweest. Een buurtbewoner had een dag eerder 's ochtends vroeg iemand naar binnen zien gaan. Hij had niet veel te melden gehad, behalve dat het om een blanke man van in de dertig ging.

Vos liep naar zijn bureau en zette de televisie harder. Bakker ging naar de website van *De Telegraaf*. Alamy's invrijheidstelling was het hoofdonderwerp, samen met het nieuws van de ontvoering. Nadat het verhaal in de internationale pers was verschenen, hadden de Nederlandse media collectief besloten het door de autoriteiten opgelegde embargo te doorbreken.

'Tapt de AIVD Kuypers telefoon af?' vroeg Vos.

Van der Berg trok een gezicht.

'Onze grote vriendin Mirjam leek niet erg geïnteresseerd toen ik het voorstelde. Ze heeft belangrijker zaken aan haar hoofd.' Hij streek over zijn kin. 'Ze willen Alamy niet uit het oog verliezen. Iets met die Barbone, die ze op het spoor zijn. Ze zit met de handen in het haar.'

'Als we het bewijsmateriaal hadden, zou ik zelf achter die terroristische cel aan gaan,' zei Vos, terwijl hij zijn blik over het verhaal van *De Telegraaf* liet gaan. 'Hebben we dat?'

'Ik heb nog helemaal niks gezien,' antwoordde Van der Berg. Hij aarzelde even en vroeg vervolgens: 'Wat gaat er met dat meisje gebeuren? Als Alamy vrij is? Ik snap het niet.'

Vos zweeg. Bakker zei: 'Wat snap je niet?'

'Die gasten hebben het verhaal zelf naar buiten gebracht. Ze hebben het overal naartoe gestuurd. Foto's. Details. Namen. De bekende propagandashit. Maar...' Hij keek de anderen aan. 'Ze hebben geen prijs genoemd. Waarom niet?'

Bakker knikte naar Vos en zei: 'Híj weet het. Of dat denkt hij tenminste.'

'Mogen wij het misschien ook weten?' vroeg Van der Berg.

Vos klikte de webpagina weg. Hij had genoeg gezien.

Volgens het internationale nieuwsbulletin over Schiphol zou Alamy om half zes worden vrijgelaten. Er werd een enorme menigte verwacht.

Er was genoeg tijd.

'Regel een auto,' zei hij, en terwijl Bakker aan de slag ging, belde hij Hanna Bublik nog een keer.

Hij kreeg opnieuw haar voicemail.

'Met Vos,' zei hij. 'Bel me zodra je dit hoort.'

'Ik doe geen vrouwen,' zei de blikkerige stem die uit de intercom kwam.

Renata Kuyper haalde met bevende vingers haar portemonnee tevoorschijn en trok er een paar bankbiljetten uit.

'Wat kost het?' vroeg ze, terwijl ze probeerde niet naar de slanke blonde vrouw te kijken die in haar ondergoed achter het raam zat.

'Ik – doe – geen – vrouwen.'

'In godsnaam, ik wil alleen even met je praten. Mijn man...'

'Praat maar met hem.'

'Wat heeft hij je betaald? Hier.' Ze zwaaide met een paar briefjes van honderd in de koude winterlucht. 'Je kunt meer krijgen als je wilt.'

Het bleef een tijdje stil. Toen klonk de zoemer van het slot op de deur.

Het kamertje was warm en rook naar zweet en goedkope douchegel. Hanna Bublik trok het dunne rode gordijntje dicht tegen nieuwsgierige blikken van de straat en ging op het bed zitten. Renata Kuyper nam plaats op de barkruk bij het raam.

'Als je excuses wilt, moet je bij hem zijn, niet bij mij.'

Renata legde de bankbiljetten op het tafeltje. Vervolgens deed ze er nog een briefje van vijftig bij.

'Ik wil geen excuses,' zei ze haastig. 'Ik wil alleen proberen het te begrijpen.'

Hanna pakte een dunne kamerjas van een haak achter het bed, sloeg die om en pakte een blikje cola. Ze trok het open, bood het Renata aan en nam een slok toen ze nee zei.

'Wat wil je begrijpen?'

'Waarom hij het heeft gedaan.'

'Waarom vraag je dat niet aan hem?'

'Ik vraag het aan jou. Wat heeft hij gezegd?'

'Wat ze altijd zeggen. Problemen thuis. Hun vrouwen doen niet wat zíj lekker vinden. Ze vervelen zich. Ze zijn eenzaam. Ze willen zich... gewild voelen.'

Het klonk meelijwekkend. En helemaal niet als Henk.
'En dat krijgen ze voor vijftig euro?'
'Nee. Daar krijgen ze de schijn voor. En wat ontspanning. Na afloop kleden ze zich aan en vertrekken weer. Dan gaan ze naar huis, naar kantoor of naar de kroeg. Geen idee.'
Vragen. Ze wist niet waar ze moest beginnen.
'Vond hij het lekker?'
'Ik geloof het niet. Ik dacht even dat hij zijn geld terug wilde. De tweede keer kreeg ik hem niet eens klaar.'
Ze huiverde. De vrouw schonk haar een geamuseerde blik.
'Sorry. Heb ik je gekwetst? Ik dacht dat je dat wilde weten.' Ze trok haar neus op. 'Anders begrijp ik niet wat je hier doet.'
Renata stapte van de kruk.
'Dit was een vergissing.'
De vrouw stond op en legde een hand op haar arm.
'Je vroeg...'
'Waarom ben je aan het werk? Als je dat tenminste zo kunt noemen. Je dochter is ontvoerd...'
'Denk je soms dat ik dat ben vergeten?'
Achter in het kamertje, bij de muur, lag een telefoon aan de oplader, maar hij zag eruit alsof hij uit stond.
'Waarom doe je niet iets?'
Er verscheen een nare blik op Hanna Bubliks gezicht. Angstaanjagend. Het was een gemene opmerking, en Renata was zich daarvan bewust.
'Ik doe wat ik kan. Ik ben niet... zoals jij. Was je dat niet opgevallen?'
Ze pakte het geld en hield het Renata voor.
'Ik wil dit niet. Ik heb het niet verdiend.'
'Waarom heeft hij je dat jasje gegeven?'
De vraag leek haar te interesseren.
'Geen idee. Ik dacht dat hij zich misschien schuldig voelde. Hij zei dat hij ons op straat had zien lopen. Natalya deed hem aan zijn eigen dochter denken, maar dan een stuk slechter af.' Ze haalde haar schouders op en liep naar een kastje achterin om haar kleren te pakken. 'Ik hou het voor gezien.'
'Als hij je die jas niet had gegeven...'
De vrouw haalde een zwarte spijkerbroek en een zwarte trui tevoorschijn.

'Ik weet niet of je er iets aan hebt, maar ik denk niet dat hij het echt wilde. Je ziet gewoon aan een man of hij het vaker doet. Zo iemand weet wat hij wil. Wat het kost. Waar hij om moet vragen. Hij had geen idee. Ik kon het niet geloven toen hij de tweede keer terugkwam. Zoals gezegd...'

'Hij kwam niet klaar,' zei Renata. 'Dat had ik begrepen. Dank je.'

'Apart. Bij de meesten lukt het uiteindelijk wel. Het geeft problemen als ze geen waar voor hun geld krijgen. Daarvoor komen ze tenslotte hier. Maar...' Ze deed de trui over haar hoofd, trok haar haar naar achteren, bond het in een knot en stapte in haar spijkerbroek. 'Hij was gewoon verveeld en nieuwsgierig. Meer niet.'

Ze pakte haar mobieltje en begon te vloeken tegen de oplader. Renata liep naar haar toe en keek. Op het schermpje was niets te zien. Het stopcontact was waarschijnlijk kapot.

'Zelfs mijn telefoon heeft de pest aan me,' fluisterde Hanna, en ze leek op het punt te staan het ding op de grond te smijten.

Renata hield haar tegen en haalde haar eigen telefoon tevoorschijn.

Ze vertelde haar wat ze had gehoord. Het verhaal op het nieuws over de vrijlating van Alamy.

'Ik dacht dat je het wist. Sorry. Daarom zei ik het.'

Renata had een nieuw model smartphone met alle opties. Er zat ook video op.

Zo ongeveer alle verslaggevers in Amsterdam leken zich bij het detentiecentrum op Schiphol te hebben verzameld, wachtend op het moment dat de imam als vrij man naar buiten zou komen.

Terwijl Hanna tekeerging toetste Renata het nummer van Vos in. Ze kreeg hem meteen aan de lijn en overhandigde haar telefoon zwijgend aan Hanna.

Een sedan van de politie, door donkere straten op weg naar de luchthaven. Ze reden met blauw zwaailicht op om sneller door het verkeer te komen. Bakker zat naast Vos op de passagiersstoel en pleegde ondertussen wat telefoontjes. Hij vroeg haar of ze stil wilde zijn.

'Ik heb al een paar keer geprobeerd je te bereiken,' zei Vos. Hij hoopte maar dat het niet als een verwijt zou klinken. 'De zaak is aan het rollen.'

In het warme kamertje, gadegeslagen door Renata Kuyper en omringd door goedkope luchtjes, zei Hanna: 'Ze laten die man vrij. Die smeerlappen hebben Natalya dus niet meer nodig. Ze kunnen haar laten gaan.' Een lange, gekwelde stilte. 'Toch?'

'Ik denk niet dat het zo simpel ligt. Ze willen nog steeds geld.'

Ze slaakte een gil. Zo hard dat het geluid pijn deed in de kleine ruimte.

'Wie denken ze dat ik ben?'

'Vergeet dat even,' zei hij. 'We vinden wel een oplossing. Ze hebben gebeld. Morgen nemen ze weer contact met me op.'

'Morgen...'

'Ik weet het, ik weet het. We gaan nog een keer proberen met Alamy te praten. Kijken of hij haar zonder voorwaarden vrij kan krijgen. Als hij wil luisteren...'

'Waarom zou hij luisteren? Dat deed hij gisteren ook niet.'

Er viel een stilte. Ze had om de een of andere reden spijt dat ze tegen hem tekeerging.

'Ik stel voor dat je naar bureau Marnixstraat gaat,' zei Vos ten slotte. 'Wacht daar op me. Ik hou je op de hoogte. Als we op Schiphol vorderingen boeken met Alamy bel ik je meteen.'

Het werd stil, en de verbinding werd verbroken.

Renata keek haar aan. Ze voelde zich rot over hoe ze de vrouw had behandeld.

'Wat zei hij?'

'Wat ze altijd zeggen. Blijf rustig en wacht af. Zij weten alles tenslotte het beste.'

Hanna staarde naar de vrouw. Haar kleren waren sportief, maar duur. Net als het bobkapsel en de zorgvuldig aangebrachte make-up.

'Ja,' beaamde ze. 'Dat zeggen ze inderdaad altijd.'

'Ik wil naar Schiphol. Ik wil erbij zijn als ze die kerel vrijlaten. Misschien kan ik een goed woordje voor mijn dochter doen...'

Renata keek op haar horloge.

'Ik breng je wel,' zei ze, en ze wachtte niet op een antwoord.

Er had zich inmiddels een flinke menigte verzameld toen de politieauto het beveiligde gedeelte van het detentiecentrum binnenreed. Horden cameramensen en verslaggevers werden op een afstand gehouden achter een provisorisch hek dat door een groot aantal bedrijvige agenten was neergezet. Ze herkenden Vos en begonnen vragen te roepen zodra hij en Bakker uit de auto stapten.

Hij zei niets en keek om zich heen. De politie leek de zaak onder controle te hebben. Aan één kant van de mediameute stond een groep rechtse demonstranten met de gebruikelijke anti-islamstatements. Ze scandeerden beledigende leuzen die nog net geen reden voor arrestatie waren. Aan de andere kant, ingesloten door enerzijds de pers en anderzijds een rij agenten, was een tweede groep die met spandoeken zwaaide waarop slogans stonden tegen illegale opsluiting en discriminatie, maar ook tegen de strijd in Irak, Syrië, Somalië en Afghanistan.

'Niemand heeft het ooit over Libië,' mopperde Bakker met een blik op de actievoerders. 'Zaten we daar nu goed of fout?'

'Wie zal het zeggen?' antwoordde Vos met een schouderophalen. Ze liepen naar de beveiligde ingang die hij de dag ervoor met Hanna Bublik had genomen, toonden hun legitimatie en werden een wachtruimte binnengeloodst.

Alamy was nergens te bekennen. Hetzelfde gold voor zijn raadslieden. Alleen Mirjam Fransen, haar kompaan Geerts en drie advocaten, twee mannen en een vrouw, die stuk voor stuk druk in hun telefoon smoesden.

'Zouden ze het nog steeds proberen?' vroeg Bakker.

De advocaten straalden het lusteloze, afgemeten air van de nederlaag uit, dat het voorrecht leek van de juridische professie wanneer die zich aan de kant van de verliezer wist.

'We hebben je hulp nodig, Vos,' zei Fransen op indringende toon. 'Je móét iets hebben op grond waarvan we hem kunnen aanhouden. Het interesseert me niet wat het is. Als we hem laten gaan, kan hij de weg oversteken, de luchthaventerminal binnenwandelen en het land verlaten. En God mag weten waar hij dan…'

Bakker schudde haar hoofd.

'Ik dacht dat jullie hem kwijt wilden.'

Fransen zei tegen de advocaten dat ze het vertrek moesten verlaten. Dit was alleen tussen hen. Twee politieagenten. Twee agenten van de inlichtingendienst.

Vos vroeg zich af of het een trucje was, maar Mirjam Fransen zag er oprecht vertwijfeld uit.

Ze keek even naar Geerts. Die haalde diep adem en knikte.

'Dit kan me mijn baan kosten,' zei Fransen tegen hen. 'Geen woord, tegen niemand. Als jullie…'

'Zeg het dan niet,' onderbrak Vos haar, en hij begon in de richting van de deur te lopen.

Geerts was sneller en versperde hem de weg met zijn grote lichaam.

'De Groot weet het ook,' zei hij. 'Verder niemand van de Marnixstraat. Alleen jullie drieën. En dat houden we zo.'

De grote AIVD-agent ging niet opzij. Vos schudde zijn hoofd en liep terug naar Bakker. Ze luisterde aandachtig met het enthousiasme van de jeugd.

'Ismail Alamy is belangrijker dan jullie denken,' zei Fransen op matte, uitgebluste toon. 'Voor zover we dat hebben kunnen nagaan is hij de contactpersoon van Barbone. Zijn fixer. Hij regelt de geldzaken, de rekrutering. De operationele planning.' Ze boog naar voren en zei, gedeeltelijk tegen zichzelf: 'Er moet een manier zijn om hem te overtuigen. Jezus, we moeten hem op de een of andere manier zover zien te krijgen dat hij ons op het spoor van Barbone zet.'

Bakker knikte.

'Dus volgens jullie zit hij achter een aantal aanslagen?'

'De planning,' bevestigde Geerts.

'Maar jullie kunnen het niet bewijzen?'

De gezichten betrokken.

'Niet zonder onze eigen mensen in gevaar te brengen,' vervolgde Fransen. 'De zaak ligt heel ingewikkeld. We kunnen hem niet uitleveren aan de Amerikanen. De rechter heeft dat verboden. En we hebben ook niet echt iets op grond waarvan we hem kunnen vervolgen. Daarom was het beleid er tot nu toe op gericht hem in bewaring te houden. Hier in Nederland. Hem de gerechtelijke procedures te laten doorlopen.'

Ze trok een stoel naar zich toe en ging zitten.

'Als Alamy vrijkomt, kan hij op het vliegtuig stappen naar een neutrale bestemming. Dan is hij weg. Voorgoed. Als hij met uitlevering naar een bevriend land in het Midden-Oosten wordt geconfronteerd heb ik iets om hem onder druk te zetten. Dan kan hij kiezen. Als hij ons helpt Barbone te vinden is hij een vrij man.'

Bakker zweeg. Ze wachtte op een reactie van Vos.

'Wat heeft De Groot daarover gezegd?'

Fransen slaakte een zucht.

'Hij zei dat jullie advocaten hem hetzelfde advies hadden gegeven als die van ons. Er is niets waarop we hem kunnen vasthouden.' Ze raakte Vos' arm aan. 'We hebben een reden nodig. Verzin desnoods maar wat. Het interesseert me niet. Geef me een paar dagen om een aanklacht op te stellen. Als...'

'En Natalya Bublik?' riep Bakker uit. 'Wat gebeurt er met haar als we een of andere nepbeschuldiging in elkaar flansen om hem weer achter de tralies te krijgen? Hebben jullie daar al over nagedacht?'

Geerts haalde zijn brede schouders op.

'Dit gaat niet om het beschermen van een individu. Alamy is betrokken geweest bij aanslagen, kapingen en liquidaties. Als we hem laten gaan, zien we hem hier nooit meer terug. En vervolgens gaat hij ons een wagonlading shit bezorgen vanaf een locatie waar we hem niks kunnen doen.'

'En het meisje?' vroeg Bakker nog een keer op scherpe toon. 'Hebben jullie ook iets voor ons?'

'Ik heb het al eerder gezegd,' zei Fransen ronduit. 'Als dat zo was, hadden we het jullie verteld. Waarschijnlijk was ze al zo goed als dood op het moment dat ze werd ontvoerd.' Ze knikte naar Vos. 'Jij begrijpt dat misschien niet, maar hij wel.'

Er viel een stilte.

Vos keek even naar Bakker en haalde zijn telefoon tevoorschijn. Hij drukte op een knop en begon het gesprek af te spelen dat zojuist was gevoerd.

'Hier met dat ding,' beval Geerts.

'Ik heb hier geen tijd voor,' zei Vos terwijl hij de telefoon weer in zijn zak stak. 'En jullie ook niet. Een politieagent vragen vals bewijsmateriaal te fabriceren is een misdrijf. Jullie zijn gewaarschuwd.'

Geerts ging opnieuw voor de deur staan. Bakker liep naar hem toe en zei dat hij opzij moest gaan. Ze was bijna zo lang als hij. Een indrukwekkende verschijning, als ze wilde.

'Ze staan nooit toe dat je ons ook maar ergens voor aanklaagt, Vos,' riep Fransen hem na terwijl ze naar buiten liepen. 'Maak je geen illusies. Dit is ons terrein. Niet dat van jullie.'

Vos liep achter Bakker aan de lange gang in om te voorkomen dat Geerts iets zou proberen.

Even later waren ze buiten. De twee tegenover elkaar staande partijen begonnen steeds luidruchtiger te worden.

'Stel dat ze gelijk hebben,' zei Bakker toen ze het veiligheidshek naderden. 'Dat ze een punt hebben...?'

Hij bleef plotseling staan.

'Meen je dat nou?'

Bakker luisterde niet. Ze wees op de mensenmassa. Twee vrouwen die zich een weg naar voren probeerden te banen waren in discussie met een stel politieagenten.

'Zijn dat niet...'

Een ander busje. Andere mannen. Drie. Ze namen niet langer de moeite hun gezicht te bedekken.

Buitenlanders. Donker. Ze hadden haar meegenomen in de zak en gezegd dat ze stil moest blijven toen ze haar naar binnen trokken.

Toen een korte rit naar een nieuwe locatie. Een plek die erger was. Gladde, uitgesleten treden van een trap naar een kelder. Het licht ging aan, een kaal peertje. Muren die dropen van het vocht. Het was er koud, ondanks een elektrisch kacheltje met een oranje gloed onder een raam met spijlen en zwart plastic dat tegen de ruit was getapet.

'Hier,' zei de grootste van de drie, en hij zette een portie koude, vettige shoarma op het rode plastic tafeltje bij het matras op de grond.

Hij haalde een fles water uit een plastic tas. De naam op de zijkant was Chinees. Erboven stonden oosterse letters en een vuurspuwende draak.

Daarna lieten ze haar alleen. Geen kleurpotloden of tekenboeken meer. Het had waarschijnlijk geen zin erom te vragen. Deze mannen waren heel anders.

Ze keek om zich heen.

Het moest een oud gebouw zijn. De vloer bestond uit afgesleten bakstenen, net als de muren. Een opslagruimte. Een kelder. In het centrum van de stad. Waar winkels waren. Waar ze volgens haar moeder misschien op een dag zouden wonen. Niet binnenkort. Misschien wel nooit. Want ze hoorden hier niet thuis. Het besef kwam plotseling, en voor het eerst sinds haar ontvoering voelde Natalya tranen in haar ogen prikken.

Hun leven was doortrokken van een leed waarnaar ze alleen maar kon raden omdat het uit een tijd stamde van voor ze dingen had kunnen weten. Haar vaders dood maakte deel uit van het monster. Maar er was meer, en de oorsprong daarvan lag in wat erna was gebeurd, toen ze van stad naar stad waren gereisd, nooit geld hadden gehad of vriendschap hadden gekend en nergens lang waren gebleven.

Iets had hen onderweg in de steek gelaten, en dat verlies beangstigde haar moeder. Ze begon zich af te vragen of hun oude leven, dat volgens Natalya gelukkig was geweest, ooit terug zou keren.

Het viel haar op wanneer ze haar moeder zag achter dat raam, bijna in haar blootje. Soms, als ze van school op weg was naar huis, kon ze het niet nalaten er even langs te lopen. Ze zorgde er wel altijd voor dat ze uit het zicht bleef, in de schaduwen, achter een paar andere kinderen. Ze hadden haar verteld wat haar moeder was. Niet dat ze haar ermee pestten. Niet erg, in elk geval. Dit was de grote stad. Er gebeurden nu eenmaal slechte dingen naast de goede. Soms was het alleen moeilijk om het verschil te zien.

In haar kleine, heldere ogen welden tranen op die omlaag rolden over haar wangen. Ze was zich ervan bewust dat het in de kelder alleen maar kouder zou worden naarmate de avond vorderde.

Niet huilen. Doe iets.

Dat was wat haar moeder altijd zei als er nare dingen gebeurden. Natalya veegde haar gezicht af. Op de verdieping boven haar was het stil. Ze ging op het matras staan. Haar hoofd reikte tot aan de onderkant van het raam met de spijlen. Als ze haar best deed kon ze net bij het zwarte plastic komen dat achter de ijzeren omlijsting was aangebracht om de wereld buiten te sluiten.

Ze ging op haar tenen staan, schoof het plastic een stukje omhoog en drukte haar hoofd tegen de vochtige bakstenen om naar buiten te kijken.

Op een gebouw aan de overkant van een smalle straat was nog net een felrode neon draak te zien. Een knipperende lichtreclame in rood, geel en groen meldde: GOLDEN PARADISE RESTAURANT, BEST OF SZECHUAN COOKING. Eronder hing een glinsterende kom met noodles waar elektrische stoom vanaf kwam.

Ze had honger en keek even naar de koude shoarma, maar die stond haar tegen.

Doe iets.

Ze kon het plastic niet verder omhoogschuiven, daarom stapte ze van het matras en liep een rondje door de kelder. Hij was groter dan hun dakkamer in de Oude Nieuwstraat. Boven aan de trap was een deur van massief metaal die van de buitenkant op slot was gedaan. Naast de deurpost zat iets wat op een lichtschakelaar leek. Er was zwart plastic overheen getapet zodat ze er niet zomaar bij kon. Ze liet het voor wat het was en ging de trap weer af. In de hoek tegenover de deur, naast de emmer waarvan ze vermoedde dat het haar wc was, hing niet ver boven de grond een kastje aan de muur.

Het was van metaal. Grijs en oud. Er zat een kleine, roestige handgreep op die niet meegaf. Verder was de kelder leeg, en het feit dat het kastje op slot zat was om gek van te worden.

Ze zat inmiddels twee dagen gevangen, en er was nauwelijks een woord tegen haar gezegd. En nu ook nog een stom stuk metaal dat niet meewerkte.

Ze was zo kwaad dat ze er een trap tegen gaf en begon te schreeuwen.

Van boven klonk geen geluid. Ze waren er niet. Iets zei haar dat het gebouw leegstond. Ze was alleen met dat stomme, afgesloten kastje.

Ze gaf er opnieuw een trap tegen. En nog een keer. Ze haalde steeds krachtiger uit en ging steeds harder schreeuwen.

Eindelijk brak het hengsel. Ze slaagde erin haar vingers achter de rand te krijgen zonder de roest en het scherpe, gebarsten metaal aan te raken. Vervolgens wikkelde ze haar groezelige roze jas om haar hand en wrikte het kastje open.

Het kale peertje wierp een zwak, geel schijnsel naar binnen. Gereedschap. Beitels en schroevendraaiers. Een handzaagje. Een paar stanleymessen. Daarachter een verdeelbord met zekeringen en schakelaars en de draaiende schijf van een elektriciteitsmeter.

Ze dacht even na en vroeg zich af wat haar moeder ermee zou doen.

Vervolgens ging ze een tijdje op het matras zitten om te luisteren of ze boven iets hoorde, maar alles bleef stil. Ze liep weer naar het kastje aan de muur en keek naar het verdeelbord en het metalen wieltje dat onafgebroken ronddraaide.

Natalya stak een hand uit en probeerde de eerste schakelaar. Er gebeurde niets. Toen de tweede. Niets. Nog twee te gaan. Ze zette de vierde om en had het idee dat het wiel wat langzamer ging draaien.

Toen de derde. Het peertje aan het plafond ging uit. Ze probeerde na te denken in het donker.

Of eigenlijk was het meer raden. Ze leunde tegen de muur, plaatste haar vinger op de derde schakelaar en begon hem op en neer te bewegen in een langzaam, gelijkmatig ritme. Het peertje knipperde aan en uit.

Ze had er geen idee van of iemand het zou zien. En of ze niet gewoon zouden denken dat het een kapotte lamp was.

Na een paar minuten hoorde ze stemmen. Van mannen. Boos. Verbaasd.

Toen voetstappen boven de stenen trap. Ze liet de schakelaar aan, drukte het deurtje van de meterkast zo goed mogelijk dicht, kroop op het matras en deed alsof ze sliep.

Op Schiphol begon de zaak in beweging te komen. Alle opties waren uitgeput.

Mirjam Fransen droeg Thom Geerts op met Alamy mee te lopen naar zijn kliek van aanhangers en bij hem in de buurt te blijven.

De stugge AIVD-man knikte, maar keek niet blij.

'Wat is er?' vroeg ze.

'Kan de marechaussee niks doen?' zei hij. 'Misschien kunnen die hem tegenhouden als hij het land probeert te verlaten.'

'Was het maar waar...'

Ze liet hem haar telefoon zien met het bericht uit Den Haag. Alamy had van drie verschillende landen een visum aangeboden gekregen. Alle drie niet-gebonden. Hij hoefde alleen maar een rechtstreekse vlucht af te wachten – of een privévlucht te regelen – en te vertrekken. Ze konden niets doen om hem tegen te houden.

'Er loopt een aanhoudingsbevel tegen hem van de Amerikanen,' zei Geerts. 'Ze zouden de vlucht kunnen volgen en het vliegtuig dwingen ergens te landen.'

Ze keek hem geërgerd aan.

'Zeker net zoals ze met Snowden hebben geprobeerd? Vergeet het maar. Wij zijn nu de slechteriken. Wij kunnen dat soort geintjes niet uithalen.'

Uit de richting van de poort klonk geluid. Er kwam een groepje mensen aan.

'Ik ga Vos nog een keer pesten,' kondigde ze aan. Ze knikte naar het naderende gezelschap. 'Handel jij dat maar af.'

Hij gromde iets wat ze niet verstond en ging op weg naar Alamy en zijn mensen. Enkele advocaten kwamen hem bekend voor. Een van hen was een mensenrechtendeskundige die te pas en te onpas op tv was te zien. Er liepen ook twee kleerkasten bij die eruitzagen als ingehuurde lijfwachten.

De tengere imam droeg een donker kostuum. Zijn baard was netjes gekamd en er lag een stralende, tevreden blik op zijn gezicht. Hij had een kleine koffer bij zich. Dit was een man die ergens naartoe ging.

'Wie bent u?' vroeg een van de lijfwachten.

'AIVD.' Geerts trok zijn colbert open en toonde zijn legitimatie.

Hij liet ze ook het pistool in de leren holster zien. 'Er is nogal wat commotie, en er lopen mensen rond die het niet zo op meneer Alamy hebben. Ik blijf in de buurt totdat jullie op veilige afstand van de menigte zijn.'

'U bent niet gewenst,' zei de mensenrechtendame tegen hem.

'Dat ben ik zelden,' zei Geerts opgewekt. 'Maar ik ben er nu eenmaal. Wen er maar aan.'

Ze zeiden niets meer.

'Willen jullie dat ik een taxi regel?' vroeg hij.

'We hebben een afspraak,' zei de vrouw. 'Daarna leggen we een verklaring af aan de media.'

'Dat lijkt me geen goed idee,' zei Geerts. 'Zoals gezegd, er is nogal wat commotie.'

Ze drongen langs hem heen. Alamy keek niet naar hem. Hij droeg geen regenjas, hoewel het buiten koud en nat was.

Geerts liet het groepje voorgaan en belde Mirjam Fransen om haar op de hoogte te stellen. Het lag voor de hand wat er ging gebeuren. Alamy was op weg naar de terminal. Hij stond op het punt om Nederland te verlaten.

Een sleutel in het slot. De metalen deur werd opengegooid. De grootste van het stel beende de trap af en keek even naar haar. Vervolgens wierp hij een blik op het peertje.

Hij zei niets en liep naar de meterkast. Toen hij het kapotte deurtje zag, kwam hij naar haar toe en ging naast haar op het bed zitten. Hij legde een grote hand op haar been en kneep erin.

'Als je dat nog een keer flikt, doe ik je wat.' Hij wees op het kastje. 'Blijf daarvanaf. Denk niet dat ik het niet merk.'

Ze dacht aan het Chinese restaurant. Daar had hij natuurlijk gezeten. Geen wonder dat hij het had gezien.

Natalya wees op de shoarma.

'Dat spul is koud. Getver. Ik wil iets warms.'

Hij keek naar haar en lachte.

'Ze zeiden al dat je temperament had.'

'Ik wil iets warms,' herhaalde ze.

'Zoals?'

Het meisje dacht even na en zei: 'Noodles.'

Hij knikte.

'En als ik je noodles breng' – hij keek even naar het kastje – 'is het dan afgelopen met die geintjes? Hou je gedeisd en wees een brave meid. Des te eerder zie je je moeder weer.'

'Oké,' zei ze, en ze vroeg zich af of hij het geloofde.

Vijf minuten later kwam hij terug met een plastic bak eten en een fles water. Ze begon de maaltijd als een hongerige wolf naar binnen te werken, en hij keek zwijgend toe. Na een tijdje pakte hij de emmer, liep ermee naar boven en leegde hem ergens. Even later kwam hij terug en zette hem weer in de hoek.

Terwijl ze at, haalde hij zijn telefoon tevoorschijn en maakte een foto. Natalya, die juist met de plastic vork een hap eten naar haar mond bracht, knipperde met haar ogen tegen de felle flits.

'Geef me je jas,' zei hij.

'Waarom?'

'Omdat stoute meisjes kou moeten lijden in het donker. Hier met dat ding.'

Hij hield een gebalde vuist voor haar neus om zijn eis kracht bij te zetten. Ze trok de jas uit. Het was al best koud. Ze keek naar de roze stof en de pony's. De jas begon vies te worden.

'Laat dat een les zijn,' zei hij op strenge toon, waarna hij vertrok.

Buiten klonk een geluid. Het peertje ging uit. Het was duidelijk dat ze niet hoefde te proberen het weer aan te krijgen.

Zo koud was het ook weer niet, dacht ze. Daarbij kon ze onder de dekens kruipen.

Door een spleetje in het plastic voor het raam sijpelde een zweem van kleurrijk neonlicht.

Precies genoeg om het gereedschap te kunnen pakken dat ze uit het kastje had gehaald voordat ze met de schakelaars was gaan spelen. De messen. Het zaagje. De beitels en de schroevendraaiers. Verborgen onder haar bed.

Het was groot nieuws, en er waren veel mensen op de been. Aan één kant een groepje neonazi's. In het midden de media. Voor- en tegenstanders van Alamy werden uit elkaar gehouden. Ternauwernood.

Geen maan, dankzij de toegenomen bewolking. Het begon zachtjes te regenen uit de zwarte hemel.

Beslissingen.

In het leger werden ze voor je genomen. Soldaten als hij – de manschappen – waren er niet om hun mening te geven. Ze moesten zonder vragen te stellen orders opvolgen. Dat had hij het grootste deel van zijn leven gedaan. En wat had hij ervoor teruggekregen? Nachtmerries en een excessief schuldgevoel.

Ferdi Pijpers keek naar de twee tegenover elkaar staande partijen voor hem, en hij vroeg zich af bij wie hij zich zou aansluiten. Bij de tegenstanders van de imam, of de voorstanders.

Hij kon er niet tussenin gaan staan. Daar was de politie, en daar was het koud, en eenzaam en vol pijn.

Hij koos voor de voorstanders. Ze stelden geen vragen toen hij zich bij hen voegde en hun stompzinnige, eentonige leuzen begon mee te schreeuwen. Ze leken veel op die van de neonazi's aan de andere kant. Hetzelfde onbenullige ritme. Alleen andere onbenullige woorden.

In Afghanistan kwamen soms ook dit soort menigten op de been. Als er iemand werd gelyncht.

Hanna Bublik was niet iemand die snel ergens om vroeg, maar ze deed het nu toch, en Renata Kuyper herhaalde alles wat ze zei.

'Breng me alsjeblieft even naar hem toe, Vos. Om met hem te praten.'

Bakker had wat ruimte voor hen vieren gevonden achter de cameraploegen. Renata, die naast Hanna stond, luisterde aandachtig.

'Dat gaat niet lukken,' zei hij tegen hen. 'Ismail Alamy is door het hof op vrije voeten gesteld. We hebben geen juridische zeggenschap over hem. Geen recht om wat dan ook van hem te eisen...'

'Wat betekent dit voor mijn dochter?'

Hij gaf geen antwoord. Bakker keek naar haar schoenen.

'Ik moet het weten...'

'Het betekent dat we blijven zoeken,' zei hij. 'Morgen komen ze met nieuwe eisen. Meer geld, denk ik. Een andere... strategie.'

'Alamy gaat een verklaring afleggen,' zei Bakker. 'Ik heb met een paar verslaggevers gepraat. Ze gaan hem aan de tand voelen over Natalya. Misschien zegt hij iets bruikbaars. Je hebt er meer aan als het via hen komt dan via de politie. Echt.'

'Denk je dat dat werkt?' vroeg Renata Kuyper.

Vos begreep met de beste wil van de wereld niet wat ze op Schiphol deed. Hoe dit stel elkaar had gevonden.

'Het is het proberen waard. Ik denk...'

Zijn woorden werden overstemd door het rumoer van de mediameute die zijn prooi in het oog kreeg.

Aan de andere kant van de grauwe binnenplaats werd het hoge veiligheidshek geopend. Alamy's aanhangers begonnen uitgelaten te juichen. Zijn tegenstanders huilden van woede. Cameraflitsen verscheurden de zwarte avond als bliksemschichten.

Er werden vragen geschreeuwd.

Mirjam Fransen kwam naar Vos toe, greep hem bij zijn arm en trok hem bij de anderen weg.

'Dit is onze laatste kans,' zei ze vertwijfeld. 'Ik ben door mijn opties heen. Als je geen manier kunt bedenken om hem tegen te houden, hebben we misschien jarenlang voor niks gewerkt. Er moet een...'

Hij onderbrak haar met een vaag verhaal over de wet en de rechtsgang, maar bleef uiteindelijk met zijn mond vol tanden staan.

De verslaggevers dromden met zo veel kracht naar voren dat er een opening in het geïmproviseerde hek ontstond. Een paar mensen wisten zich erdoorheen te werken. Politieagenten deden hun uiterste best om hen tegen te houden.

Ismail Alamy stapte naar voren. Op zijn gezicht lag de glimlach van een overwinnaar. Hij zag er in zijn nette pak meer uit als een zakenman dan als een imam die op het punt stond het land te verlaten om terroristische plannen te gaan smeden in een ver jihadistisch broeinest, waarschijnlijk in de Hoorn van Afrika.

Terwijl zijn advocaten achter hem gingen staan, haalde Alamy een eerder opgestelde verklaring uit zijn zak die hij begon voor te lezen.

Bakker trok een gezicht. Hanna probeerde zich een weg te banen door de menigte. Alamy's stem schalde over het terrein, in het Engels, met een duidelijk accent, luid en demonstratief.

'Hoe zit het met dat meisje?' interrumpeerde een verslaggeefster die vooraan stond, en ze hield Alamy een microfoon voor. 'Natalya? Hoe zit het met haar, meneer Alamy?'

Er verscheen een brede grijns op zijn gezicht en hij maakte een weids gebaar met zijn armen. Thom Geerts zocht behoedzaam een plekje achter hem en liet zijn blik over de menigte glijden.

'Ik weet niets van dat kind. Ik ben een man van vrede en gerechtigheid. Daarom willen ze me gevangenzetten. Om te verhinderen dat de waarheid bekend raakt. Ze willen voorkomen...'

'Ze is mijn dochter!' gilde Hanna, terwijl ze zich naar voren probeerde te werken door de mensenmassa.

Er volgde een vreemde stilte. Zelfs de verslaggevers keken even verbaasd.

'Mijn dochter,' herhaalde ze. Ze was nu bijna bij de opening in het hek en stak haar armen uit in een poging de imam vast te grijpen.

De microfoons en camera's waren op het tweetal gericht: een vrouw in een goedkoop zwart jack en een man in een net, grijs kostuum die bijna geamuseerd leek door het schouwspel.

Alamy glimlachte, haalde zijn schouders op en zei: 'Ik ben bang dat ik dit beschadigde land aan zijn trieste lot zal moeten overlaten. Vaarwel.'

Geerts ging naast hem staan. Vos bestudeerde de grote AIVD-man en probeerde te doorgronden wat er in zijn hoofd omging. Mirjam Fransen was weer verdwenen. Het zou hem niet eens verbazen als de inlichtingendienst in deze fase van het spel alsnog een laatste truc achter de hand had.

De groep met aanhangers van Alamy stormde naar voren om hem in de armen te sluiten.

Op dat moment klonk het eerste schot.

Zodra Vos het hoorde, voelde hij zijn rechterhand naar zijn jas gaan, naar zijn pistool. Net als vroeger.

Thom Geerts wankelde naar achteren, weg van de man in het grijze kostuum. Zijn hals zat plotseling onder het bloed, dat als een fontein naar buiten spoot.

Een tweede schot.

Alamy zakte in elkaar. Een schutterige verschijning maakte zich los uit de menigte, boog zich over hem heen en schreeuwde obsceniteiten.

Mediaploegen verdrongen elkaar met draaiende camera's en lichtende flitsers, ontzet, maar niet in staat om zich af te wenden.

Een derde schot.

Het lichaam van de gewonde imam schokte door de kracht van de inslag.

Politieagenten met getrokken wapens vormden een halve cirkel rond de man met het pistool en riepen naar hem dat hij zijn wapen moest laten vallen en met gespreide armen op de grond moest gaan liggen. Het bekende verhaal.

Toen Vos later in De Drie Vaten een herhaling van het kortstondige, bloedige drama op televisie zag, besefte hij dat niets van dit alles ertoe deed. Gebeurtenissen bezaten soms een geheel eigen momentum. Niets kon ze stoppen. Hoe je je best ook deed.

Ferdi Pijpers was nooit van plan geweest om zijn wapen te laten vallen. Dit was het einde van een lange reis, een reis die aan de andere kant van de wereld was begonnen in een dor, naargeestig land dat hij was gaan haten.

Nog een laatste schot op de imam op de grond. Toen openden de agenten het vuur en zakte Pijpers stuiptrekkend in elkaar, eveneens dodelijk gewond.

Drie slachtoffers. Ismail Alamy. Thom Geerts. Een voormalig agent van de militaire inlichtingendienst die de weg kwijt was geraakt en op het asfalt van Schiphol zijn laatste adem had uitgeblazen.

Mirjam Fransen die vanuit het niets verscheen en om hulp krijste. En Laura Bakker die naar de slachtpartij keek. Misschien zag ze voor het eerst iets wat zo gruwelijk was dat het haar altijd zou blijven achtervolgen.

Er begonnen sirenes te janken. De camera's, de schijnwerpers en de verslaggevers met hun microfoons en notitieboekjes legden elk moment vast.

Vos observeerde en dacht na.

Kijk nooit achterom. Denk nooit dat je zo klein of onbeduidend bent dat je er niet toe doet. En geef vooral nooit op.

Hij keek niet om naar de doden, maar haastte zich naar Hanna Bublik en Renata Kuyper en loodste ze weg van het bloedbad, naar de periferie van de nachtmerrie. Ondertussen probeerde hij iets te bedenken wat hij kon zeggen. Maar hij kon geen woorden vinden.

Natalya's moeder vond ze wel.

'Wat zouden ze nu gaan doen?' vroeg ze met een wit weggetrokken gezicht en bevende handen.

Pieter Vos kon met de beste wil van de wereld geen zinnig antwoord bedenken.

4

De volgende ochtend werd Vos even voor half zeven gewekt door een natte neus op zijn wang en een ijverige tong die aan zijn oor likte. Hij sloeg een arm om Sam, slaakte een zucht, streelde zijn vacht en zei dat het dier niet op het bed mocht. Voor de zoveelste keer.

De hond droeg de geur van natte vacht met zich mee. Hij was waarschijnlijk weer in de regen op het dek geweest.

Vos stond op en trok een schone spijkerbroek, een schoon grijs T-shirt en een zwarte trui aan. Niet veel verschil met gisteren. Hij keek naar buiten door de gescheurde gordijnen. Het was een vochtige ochtend. Het miezerde een beetje en de lucht was grauw.

Sam volgde hem trouw terwijl hij koffie zette en een boterham smeerde. Hij controleerde zijn berichten, zette de televisie aan en keek naar een herhaling van het nieuws van de avond ervoor.

'Wat is er?' vroeg Vos. De kleine terriër was lastiger dan anders.

Een schoteltje melk werd luidruchtig opgelikt. Een korstje van een boterham werd naar binnen gewerkt bij Vos' voeten. Een typisch hondenontbijt. Maar de opgewonden terriër bleef janken en Vos voor de voeten lopen terwijl hij zich klaarmaakte om naar zijn werk te gaan.

Een hand ging af en toe omlaag om het dier te aaien. De andere bewoog zich heen en weer tussen zijn kop koffie, de boterham en de telefoon. Renata Kuypers mobieltje lag aan een lader bij de patrijspoort. Er was vannacht niets op binnengekomen. Zijn eigen inbox zat vol met mailtjes. Van De Groot. En van Rijnders, die tot in de kleine uurtjes had gewerkt.

Er was geen nieuws van Hanna Bublik. Ze was met Renata Kuyper op Schiphol blijven hangen, maar had uiteindelijk beseft dat ze niet veel wijzer zou worden in die chaos. De AIVD had de touwtjes toen al in handen. Ze hadden het gebied afgesloten, de mediamensen en de politieagenten verzameld en de demonstranten naar de terminal verwezen. Hun nachtteams hadden zich over de doden ontfermd.

Rond een uur of negen was ze er eindelijk mee akkoord gegaan dat Bakker haar terug zou rijden naar de stad. Vos vroeg zich af wat er daarna was gebeurd. Ze had geen familie. Ook geen vrienden, voor zover hij wist. Ze had geld nodig. En iets om de tijd door te komen. Ze was er niet het type naar om als een wanhopig slachtoffer op bureau Marnixstraat rond te hangen. Dat lag niet in haar aard.

Hij gaf Sam nog een stuk brood in de hoop dat het dier zou bedaren en belde de Marnixstraat. De AIVD had zich teruggetrokken in zijn schulp van geheimzinnigheid. Het nachtteam van de politie had zich uitgesloofd en het doopceel gelicht van Ferdi Pijpers, de man die uit de menigte tevoorschijn was gekomen en Alamy en Thom Geerts had doodgeschoten. Het was een voormalig agent van de militaire inlichtingendienst met PTSS die twee jaar terug was ontslagen. Tot Vos' ontzetting was hij de dag ervoor nog op het bureau geweest. Hij had met Koeman gesproken en vage beschuldigingen geuit aan het adres van Alamy. Koeman had hem weggestuurd in de overtuiging dat het om een of andere malloot ging. Waarschijnlijk met reden. Dat betekende niet dat de rechercheur zich niet schuldig zou voelen.

'Hebben jullie een adres van Pijpers?' vroeg Vos aan de agent van dienst.

Een kamer in Oud-West. De man had een ex-vrouw die naar Turkije was verhuisd. Ze hadden geen andere familie kunnen opsporen.

Vos zei tegen hen dat ze hem op de hoogte moesten houden. De Groot had net een sms'je gestuurd dat hij binnen was. Er was om acht uur een bespreking met de AIVD op zijn kantoor.

In niet één van de berichten werd Natalya Bublik genoemd. Het was niet zo dat ze zich niet om haar bekommerden. De zaak was ze gewoon boven het hoofd gegroeid.

Toen Vos al zijn e-mails had gelezen en de ontbijtboel had opgeruimd liep het tegen zevenen. Sofia Albers was ondertussen wel op. Ze zou het vast geen punt vinden om vandaag op Sam te passen. Misschien was er nog net even tijd om hem uit te laten langs de gracht.

Bakker zat op hem te wachten in De Drie Vaten. Ze at een croissant, en er stond een leeg koffiekopje voor haar. Ze droeg een oude outfit, kleren die door haar tante uit Dokkum waren gemaakt. Een lichtgroene combinatie die slecht paste en er niet uitzag. Het was alsof ze iets vertrouwds en geruststellends had willen aantrekken.

'Hoe voel je je?' vroeg hij.

'Ik ben woest.' Ze aarzelde. 'En in de war.'

'Hoezo?'

'Om te beginnen omdat we die idioot niet hebben tegengehouden.'

'Het is al moeilijk genoeg om de dingen tegen te houden die we kunnen voorspellen, Laura. Iets wat als een donderslag bij heldere hemel komt...'

Stilte. Dit was niet wat ze bedoelde.

'Wat is nou echt het probleem?'

'Ik snap het gewoon niet. Het zijn terroristen. Ze dachten de dochter van een kleine Amsterdamse aristocraat te ontvoeren. Een voormalig militair. Een kind waarvoor ze losgeld konden eisen.'

'Daar ziet het wel naar uit,' beaamde Vos.

'Maar ze hebben het verprutst. Ze hebben het verkeerde meisje van de straat geplukt. En toen ze wisten dat Alamy vrijkwam, hebben ze Natalya niet laten gaan. Ze hebben geld geëist.'

'Je moet proberen te denken als zij,' opperde hij.

'Dat zei ik gisteravond ook tegen Van der Berg. Maar toen kreeg ik een vuile blik en zei hij dat hij daar niks voor voelde.'

'Typisch Dirk. Ieder het zijne. Wat zou jij doen?'

'Ik zou er een slaatje uit slaan.' Ze vloekte zachtjes. 'Waarom alleen aan de moeder verdienen als je de dochter in handen hebt?'

Vos keek even uit het raam, trok zijn duffelse jas aan en pakte de riem en een plastic zakje. Er was nog tijd voor een ommetje. Hij kon wel wat beweging gebruiken, en dat gold ook voor Sam, die nog steeds onrustig bij zijn voeten rondscharrelde. Hij had het idee dat hij wist waarom de hond zich ineens zo aanhankelijk gedroeg. Het dier voelde dat er iets in de lucht hing. Hun verkrotte woonboot aan de Prinsengracht begon iets mistroostigs, bijna vertwijfelds uit te stralen.

Misschien maakte Sam zich zorgen over de mogelijke gevolgen. Dat deed Vos ook, als hij er te veel over nadacht.

'Kom ik in de buurt?' vroeg Bakker.

'Een heel eind. Als ze slim waren, zouden ze haar aan iemand in de afpersingsbusiness doorspelen in ruil voor een percentage. Dingen verkopen betekent onderhandelingen en een ander soort risico. Onze ontvoerders hebben geen tijd of talent voor dat soort zaken.'

'Dat betekent dus dat ze haar opnieuw hebben verplaatst.'

'Waarschijnlijk,' dacht Vos hardop.

'Of ze hebben haar vermoord. Ik heb tijdens mijn opleiding een aantal ontvoeringszaken bestudeerd. Soms onderhandelen ze over geld als degene die ze hebben gekidnapt al dood is.'

'Soms wel,' beaamde hij.

'Mag ik Sams riem vasthouden?'

Bakker stak haar hand uit. Ze leek even op een tiener. Een gekwelde.

'Geen tijd. Ik moet naar de Marnixstraat voor een bespreking. Ik wil dat jij met Dirk naar de woning van die militair gaat. Ferdi Pijpers. Bel me maar als jullie iets vinden.'

Ze liet een lange stilte vallen, een stilte die hij was gaan herkennen.

'Wil je me er niet bij hebben?'

'Ik wil dat je naar Oud-West gaat. Zoals ik net zei.'

'Je zegt nooit wat tegen ons, Vos! Het is net alsof je ons in het ongewisse wilt laten totdat jij eindelijk zover bent.'

Hij kreunde, pakte de hond bij zijn halsband en deed de riem vast. Vervolgens liep hij naar buiten. De dag rook naar de naderende winter: koud, vochtig en onverzoenlijk.

Bakker beende achter hem aan. Ze was niet van plan om dit te laten rusten.

'Je geeft me nog steeds het gevoel dat ik er niet bij hoor.'

'Sorry, dat was niet de bedoeling.'

Ze liep naar haar fiets en reed met rechte rug weg, de grijze ochtend in. Ze zag er vastberaden uit op de degelijke Batavus.

'Ja, ik kom al,' mopperde hij toen de overenthousiaste ragebol begon te keffen. Sofia Albers kwam terug van de bakker met haar armen vol broodjes voor de klanten van die dag. Ze glimlachte en zwaaide. Dit hoekje van de Jordaan leek altijd zo normaal, zo alledaags, wat er verder ook gebeurde in de stad.

Sam trok zo hard dat de riem uit Vos' vingers schoot. De terriër racete naar de voorsteven van de boot. Naar de zilverkleurige pop, die hij normaal gesproken negeerde.

'Wat is er nu weer?' verzuchtte Vos.

Maar toen begreep hij het.

Ze hadden ergens die ochtend bezoek gehad. Aan de arm van de mannequin bungelde een witte plastic tas.

Vos liep ernaartoe en haalde een paar latex handschoenen tevoorschijn. Hij trok ze aan, nam de tas van de arm en keek erin.

Een vel papier. Letters die eruitzagen alsof ze uit een tijdschrift waren geknipt en vervolgens op het papier waren geplakt om de boodschap te vormen. En een oude Samsung telefoon, volledig opgeladen.

Dit was de ouderwetse methode. De methode van iemand die niet het risico wilde lopen dat zijn mobiele telefoon werd getraceerd.

Op het vel papier stond: 200.000 EURO. ZORG DAT WE HAAR NIET OVERHOOP HOEVEN TE SCHIETEN.

Onder de uitgeknipte letters stond een inkjetafdruk van een slechte foto: Natalya op een laag bed in haar roze ponyjas. Ze stond op het punt om een hap eten te nemen.

De Samsung ging over.

Hij schrok op. Keek om zich heen. Ze wisten wie hij was. Ze hielden hem waarschijnlijk in de gaten.

'Hoe weet ik dat ze nog leeft?' vroeg hij meteen.

Gelach. Diep en zelfverzekerd.

'Zorg ervoor dat je tweehonderdduizend euro regelt. Ik hoop dat je ook een intelligente vraag voor me hebt.'

De stem klonk gevoelloos, maar op een ingestudeerde manier.

'Hoeveel tijd heb ik?'

'Ik bel je vanmiddag om vier uur op deze telefoon. Geen minuut eerder. Geen minuut later. Jij neemt op. Zorg ervoor dat je het geld hebt. We doen dit vanavond.'

Hij liet zich op het vochtige, kapotte houten bankje op het dek zakken.

'Wou je me acht uur geven om een klein fortuin bij elkaar te krijgen? De moeder heeft geen cent.'

'Je krijgt acht uur, niet langer. Klokslag vier uur.'

'Geef ons in godsnaam een kans. Jij wilt je geld. Ik wil Natalya. Dit is onbegonnen werk.'

Er klonk een zachte, harteloze zucht.

'Alles kan, als je maar wilt.'

'Luister...'

'Nee. Er valt niks meer te zeggen. Alleen...'

Een korte stilte. Vos probeerde zich voor te stellen wat hij dacht.

'Alleen wat?'

'Het draait allemaal om vertrouwen. Als ik het idee krijg dat je dat op enig moment beschaamt... dat je intenties niet volledig oprecht zijn, dan gaat het feest niet door. Dan laat ik niks meer van me horen. Begrijp je wat ik bedoel?'

'Uiteraard.'

Opnieuw de droge, vreugdeloze lach.

'Ik ben bang van niet. Wat ik bedoel, is... als het meisje dit niet overleeft, is dat jouw verantwoordelijkheid.'

Een elektronisch klikje, en de verbinding was verbroken. Vos staarde naar de foto van Natalya Bublik met een plastic bak eten in haar hand. Terneergeslagen, maar niet bang. Een kind van haar moeder. Dat zag hij in haar ogen.

Vos liep met Sam naar De Drie Vaten en zei: 'Sorry, vriend. Vandaag niet.'

Sofia liet hem wel uit. Dat zou niet voor het eerst zijn. Ook niet voor het laatst.

Acht uur, en geen woord over de moord op Ismail Alamy.

Het was onmogelijk. En hij vroeg zich af of ze dat wisten.

Nadat hij de hond had weggebracht belde hij Hanna Bublik. Ze was al klaarwakker.

'Ik heb je nodig op de Marnixstraat,' zei hij.

Lucas Kuyper ontbeet elke ochtend bij een gezellig eethuisje in de Negen Straatjes op de hoek van de Wolvenstraat en de Herengracht. Uitstekende koffie en verse jus d'orange. Vandaag werden er wentelteefjes geserveerd met eigengemaakte abrikozenjam.

Er lag een exemplaar van *De Telegraaf* naast hem, maar hij had niet echt zin om die te lezen. De Europese editie van *The Financial Times* was meer zijn smaak. En wat e-mails die hij eerder op de ochtend had uitgeprint met de bedoeling ze af te handelen aan zijn vaste, rustige tafeltje in de hoek.

De stad begon in de sfeer te raken van de naderende feestdagen. Versieringen van muur tot muur in de smalle straten. Posters in de etalages. Overal afbeeldingen van Sinterklaas en zijn Zwarte Pieten die het winkelend publiek en schoolkinderen toelachten.

Toen hij destijds in Frankrijk woonde en op een kleine, geheime NAVO-basis werkte, had Kuyper een zwak gekregen voor de Franse versie van het gerecht dat voor hem stond. *Pain Perdu,* verloren brood, geweekt in cognac alvorens ze te bakken. Op deze koude ochtend vol sombere gedachten miste hij dat extra beetje karakter. In het eethuis kenden ze hem. Misschien zouden ze er een shot vieux in doen als hij erom vroeg. Maar dan zou hij de rest van de ochtend naar drank ruiken. En misschien volgde er nog een ontmoeting...

Hij richtte zich op de FT. De dood van Alamy, een AIVD-agent en een wraakzuchtige voormalig agent van de MIVD besloeg drie alinea's op de voorpagina. Hij voelde zich hoogst verontwaardigd dat er überhaupt over was geschreven. Voor dit soort dingen las hij de krant niet.

Er was maar één andere klant, een vrouw van middelbare leeftijd die zich had ingepakt alsof het buiten twintig graden onder nul was. Ze zat bij het raam. Hij observeerde haar aandachtig. Professioneel. Ze haalde een tablet uit haar tas en begon een spelletje te spelen.

Ze was verveeld. Net als hij. Hij haalde de papieren tevoorschijn die hij die ochtend had uitgeprint en begon ze door te nemen. Even later hoorde hij een vertrouwde stem bij de deur, en hij borg de papieren haastig weg.

Renata Kuyper bestelde een kop koffie en ging zitten.

'Ik dacht al dat ik je hier zou vinden.'

'Ik ontbijt hier elke ochtend,' zei hij. 'Waar zou ik anders moeten zijn?'

'Ik heb je gebeld. Ingesproken op je voicemail. Maar je reageert nergens op.'

Op de achtergrond klonk het geluid van een kleine televisie die in de hoek aan de muur hing. Het nieuws stond aan. Het leek alsof er in Amsterdam alleen nog maar werd gesproken over de moord op Ismail Alamy voor de ogen van de vrouw wier dochter was ontvoerd met het doel de imam vrij te krijgen. Niet dat ze een interview met Hanna Bublik hadden. Er was zelfs geen fatsoenlijke foto. Ze had geweigerd de media te woord te staan.

'Ik heb vanochtend vroeg het nieuws gezien,' zei hij. 'Jij was erbij. Op Schiphol.' Hij trok een gezicht en vouwde vervolgens de roze krant op. 'Ik dacht dat ik droomde.'

'Natuurlijk was ik erbij. Dit is onze schuld. Henk heeft haar het jasje gegeven dat hij voor Saskia had gekocht. Als wij er niet waren geweest...'

Hij reikte naar voren en pakte haar hand vast. Ze zweeg.

'Jij en Henk zijn nergens voor verantwoordelijk. De mannen die dat kind hebben ontvoerd zijn de schuldigen. Zoals die gestoorde soldaat schuld heeft aan wat er op het vliegveld is gebeurd.' Hij trok opnieuw een gezicht. 'Maar hij heeft in elk geval zijn verdiende loon gekregen.'

De koffie kwam. Ze wachtte totdat de serveerster weg was en zei: 'Je weet het, hè? Van Henk? Van wat hij heeft gedaan?'

Kuyper mocht de vrouw, maar hij kon zich voorstellen dat zijn zoon het niet altijd makkelijk had met haar.

'Hij heeft me gisteravond gebeld. Hij maakte zich zorgen. Hij wist niet waar je was. Toen zag hij de beelden van Schiphol.' Hij speelde met het zoete, geurige wentelteefje. Zijn eetlust was verdwenen. 'Je hebt hem niet eens gebeld. Wat verwacht je dan?'

'Ik verwacht in elk geval niet dat mijn echtgenoot stiekem raamhoeren neukt.'

Hij keek naar zijn eten en zei niets.

Ze hield haar hoofd een beetje schuin. Ze leek de laatste tijd voortdurend gespannen en boos. Maar soms trok het rusteloze gevoel weg en kon hij een zwakke afspiegeling zien van de jonge vrouw die met zijn zoon was getrouwd. Toch waren er ook in het begin al problemen geweest. Het was een merkwaardig huwelijk. Een onbezonnen huwelijk, eerder gebaseerd op passie dan op gezond verstand.

'Is dat onredelijk van me, Lucas?'

'Huwelijken worden altijd op de een of andere manier op de proef gesteld. Het leven is niet enkel rozengeur en maneschijn. Alleen kinderen geloven dat.'

'Denk je dat het leven van Natalya Bublik rozengeur en maneschijn is? Of dat van haar moeder?'

Haar stem was harder geworden. De serveerster achter de toonbank begon bezorgd te kijken.

'Heet het meisje zo?'

'Lees jij geen kranten?'

'Niet voor dat soort nieuws. Daar is al genoeg van in de wereld. Ik ben er niet voor nodig om het echt te maken.'

Hij dronk zijn koffie op en zei: 'Ruth is bij me weggegaan toen ik met al die ellende over Srebrenica werd geconfronteerd. Dat heeft Henk je zeker nooit verteld?'

De verbaasde blik op haar gezicht sprak boekdelen.

'Mijn man vertelt me blijkbaar niet zo veel.'

‘Misschien denkt hij dat dat het beste is.’

‘Ik dacht dat Ruth en jij het gelukkigste stel op aarde waren. Totdat ze ziek werd.’

Hij trok zijn wenkbrauwen op.

‘Soms waren we dat ook. Maar niet toen de pers voor de deur stond en wilde weten of ik een soort massamoordenaar was. Of een lafaard. Of… God mag weten wat. Ze is bij me weggegaan. Toen ik haar het hardst nodig had.’

Hij wilde dat ze besefte dat de herinnering nog steeds erg pijnlijk was en dat hij geen zin had in dit gesprek.

‘Het spijt me, Lucas.’

‘Zo zie je maar. Als ze niet ziek was geworden, zou ze nooit terug zijn gekomen.’ Hij boog zich naar voren om zijn woorden kracht bij te zetten. ‘En dat zou ik ook nooit hebben laten gebeuren. Zo erg was het geworden. Maar toen ze terugkwam…’ Hij sneed toch maar een puntje van het met suiker bestrooide wentelteefje en stak het in zijn mond. ‘Na een tijdje beseften we dat geluk niet vanzelf komt. Soms moet je eraan werken. Zo nu en dan begin je zelfs met niks. Of met een ruïne. Dan kan één mooie dag in een jaar vol ellende het beste zijn waarop je kunt hopen.’

‘Ik ben hier niet gekomen voor een preek.’

‘Waarvoor dan wel?’

‘Hanna Bublik heeft geld nodig.’

Hij schudde zijn hoofd.

‘Je denkt toch niet dat je problemen oplost door criminelen te financieren? Hoe moet het met het volgende kind dat door dat uitvaagsel wordt ontvoerd? Zou je je daar niet verantwoordelijk voor voelen? Want zo werkt het. Je blust een brand niet door er benzine op te gooien.’

Ze aarzelde. Een intelligente vrouw. Kuyper was ervan overtuigd dat ze het dilemma begreep.

‘Dat is een rationeel argument. Ik bekijk het emotioneel. Ik heb haar ontmoet. Ze verdient dit evenmin als haar dochter.’

Hij slaakte een zucht, maar nog voordat hij iets kon zeggen vervolgde ze: ‘Als het Saskia was geweest die ze hadden ontvoerd, zou je het dan ook zo zien? Zou je haar dan laten vermoorden voor die… principes? Als je ze tenminste zo kunt noemen?’

Een ongeduldig grommen.

'Natuurlijk zou ik het dan anders zien. Maar het gaat niet om Saskia, nietwaar? Er is niks mis met je hart laten spreken, maar soms moet je ook naar je hoofd luisteren.'

'Dus het leven van het kind van een Oost-Europese hoer is minder waard dan dat van je kleindochter?'

'Ik ben niet rijk, wat de mensen misschien ook zeggen. Het leger heeft nooit goed betaald. En de familienaam... tja, dat is maar een naam.'

Er verscheen heel even een glimlach op haar gezicht. Ze was slank, nog steeds knap, en onder haar fragiele voorkomen schuilde een innerlijke kracht. Dat had hij al vanaf het begin gezien.

'Ik ga weg bij Henk,' zei ze. 'We hebben een plek nodig om te wonen, Saskia en ik. Ik heb niemand anders bij wie ik terecht kan, en jij hebt zo veel ruimte.'

Hij schudde zijn hoofd.

'Wil je dat ik je help mijn zoon te verlaten?'

'Lucas! Ik kan niet samen met hem in dat huis blijven! Niet na wat er is gebeurd.'

'Henk houdt van je. Hij houdt van Saskia. Ik ga niet meewerken aan het kapotmaken van mijn eigen familie.'

'Als hij van me houdt, waarom duikt hij dan het bed in met een hoer?'

Hij wuifde het weg.

'Laten we erover ophouden. Vergeving kost tijd. Je moet aan zoiets werken. Je weet hoe ik erover denk.'

Hij stond op en betaalde de rekening voor hen beiden. Ze volgde hem naar de deur en pakte hem bij de arm.

'Lucas...'

'Misschien mag ik even aan je gekrenkte trots voorbijgaan en je een vraag stellen,' onderbrak hij haar nors. 'Zie je niet dat Henk je nodig heeft? Nu meer dan ooit? Of denk je soms dat jij de enige op de wereld bent die in staat is een beetje pijn te voelen?'

'Een beetje pijn?' echode ze, en toen vloekte ze tegen hem. Dat was voor het eerst. 'Krijg ik geld van je of niet?'

'In ruil waarvoor?' vroeg hij op scherpe toon. 'Voor niks gaat de zon op.'

Ze knipperde ongelovig met haar ogen.

'Wat wil je?'

'Ik wil dat je Henk een tweede kans geeft. Doe je dat voor me als ik dat krankzinnige plan van je financier?'

Ze staarde hem zwijgend aan.

'Is het de bedoeling dat ik ook met hem slaap? Want als dat zo is...'

'Jullie zijn man en vrouw! Daar horen verplichtingen en verantwoordelijkheden bij. Tegenover elkaar. Tegenover Saskia.'

'Jezus... ik denk niet...'

'Als ik je geef wat je nodig hebt, wil je hem dan in elk geval de kans geven het goed te maken? En hem niet de hele tijd op zijn zenuwen werken?'

'Heb ik een keus?'

'Je kunt nee zeggen. Je huwelijk kapotmaken. Je dochter kwijtraken. Je huis. Dat idiote plan om een of ander hoertje te helpen dat je niet eens kent... Dat is je keus.'

Ze dacht even na.

'Oké. Ik doe het. Ik denk dat we zelf dertigduizend euro kunnen ophoesten. Ik hoop dat jij dat kunt verdubbelen. Gaat dat lukken?'

'Ik hoor wel wanneer je het nodig hebt.'

Kuyper keek haar na terwijl ze weg beende in haar dure winterjas. Wie heeft die betaald? dacht hij. Vraagt ze zich dat eigenlijk wel eens af?

Toen ze uit het zicht was verdwenen liep hij naar de gracht en vond een rustig plekje. Hij pakte zijn telefoon en toetste een nummer in. Er werd bij de tweede keer opgenomen.

'Wat gaan we in godsnaam aan deze ellende doen?' vroeg hij op scherpe toon. En wachtte op een antwoord.

Ferdi Pijpers' kamer was een nette, eenvoudige studio in het souterrain van een vervallen huizenblok in een van de minder frisse straten van Oud-West. Sociale woningbouw voor de armen. Er stonden een eenpersoonsbed, twee stoelen en wat potten, pannen en borden. Dat was het zo'n beetje.

Het nachtteam had de kamer doorzocht. Twee forensisch experts liepen nog rond in witte pakken. Van der Berg was er ook en zag er een beetje belachelijk uit in het plastic tenue.

Een van de forensisch experts keek naar Bakker toen ze binnenkwam en zei dat ze geen beschermende kleding aan hoefde.

'We zijn hier zo'n beetje klaar,' voegde de vrouw eraan toe. 'Er valt weinig te zien.'

Ze hadden nog een wapen gevonden, een oud pistool, en wat munitie. Waarschijnlijk van het leger gestolen.

Van der Berg stapte uit zijn pak en vroeg of ze vier koppen koffie wilde halen bij het tentje om de hoek.

'Niet echt,' zei ze.

Hij nam haar op.

'Dan ga ik wel,' antwoordde hij, en hij vertrok.

De twee forensisch experts stonden te wiebelen op hun in plastic gehulde voeten. Bakker vroeg wat ze hadden gevonden. Dat was niet veel. De buren kenden Pijpers nauwelijks. Ze wisten alleen dat hij de kamer had gekregen via het Veteraneninstituut. Gezien wat er in de keuken was gevonden zag het ernaar uit dat hij op eieren, spek en bier had geleefd.

Ze trok een setje latex handschoenen aan, liep naar het dressoir naast het bed en opende de bovenste lade.

'Dat hebben we al gedaan,' zei de vrouwelijke forensisch expert.

'Oké,' zei Bakker, terwijl ze tussen de oude kleren, onderbroeken, sokken en sweaters zocht zonder iets te vinden.

De volgende lade had een vergelijkbare inhoud. Evenals de derde.

'Het interessantste wat we hebben gevonden is dit,' voegde de vrouw eraan toe.

Ze liep naar een opbergdoos en haalde een plastic zak voor bewijsmateriaal tevoorschijn met daarin een ingelijst fototje. Bakker haalde de lijst eruit en bekeek de afbeelding. Een jonge jongen van een jaar of zeven, acht in sjofele kleren en met een glimlach op zijn gezicht. Hij had een olijfkleurige huid en uit elkaar staande tanden. Achter hem was woestijn, met op enige afstand een groot, kakikleurig militair voertuig dat zandwolken opwierp.

Van der Berg kwam terug met koffie en zette vier kartonnen bekers op tafel. Bakker liet die van haar staan.

'Afghanistan,' zei Van der Berg. 'Rijnders heeft het verhaal vannacht bij het leger weten los te peuteren. Dat joch was een wees die min of meer door het kamp was geadopteerd. Hij woonde bij ze. Deed klusjes. Ze waren bezig hem Nederlands en Engels te leren.'

Hij nam een slok van zijn koffie.

'Pijpers heeft hem blijkbaar onder zijn hoede genomen. Hij wilde toestemming om hem naar Nederland te halen. Volgens hem was het niet veilig om de jongen daar achter te laten omdat hij in het kamp had gewoond en de taal had geleerd. Maar de hoge omes hebben het tegengehouden.'

Ze wist wat er zou komen.

'En toen?'

'Op een middag is hij weggelopen uit de compound. Twee dagen later hebben ze hem gevonden, een paar kilometer verderop. Je wilt de details niet weten.' Van der Berg nam nog een slok koffie. Hij zag eruit alsof hij het nodig had. 'Pijpers is compleet uit zijn dak gegaan. Hij beschuldigde de bevelhebber ervan de jongen in de steek te hebben gelaten. Voor hij het wist was hij uit het leger ontslagen en zat hij weer in Nederland, waar hij rond moest zien te komen van een miezerig uitkerinkje.'

Van der Berg pakte de fotolijst en deed hem terug in de bewijszak. Hij nam niet de moeite handschoenen aan te trekken. Misschien had het geen zin. Het was duidelijk wat er was gebeurd. Een zieke ex-militair was vol haatgevoelens teruggekomen. Hij had gezien wat er met Alamy gebeurde en besloten zijn woede te bekoelen op de imam. En misschien ook op Nederland.

'Die idioot heeft de zaak van dat Georgische meisje geen goed gedaan,' mopperde de vrouwelijke forensisch expert.

'Ferdi Pijpers was gestoord,' merkte Van der Berg op. 'Je moet van zo iemand niet verwachten dat hij logisch nadenkt. En wij hebben hem zo gemaakt.' Hij tikte met een wijsvinger op zijn borst. 'Wij.'

Er viel een stilte. Van der Berg, die zich blijkbaar enigszins schaamde voor zijn uitbarsting, vroeg of er nog nieuws was van de Marnixstraat.

'Niet dat ik weet,' antwoordde Bakker. 'Maar ik weet alleen wat me verteld is, en dat is niet veel.'

'Weet je wat, Laura? We laten buttons maken met "Het spijt me" erop, dan gaan we daar allemaal mee rondlopen. Zou dat helpen?'

Bakker lachte. Ze mocht Van der Berg wel. Hij was een fatsoenlijk mens met gevoel voor humor.

'Wie weet. Sorry. Ik heb alleen het gevoel dat ik overal buiten word gehouden. Ben ik lastig?'

'Soms.'

De twee forensisch experts waren bezig hun spullen in te pakken.

'Is dat alles?' vroeg Bakker. 'Een foto van een dood jongetje? Weten we verder niks?'

De vrouw liep naar de doos en haalde een grotere bewijszak tevoorschijn. Er zat een oude, zware laptop in.

'Er zit een wachtwoord op. Hij gaat naar de technische dienst. Misschien kunnen zij erin komen.'

'Mag ik even kijken?'

De forensisch expert mompelde iets, maar zette de computer toch voor haar neer. Bakker haalde hem met haar gehandschoende vingers uit de zak en draaide hem om. De batterij miste. In het stopcontact bij de tafel zat een stroomkabel. Ze negeerde het gesputter van de vrouw, sloot het apparaat aan en drukte op de aan-uitknop.

Na een tijdje wachten en een hoop geratel verscheen het beginscherm.

'Zoals gezegd,' zei de andere forensisch expert, 'er zit een wachtwoord op. We brengen hem naar de technische dienst. Die weten er wel raad mee.'

Bakker klikte op de knop 'Wachtwoordaanwijzing'.

'Moet dat nou,' klaagde de man.

Ze keken allemaal naar wat er gebeurde. Er verscheen een lange zin: 'Wanneer gij u niet bekeert en wordt als de kinderen, zult gij het Koninkrijk der hemelen voorzeker niet binnengaan.'

Bakker herinnerde zich haar zondagsschoollessen. Het was een citaat uit Mattheus, als ze het zich goed herinnerde. Ferdi Pijpers had blijkbaar ook een religieuze opvoeding genoten.

'Hoe heette die knul?' vroeg ze. 'Die Afghaanse jongen?'

Van der Berg liep zijn notities na.

'Farshad. We hebben het een van de vertalers voorgelegd. Het betekent blijkbaar "gelukkig".'

Ze toetste de naam in.

Farshad.

Niets.

'Dit is belachelijk,' mopperde de vrouwelijke forensisch expert. 'Ik wil dat ding nu terug, dan kunnen er mensen mee aan de slag die weten wat ze doen.'

FARSHAD.

Nog een laatste poging.

farshad.

Het scherm lichtte op.

De desktop verscheen.

Bakkers vingers vlogen over het toetsenbord.
'We zitten erin,' zei ze.

Het kantoor van De Groot. De commissaris, Vos en Mirjam Fransen waren niet op hun gemak, wetende dat Hanna Bublik onderweg was. Er stond koffie met biscuits op tafel. Niemand nam ervan.

Vos keek op zijn horloge. Nog iets meer dan zeven uur tot de oude Samsung in zijn zak zou overgaan. Dit zou een lastig gesprek worden. Hij had de tactiek besproken met De Groot. Fransen zou hoe dan ook haar fiat moeten geven alvorens er losgeld kon worden betaald. Ze moesten wachten tot zij haar zegje had gedaan.

Ze was bleek en met rode ogen op bureau Marnixstraat verschenen. Ze had een groot deel van de nacht met de familie van Thom Geerts doorgebracht. Hij was gescheiden van zijn vrouw. Ze hadden twee kinderen, tien en twaalf. De ex verafschuwde de inlichtingendienst en stelde die verantwoordelijk voor het stranden van haar huwelijk. De moord op Geerts was het zoveelste wat ze de AIVD in de schoenen kon schuiven.

'We zijn allemaal geschokt,' zei De Groot. 'Als er iets is wat we kunnen doen...'

'Zoals wat?' onderbrak ze hem op scherpe toon.

'Wat je maar wilt,' voegde De Groot eraan toe, en hij keek even naar Vos met een blik die zei: ik moest het wel aanbieden.

Ze namen het dossier over Ferdi Pijpers door. Hij was, zoals hij al tegen Koeman had gezegd, een voormalig medewerker van de militaire inlichtingendienst. Hij was ooit verbindingsofficier geweest bij de AIVD. Maar het contact was minimaal geweest, en de relatie was beëindigd toen hij uit het leger was ontslagen.

'Al met al geen redenen voor ons om hem onder bewaking te plaatsen,' besloot Fransen.

'Zo zie ik het ook,' beaamde Vos.

Ze keek hem recht in de ogen.

'Hij was hier gisteren. Hij heeft met een van jullie agenten gesproken.'

De Groot nam dit voor zijn rekening. Koeman had juist gehandeld, stelde hij. De man had vage racistische uitlatingen gedaan van het soort dat politieagenten dagelijks op straat horen. Er was geen reden geweest om hem serieus te nemen.

Mirjam Fransen knikte en zei verder niets.

'We hebben nog niks gehoord over de taps op Henk Kuyper,' zei Vos. 'Daar heb ik gisteren om gevraagd. We hebben nog steeds moeite met zijn verhaal over het Leidseplein, zijn radicale sympathieën en de kwestie met dat jasje...'

'Ik moet een collega gaan begraven,' interrumpeerde Fransen. 'En ik zit met een rouwende familie. En ik ben ook nog met een intern onderzoek bezig. Die smeerlap van een Barbone loopt nog steeds vrij rond. Ik heb geen tijd om die man te gaan afluisteren. Zijn vader was verdomme een hooggeplaatste militair. En zijn eigen kind was bijna ontvoerd...'

'Bijna,' herhaalde Vos. 'Als we zijn telefoon aftappen, zouden we hem kunnen uitsluiten. Ik regel het zelf wel.'

Ze schudde haar hoofd.

'Niet in een zaak als deze. Dat moet via ons. We hadden een stel grote vissen op het oog. Nu heb ik niks, alleen een dode agent.'

Vos wachtte, maar er kwam niets meer.

'Barbone... wie dat ook mag zijn... is jullie pakkie-an,' vervolgde Vos. 'Verder zijn het gewoon misdaadzaken. Een opgeloste moord. Een ontvoerd kind.'

Ze schonk hem een giftige blik.

'Doe niet zo naïef. Het gaat hier over terrorisme. Ik heb het ministerie en allerlei mensen in Den Haag achter me staan. Zodra ik ergens een gaatje heb, zal ik kijken wat ik kan doen.'

Er werd op de deur geklopt. Er kwam een agente binnen die zei dat Hanna Bublik was gearriveerd.

Fransen schonk de twee mannen een dreigende blik.

'Jullie gaan geen toezeggingen over losgeld doen. Dat sta ik niet toe.'

'Best,' zei De Groot. 'Ik wil wel eens zien hoe je haar dat gaat vertellen.'

Het type dat haar ditmaal eten bracht was nieuw. Mager, klein en niet al te slim, dacht ze. Hij sprak nauwelijks Nederlands. Hij zag er bang uit en mompelde iets in een taal die Natalya niet kon thuisbrengen.

Hij had een pak sinaasappelsap, een saucijzenbroodje en een pak melk bij zich. En de groezelige roze ponyjas. Hij keek toe hoe ze hem aantrok, leegde vervolgens de emmer en haalde een kom met warm water, zeep en een handdoek.

Ze bekeek hem eens wat beter. Hij leek op zo'n grote broer die de kleintjes van school kwam halen. Een tiener, niet ouder. Donkere ogen en een gave, gladde huid. Ze begon het gevoel te krijgen dat ze niet langer deel uitmaakte van de wereld achter het verduisterde raam. Het leek belangrijk om het idee vast te houden dat ze er binnenkort weer naar terug zou gaan. Eén manier om dat te doen, was aan haar moeder denken. Zich zorgen maken over wat zij dacht. Zich proberen voor te stellen wat ze aan het doen was.

Haar moeder had geen vrienden. Zijzelf kende tenminste wat kinderen van school. Ollie, het grappige joch met de alleenstaande moeder die ook in het nachtleven werkte. Tom, die altijd zo serieus was en haar de les las als ze weigerde de troep te eten die ze tijdens de lunch gratis uitdeelden aan arme kinderen.

Jongens. Ze kon beter met hen overweg dan met meisjes. Die leken zwak, en bang, of gewoon ontzettend suf. Ze roddelden over kleren en andere kinderen op school, vormden groepjes en maakten ruzie. En ze scharrelden over de speelplaats om elkaar toe te fluisteren wie ze nu weer stom vonden.

Haar, soms.

Zo ging het nu eenmaal. Ze kwam uit een ander land. Ze hadden geen geld en geen leuke kleren. Haar moeder deed werk dat Natalya maar vaag begreep. Het had te maken met dingen – stiekeme dingen – die weliswaar nodig waren, maar toch verkeerd. Het werd geaccepteerd door de stad en verwelkomd door sommige mannen die bij haar op bezoek kwamen, op de voordeur klopten en woorden fluisterden die altijd vergezeld leken te gaan met het haastig overhandigen van geld. En dan zei haar moeder sorry, waarna ze een half uur weg was. En wanneer ze terugkwam, keek ze blij en verdrietig tegelijk.

Dit leven maakte hen anders dan anderen. Zelfs de serieuze Tom – wiens moeder lesgaf op school, geen man had en vriendelijk was, hoewel soms wat streng – leek als hij naar huis ging naar een andere wereld te gaan dan die zij kende. Maar zo was het altijd geweest. Ze waren al alleen zolang ze het zich kon herinneren. Reizend, vluchtend en halsoverkop zonder een cent op zak de nacht in. Het zag er niet naar uit dat het leven zou veranderen. Niet snel, in elk geval.

Ze begon zich trouwens te vervelen.

Natalya keek naar de magere jongen die haar in de gaten hield terwijl ze haar ontbijt naar binnen werkte en vroeg: 'Hoe heet jij?'

Alleen al het geluid van haar stem leek hem te raken.

'Wat gaat jou dat aan?' vroeg hij met een norse, vreemde stem.

'Ik probeer gewoon aardig te doen.'

'Je hoeft niet te weten hoe ik heet. Je zit hier gevangen. Mensen die gevangenzitten hebben niks te vragen.'

Ze hadden het kastje aan de muur met een dikke laag tape dichtgeplakt zodat ze niet meer bij de lichtschakelaars kon.

'Alleen mensen die iets verkeerd hebben gedaan gaan naar de gevangenis,' zei Natalya tegen hem. Ze wees met een vinger in zijn richting. 'Jij dus. Niet ik.'

Hij was bang. Ze kon het zien.

'Heb je een schrift voor me?' vroeg ze. 'En wat kleurpotloden. Ik wil iets tekenen.'

'Wat dan?'

Dat schoot niet echt op.

'Ik zou jou kunnen tekenen. Ook al wil je niet zeggen hoe je heet.'

Hij lachte. Grote tanden, een beetje geel en met een spleetje in het midden. Soms had ze het gevoel dat haar hoofd een camera was. Ze onthield alles wat ze zag.

'Kun je tekenen dan?'

'Als ik de spullen ervoor heb.'

Hij kwam overeind en ging de trap op. Vijf minuten later kwam hij terug met een plastic tas. Op de zijkant stond een rode draak. Er zaten een schetsboek en een setje goedkope kleurpotloden in.

'Als ik er maar goed uitzie,' zei hij.

Ze koos een zwart en een rood potlood, tekende snel iets op het eerste vel en liet het hem zien.

Het was een ruwe schets van een dier. Een grote hond. Misschien een wolf. Rode ogen, rode klauwen, rode tanden en een boosaardige grijns.

Hij lachte, en iets in de manier waarop hij dat deed, maakte dat ze ook glimlachte.

'Ik wist dat het niks zou worden,' zei hij. 'Kleine meisjes.'

'Waar kom je vandaan?'

'Heel ver weg. Een streek die Anadolu heet.'

'Nooit van gehoord.'

'Hier noemen ze het Anatolië. Nederlanders doen alles fout.'

Ze tekende nog iets. Iets wat hij niet zag.

'En jij?' vroeg hij.

'Nergens,' zei Natalya Bublik.

Dat antwoord beviel hem niet.

'Iedereen komt ergens vandaan.'

Ze reageerde niet en zat met haar hoofd over het schetsboek gebogen. De kleurpotloden waren uitgepakt. Vier ervan had ze tussen de vingers van haar linkerhand geklemd. IJverig aan het werk.

Hij begon zich al snel te vervelen.

'Meisjes,' zei hij, en hij liet haar in haar eentje achter in het halfduister van de klamme, kille kelder.

Natalya keek naar wat ze had geschetst. Het was een Zwarte Piet. Niet eens slecht. En eronder het woord 'Anatolië' in duidelijke, zorgvuldig geschreven letters.

Haar moeder vond het leuk om naar haar te kijken als ze met haar kleurpotloden in de weer was. Ze zei dat ze het talent van haar vader had. Niet van haar. Ze kende een grap. Er was één ding dat ze kon tekenen, zei ze. Een zwarte kat in het donker. En dan maakte ze een vierkant met een zwarte balpen. Alleen maar inkt. En dan lachten ze.

Ineens moest ze huilen. Ze veegde snel haar tranen weg en baalde ervan dat ze zomaar waren opgekomen.

Ze keek onder het bed. Daar lagen de dingen die ze de avond ervoor had verstopt.

De messen. Het zaagje. De beitels en de schroevendraaiers.

Als de grote man het zag, zou ze opnieuw een probleem hebben. Hij was sterk en wreed. Ze herkende die blik. Hij kon ergere dingen doen dan die stomme roze jas afpakken.

Maar een joch uit Anatolië...

Ze koos het grootste mes uit en liet haar vinger heel voorzichtig over het lemmet gaan.

Er verscheen een heel dun streepje bloed, en haar adem stokte.

Scherp.

Vos zette uiteen waar ze waren met de zoektocht naar Natalya. Het telefoontje van die ochtend bewaarde hij tot het laatst. Hanna Bublik, die tegenover hem zat, luisterde aandachtig. Sceptisch. Toen hij klaar was zei ze: 'Weten ze waar je woont, Vos?'

'Blijkbaar wel.'

'Hoe kan dat?'

I ♡ LEZEN
De levenslessen van oma Eefje. Het geheim van gelukkig oud worden
Engeland 1912. Een jonge vrouw raakt verwikkeld in een moordmysterie
Dankzij haar overgrootmoeder krijgt een jonge vrouw weer grip op haar leven
Patrick van Hees
De geluksoma
Levenslessen van oma Eefje
Het geheim van gelukkig oud worden
KATE MOSSE
DE NACHT VAN DE VOGELS
CORINA BOMANN
De jasmijnzussen
Roman
VERSCHIJNT SEPT. 2015
VERSCHIJNT MEI 2015
VERSCHIJNT SEPT. 2015
Meulenhoff
www.meulenhoff.nl | www.boekerij.nl
BOEKERIJ

Meld je aan voor de nieuwsbrief en maak kans op een
GRATIS boekenpakket
Ga naar
www.meulenhoffboekerij.nl/aanmelden
DE KAT
Pogingen iets van het leven te maken
SANTA MONTEFIORE
De vrouwen van kasteel Deverill
wij
DAVID NICHOLLS
Auteur van One Day

t.w.v.
100,-

I  LEZEN

De ijzersterke, nieuwe thriller van de auteur van bestseller *Zusje*

VERSCHIJNT MEI 2015

Voor alle ouders van pubers: wat ze werkelijk denken terwijl jij denkt dat ze niets denken

VERSCHIJNT JUNI 2015

Een prachtige liefdesbetuiging aan een moeder, maar vooral een ode aan het leven

VERSCHIJNT JUNI 2015

En groot verhaal over een kleine jongen die de wereld een beetje anders ziet

VERSCHIJNT SEPT. 2015

Volg Meulenhoff en Boekerij ook op:

www.facebook.com/boekerij | www.facebook.com/meulenhoff www.twitter.com/boekerij | www.twitter.com/meulenhoff

Hij haalde zijn schouders op.

'Het is niet echt een geheim. Een rechercheur met een woonboot in de Prinsengracht. Daar komt nog bij dat ik hier een tijdlang onderzoek heb gedaan naar de georganiseerde misdaad. Ik heb met een paar zaken in de kranten gestaan. Iedereen die dat wil kan erachter komen.'

Op het bureau lag een foto van het briefje dat hij in de tas aan zijn zilverkleurige ballerina had gevonden. Hanna pakte het op en bestudeerde het.

'Ze belden me op het moment dat ik het las,' zei hij. 'Hij klonk als een buitenlander. Sprak goed Nederlands. Volgens mij woont hij hier al een tijdje.'

'Kunnen jullie hem niet zoeken?'

Hij slaakte een zucht.

'We blijven ermee bezig. Heb jij nog wat nieuws sinds gisteravond?'

'Zoals wat?'

'Maakt niet uit.'

'Jullie moeten wel wanhopig zijn als jullie mij nodig hebben voor ideeën,' zei ze, en ze legde de foto terug.

'We laten geen mogelijkheid onbenut,' zei De Groot.

Dat ergerde haar.

'Leren ze jullie soms zo te praten op de politieacademie?'

De commissaris verontschuldigde zich.

Ze keek toch spijt te hebben en zei: 'Twee dagen geleden hebben ze je gebeld. Met Renata Kuypers mobieltje. Nu laten ze ineens briefjes achter en heb je een andere telefoon. Hun imam is dood. Ik dacht dat dit om hem ging. Waarom houden ze mijn dochter dan nog vast? Waar is dat geld voor nodig?'

Het verbaasde Vos niet dat ze dat inmiddels had uitgedokterd. Hij vroeg zich af wat er nog meer in haar hoofd omging.

'Het is mogelijk dat Natalya in andere handen is overgegaan,' zei hij. 'De mannen die haar hebben ontvoerd, kunnen haar hebben overgedragen aan mensen die zich vaker met afpersing bezighouden.'

'Wat voor mensen?' wilde ze weten.

'Als ik een gokje zou moeten doen, zou ik zeggen een lokale misdaadorganisatie,' opperde De Groot. 'Die hebben daar ervaring mee. Ruimschoots. Terreurorganisaties maken er soms gebruik van om geld wit te wassen, wapens te kopen of valse papieren te regelen. Daar hebben ze hun connecties voor.'

Gezien de manier waarop ze dat nieuws opvatte vroeg Vos zich af of het niet beter was geweest als ze hun mond hadden gehouden.

Hanna keek naar Mirjam Fransen en zei: 'U zegt ook niet veel.'

'We doen wat we kunnen,' antwoordde ze. 'Natalya's bevrijding staat hoog op ons prioriteitenlijstje.'

Hanna wees op De Groot.

'U hebt zeker dezelfde opleiding gevolgd als hij?'

Geen antwoord. Ze keek een voor een de aanwezigen aan en liet haar blik ten slotte op Vos rusten.

'Renata Kuyper zegt dat ze me kan helpen aan geld te komen. Ik weet niet of het zo veel is als ze willen, maar misschien nemen ze genoegen met minder. We zouden de publiciteit kunnen zoeken. Een inzamelingsactie starten. De mensen hier zijn heel ruimhartig. Volgens Renata maakt het niet uit dat we uit het buitenland komen. Als we...'

'Daar komt niks van in,' interrumpeerde Fransen.

'Hoezo niet?' was het enige wat Hanna Bublik kon bedenken.

'Omdat er regels zijn,' vervolgde Fransen. 'De regering gaat niet op losgeldeisen in. Dat heeft twee simpele redenen. Je beloont er ongeoorloofde activiteiten mee en het zet aan tot nieuwe ontvoeringen.'

'Het is niet uw geld,' protesteerde Bublik. 'Of uw dochter.'

'Dat doet er niet toe. Deze lieden betalen zou een misdrijf zijn. De politie' – ze wees op De Groot en vervolgens op Vos – 'kan u dat haarfijn uitleggen. Als u toch...'

'Geen bedreigingen hier!' blafte De Groot.

'Best!' antwoordde Fransen. 'Vertel jij het haar dan maar. Staan jullie toe dat er losgeld wordt betaald?'

Vos kwam tussenbeide.

'We gaan akkoord met hun eisen, Hanna,' zei hij. 'We blijven voortdurend met ze in contact. Ze willen geld. Meer niet. Dat is juist goed. Misschien is het zo wel simpeler dan eerst. We blijven met ze in gesprek en regelen een overdracht. En terwijl zij denken dat er een transactie gaat plaatsvinden bevrijden wij Natalya.'

Hanna Bublik sloot haar ogen even.

'En als dat niet lukt? Als jullie de boel weer verprutsen?' brieste Fransen.

'Dat gebeurt niet,' zei De Groot resoluut.

'Als jullie de mist ingaan wordt er niet betaald, Vos.' Haar scherpe, doordringende blik liet hem niet los. 'Afgesproken?'

'Laten we hopen dat het zover niet komt,' zei De Groot.

'Dus daar hangt het leven van mijn dochter van af? Van jullie hoop?'

Ze stond op, pakte haar tas en trok haar zwarte jack van de stoel.

'Hanna,' zei Vos in een poging haar over te halen weer te gaan zitten. 'Luister nou even...'

'Waarom?' schreeuwde ze. 'Om te horen dat jullie doen wat je kunt? Was dit gesprekje bedoeld om mij gerust te stellen? Of jullie-zelf?'

Er volgde een serie vloeken in een taal die ze niet verstonden, waarna ze het kantoor uit stormde en de deur achter zich dichtsmeet.

Het bleef stil, totdat Vos zei: 'Vooral onszelf.'

Zijn telefoon ging.

In een auto die onderweg was van het appartement in Oud-West zei Laura Bakker bijna schreeuwend: 'Jezus christus, neem eens een keer op als ik je bel. Je hebt je voicemail niet eens aan.'

Hij had zijn mobieltje bij het begin van de bespreking op stil gezet in de verwachting dat het wel eens lastig kon worden.

'Sorry.'

'Was Ferdi Pijpers in beeld toen hij werd neergeschoten?'

'Geen idee. Hoezo?'

'Dat vertel ik je als ik terug ben. Kan iemand zijn spullen in het mortuarium checken? Het is belangrijk, oké?'

'Wat was dat?' vroeg Fransen nadat de verbinding was verbroken.

'Niks.' Hij keek op zijn horloge. 'Ik moet ervandoor.'

Ze stond op en hield hem tegen bij de deur. Ze wierp een blik op De Groot.

'Ik wil dat jullie één ding goed begrijpen. Als ze vanmiddag bellen, ga je akkoord met het losgeld. Hou gewoon de schijn op en probeer die smeerlappen in de kraag te vatten als ze het komen ophalen. Maar die vrouw heeft geen geld bij zich. En zelfs als dat wel zo was, zou ik ervoor zorgen dat jullie het niet konden gebruiken.'

'Mirjam...' begon hij.

'Niks Mirjam. Ga alsjeblieft niet lopen slijmen. We weten niet met wie we te maken hebben. Of het criminelen zijn of dezelfde lui die haar hebben ontvoerd. Hoe dan ook, ze spelen onder één hoedje. Neem een koffertje met kranten mee of zo en zorg ervoor dat je ze oppakt voordat ze het doorhebben.'

'Eén telefoontje,' zei De Groot op scherpe toon. 'Dat is het enige wat nodig is als ze zien dat het foute boel is. Eén telefoontje en dat kind is dood.'

'Zorg er dan voor dat jullie het deze keer goed doen,' zei ze. Ze keek op haar horloge, checkte haar berichten en vertrok.

Hanna Bublik liep halverwege de Prinsengracht toen haar telefoon ging. Renata Kuyper. Ze klonk tegelijkertijd bedrukt en vastberaden.

'Kunnen we ergens afspreken?' vroeg ze.

'Wat heeft dat nog voor zin? Ik mag van de politie geen losgeld betalen.'

'Jij doet toch niet altíjd alles wat mannen van je verlangen?'

Ze sprak op een aparte manier. Nederlands, maar met een accent. Ze had iets gezegd over dat ze in België was opgegroeid. Niet ver weg, maar toch anders. Alsof ze ook min of meer een vreemde was in Amsterdam. Maar dan met geld.

Tien minuten later zaten ze als enige bezoekers in een tentje dat uitkeek over een verlaten Noordermarkt. Er stond een stevige bries. Krantenpagina's en ander afval rolden over de vochtige klinkers. Werklieden van de gemeente waren bezig feestverlichting op te hangen. Een reusachtige Sinterklaas in rood en wit vergezeld door twee kleinere, vrolijke Zwarte Pieten. 5 december naderde. Natalya's school had een avond voor de armere kinderen georganiseerd. Een vossenjacht. Er waren zakken vol cadeautjes. Ze had zo graag gewild dat haar dochter erbij kon zijn.

Renata droeg een lange tweed jas. Duur. Haar bruine haar zat perfect in model. Haar gezicht was zorgvuldig opgemaakt en straalde zelfverzekerdheid uit terwijl ze in haar Earl Grey roerde en een stukje van een chocoladekruidnoot beet.

'Waarom praat je nog met me?' vroeg Hanna. 'Ik heb je man geneukt. Voor geld. Je zou de pest aan me moeten hebben.'

'Ik wil je helpen.'

'Hoezo?'

Renata schudde haar hoofd.

'Moet ik dat nog uitleggen? Henk heeft je dat jasje gegeven. Als hij dat niet had...'

'Je voelt je schuldig. Nu snap ik het.'

'Doet dat ertoe? Hulp is hulp. Wat maakt het uit waar die vandaan komt?'

Geen antwoord.
'Wat zei de politie?'
Hanna pakte het koekje van haar schoteltje, haalde het uit de verpakking en knabbelde eraan. Ze had de afgelopen tijd nauwelijks gegeten. Eten was iets wat ze met Natalya deed. Dat had ze altijd gedaan. Nu was het alleen nog maar een wrede herinnering aan het feit dat ze alleen was.
'Ze denken dat ze haar aan criminelen hebben overgedragen. Dat zij nu degenen zijn die het losgeld eisen. Ze willen tweehonderdduizend euro. Vos zegt dat ze klokslag vier uur bellen om hem te vertellen hoe het moet worden overhandigd. Anders...'
De koffie was bitter en sterk. Als een bestraffing.
'We kunnen naar de media. Van de politiek hoeven we niks te verwachten, en van de politie ook niet. Gewone mensen leven mee. Die begrijpen het. Ik kan wel iemand vinden die...'
Hanna kon zich niet inhouden.
'Echt? Je wist niet eens dat je man in de rosse buurt rondhing.'
Renata's gezicht betrok, en ze schonk Hanna een zure blik.
'Hij zei dat jij de enige was. Hij had gedronken. Het was een vergissing.'
'Dat zeggen ze altijd. En het waren trouwens twee vergissingen.'
'Wil je nou dat ik je help of niet?'
'Tweehonderdduizend euro? Zelfs als de politie me mijn gang zou laten gaan... hoe kom ik aan zo'n bedrag?'
'Ze proberen het gewoon. Ze verwachten niet zo veel. We kunnen ze tegemoet komen. We vinden wel iets.'
Hanna staarde naar haar koffiekopje en de verpakking van haar koekje.
'Tenzij je een ander idee hebt,' voegde Renata eraan toe. 'Wou je soms weer in dat hok gaan zitten wachten op mannen die je betalen om je benen uit elkaar te doen?'
Ontnuchterd mompelde Hanna: 'Ik zei toch dat ze ons geen losgeld laten betalen. Tenzij...' Ze moest steeds aan Cem Yilmaz denken. Ze vroeg zich af hoe hij in werkelijkheid was. Wie hij kende. 'Tenzij het me lukt om het via een omweg te doen.'
Renata klopte zachtjes op haar hand.
'Dat lijkt er meer op.'
'Misschien,' mompelde ze, en die bekentenis alleen al gaf haar een

schuldgevoel. 'Maar niet in het openbaar.'

Ze overwoog de mogelijkheden terwijl ze sprak.

'Het laatste wat Natalya kan gebruiken is dat mijn gezicht straks in alle kranten staat.'

'Oké,' zei Renata. 'Ik kan wel wat mensen optrommelen met wie je privé kunt praten...'

'Daar is geen tijd voor! Ze bellen Vos vanmiddag om vier uur. Ze willen vanavond hun geld hebben.'

Buiten voor het raam stopte een vrachtwagen. Een groepje mannen begon steigermateriaal en nog meer feestverlichting uit te laden.

'Het lijkt me het beste dat je niks tegen de politie zegt,' zei Renata. 'We doen het gewoon zelf.'

Ze stond op van de tafel. Hanna bleef zitten.

'Dat mens van de inlichtingendienst heeft de pest aan me. Ze gaat er vast een stokje voor steken.'

Renata schudde haar hoofd.

'Ze zeiden ook dat ze konden voorkomen dat Ismail Alamy zou worden vrijgelaten.'

'En toch heeft iemand ervoor gezorgd,' antwoordde Hanna zonder erover na te denken.

Er viel een korte stilte.

'Je moet de hoop niet opgeven.'

'Je klinkt net als de politie.'

'Vergeet de politie nou maar. Als je op de een of andere manier een boodschap kunt overbrengen...'

Hanna reageerde niet.

'Nou?'

'Ik kan het proberen,' zei ze. Ze stond op, liep naar de deur en keek naar de lichtjes, de Sinterklaas en de Zwarte Pieten.

'Ik zorg voor een deel van het geld,' zei Renata. 'Jij regelt de rest.'

Toen ze terug waren op de Marnixstraat begaven Van der Berg en Bakker zich naar Vos en Aisha Refai, een jonge forensisch expert, om naar de laptop te kijken.

'Wow. Volgens mij zat ik nog op de kleuterschool toen dat ding werd gemaakt.' Aisha was vijfentwintig, maar leek eerder negentien. Ze was slim, zag er goed uit en droeg een hoofddoek, een rode skitrui en een spijkerbroek. Het was een vrouw die geen blad voor de mond nam. 'Zullen we dit ding aan het Rijksmuseum verkopen als we er klaar mee zijn?'

Bakker stak de stekker in het stopcontact en zette de computer aan. Toen na een tijdje het beginscherm verscheen, toetste ze het wachtwoord in.

'Hoe ben je daarachter gekomen?' vroeg Aisha, die blijkbaar geen antwoord op haar eerste vraag verwachtte.

Bakker vertelde het haar en voegde eraan toe: 'Het was een gokje.'

'Niet gek. Maar om eerlijk te zijn...' Haar vingers ratelden over het toetsenbord terwijl ze zich een weg baande door het systeem. 'Ik zou hooguit dertig seconden nodig hebben gehad om dit stuk schroot binnen te komen, met of zonder wachtwoord.'

'Hij was van Ferdi Pijpers,' legde Bakker uit. 'Voormalig MIVD'er. Heeft ook een tijdje voor de inlichtingendienst gewerkt. Oude gewoonten slijten blijkbaar niet. Als je naar de foto's kijkt...'

'Wacht eens even, niet zo snel,' zei Aisha, en ze sloeg bijna Bakkers hand weg toen die naar het toetsenbord reikte. 'Daar zijn procedures voor. Ik zit hier niet voor niks.'

Vos schraapte zijn keel en keek op zijn horloge. Niet dat het veel uitmaakte.

'Oké,' zei Aisha toen ze klaar was. 'Jullie man heeft deze laptop sinds vijftien dagen in zijn bezit. Hij was helemaal gewist. Het ding werkt voor geen meter. Ik hoop dat hij er niet veel voor heeft betaald. Er zit geen wifi op, en het ziet er niet naar uit dat hij er ooit mee online is geweest. Dus er is ook geen e-mail. Alleen...'

'Een map met foto's,' maakte Bakker af.

'Precies.'

Aisha opende de map. Zestien foto's die de donderdag ervoor waren gemaakt. Met steeds dezelfde twee mensen erop.

'Dat is Martin Bowers,' zei Bakker. 'Of Mujahied Bouali, als je dat liever hebt. Hoe dan ook, hij is dood, met dank aan de AIVD.'

Vos boog naar voren en tuurde naar het laptopscherm. Hij herkende de jonge, pafferige Brit met de rossige baard van de foto's die hij in het dossier had. Bouali droeg een zwarte parka en was in gesprek met een man van middelbare leeftijd met een Aziatisch uiterlijk. Goed gekleed. Met een volle baard, een verzorgd kapsel en een vriendelijke glimlach. Als de datum klopte, waren de foto's rond de middag genomen. De achtergrond was vertrouwd: een hoge, ronde, middeleeuwse toren omgeven door toeristen.

'De Munt,' zei Van der Berg. 'Prima plek om iemand toevallig te ontmoeten. Of te doen alsof.'

'Ferdi volgde iemand,' zei Bakker. 'Bowers. Of de andere man. Daar moet hij een reden voor hebben gehad.'

Aisha kopieerde de foto's naar een flashdrive en overhandigde ze aan een assistent.

'Stuur ze naar Inlichtingen, de verbindingsofficiers en de AIVD,' zei Vos. 'Eens zien of we bij die tweede man een naam kunnen vinden.'

Van der Berg tikte met een vinger op het beeldscherm.

'Ferdi was blijkbaar alleen maar met zijn obsessie bezig. Gezien het feit dat hij dat joch in Afghanistan is kwijtgeraakt, verbaast het me niks dat hij over de rooie ging toen dat meisje van Bublik werd ontvoerd. We hadden naar hem moeten luisteren toen hij hier kwam.'

'Inderdaad,' beaamde Vos. 'Aisha?'

Ze was alweer met de foto's bezig en onderzocht de metadata van de bestanden.

'Hij had niet echt een goeie camera, hè?' bromde Bakker.

'Hij had helemaal geen camera,' zei Aisha. 'Hij heeft een telefoon gebruikt. Een Nokia N96. Heel trendy toen hij net uit was, maar inmiddels compleet achterhaald. Het probleem is...'

Ze deed iets met de computer waar Vos geen touw aan vast kon knopen. Plotseling verscheen een nieuwe serie foto's op het beeldscherm. Negen. Ze hadden allemaal de helft van het formaat van een postzegel.

'Jullie man wist waarschijnlijk niet hoe hij foto's naar een oude laptop moest kopiëren. Of zijn software was corrupt.' Ze gebaarde naar het scherm. 'Dit was zaterdag. De dag voor de aanslag op het Leidseplein.'

'Kijk eens aan,' zei Van der Berg. 'Maak eens wat groter.'

Hij werd onthaald op een sarcastisch glimlachje.

'Goh, daar was ik zelf nog niet opgekomen,' zei Aisha opgewekt.

Opnieuw de dansende vingers. De afbeeldingen werden inderdaad groter, maar door de grove pixels was het onmogelijk om details te onderscheiden.

Naar het fletse daglicht te oordelen waren ze buiten genomen, voor een muur, in iets wat eruitzag als een steegje. Op elke foto stonden drie gestalten. Een van hen had ongeveer de lengte en de bouw van Bowers. De tweede was te lang om de onbekende man in de eerste serie foto's te kunnen zijn. De derde was even lang, maar misschien iets slanker. Dezelfde man? Iemand anders? Het was onmogelijk te zeggen.

'Kun je er niet wat meer van maken?' vroeg Vos.

Aisha schudde haar hoofd.

'Dat gaat niet lukken. De oorspronkelijke bestanden staan niet op de schijf. Ik heb hier alleen de *thumbnails*. Ik kan ze zo groot maken als ik wil, maar ze zijn iets van honderd bij vijftig pixels. Dat is vijfduizend beeldpunten. We hebben wel software waarmee ik kan proberen ze te interpoleren, maar' – ze trok een gezicht naar de laptop – 'er zit gewoon te weinig informatie in. Sorry.'

'Shit,' zei Bakker.

'Er is nog een andere manier,' opperde Aisha. 'Jullie zouden die Nokia kunnen opsporen.'

Van der Berg belde naar het mortuarium en vroeg om de lijst met persoonlijke bezittingen die met Pijpers waren meegekomen.

'Hebbes,' zei hij, en hij haastte zich de trap af om het telefoontje te halen. Hij kwam hijgend terug met een bewijszak waarin een lompe oude Nokia zat. Op de behuizing zat een bloedvlek.

'Nu wordt het interessant,' zei Aisha. Ze haalde met gehandschoende vingers het mobieltje tevoorschijn. 'Even zien of hij moet worden opgeladen.' Ze leek intuïtief te weten op welke knop ze moest drukken. 'Nee!'

Het scherm kwam tot leven en haar gezicht betrok.

'Is dit een geintje, Dirk? Ik vroeg om Pijpers' telefoon. Geen ding uit de kringloopwinkel.'

Van der Berg schonk haar een nijdige blik.

'Dat is zijn telefoon. De AIVD heeft Pijpers naar het ziekenhuis gebracht. Wij hebben hem opgehaald nadat hij dood was verklaard. Het mortuarium heeft de lijst met persoonlijke bezittingen opgesteld. Dat is het ding dat hij bij zich had.'

Ze draaide de telefoon om en liet hem aan de anderen zien. Op het schermpje stond: START SETUP WIZARD?

'Hij is gereset. Gewist. Geen foto's. Geen gesprekkenlijst.' Ze opende de achterkant en zocht naar iets. 'Shit. Er zit niet eens een simkaart in. Wat moet ik daar nou mee?'

Bakker keek naar Vos. Van der Berg ook.

'Jij bent hier het genie, Aisha,' zei Vos. 'Je kunt vast wat bedenken.'

Ze leek het niet als een compliment op te vatten. 'Toch?'

'Geen idee. Ik zal op onderzoek uit moeten. Het is tot daaraan toe om bestanden van een harde schijf te plukken.' Ze gebaarde naar de telefoon. 'Maar dit is een heel ander verhaal. Zeker als iemand hem heeft gereset.'

'Waarom is dat ding gewist?' vroeg Bakker op scherpe toon. 'Kan zoiets per ongeluk? Is het hier gebeurd? Op Schiphol? Of...'

Vos' telefoon ging. Hij gebaarde dat ze stil moest zijn. Nadat hij de verbinding had verbroken zei hij: 'Die vragen moeten tot later wachten. Inlichtingen heeft de naam van Bouali's vriend.'

De straatvegers waren bezig hun werk in de rosse buurt af te ronden. De smalle klinkerstraat was klaar voor een volgende drukke avond. Hanna Bublik liep de Spooksteeg in en bleef voor de deur van het pand van Yilmaz staan. Ze aarzelde en dacht na.

Het volgende moment doemde naast haar een grote, gespierde gestalte op. Het gebeurde zo plotseling dat ze een schrikbeweging maakte. Ze keek in het glimlachende gezicht van de Turk.

Yilmaz droeg een zwarte leren jas die tot aan zijn schenen reikte. In zijn rechterhand had hij een plastic tas van een van de Aziatische supermarkten in de buurt.

'Hou je van Thais eten, mevrouw Bublik?'

'Ik heb geen trek.'

'Het is beter dan Chinees. Gezonder.'

Ze vouwde haar armen over elkaar en leunde tegen de muur.

'Hebben wij iets te bespreken?' vroeg hij.

'Zeg jij het maar. Heb je iets gehoord?'

Opnieuw die lach.

'Hoe vaak moet ik dat nu nog zeggen? We moeten eerst tot zaken komen voor ik me ermee ga bemoeien.' Hij pakte een appel uit de tas en nam een grote hap. 'Anders verspil je je eigen tijd en die van mij. En ik kan me zo voorstellen dat jouw tijd nog kostbaarder is.'

Yilmaz stak een hand uit en toetste een code in voor de deur. Ze keek aandachtig toe.

'Nou?'

'Oké,' zei ze. 'Ik doe mee.'

Er verscheen een brede glimlach op zijn gezicht.

'Goed zo. Je hebt eindelijk het licht gezien. Je zult er geen spijt van krijgen.'

'Heb je nieuws?'
Hij duwde de deur open.

'We zullen eerst wat formaliteiten moeten afhandelen. Kom binnen, alsjeblieft.'

Ze aarzelde. Niet omdat ze bang was. Dat was ze nooit.

'Ga je gang,' zei Yilmaz. Hij pakte haar bij de arm, duwde haar in de lift en toetste opnieuw een code in terwijl ze toekeek. 'Het is hier koud, maar ik heb een open haard. Maak het jezelf makkelijk.'

Toen hij terug was op zijn kantoor kreeg Vos de details. De man die op de foto's van Ferdi Pijpers' gewiste telefoon met Martin Bowers stond te praten was Saif Khaled. Inlichtingen had een dossier over hem. Ze vermoedden dat de AIVD nog meer informatie had, maar Mirjam Fransen nam haar telefoon niet op. Haar assistent zei dat ze bij de familie van Thom Geerts was, en er was momenteel weinig animo om de Marnixstraat te helpen.

Hij kreeg de indruk dat ze de politie de schuld gaven van de schietpartij op Schiphol de avond ervoor. Niet dat ze dat durfden te zeggen. Het leek bovendien zinloos om te proberen meer informatie los te krijgen over een eventuele tap op Henk Kuyper. De inlichtingendienst had daar, voor zover hij dat kon beoordelen, niets aan gedaan.

Khaled was zevenenveertig en geboren in Egypte. Hij was actief geweest in Palestina en Syrië alvorens hij tien jaar geleden politiek asiel had aangevraagd in Nederland. Hij noemde zichzelf een 'activist', net als Henk Kuyper. Ook in zijn geval was het onduidelijk wat dat betekende. De informatie die Vos had gevonden wees erop dat hij een sympathisant was die door de jaren heen zijn steun had betuigd aan een aantal extremistische groeperingen. Er waren echter geen aanwijzingen dat hij zich schuldig zou hebben gemaakt aan illegale activiteiten, fondsenwerving of publiekelijke uitspraken die tot vervolging zouden kunnen leiden. Hij had ook in de pers zijn zegje gedaan en sprak op openbare bijeenkomsten. Volgens een van Pijpers' buren was dat de reden geweest voor het feit dat de ex-militair Khaled en de mensen met wie hij contact had was gaan volgen. Het was een soort obsessie geworden.

Khaled woonde in een smal pand aan de rand van de Chinese buurt. Het pand was eigendom van een lege vennootschap die in Jemen was gevestigd. Er verbleven af en toe mannen. Nooit lang. Meer viel er niet te melden.

‘En?’ vroeg Bakker nadat ze de teleurstellende hoeveelheid informatie op de computer hadden gelezen.

Vos draaide zich om naar Van der Berg en vroeg of Inlichtingen misschien een link had gevonden tussen Khaled en de lokale misdaadorganisaties. Of dat ze iets hadden gehoord over een bende die een nieuwe afpersingskandidaat had.

‘Het enige wat ze daar horen zijn sinterklaasliedjes,’ zei de rechercheur met een zucht. Hij drukte een dikke vinger op de foto van Khaled op het beeldscherm. ‘Of je het leuk vindt of niet, hij is het enige wat we hebben.’

‘Klopt,’ beaamde Vos. ‘Oké. Jij blijft hier en kijkt of je nog wat meer te weten kunt komen. Laat het huis van Khaled onopvallend in de gaten houden. En zorg ervoor dat ze vragen stellen in de buurt.’ Hij stond op en knikte naar Bakker. ‘Wij pakken de fiets.’

Het was bijna twaalf uur.

‘En als die lui eerder bellen?’ vroeg Bakker.

Vos haalde de oude Samsung uit zijn zak en hield hem voor haar neus. De batterij was bijna vol.

De Groot kwam binnen met een paar mannen van Specialistische Operaties. Ze hadden een klein, rood koffertje bij zich. De commissaris vroeg ze het ding op het bureau te leggen en open te doen.

De bovenste laag bestond uit biljetten van vijftig euro. Net voldoende om overtuigend te lijken. Iets minder dan duizend euro echt geld.

‘Ik neem aan dat het gemerkt is?’ vroeg Vos.

‘Tot en met het laatste biljet,’ bevestigde een van de mannen van Specialistische Operaties. ‘Ultraviolet. We kunnen alles traceren.’

Hij trok een latex handschoen aan en schoof voorzichtig een paar bankbiljetten opzij. Eronder lagen stapeltjes wit papier die in hetzelfde formaat waren gesneden.

‘We hoeven ze alleen maar lang genoeg voor de gek te houden om binnen te komen,’ zei De Groot met iets van spijt in zijn stem. ‘Oké. Dat was het. Als we weten waar de overdracht plaatsvindt sturen we de teams erheen.’

Stilte. Toen een diepe zucht van Bakker.

‘Tenzij jij een ander idee hebt,’ voegde de commissaris eraan toe.

‘We zijn nog steeds bezig met het onderzoeken van aanwijzingen,’ zei Vos. ‘Ik spoor haar liever zelf op, als het even kan. Laura, ga je mee?’

'Waar gaan jullie...?' begon De Groot.
'Dirk,' zei Vos, terwijl hij naar de deur liep. 'Praat hem even bij.'

Renata Kuyper kwam niet vaak in het kantoor van haar echtgenoot. Dat vond hij niet prettig. Hij zei dat hij een plek voor zichzelf nodig had om rustig te kunnen denken. Maar als ze de trap op kwam met koffie had hij daar geen bezwaar tegen.

Ze bracht hem een kopje, zette het op zijn bureau bij het raam en trok de andere stoel naar zich toe. De bovenste kamer van het huis, direct achter het trapgeveltje. Je kon er je kont niet keren, maar hij leek het heerlijk te vinden om zich op te sluiten in het hok dat uitkeek over de Herenmarkt, de kinderspeelplaats, de bomen en het antieke pissoir.

Zijn ogen bleven op de computer gericht. Hij was die ochtend opmerkelijk stil geweest. Misschien begon er iets aan hem te knagen – het geweten dat hij had begraven. Dat zou het alleen maar pijnlijker maken, maar aangezien hij een man was, zou hij dat waarschijnlijk nooit begrijpen.

'Henk...'

'Ik heb geen puf meer om weer ruzie te maken. Sorry.'

Ze raakte even zijn arm aan en glimlachte naar hem in een poging om aan te geven dat ze ook met hém te doen had.

Het kamertje was altijd koud in de winter. Dat leek hij prettig te vinden. Hij had iets van een kluizenaar of een monnik, zoals hij zich hier verschanste.

'Ik kom geen ruzie maken. We moeten praten.'

Hij klikte het venster weg waarin hij had zitten werken – een e-mailtje, maar ze had de inhoud niet gezien – en duwde zijn stoel van het bureau af.

'Als je wilt dat ik mijn vader probeer over te halen om je in huis te nemen, zeg je het maar. Je moet je niet gedwongen voelen om hier te blijven. Niet als je dat niet wilt.'

Ze had kunnen weten dat Lucas hem zou bellen. Ze waren tenslotte vader en zoon. En er was ondanks alle verschillen nog steeds iets van een band tussen hen. Ze was ervan overtuigd dat Lucas hem over zijn voorwaarden met betrekking tot het losgeldverhaal had verteld. Daar viel niet aan te ontkomen. En eigenlijk wilde ze dat ook niet. Zijn vader had waarschijnlijk gelijk. Het was nog een laatste poging waard.

'Ik kan ook echt geen geheimen hebben, hè?' zei ze. 'Is er hier nog íémand die ik iets kan toevertrouwen?'

'Hij maakt zich zorgen over ons. Wat had je dan verwacht?'

Ze pakte wat papieren van het bureau. Saaie milieurapporten. Dingen die hij altijd liet rondslingeren. Vermoedelijk om de schijn op te houden.

'Waar ben je mee bezig?'

'Weer zo'n verrekte illegale kap op Sumatra. Een club daar die opkomt voor de orang-oetans heeft me om hulp gevraagd.' Hij trok een gezicht. 'Ze kunnen me uiteraard niet betalen.'

Hij was niet lang na hun trouwen naar Borneo geweest. Dat zei hij tenminste. Ze wist eigenlijk nooit waar hij precies naartoe ging op zijn reizen. De dingen waarmee hij thuiskwam, cadeautjes voor haar en Saskia, waren meestal typische vliegveldprullaria. Misschien kocht hij ze wel gewoon op Schiphol.

'Ik zou wel eens willen weten hoe het zover met ons is gekomen. Jij niet?'

Hij sloeg zijn armen over elkaar.

'Achterhalen waar we de verkeerde afslag hebben genomen,' voegde ze eraan toe. 'En dan de andere kant op gaan.'

Hij slaakte een zucht en staarde naar zijn armen.

'Ik kan niet ongedaan maken wat er is gebeurd.'

Hij nam alles zo letterlijk.

'We zouden eraan kunnen werken om dat achter ons te laten. Voor Saskia. En ook voor onszelf.'

Henk Kuyper knikte.

'Denk je dat dat kan?'

'Lucas vindt dat we het moeten proberen. Daar is hij van overtuigd.'

Hij lachte, en even was hij weer jong.

'Mijn vader wordt nooit geplaagd door twijfel. Maakt niet uit waar het om gaat. Toch?'

Ze bleef hem aankijken.

'Ik wil geld bij elkaar zien te krijgen voor dat meisje. Lucas zegt dat hij wil helpen. Ik wil dat wij ook bijdragen wat we kunnen.'

Tot haar verbazing schonk hij haar geen geërgerde blik. En hij zei ook niet dat ze stom was.

'We hebben niet veel op de bank, schat. Zonder mijn vader...'

Schat.

Wanneer had hij dat voor het laatst gezegd? Hoe gekwetst zou hij zich voelen als ze hem recht in zijn gezicht uitlachte?

In plaats daarvan zei ze: 'Ik heb de afschriften bekeken. We kunnen dertigduizend euro vrijmaken. Het gaat pijn doen, maar we redden het wel.'

Hij begon niet te schreeuwen.

'Heb je dat met de politie besproken? Denk je echt dat het zin heeft? Volgens mijn vader staan de autoriteiten dat niet toe.'

'Misschien hebben ze daar wel niks over te zeggen. Ik heb met Hanna gepraat. Die vrouw.' Ze maakte bijna een sarcastische opmerking. 'Ze heeft niemand anders.'

Hij boog zich naar voren en nam haar handen in de zijne.

'Ze laten je dat geld nooit betalen. We hebben het over de politie. De staat. Zij zijn degenen die hier aan de touwtjes trekken.'

'Niet aan mijn touwtjes,' zei ze vastberaden. 'En ook niet aan die van jou. Of wel soms?'

Ook nu katte hij haar niet af.

'Dus je wilt het geld overdragen zonder dat ze ervan afweten?'

'Misschien.'

'Hoe?' vroeg hij.

'Ze heeft contacten in die kringen. Ze zegt dat ze misschien wel iets kan regelen. We moeten het proberen. Ik kan hier niet zitten duimendraaien in de wetenschap dat haar dochter ergens wordt vastgehouden... en dat het eigenlijk Saskia had moeten zijn. Dat vertik ik.'

Er klonk een *ping*. Een nieuwe e-mail op de computer. Hij keek er niet eens naar.

'Wat wil je dat ik doe?'

'Ga naar de bank. Neem op wat je kunt. Breng het hier. Ik praat wel met Hanna. Met je vader. Om te zien wat we kunnen doen.'

Hij leek geamuseerd.

'Er is niks grappigs aan deze toestand,' zei ze.

'O nee? Moet je ons nou zien. De koning en de koningin van de hopeloze gevallen. Ik probeer een paar bedreigde apen in een regenwoud te redden. En jij,' – hij maakte zijn handen los uit die van haar – 'jij probeert iemand te helpen... die...'

Hij bracht zijn hand naar zijn voorhoofd. Ze vroeg zich af of ze hem ooit zo duidelijk pijn had zien lijden. En of ze er misschien zelfs van genoot.

'Ga gewoon naar de bank en haal dat geld, Henk.'

'Oké,' zei hij. Hij stond meteen op, kuste haar voorzichtig op de wang en liep de smalle trap af.

De voordeur sloeg met een klap dicht. De muren van het oude huis trilden zoals altijd door de schok. Ze liep naar het raam en zag hem de Herenmarkt op lopen. Hij keek even omhoog en zwaaide.

Zij ook. Niet overdreven. Dat zou niet gepast zijn.

Er klonk opnieuw een *ping* uit de computer. Nog een e-mail. Normaal gesproken was hij heel voorzichtig. Hij meldde zich altijd af en had altijd een toegangscode op zijn mobieltje.

Maar vandaag niet.

Ze liep naar de computer en ging op zijn stoel aan het bureau zitten. Krakend en versleten door het vele gebruik. Al die uren die hij hier zat te werken. Voor zaken waar hij het nooit over had. Ontmoetingen met mensen die ze nooit zag.

Renata bewoog de muis, en het beeldscherm kwam tot leven. Ze nam goed in zich op waar alles op het scherm stond. Hij mocht niet merken dat ze haar neus in zijn zaken had gestoken. Deze kant van hem – 'het werk' – was alleen van hem.

Ze nam rustig en nauwgezet zijn bestanden door. Er was niet veel, afgezien van de e-mails en een paar documenten. Wat foto's van Saskia. Een paar van haar tijdens hun huwelijksreis op een binnenhof in het Alhambra in Granada. Van één afbeelding maakte haar hart een sprongetje: Henk en zij samen op een Spaans strand, zijn arm om haar schouders. Hij zag er jong, knap en fit uit in zijn blote bast en het kleine zwembroekje. Zij droeg een bikini. Een van haar favoriete. Maar ze had hem ergens laten liggen. Hij zou haar nu sowieso niet meer passen.

Lang voordat hij terugkwam stond ze op en ging naar beneden om nog een kop koffie te zetten.

En om na te denken over wat ze had gezien.

Niets over Sumatra of orang-oetans in elk geval.

Ze vroeg zich af of dat wel een verrassing was.

Vos stopte bij Kaashuis Tromp en kocht twee kaascroissants. Vervolgens reden ze al kruimels morsend langs De Drie Vaten en over de hobbel van de Berenstraatbrug het centrum in. Een paar meter voor het Spui had Vos zijn croissant op. Hij maakte een prop van de papieren zak en gooide die zonder af te remmen in de dichtstbijzijnde vuilnisbak. Bakker waagde ook een poging, maar miste. Ze stapte vloekend af, raapte de prop van straat en gooide hem in een afvalbak.

Vos was blijven staan en keek ernaar.

'Ik leer het nooit,' klaagde ze.

'Maak je geen zorgen. Oefening baart kunst.'

Ze stapte nog niet op. Er was iets wat direct moest worden afgehandeld.

'Waar is Hanna?' vroeg Bakker.

'Geen idee,' antwoordde Vos eerlijk. 'Ik wou dat ik het wist. Ik wou dat we haar konden laten beveiligen door een stel agenten, maar dat kan niet. Ze is niet zo. En we kunnen er niks aan veranderen. Daar is ze te slim voor.'

Bakker reageerde niet. Dat kwam niet vaak voor.

'Wat zou jij doen als je in haar schoenen stond?' vroeg Vos.

'Alles wat in mijn vermogen lag. Ik zou in elk geval niet blijven afwachten totdat de politie een keer in actie kwam. Ik bedoel...' Ze gooide haar haar naar achteren en bond het samen met een elastiekje. 'We hebben tot nu toe niet echt veel bereikt, toch? Behalve compleet naast de pot piesen.'

Laura Bakker wilde zo graag dat de wereld haar zag als een zelfverzekerde, capabele jonge politieagente. Wat ze meestal ook was. Maar ze straalde nog steeds iets onzekers uit. Dat was al zo sinds het begin, toen ze bang was dat De Groot haar geen vaste aanstelling zou geven omdat hij haar ongeschikt zou vinden voor het werk. Vos moest nog steeds iets bedenken om dat te verhelpen.

'Dit is geen exacte wetenschap. We zijn niet bezig met het invullen van een spreadsheet. Soms werken dingen gewoon niet. In elk geval niet zoals we hadden bedacht.'

'En dan?'

'Dan gaan we terug naar het begin en proberen we het nog een keer. Als er een andere manier is om dit op te lossen ben ik blijkbaar te stom om die te zien.'

Ze stapte nog steeds niet op haar fiets.

'Ik kan het idee gewoon niet verdragen dat we Natalya niet vinden, Pieter. Ik weet niet wat...'

'We vinden haar wel.'

'En als dat niet lukt?'

'Hoe kan ik daar nou een antwoord op geven?' zei hij geërgerd. 'Wat verwacht je dat ik zeg?'

Ze reageerde niet. Ze had op dat moment evengoed een tiener kunnen zijn.

'Wordt het ooit makkelijker? Word je gewoon... harder van al die shit? Ik bedoel...'

'Nee,' onderbrak hij haar, en hij keek op zijn horloge. 'Zo werkt het niet. En loop me niet op de kast te jagen. Over drie uur krijg ik te horen hoe we een koffer met nepgeld moeten overdragen om het leven van een kind te redden. Ik zou het ook liever anders zien. Kunnen we nu gaan?'

Ze schonk hem een geërgerde blik.

'Jij was degene die stopte voor een kaascroissant. Niet ik.'

Vos vloekte zachtjes, wat niet zijn gewoonte was. Voordat ze nóg een vraag kon stellen die hij onmogelijk kon beantwoorden stapte hij op en reed weg.

Het was te warm in de woonkamer van Cem Yilmaz. Ze kon de houtblokken op het vuur ruiken en de dichte rook proeven die ervan afkwam. Onder in haar tas fluisterde het pistool tegen haar. Ze wist nu hoe ze het moest gebruiken. Ze had het opgezocht op een computer in een café, niet ver van waar ze woonde.

Het was duidelijk dat hij iets van haar wilde. Een bewijs van haar toewijding. Zo werkte dat in deze business, en Yilmaz was een van de drukste en machtigste pooiers van de stad. Maar hij was niet zoals de rest. Tenminste, dat dacht ze. Hij was een 'zakenman'. Hij deed alles legaal. Hij was er om andere mannen te geven wat ze wilden.

Ze ging zitten en dronk van zijn te sterke koffie. Luisterde naar hem terwijl hij uitlegde wat hij ging doen. Hij zou zijn voelhoorns uitsteken en via zijn contactpersonen laten weten dat ze aanbood het losgeld rechtstreeks te betalen, zonder tussenkomst van de politie. Geen van hen, zo benadrukte Yilmaz, maakte deel uit van het criminele circuit. Maar ze kenden mensen en hoorden dingen.

Als ze geluk had, zou een van hen op de proppen komen met een link naar degene die Natalya vasthield. En dan konden ze proberen tot een ruil te komen.

Ze vertelde hem wat Vos had gezegd over de nieuwe eisen. Hij trok niet één keer Vos' aanname in twijfel dat de ontvoerders Natalya hadden overgedragen aan criminelen die meer ervaring hadden met de complicaties die bij afpersing kwamen kijken. Het was goed mogelijk dat hij iets wist, maar dat hij zijn mond erover hield. Of het lag inderdaad net zo voor de hand als Vos leek te denken.

'Ik heb thuis een zusje,' zei Yilmaz toen ze haar koffie ophad. 'Ik weet hoe belangrijk familie is. Het is uiteindelijk het enige wat telt.'

'Ik wil haar gewoon terug.'

Hij knikte.

'Uiteraard. Ik zal doen wat ik kan.'

'Wat het geld betreft…'

'Het bedrag dat ze vragen is belachelijk, dat weten ze zelf ook.'

'Ze willen íéts, en die imam is dood.'

Hij glimlachte. Grote tanden. Een rond gezicht. Deze gespierde man straalde autoriteit uit.

'Iedereen wil iets. Dat zorgt ervoor dat de wereld in beweging blijft. Laten we eerst maar eens zien of we contact kunnen leggen. Of we ze rechtstreeks met jou kunnen laten praten. En dan…' Hij keek haar aan met zijn donkere, intelligente ogen. 'Je zult wel ergens mee over de brug moeten komen.'

'Ik zal mijn best doen. Kun jij bijspringen?'

'Wil je een gift?'

'Nee. Een lening.'

Yilmaz nam haar van top tot teen op.

'Je bent een aantrekkelijke vrouw. Helemaal als je zou leren glimlachen. Je hebt nog een jaar of vier, vijf, misschien zeven werk in je. Voor wat ik in gedachten heb, in elk geval. Hoeveel denk je dat je in die tijd zou kunnen verdienen?'

Ze zou hem het liefst aanvliegen.

'Geen idee.'

Opnieuw die onderzoekende ogen, alsof ze een zakelijk voorstel was dat werd bestudeerd.

'Ik zou netto tienduizend euro per jaar aan je kunnen overhouden. Als ik je een toelage geef om van te leven, zou je dan bereid zijn om alles wat je verdient aan mij af te dragen? Om je dochter te redden?'

'Tot de laatste cent,' zei ze zonder ook maar één moment te aarzelen.

'En 's avonds in de bediening te werken als ik je dat vraag? Geen privételefoontjes onder werktijd. Dat sta ik niet toe.'

'Als het moet.'

'Prima.' Hij dacht even na. 'Zeventigduizend euro is een hoop geld.'

'Maar niet genoeg,' zei ze zacht.

'Probeer dan nog wat meer te vinden. Ik onderhandel wel.'

Yilmaz stond op en ging voor het vuur staan om zijn rug te warmen. Hij keek haar aan. Ze kende die blik.

'Ik moet weten waar ik voor betaal,' zei hij, en hij haalde nonchalant zijn schouders op. 'Ik neem aan dat je dat begrijpt.'

Ze trok haar zwarte jack uit en zei: 'Hoe wil je het?'

Hij wees op een lage, leren chaise longue die in een nis stond, uit het zicht van het raam.

'Kleed je uit. Ga daar liggen. Op je buik.' Hij stak een hand uit naar de houten schoorsteenmantel en pakte er iets van af wat eruitzag als een pot crème. Hij keek er even naar en zette hem weer terug. 'Het duurt niet lang.'

Achter het raam had ze nog iets van controle. Dat was een paar uur lang haar eigen plekje. Ze kon kiezen en nee zeggen als ze dat wilde.

Maar hier niet.

De trui ging uit. En vervolgens de schoenen, de sokken en de spijkerbroek. Even later stond ze naakt voor hem. Ze zag alle onvolkomenheden, de vlekken, de striae, hier en daar een litteken. Huid en haar. Hardhandig betast, dag in, dag uit. Niet dat ze daar nog vaak over nadacht.

Je wist nooit wat ze wilden. Onder andere omstandigheden vroeg ze daar altijd naar en zei ze: 'Dit mag je doen, dat niet.'

Maar ze herinnerde zich hoe Yilmaz de dag ervoor met de potige knul had geworsteld. Ze kon onmogelijk weten wat hij bij wijze van 'entree' van haar zou verlangen. Het had ook geen zin om ernaar te raden.

De chaise longue zag er tegelijkertijd duur en goedkoop uit. Het leer glom, maar was zacht van het vele poetsen. Ze ging liggen, legde haar kin op haar armen en hield haar hoofd recht. Ze nam niet eens de moeite om naar hem te kijken en deed alleen haar blote benen een stukje uit elkaar.

Ze hoopte dat hij niet had gelogen toen hij zei dat het niet lang zou duren.

Er klonk een geluid dat ze niet goed kon plaatsen. Alsof de houtblokken in het vuur van positie veranderden om beter te kunnen zien wat er zou gaan gebeuren. En toen voetstappen. Ze voelde dat hij zich over haar heen boog en hoorde het zachte, ritmische geluid van zijn fluitende adem.

'Een man moet zijn stempel zetten,' zei Yilmaz. Hij ramde met kracht een grote knie in haar rug en trok haar hoofd opzij zodat haar rechterwang in het leer werd gedrukt.

Plotseling voelde ze een pijn, zo intens en zo onverwacht, dat ze begon te gillen en te huilen, te kronkelen en te vechten. Iets heets en ondraaglijks brandde zich in haar schouder.

Ze rook een geur die ze door de intense pijn niet onmiddellijk herkende. Maar toen kwam het besef. Verschroeid vlees.

Niet lang, had hij gezegd. Maar een paar martelende seconden. Hij liet haar los en stond op. Hij ademde met horten en stoten.

Ze draaide zich op haar linkerkant. Dat deed het minste pijn. Ondertussen zag ze hem teruglopen naar de schoorsteenmantel.

Hij stak een lange ijzeren staaf in het vlammende haardrooster. Het ding leek op een dun zwaard met aan het uiteinde een merkteken van smeulend rood. Hij pakte de pot crème en haalde iets wat eruitzag als een wondkompres uit een houten doos die op de schoorsteenmantel stond.

Hij pakte een barokke handspiegel zoals in Britse films werd gebruikt door dames uit de betere kringen.

'Kom overeind,' beval hij. Ze stikte bijna van woede en haat, maar ze gehoorzaamde.

De brandlucht wilde niet weggaan. Hij kwam van haar eigen lichaam.

Yilmaz liep om haar heen en zei tegen haar dat ze achterom moest kijken.

Eén blik in de richting van het raam en ze wist wat ze in de ovale spiegel zou zien. Op haar rechterschouder was in de huid een sierlijk embleem gebrand, de bron van de folterende pijn. Het zag eruit als de letters 'CY' in een vreemd schrift. Er zaten bloederige, bruine rimpels in het vlees waar hij haar had gebrandmerkt.

Ze had het kunnen weten. Niet dat het er iets toe deed. Ze zou hem sowieso zijn gang hebben laten gaan. Als ze het van tevoren had geweten, zou dat het alleen maar erger hebben gemaakt.

'Hier,' zei hij, en hij gooide haar de crème en het verband toe. 'In de badkamer vind je pijnstillers.'

Haar hersenen werkten niet goed. Ze kon niet eens aan Natalya denken. Alleen maar aan hoe klein en zwak en kwetsbaar deze man haar had laten voelen.

'Kleed je aan. En slik een paar van die pillen. Je bent nu een van mijn meisjes. Net zoals de rest. Ze weten binnenkort allemaal wie je bent. En dat geldt ook voor de mannen die ik je stuur.'

Bevend, met open mond, voorovergebogen en kreunend van de pijn klampte ze zich aan het goedkope jack vast, alsof het haar op de een of andere manier bescherming bood.

'Maak dat je wegkomt!' riep hij. 'Ik wil je zo niet zien.'

Yilmaz reikte in zijn zak en haalde een biljet van vijftig euro tevoorschijn.

'Tot vrijdag werk je niet. Hier kun je even mee vooruit. Je wordt gebeld door iemand die je vertelt wat je moet doen en met wie.' Hij wees met zijn vinger naar het bloedige merkteken op haar rug. 'Als een man dat te zien krijgt, en hij is niet via mij gekomen, kom ik erachter. Vergeet dat niet. En nu wegwezen.'

Ze pakte het geld en haastte zich de badkamer in. De wond was te zacht en te vers voor de crème. Ze drukte heel voorzichtig het kompres erop, waste haar gezicht en droogde de tranen. Ze ging op het toilet zitten.

Snikkend. Bang. Vervuld van haat.

Na een tijdje kon ze weer denken.

Ze had haar tas bij zich. Ze haalde er een balpen uit en krabbelde de code van de voordeur en die van de lift op de binnenkant van haar linkerarm.

Hij keek niet naar haar toen ze een kwartier later vertrok, de Spooksteeg in stapte en op onvaste benen weg wankelde over de klinkers.

En vervolgens deed ze iets wat ze nooit eerder had geprobeerd, hoewel veel mannen het haar hadden aangeboden. Ze liep de dichtstbijzijnde coffeeshop binnen – die hoogstwaarschijnlijk ook van Yilmaz was – en kocht een voorgedraaide joint.

Ze wist niet goed hoe ze hem moest vasthouden of wat ze precies kreeg. Hoe sterk het spul was. Hoe snel ze erdoor zou wegzakken in de vergetelheid waar ze zo naar verlangde.

Je mocht binnen geen sigaretten opsteken. Ze rookte trouwens niet eens. Ze liep naar buiten en ging in de kille, vochtige winterlucht op een stoel zitten naast een stel stonede mafketels. Ze vroeg aan een van hen een vuurtje en zoog de dichte, zware rook naar binnen.

Ze sloot haar ogen en keek in de zwarte leegte die zich binnen in haar bevond. Een leegte waaraan geen einde leek te komen.

Saif Khaled woonde in een smal voetgangersstraatje niet ver van de Zeedijk. Chinese winkels en supermarkten. De exotische geuren van een nabijgelegen restaurant vulden de lucht.

Bakker zette haar fiets tegen de smoezelige stenen muur en drukte op de bel. Vos stond een stukje verderop en bekeek het huis. Drie verdiepingen, en onder aan een trap een souterrain met een verduisterd raam en een deur.

Het duurde een minuut tot er iemand opendeed. Khaled zag er bijna net zo uit als op de foto's van Ferdi Pijpers. Een volle zwarte baard, golvend, glanzend haar. Eind dertig, rustig type. Hij bromde toen Bakker haar politielegitimatie toonde en vervolgens op haar tablet de foto's van het weekend ervoor liet zien.

'Het verbaast me dat jullie er zo lang over hebben gedaan,' zei hij terwijl hij hen binnenliet.

Een opgeruimd huis. Schone vloeren. Schone kamers. De geur van ontsmettingsmiddel vermengd met wierook. Hij ging hun voor naar een woonkamer, liep naar de keuken en kwam terug met drie koppen muntthee.

Vos nipte ervan. Hij had moeite met het hete glas. Bakker wees Bowers aan op de foto's.

'Bouali,' corrigeerde Khaled toen ze zijn naam noemde. 'Hij zei dat hij Bouali heette.'

Khaled vertelde zijn verhaal. Vlot en zonder omhaal. Hij nam af en toe moslims in huis die in de problemen zaten. Jongens die geen geld hadden, niet wisten hoe het verder moest en hulp zochten. Hij bood ze tijdelijk onderdak om ze er weer bovenop te krijgen. Meestal werden er geen vragen gesteld. Niemand bleef langer dan een week. Dat was een strikte regel waar niet van werd afgeweken.

'Wie betaalt dat eigenlijk?' vroeg Bakker zich af.

'Ik heb familie die het zich makkelijk kan veroorloven.' Hij hief zijn glas alsof hij een toost uitbracht. 'Naastenliefde kost niet veel. Hij zei dat hij een plek zocht om te slapen. Hij vroeg niet om geld. Alleen een bed.'

Khaled keek opnieuw naar de foto's op Bakkers tablet.

'Wie heeft die genomen? Jullie mensen?'

'Een doorgedraaide ex-militair,' zei Vos. 'De man die Ismail Alamy gisteravond heeft doodgeschoten.'

Hij keek opnieuw naar hen.

'Volgde hij mij? Of Bouali?'

'Dat weten we niet.'

Hij keek alsof hij het niet geloofde.

'Echt? Die Brit had mijn naam ergens vandaan. Hij belde me en wilde me spreken. Ik wilde hem niet hier ontvangen, dus we hebben op straat afgesproken. Ik heb hem aangehoord en nee gezegd.'

'Waarom?' vroeg Vos.

'Hij was niet eerlijk tegen me. Ik hoef niet veel te weten, maar ik verwacht wel een fatsoenlijk antwoord op mijn vragen. Hij was nog niet lang moslim, en hij wilde niet zeggen waarom hij hier was...'

'Waarom verwachtte je ons eigenlijk?' vroeg Bakker.

Het vriendelijke masker verdween.

'Ik lees ook kranten. Ik heb gezien wat er met hem is gebeurd.'

'Je had naar ons kunnen komen om je verhaal te vertellen,' opperde Bakker.

'Wat had ik dan moeten zeggen? Ik heb die man maar tien of vijftien minuten gesproken. Eén keer. Het enige wat ik weet is dat hij een dak boven zijn hoofd zocht. En misschien iemand om mee te praten.'

'Je had het toch moeten vertellen,' zei Vos.

Dat was tegen het zere been.

'Hoezo? Uit een of ander misplaatst plichtsgevoel? Die mafkees heeft foto's van me gemaakt. Moet ik echt geloven dat jullie het niet wisten? Alleen omdat ik moslim ben. En vervolgens schieten jullie Ismail Alamy...'

'Wij hebben hem niet doodgeschoten,' onderbrak Vos hem. 'Zoals ik al zei, de dader was een doorgedraaide ex-militair. We denken dat hij je naam via de krant heeft. Als Alamy ons aanbod om hem te beschermen had geaccepteerd, zou dit nooit zijn gebeurd.'

'Beschermen?' Khaled wierp de rechercheurs een vuile blik toe. 'Is dat soms een grap?'

'Absoluut niet,' zei Vos. 'Kende jij Ismail Alamy ook?'

Het dunne laagje vriendelijkheid was nu compleet verdwenen.

'Ik had van hem gehoord, maar we hebben elkaar helaas nooit ontmoet omdat jullie hem in de gevangenis hebben gegooid. Zonder gegronde reden, zoals het hof uiteindelijk heeft bepaald.'

'We willen graag even rondkijken,' zei Bakker.

'Mag dat zomaar?' Hij lachte. 'Nee. Als dat zo was, zouden jullie het niet vragen, toch?'

'Als je niks te verbergen hebt...' begon Bakker.

'De grondslag van jullie wetgeving, voor zover ik dat heb begrepen, is dat jullie mijn schuld moeten aantonen. Niet dat ik mijn onschuld moet aantonen. Met Ismail Alamy is het jullie niet gelukt, maar jullie blijven het gewoon proberen.'

Hij stond op en pakte hun glazen van tafel.

'Waar was je afgelopen zondag?' vroeg Bakker terwijl ze hem observeerde.

Khaled dacht even na.

'Ik heb momenteel geen gasten. Ik ben naar de gracht gegaan om even wat mee te pikken van die sinterklaaspoespas. Een ouwe sok met een witte baard. Zwart geschminkte knechtjes die naar zijn pijpen dansen. Waar jullie je mee amuseren...'

'En toen?'

'Toen ben ik naar huis gegaan om te lezen. In mijn eentje. Ik ben niet op het Leidseplein geweest, als jullie dat soms bedoelen. Er is een grens aan de hoeveelheid flauwekul die een mens kan verdragen.'

'In je eentje?' herhaalde ze.

Hij zette hun glazen op een dienblad.

'Ik heb jullie vragen beantwoord. Ik heb Bouali maar een paar minuten gezien. Ik heb nooit met Alamy gesproken of gecommuniceerd. En nu zijn ze allebei dood.' Hij keek haar recht in de ogen. 'Tevreden?'

'Er is een jong meisje ontvoerd,' snauwde Bakker. 'Door mensen die met hen worden geassocieerd. Maak je je daar dan niet druk over?'

Hij haalde zijn schouders op.

'Er is zo veel narigheid in deze wereld. Ik probeer me te richten op dingen in mijn directe omgeving. Dingen waar ik op de een of andere manier invloed op kan uitoefenen. Ik kan niks voor dat meisje doen. Sorry.'

Hij gebaarde naar de deur.

'Misschien hebben jullie ergens anders meer geluk.'

Buiten sprong Bakker bijna uit haar vel van woede. Vos keek opnieuw naar het huis. Veel ruimte voor één man. Voor het restaurant aan de overkant stonden een paar Chinese obers te ruziën met een klant. Iemand die er zonder te betalen tussenuit wilde knijpen. Niet echt een goed idee in dit gedeelte van de stad. Hij zocht in zijn zakken naar geld en probeerde uit het zicht te blijven.

'Wat denk jij?' vroeg Vos.

Bakker haalde haar fiets van de ketting.

'Volgens mij vond hij het leuk om onze tijd te verdoen. We hebben zeker niet genoeg voor een huiszoekingsbevel?'

Hij schudde zijn hoofd, liep naar het restaurant en keek naar de menukaart. De wanbetaler gooide wat geld naar de obers en maakte zich uit de voeten.

'Hou je van chinees?'

'Dit lijkt me niet het juiste moment, Vos.'

Hij draaide zich om en wierp nog een blik op het huis.

'Heb ik iets gemist?' vroeg ze.

'Waarschijnlijk niet. Laten we maar teruggaan naar de Marnixstraat.'

Toen ze halverwege waren ging zijn telefoon. Vos stopte langs de stoeprand om op te nemen.

Ze waren in de Negen Straatjes. Vos' blik bleef onwillekeurig rusten op een etalage met winterkleding voor kinderen. Sneeuwvlokken en rendieren. Dikke wollen mutsen. Duur kinderspeelgoed.

Felgekleurde jasjes. Ook een roze met een pony erop.

Mirjam Fransen, zoals gewoonlijk furieus.

'Waar ben je in godsnaam mee bezig, Vos? Saif Khaled staat op onze *watchlist*. Je mag niet bij hem in de buurt komen zonder onze toestemming.'

Hij vroeg zich af of hij een sinterklaascadeautje voor Bakker zou kopen.

'Ik heb die *watchlist* van jullie nog nooit gezien. Ik ben op zoek naar een meisje.' Hij vertelde haar over de foto van Khaled en Bowers op de telefoon van Pijpers. 'We zullen dat soort aanwijzingen toch moeten checken.'

'Hebben jullie nog iets ontdekt?'

Het ponyjasje kostte vijfenzeventig euro. Dat was waarschijnlijk het bedrag dat een vrouw als Hanna Bublik in een uur of twee verdiende.

'Ik heb ontdekt dat jullie surveillancemensen bij de chinees eten zonder de rekening te betalen. Waarom hadden jullie daar iemand neergezet?'

Stilte.

'Is er soms iets wat ik moet weten?' vroeg hij.

'Waarover?'

'Over Saif Khaled? Martin Bowers? Die telefoontap op Henk Kuyper waar ik om had gevraagd?'

'Hou op met dat gezeur, Vos. Je maakt het alleen maar erger.'

'Kan dat dan nog?'

'Ja.'

'We zullen het complete bedrag aan losgeld moeten meenemen.' Hij probeerde redelijk te klinken en hoopte dat het werkte. 'Niet die koffer met waardeloos papier die door De Groot in elkaar is geflanst. Dat moet jullie lukken. Markeer de biljetten. Stop een gps-tracker in de koffer. En jullie hebben vast nog wel trucjes waar ik niks van weet...'

'Vergeet het maar.'

Vos had een vrij duidelijk beeld van hoe de overdracht zou kunnen verlopen. Er waren voldoende voorbeelden van afpersing en kidnapping uit het verleden. Een handlanger, soms iemand die van niets wist, werd op pad gestuurd om het losgeld op te halen. Hij controleerde of het geld er was en nam het mee naar iemand hoger in de pikorde. Een stapel papier zou ze maximaal een paar minuten om de tuin leiden. Een paar tellen later zou de contactpersoon aan de telefoon hangen.

Hij liep een stukje weg zodat Bakker hem niet kon horen.

'Als we het spel niet volgens hun regels spelen...'

'Dit is jouw zaak, Vos,' zei ze. Ze deed niet eens een poging haar minachting te verbergen. 'Dat zijn je eigen woorden. Regel het zelf maar. Zolang je maar geen gemeenschapsgeld aan criminelen geeft.' Ze verbrak de verbinding.

Bakker slenterde zijn kant op. Vos belde Hanna Bublik. Nog steeds haar voicemail.

'Jezus, Hanna,' fluisterde Vos. 'Waar zit je?'

Vervolgens liet hij opnieuw een boodschap achter.

De Nokia-telefoon die in de zak van de dode Ferdi Pijpers was gevonden was uit elkaar gehaald en lag nu in een plastic bakje. Aisha Refai rommelde met een pincet tussen de onderdelen en bestudeerde juist het zestien gigabyte flashgeheugen toen Thijs binnenkwam, de freelance-telefoongeek. Hij was drieëntwintig, lang en enthousiast. Hij werkte als consultant voor telecombedrijven in de stad. Ze belde hem alleen als ze vastzat. Dat wist hij ook.

Thijs staarde naar de gedemonteerde telefoon op het bureau en zei: 'Waar ben jij in godsnaam mee bezig? Een N96? Dat is een museumstuk.'

'Het is gewoon een telefoon,' zei ze. 'Niks bijzonders.'

'Maar wel in stukken.'

Ze vertelde hem wat er was gebeurd. Hoe de Nokia was gevonden in de zak van een doodgeschoten man. Volledig gewist.

'Harde of zachte reset?' vroeg hij nadrukkelijk.

'Hard?' zei ze onzeker.

Hij ging zitten, trok een paar latex handschoenen aan en begon het ding weer in elkaar te zetten.

'Dus je hebt hem aangezet en niks gevonden?'

'Precies,' zei ze. Ze deed haar best om geduldig te klinken. 'Waarom zou ik je anders hebben gebeld?'

'Omdat je een genie nodig hebt.' Hij glimlachte. Thijs zag er leuk uit als hij dat deed. 'Koffie helpt trouwens de geniale cellen aan het werk te zetten.' Hij knikte naar de nieuwe machine. 'Dubbele espresso, graag.'

Ze gromde iets en stond op om er een voor hem te halen. Toen ze terugkwam zat de telefoon weer in elkaar. Thijs schoof het toetsenbordje uit. Het ding zag er chic uit. Klein scherm, een van de eerste smartphones, gemaakt in 2008, had ze gelezen. Maar inderdaad een museumstuk.

Thijs stak het kabeltje van de voeding erin en zette de telefoon aan.

'Er zijn twee manieren om een N96 te resetten. De harde en de zachte. Je toetst in' – hij krabde op zijn hoofd alsof hij zich iets probeerde te herinneren – sterretje hekje 7370 hekje voor de harde reset en sterretje hekje 7780 hekje voor de zachte.'

'Je wilt niet weten hoe die kennis mijn leven heeft verrijkt.'

Hij pakte zijn koffie, hief het kopje in een vrolijke toost en nam een slok.

'UDP,' zei Thijs.

Verder niets.

'Pardon?'

'UDP. User Data Protection. Een handige functie die Nokia heeft bedacht om te voorkomen dat je je gegevens kwijtraakt. Zelfs als de telefoon crasht. Zolang het flashgeheugen intact is, zit je goed. Oké...' Hij keek naar het schermpje dat tot leven kwam. 'Het is er allemaal nog. Je moet alleen weten waar je moet zoeken.'

Ze sloeg haar armen over elkaar, duwde haar kruk van het bureau weg en keek naar hem.

De zelfgenoegzame grijns verdween langzaam terwijl hij op de toetsen drukte.

'Lukt het?' vroeg ze toen zijn mogelijkheden uitgeput begonnen te raken.

Hij legde de telefoon neer, haalde diep adem en vroeg waar de simkaart was.

'Er zat geen simkaart in.'

'Echt? Dus je hebt hem zo gevonden? In het mortuarium? Gewist?'

'Ja, dat heb ik al gezegd.'

'Zo werkt het niet. Dit ding is compleet gewist. Het datagedeelte. Het systeemgedeelte. Helemaal leeg. Zoiets kun je niet op de telefoon zelf doen. De enige codes die werken zijn de codes die ik je heb verteld.'

Dit begon interessant te worden.

'Maar het is in principe mogelijk?'

Hij maakte een gebaar met zijn arm.

'Natuurlijk. Maar niet vanaf de telefoon. Je moet hem aansluiten op een laptop. De diepte in. Als je weet wat je doet is het een minuutje werk. Maar je hebt er wel de juiste spullen voor nodig.'

Ze probeerde na te gaan wat er was gebeurd.

'Hij kan het zelf hebben gedaan. Thuis. Voordat hij op pad ging.'

'Waarom heeft hij de telefoon dan meegenomen?'

'Om te bellen?' zei ze vermoeid.

'Je luistert niet, schat.'

'Noem me geen...'

'Dit ding is helemaal leeg. Er is niet eens een set-up gedraaid. Mijn theorie is...'

Hij zag zichzelf soms graag als een detective, en dat dreef haar tot wanhoop.

'... dat iemand de telefoon even heeft geleend nadat die gast is neergeschoten. Hij heeft het ding ofwel onderweg, of hier aan een laptop gehangen, en hij wist precies wat hij moest doen.'

'Dus er is niks op te vinden?'

'Dat ding is helemaal leeg. Geen bit of byte te zien.' Hij draaide de telefoon om in zijn handen. Bijna teder. 'Cool dingetje destijds. Vijf megapixel camera. Gps. Carl Zeiss lens. Wifi. HSDPA. DVB-H, niet dat je *daar* iets mee kon...'

'Oké, oké, nu weet ik het wel.'

Hij werd per uur betaald en rekte zijn bezoekjes als het even kon met technische prietpraat.

'Sorry,' zei Thijs, en hij legde de Nokia weer in het bakje. 'Ik neem aan dat je de micro-SD-kaart ook niet hebt.'

'Hè?'

Hij keek op zijn horloge, en ze schonk hem een venijnige blik.

'Wie was die gast eigenlijk?'

Ze vertelde het hem, inclusief een klein beetje achtergrond.

'Dus hij was een stille?' vroeg Thijs.

'Hij zat bij de militaire politie. Misschien wel de MIVD.'

Hij pakte de telefoon weer uit het bakje en keek ernaar.

'Prima ding voor dat soort werk. Je weet toch dat als hij hier foto's mee heeft gemaakt, de gps-locaties zijn geregistreerd? Dit kleine monster heeft trouwens ook A-gps. Met een beetje geluk nauwkeurig tot op een meter of vijf.'

'Ik heb duidelijk geen geluk.'

Hij vond een minuscuul sleufje in de zijkant, pakte een vergrootglas en keek er eens goed naar.

'Als ik een stille was, zou ik belangrijke informatie niet in het flashgeheugen zetten, maar op een micro-SD-kaart, en die er dan alleen indoen als ik de gegevens nodig had. Die dingen zijn kleiner dan de vingernagel van een baby. Ze vallen absoluut niet op. Kijk maar.'

Hij gaf haar het vergrootglas en wees op de lege kaartsleuf in de telefoon.

Er waren krassen te zien. Duidelijk te onderscheiden, en zo te zien recent.

'Dus iemand heeft de geheugenkaart er ook uit gehaald,' zei hij.

'En ook de telefoon gewist?' vroeg ze. 'Waarom allebei?'

'Voor de zekerheid?'

'Een slimme agent zou het kaartje verbergen, denk je niet?' Ze stond op en zei: 'Kom mee.'

'Waar gaan we naartoe?' vroeg hij enigszins nerveus.
'Naar het mortuarium. De kleren van een dode man doorzoeken.'
Thijs trok wit weg.
'O, nee. Vergeet het maar. Ik doe telefoons. Ik hou me niet met lijken bezig.'
'Je wordt betaald en je krijgt gratis koffie,' zei ze, en ze gaf hem een flinke klap op zijn schouder. 'Als ik daarbeneden iets vind, wil ik dat je ernaar kijkt.'
'Maar...'
Ze zette haar handen in haar zij en schonk hem een dreigende blik totdat hij zweeg.
'Geen vieze dingen aanraken,' voegde ze eraan toe. 'Dat is mijn werk.'

Eén haal, en Hanna Bublik wist dat dit de eerste en de laatste keer was dat ze wiet rookte. Het berichticoontje op haar telefoon knipperde. Vos wilde dat ze om half vier naar de Marnixstraat zou komen. Het was belangrijk, zei hij. Hij zou om vier uur worden gebeld. De contactpersoon was daar heel duidelijk in geweest. Misschien als zíj met hem zou praten...
Ze overwoog hem terug te bellen en te vragen of de mensen van de veiligheidsdienst nog op andere gedachten konden worden gebracht wat het losgeld betrof. Maar ze besloot het niet te doen. Ze moest een keuze maken. Tussen Cem Yilmaz, een man die haar zojuist had gebrandmerkt als een van de zijnen – de verzengende pijn in haar schouder was daarvan het bewijs – en Pieter Vos, een fatsoenlijke rechercheur die gevangenzat in een systeem dat in zijn ogen ernstig tekortschoot, waardoor hij niet in staat was om te doen wat volgens hem het juiste was.
Eigenlijk kon je helemaal niet van een keuze spreken.
Hanna stond op van haar plekje bij de coffeeshop en wandelde door het klinkerstraatje. Ze bleef op veilige afstand van de boemelende Britten met joints en blikjes bier in de hand – het soort gasten dat om stoer te doen bij haar aanbelde als ze aan het werk was.
Onderweg ging haar telefoon. Ze hoorde de heldere, vastberaden stem van Renata Kuyper in haar oor.
'We moeten praten.'
'Hoezo?'

Er viel een stilte. En toen: 'Gaat het een beetje?'
'Wat denk je?'
'Waar ben je?'
Ze keek om zich heen. De Spuistraat.
Opnieuw een stilte. Renata zat achter een computer.
'Twee straten onze kant op zit een cafeetje. Florian. Ik zie je daar over tien minuten.'

Het zag er fris uit, met popperig meubilair en schilderijen van Venetië aan de muur. De vrouw achter de toog keek Hanna vreemd aan toen ze binnenkwam, om een kop koffie vroeg en ging zitten.

Ze stonk waarschijnlijk naar cannabis. Hoewel ze maar één diepe haal had genomen, proefde ze het spul nog duidelijk op haar tong, voelde ze het in haar hoofd en vermengde het zich met de pijn van het roodgloeiende brandijzer van de Turk.

Vanaf het allereerste begin, die vreemde, wrede zondag op het Leidseplein, had ze zich het hoofd gebroken over één simpele vraag: wat moest ze doen? Ze had nog steeds geen antwoord gevonden. Ze was een vreemde in deze stad. Alleen. Illegaal. Verdacht. Door sommigen gehaat. Zondag had de politie tegen haar gezegd dat ze geduld moest hebben en moest afwachten. Op haar hoede zijn. Op hen vertrouwen. Inmiddels was het woensdag en leken ze nog steeds geen idee te hebben wie Natalya had gekidnapt. Of wie haar nu vasthield, aangezien de reden voor haar ontvoering – de vrijlating van Ismail Alamy – was weggevallen.

Cem Yilmaz was misschien haar enige kans, hoezeer het idee haar ook tegenstond. En zijn zeventigduizend euro was niet genoeg. Ze had Renata Kuyper nodig. Er was niemand anders bij wie ze terecht kon.

Even later kwam ze binnen, volmaakt casual, zoals altijd. Ze rekende de kopjes koffie af, ging zitten en pakte haar hand beet.

Hanna trok haar hand terug.

'Wat heb je in godsnaam gedaan?' vroeg Renata. 'Je ziet er niet uit. En je ruikt raar.'

Hanna haalde haar schouders op en nam een hapje van het gebakje dat Renata voor haar had gekocht. Haar schouder deed vreselijk pijn. Ze moest nodig naar het toilet.

Ze sprong op en rende naar achteren. Toen ze binnen was, hoorde ze de deur achter zich open- en weer dichtgaan.

Ze gaf over in de wasbak. Hijgend en naar adem snakkend spoelde ze haar mond. Ze ging voor de spiegel staan en trok haar jack, de trui en het goedkope T-shirt uit.

'Jezus,' fluisterde Renata terwijl ze naar haar rug keek. 'Wat is dat?'

'"Entree",' zei ze toen ze weer wat op adem was. 'Ik kan er wat geld voor Natalya mee regelen. Iemand die ik ken. Zeventig mille, als het tenminste waar is wat hij zegt.'

Ze haalde de crème uit haar tas. Renata pakte hem aan en smeerde hem op de wond. Hanna huiverde. Ze gilde het bijna uit van de pijn. Toen het verband. Ze deed het er voorzichtig op en zei dat ze bij een apotheek langs zouden gaan om meer te halen. Het moest regelmatig worden verschoond om het risico op infectie te vermijden.

'Infectie?' vroeg Hanna. 'Wat kan mij dat nou schelen? Ik heb geld nodig.'

'Henk heeft van de bank gehaald wat hij kon. Dertigduizend euro. Zijn vader heeft beloofd dat aan te vullen met hetzelfde bedrag. Samen zestig mille. Met die zeventigduizend van jou zitten we op honderddertigduizend euro. Dat is meer dan de helft van wat ze vragen. Best veel.'

Hanna trok haar kleren weer aan.

'We moeten nog wel een manier bedenken om het bij ze te krijgen,' zei Renata. 'Heb jij misschien een idee? Want ik zou het niet weten.'

Een vrouw uit de middenklasse die aan de Herenmarkt woont, begeeft zich niet onder criminelen. Maar een illegale hoer uit Georgië...

'Ik doe mijn best,' zei Hanna, en daar liet ze het bij.

Een lange, perfect gemanicuurde vinger wees op haar schouder.

'En dat was een deel van de prijs?'

Sommige dingen waren te erg om er nog om te kunnen huilen. Of ze te kunnen voelen.

'Wat interesseert jou dat nou?' Het verbaasde haar nog steeds. 'Ik ben gewoon een hoer uit een stadje dat je nog niet eens op een kaart zou kunnen vinden. Je bent me niks verschuldigd.'

Renata keek naar haar en knikte.

'Klopt.'

'Waarom doe je dit dan?'

'Godsamme, wat doet dat er nou toe?' De plotselinge boosheid verraste Hanna, en ze zweeg. 'Misschien ben ik wel egoïstisch. Mag dat? Op zoek naar iets te doen. Iets wat me... een goed gevoel geeft over mezelf.'

Ze leunde tegen de spiegel. 'Er zijn eerlijk gezegd niet veel dingen waarvan ik dat kan zeggen. Zo goed?'

'En dat is het?'

Renata zweeg en wendde haar blik af.

'Als je liever hebt dat ik wegga...'

Hanna trok haar zwarte jack aan, liep door het café naar buiten en belde Vos. Hij stelde de gebruikelijke vragen. Waar was ze? Kon hij iets voor haar doen?

'Je zou me kunnen vertellen dat jullie vorderingen maken,' zei ze ronduit. Ze voelde zich weer helder. De pijn van Cem Yilmaz' brandmerk hielp in zekere zin.

'Ik heb je hier nodig op de Marnixstraat,' zei de geduldige, bedachtzame stem aan de andere kant van de lijn. 'Ik wil dat jij met hem praat als hij belt. En dat je ook met Natalya praat.'

Compassie. Dat was het woord. Dat was wat hij had, en dat gold op een wat aparte, irritante manier ook voor de roodharige jonge vrouw die met hem samenwerkte. Maar deed dat er eigenlijk toe? Wat was de zin van goedheid in een wereld die dat niet waardeerde?

'Denk je dat ze een geweten hebben, Vos?'

Hij liet een lange stilte vallen en zei toen: 'Ik denk dat we alles moeten proberen. We kunnen de overdracht laten plaatsvinden...'

'Waarmee? Monopoliegeld?' riep ze uit. Renata stond inmiddels ook buiten. Ze keek en luisterde naar haar. 'Wat doen ze als ze het ontdekken?'

'Doe me een lol,' zei Vos, 'en kom gewoon naar het bureau. Ik heb je hier nodig.'

Hij vermoedt iets, dacht ze. Een slimme kerel. Hij besefte dat ze misschien ook andere opties onderzocht.

'Ik kom eraan,' zei ze gedwee. Ze verbrak de verbinding en stak de telefoon in haar zak.

Renata liep naar haar toe.

'Ik heb onze dertigduizend euro,' zei ze. 'Henks vader heeft het geld over ongeveer een uur. Bel me maar om te zeggen wat ik moet doen.'

Stilte.

'Hanna?'

'Oké,' zei ze. 'Doe ik.'

Om kwart over drie, toen Vos in het kantoor van De Groot was en opnieuw met Mirjam Fransen telefoneerde over echt geld, werd Koeman naar de receptie geroepen. Er zat een tenger Aziatisch vrouwtje te wachten. Ze droeg oude kleren en had een boodschappentas van een supermarkt op haar schoot. Haar gezicht straalde jaren van hard werken uit en ze ontweek zijn blikken.

Ze wilde iemand spreken over de ontvoering. Koeman haalde diep adem. Hij was vastbesloten deze bezoekster serieus te nemen.

De vrouw was de schoonmaakster van Smits, de eigenaar van de woonboot in het Westerdok, waar Natalya de avond na haar ontvoering was vastgehouden. Toen Vos er was binnengevallen omdat hij dacht dat het meisje er nog zat, was de schoonmaakster bijna klaar geweest met haar werk.

'U gaat toch niet tegen meneer Smits zeggen dat ik hier ben geweest?' vroeg ze met een bedeesde, angstige stem.

'Ik zie niet in waarom ik dat zou doen,' antwoordde Koeman. 'Zou dat een probleem zijn dan?'

Ze legde niet echt uit waarom dat het geval zou kunnen zijn, maar Koeman begreep ongeveer wat ze bedoelde. Smits runde een reisbureau. De woonboot verhuurde hij erbij. Het geld dat hij daarmee verdiende werd altijd contant afgerekend en kwam waarschijnlijk niet in de boeken.

'Dus toen de politie binnenkwam, dacht u dat het daarover ging?' zei hij toen hij de indruk begon te krijgen dat ze hem enigszins vertrouwde.

De vrouw knikte.

'Ik wist niet dat er een meisje ontvoerd was. Dat zag ik pas gisteren op het nieuws.'

'Ga verder.'

'Ik had de meeste rommel al weggegooid in de kliko aan de straat. Niemand heeft me ernaar gevraagd.' Ze haalde haar smalle schouders op. 'Dat hadden jullie beter wel kunnen doen.'

'Dat klopt,' beaamde hij.

'Toen ik het hoorde, ben ik teruggegaan en heb ik wat dingen uit de kliko gehaald die ik erin had gegooid.'

'Wanneer was dat?' vroeg hij.

Ze keek hem aan.

'Vanochtend.' Ze keek om zich heen. 'Meneer Smits heeft het niet zo op de politie. Ik dacht dat jullie het meisje misschien al hadden gevonden.'

Koeman sloeg zijn armen over elkaar en moest moeite doen om rustig te blijven.

'Ga verder,' zei hij opnieuw.

Ze reikte in de tas en begon er dingen uit te halen.

Een leeg pak sinaasappelsap.

Wat verfrommelde tissues in een plastic zak.

'Oké,' zei hij. 'Geef maar hier.'

'Een bedankje kan er blijkbaar niet af,' mopperde ze. 'En dit.'

Een kleurboek. Ook in een doorzichtige plastic zak. Ze had erover nagedacht.

'Bedankt,' zei Koeman zonder veel emotie.

'Ik heb het even doorgebladerd,' zei de vrouw tegen hem. 'Kijk, hier...'

Ze toonde hem de binnenkant van de achterflap. Hij keek ernaar en zei opnieuw bedankt. Ditmaal was het gemeend.

Er arriveerde iemand bij de receptie. Het was Hanna Bublik, die naar Vos vroeg.

'Is ze dat?' vroeg de schoonmaakster. 'De moeder? De vrouw die...'

'Bedankt voor uw komst,' zei hij. Hij glimlachte, stond op en schudde haar de hand nadat hij haar naam, telefoonnummer en adres had genoteerd.

'Meneer Smits krijgt toch niet te horen dat het van mij komt?' vroeg ze opnieuw.

'Daar zorg ik voor,' zei hij, en hij liep naar de balie.

Nog twintig minuten tot het telefoontje. Hanna Bublik zat met een politieagente in een zijkamer. Ondertussen bevond Vos zich met Bakker en Van der Berg in het magazijn van het mortuarium, waar ze toekeken hoe Aisha en haar telefoongeek Ferdi Pijpers' bezittingen uit een opbergdoos haalden.

Op het bureau verscheen een stapeltje bebloede kleren. Aisha onderzocht alles met handschoenen aan. Thijs, die haar met grote ogen gadesloeg, zag er wat pips uit.

De jonge forensisch expert had om de videobeelden gevraagd van de camera in de ambulance die de dodelijk gewonde Pijpers naar het ziekenhuis had vervoerd. Ze waren te zien op een pc die op een hoek van het bureau stond. Twee verpleegkundigen hadden gevochten voor Pijpers' leven tijdens de wilde rit naar de spoedeisende hulp. Mirjam Fransen had hen vanaf een stoel achterin de hele weg in de gaten gehouden.

'Je zou zeggen dat ze zich om haar eigen agent zou bekommeren,' overwoog Bakker.

'Thom Geerts was al dood,' zei Aisha Refai. 'Pijpers... nog niet. Het enige wat onze AIVD-vriendin doet is op dat stoeltje zitten. Verder zie ik niks.' Ze liet de kleren even voor wat ze waren en zoomde de video in. Fransen leunde met glazige ogen tegen de wand van de ambulance. Ze verkeerde in shock. 'Ik vind dat ze er behoorlijk overstuur uitziet.'

'Ja, maar toch...'

Bakker pakte de muis en spoelde de video terug en weer vooruit. Fransen had de hele rit naar de verpleegkundigen gekeken die met de bloedende man op de brancard bezig waren. Ze bewoog zich pas weer toen de ambulance tot stilstand kwam. Het team haalde Pijpers naar buiten en zij verdween ook.

'We hebben beeldmateriaal uit het ziekenhuis nodig,' zei Bakker.

'Heb ik al geprobeerd,' antwoordde Aisha, 'maar dat ligt niet zo simpel. Er hangen bijna nergens camera's.' Ze glimlachte naar Vos. 'Ik ben bang dat jullie het op de ouderwetse manier moeten doen. Met getuigen praten.'

'Alles op zijn tijd,' zei Vos. 'Hoe zijn we aan zijn spullen gekomen?'

Ze opende een bestand op de computer.

'Een bureau-agent van de AIVD belde vlak voor middernacht en zei dat we ze konden komen ophalen. Samen met zijn lichaam, voor een routineautopsie hier in het mortuarium. Twee uur. Het kan iedereen daar geweest zijn.' Ze aarzelde en voegde eraan toe: 'Of hier.'

'Het moet de AIVD zijn geweest,' zei Bakker kwaad. 'Ze werken ons al sinds het begin van de zaak tegen. Al vóór...'

'Laura,' onderbrak Vos haar.

'Er klopt hier gewoon iets niet. Als ík dat al kan zien, weet ik zeker dat jij het ook ziet.'

Hij reageerde niet. Aisha Refai en de telefoongeek keken elkaar enigszins gegeneerd aan.

'Of mogen we niet aan ze twijfelen? Staan ze soms boven de wet of zo? Zij lijken in elk geval te denken van wel.'

Het geluid van zware voetstappen en een rokershoestje maakte een einde aan de discussie. Koeman verscheen in de deuropening. Hij had een doorzichtige bewijszak bij zich met een of ander boek erin.

'Stoor ik?'

'Nee,' zei Vos. 'Wat is er?'

'Herinner je je de schoonmaakster nog op die woonboot in het Westerdok? Ze heeft iets gevonden.'

Koeman legde de zak met het boek erin op het bureau. Op het omslag stond een afbeelding van een koe die over de maan sprong. Vrolijk en fleurig.

'Aisha,' zei de rechercheur. 'Jij hebt handschoenen aan.'

Ze kwamen om haar heen staan terwijl ze het kleurboek uit de zak haalde en begon door te bladeren.

De meeste pagina's bevatten voorgedrukte afbeeldingen. Katten en honden. Gezinnetjes. Kinderen die vrolijk in de zon speelden.

'Achterkant,' zei Koeman.

Ze deed wat hij vroeg.

Het handschrift was zorgvuldig en duidelijk. Elke letter was heel zorgvuldig geschreven.

De ene heet Karlied of zo. Volgens mij is hij een soort baas.

Hij heeft een donkere huid en een lange zwarte baard die glimt, net als een piraat.

Volgens mij weet hij dat ik hem heb gezien.

'Hoe is het in godsnaam mogelijk dat we dit over het hoofd hebben gezien?' wilde Bakker weten.

'Het lag al in de kliko toen we aankwamen.' Koeman wierp een blik op de deur. 'De vrouw zit beneden, voor het geval iemand nog met haar wil praten. Ze is doodsbang. Die meneer Smits is blijkbaar niet zo'n gezellige baas. Volgens mij verhuurt hij die boot zwart. Ze wil liever niet dat we hem vertellen dat zij hier is geweest.'

'Karlied,' zei Bakker. 'Saif Khaled. Die baard...'

'Dat is een veelvoorkomende naam,' merkte Aisha op. 'Ik bedoel écht alledaags. Net zoiets als Smits. En wat die baard betreft...'

'Ik weet het,' zei Koeman. 'Ik heb het gecontroleerd. Maar nadat ik met haar had gepraat kreeg ik een telefoontje van het team in de Chinese buurt.'

Hij haalde zijn notitieboekje tevoorschijn.

'Ze hebben met een nieuwsgierig oud besje gesproken die daar in de straat woont. Ze zegt dat ze gisteravond een meisje heeft gezien achter het raam van het souterrain. Lang blond haar. Het raam is verduisterd, maar het kind had blijkbaar het plastic weggetrokken. Niet veel later heeft ze onze vriend Khaled in de buurtwinkel gezien. Hij kocht vruchtensap en snoep. O, en een kleurboek en kleurpotloden. Heeft hij dat tegen jullie gezegd?'

Vos keek op zijn horloge. Tien minuten. Hij moest met Hanna Bublik praten.

'Hij zei dat er niemand in het huis was. De enige mensen die hij over de vloer kreeg waren jonge moslims die in de problemen zaten.'

Van der Berg haalde zijn telefoon tevoorschijn.

'Ik bel De Groot om te zien of hij een huiszoekingsbevel kan regelen.'

Vos schudde zijn hoofd.

'Daar is geen tijd voor. We moeten dat telefoontje afwachten. Regel een team om Khaleds huis in de gaten te houden en zet om de hoek een observatiebusje neer.'

Van der Berg bleef staan.

'Spreek ik soms Chinees?' vroeg Vos.

'Het staat allemaal zwart op wit in de verslagen, Pieter. Saif Khaled staat op een AIVD-watchlist. We mogen niet bij hem in de buurt komen zonder hun toestemming.'

'Regel het nou maar, oké?' zei Vos. Hij keek opnieuw op zijn horloge. 'Eerst dat telefoontje afhandelen.'

Er was een plekje waar ze zich kon verstoppen. Een soort nis onder aan de trap.

De jongen uit Anatolië was zwak en traag. Ze zou wachten tot hij beneden was en om zich heen keek met het eten in zijn handen. Dan zou ze tevoorschijn komen en hem verrassen.

Ze was acht. Hij was misschien twee keer zo oud. Maar ze had het scherpste stanleymes uit het meterkastje. Als het moest, zou ze het gebruiken.

Ze huiverde, ondanks haar roze jas. Door de kier in het zwarte plastic voor het raam kon ze zien dat het donker begon te worden. Nog even, en dan zou hij het eten brengen en de emmer legen. Ze wist inmiddels hoe het er hier aan toeging.

De deur boven aan de trap werd altijd geopend met een sleutel die veel geluid maakte. De jongen nam nooit de moeite hem achter zich op slot te doen. Daar was hij te lui voor. In de kelder zat tenslotte alleen maar een klein meisje dat bang en stilletjes op hem wachtte.

Natalya wiebelde ongeduldig heen en weer in de schaduw. Ze had geen idee hoe lang het nog zou duren. Ze had geen horloge. Dat hadden ze afgepakt in het eerste kamertje waar ze haar gevangen hadden gehouden, waar ze buiten de eenden had gehoord en waar het water tegen de houten scheepsromp had geklotst.

Hier waren alleen zwarte bakstenen en het tikkende geluid van voetstappen op de klinkers in de straat boven haar.

En stemmen. Allerlei soorten. Mannen en vrouwen. Soms kinderen. Nederlands, buitenlands. Misschien Chinees. Iets anders.

Ze wachtte.

Ze had niets anders te doen.

Ze zou zich verbergen zolang als nodig was.

Een verhoorkamer. Warm en bedompt. Uit de kantine beneden steeg de geur van braadvet en gekruid eten op.

Vos, Hanna Bublik, Bakker en Van der Berg. Er was ook een specialist van het team dat was samengesteld voor de overdracht van het losgeld. Het rode koffertje was dicht, klaar voor gebruik. Vos zou het meenemen. In zijn jas zat een gps-tracker, en er was er ook één in de voering van de koffer genaaid. Er stonden drie achtervolgingsteams klaar om in actie te komen. Zodra de locatie en het tijdstip van de overdracht bekend waren, zou er een helikopter de lucht in gaan.

De Groot was de deur uit voor een vergadering en was onbereikbaar. Dat was merkwaardig, maar kwam niet slecht uit.

De klok aan de muur wees vier uur aan. Vos keek naar de oude Samsung die op tafel lag, aan een lader, volume op maximum. Vier streepjes bereik. Alles was klaar.

Hij had Hanna zo goed mogelijk bijgepraat en haar grotendeels de waarheid verteld – als het al niet de volledige waarheid was. Ze had hem aangehoord, maar niets gezegd. Er was iets niet in de haak. Ze leek pijn te hebben. Zowel fysiek als mentaal. Bakker had het ook gemerkt en gevraagd of alles goed was. Ze had zelfs aangeboden een arts te laten komen.

Maar het enige wat ze wilde, was een glas water. Vos had de indruk dat ze naar wiet rook, iets waar hij liever niet aan wilde denken.

Ze wachtten.

Om vijf over vier keek ze naar Vos en vroeg: 'Wat is er aan de hand?'

'Ze houden zich niet altijd precies aan de afspraak,' zei hij. Hij zoog het zoals gewoonlijk ter plekke uit zijn duim.

'Je zei dat hij heel duidelijk was. Vier uur. Klokslag.'

'Dat heeft hij inderdaad gezegd.'

Ze keek hem recht in de ogen.

'En wat nog meer?'

Beslissingen. De waarheid of een leugentje om bestwil. Vos had het gevoel dat ze dat station inmiddels wel gepasseerd waren.

'Hij zei dat hij niet zou bellen als hij het gevoel had dat hij ons niet kon vertrouwen.'

'Je bent een politieagent. Natuurlijk vertrouwen ze je niet.'

'Wat ze bedoelen,' zei Bakker, 'is dat ze, als ze denken dat we niet van plan zijn om het geld te overhandigen...'

Hanna Bublik stond op en liep naar het koffertje. Ze ritste het open voordat iemand haar kon tegenhouden en stak haar vingers tussen de bankbiljetten.

Ze zag vrijwel onmiddellijk het witte papier.

'Shit,' zei de vrouw van Specialistische Operaties. 'Ik wou dat je dat niet had gedaan. Er zit inkt op dat geld.'

'Inkt?' riep Hanna uit. 'Wat voor inkt?'

De agente haalde een detectielamp uit haar tas en scheen ermee op de biljetten. Op elk ervan, evenals op de witte vellen papier eronder, verscheen een numerieke code.

'We krijgen ze wel te pakken,' zei de agente resoluut. 'We slepen die smeerlappen voor het gerecht.'

'Het gerecht?' riep Hanna. 'Dat interesseert me geen donder. Ik wil mijn dochter terug. Dat is het enige wat telt. Niet...'

Ze veegde de koffer van de tafel. Echte bankbiljetten en nepgeld dwarrelden door de lucht. Even verroerde niemand zich. Toen kwam Vos overeind. Hij wist haar zover te krijgen dat ze weer ging zitten. De vrouw van Specialistische Operaties haalde een keer diep adem en begon de biljetten zo goed en zo kwaad als dat ging weer in het koffertje te pakken.

Hanna maakte een schamper handgebaar in de richting van de rommel.

'Dus ze bellen niet als ze denken dat je van plan bent ze te belazeren – en dan flik je dit?'

'Standaardprocedure,' zei de vrouw.

'Dus de standaardprocedure is de boel verkloten?'

Vos liet een korte stilte vallen en zei vervolgens met een haast onmerkbaar schouderophalen: 'Soms.'

Hij had de pest aan liegen. Net als Laura Bakker. Het was een van de weinige dingen die ze met elkaar gemeen hadden.

En wachten. Daar hadden ze ook allebei een bloedhekel aan. Maar er was een verschil. Bakker was jong. Voor haar was het puur ongeduld. Vos, die ouder was – niet wijzer, in zijn ogen, alleen ervarener – vond dat in de lege uren vooral zijn nieuwsgierigheid toenam, zijn instinctieve neiging tot wantrouwen, van tijd tot tijd zelfs met betrekking tot zaken die volkomen onschuldig waren.

Ze keken naar de telefoon.

De telefoon bleef zwijgen.

'We hebben je gezegd dat we niet in staat waren het complete losgeld op te hoesten,' zei Bakker op zo rustig mogelijke toon.

Hanna negeerde haar en richtte haar boosheid opnieuw op Vos.

'Hebben jullie iets gedaan? Iets waar ze misschien achter zijn gekomen?'

'Nee,' zei Vos. Hij keek haar recht in de ogen. 'En jij?'

Een eerlijke vraag. En het feit dat haar gekwelde gezicht rood aanliep deed hem beseffen dat ze net zo'n hekel had aan liegen als hij. Wat lastig moest zijn gezien het leven dat ze leidde.

'We moeten praten.' Hij gebaarde naar de anderen. 'Alleen wij tweeën.'

Bakker knipperde met haar ogen en keek hem verbijsterd aan.

'Vos! Je zit op een telefoontje te wachten!'

'Ik kan de telefoon ook opnemen zonder jou. Hupsakee.' Hij knikte naar de deur. 'Naar buiten.'

Ze schudde geërgerd haar hoofd zodat haar rode haar alle kanten op danste en kwam overeind. Van der Berg en de agente van Specialistische Operaties volgden haar voorbeeld.

En toen waren ze met z'n tweeën. De koffer. De telefoon die niet overging. Baklucht die opsteeg uit de kantine. De zoemende airconditioning die te veel warme lucht in de benauwde verhoorkamer pompte.

'Ik kan er niet voor zorgen dat die lui me vertrouwen, Hanna,' zei hij. 'Ik kan alleen maar hópen dat ze dat doen.'

'Hopen. Je gebruikt dat woord wel erg vaak.'

'Dat is omdat we hoop nodig hebben. En het is ook belangrijk dat je me vertrouwt.'

Haar smalle gezicht had nog steeds een kleur.

'Nou?' vroeg hij. 'Hoe zit het?'

Ze bleef naar de Samsung staren.

'Hanna?'

'Wat wil je van me?'

'Is er iets wat ik moet weten? Iets... wat ertoe doet?' Hij was niet in staat de vinger op de zere plek te leggen, maar er was iets aan haar veranderd. 'Je ziet er ziek uit. Anders.'

'Mijn dochter wordt al vier dagen gevangengehouden. Hoe moet ik er dan uitzien? Zoals Renata Kuyper? Met dure make-up en chique kleren?'

'Ik wil alleen...'

Ze leunde achterover en sloot haar ogen.

'Je hebt het niet aan me gevraagd,' zei hij.

'Wat?'

'Waarom ze niet hebben gebeld.'

'Weet je dat dan?'

'Nee. Maar we zijn hier gespecialiseerd in niet te beantwoorden vragen. Dat hoort bij ons werk.'

'Grappig, hoor,' snauwde ze. Ze wierp een blik op de klok aan de muur. Kwart over vier. 'Hoe lang blijf je wachten?'

'Totdat de telefoon gaat. Tenminste... op een gegeven moment zal er wel iemand bellen.'

Vos stond op en riep de anderen weer binnen. Hij droeg Van der Berg op een van de drie tactische teams te laten inrukken en te zeggen dat ze op nieuwe orders moesten wachten. De helikopter kon aan de grond blijven.

De Groot bevond zich nog steeds ergens buiten het gebouw.

'Ik wil dat Koeman hier bij de telefoon blijft zitten. Als er gebeld wordt, neemt hij op en zegt hij dat ik naar een vergadering moest en niet langer kon wachten omdat hij te laat was.' Hij keek naar de vrouw in het afgedragen zwarte jack. 'Regel wat te drinken voor mevrouw Bublik. En ook iets te eten, als ze daar zin in heeft.'

Hanna stond op.
'Wat is dit nu weer?'
'Ik moet ervandoor,' zei Vos, en hij pakte zijn jas.
'Dus ik moet hier blijven?'
'Waar wou je anders naartoe?' vroeg hij.
Buiten in de gang konden ze haar horen uitvallen tegen de vrouw van het ondersteuningsteam, die op Koeman wachtte.
'Wat was dat allemaal?' vroeg Van der Berg.
'Ik wou dat ik het wist,' zei Vos. 'Ik stel voor dat we Saif Khaled nog een bezoekje brengen. Ik wil dat huis vanbinnen zien.'

Het kantoor van Mirjam Fransen bevond zich achter de Dam. Het was een kleine ruimte. Het gebouw was van onder tot boven streng beveiligd. De mensen keken somber vandaag. Thom Geerts was misschien niet geliefd geweest bij zijn collega's, maar ze hadden wel respect voor hem gehad. Nu moest er een begrafenis worden geregeld. En dan was er nog de pijnlijke kwestie van de onderhandelingen over de doorbetaling van het salaris en een schadeloosstelling voor de familie. Geerts en zijn vrouw hadden op het punt gestaan te gaan scheiden. De ambtenaren in Den Haag zagen hierin wellicht een complicatie. Een excuus om te korten op de uit te keren bedragen.
Na de lastige briefing met De Groot moest ze met iemand van de verzekering gaan praten over de schadeloosstelling. Een kantoor om de hoek. Eindelijk even het gebouw uit.
Het begon donker te worden. Er zat regen in de lucht. De straten krioelden van mensen die sinterklaasinkopen deden. Afgelopen zondag was een stel Zwarte Pieten van het gebouw abgeseild. Mannen van Specialistische Operaties met zwartekrullenpruiken en pietenpakken, lachend van oor tot oor, alsof dit een spelletje was.
Misschien was het dat ook, dacht ze, terwijl ze naar buiten liep, de kou in. Een afleidingsmanoeuvre die spaak was gelopen.
Fransen had nog geen tien stappen gezet toen hij plotseling voor haar stond. Ze schonk hem een ongelovige blik en beende regelrecht een steegje naast het gebouw in.
Henk Kuyper volgde haar met een grimmig gezicht. Hij droeg een warme parka en had zijn capuchon op.
'Ben je niet goed bij je hoofd?' vroeg Fransen.
'Misschien.'

'Jezus...' Ze greep hem bij de mouw van zijn jas en trok hem verder de schaduwen in. 'Ze mogen ons niet samen zien.'

Hij zag er slecht uit. Vermoeid en terneergeslagen.

'Niemand vertelt me iets. Ik hoor meer van de politie dan van jou.'

'Het is niet anders. We zitten er nu te diep in om onze dekmantel op het spel te zetten.'

Kuyper leek niet echt onder de indruk.

'Krijgen ze haar terug?'

'Wie?' vroeg ze zonder erbij na te denken. Ze was nog steeds kwaad omdat hij haar zomaar op straat had benaderd.

'Wie denk je? Dat kind natuurlijk. Het was niet de bedoeling dat het zo...'

'Geen verwijten, alsjeblieft,' onderbrak ze hem, en ze liet haar hand omlaag glijden over de voorkant van zijn donkere parka. 'Nu even niet. Dat komt later wel. Geloof me maar. Laat dat maar over aan die klootzakken van de Marnixstraat.' Ze liet een stilte vallen. 'Hoe is het met je?'

Hij maakte zich van haar los. Fransen lachte.

'Zijn we ineens geen vriendjes meer, Henk? Zien we elkaar niet meer als dit achter de rug is? Mij beviel het wel. En ik had de indruk dat jij het ook wel kon waarderen.'

Hij bleef staan, leunde tegen de koude, klamme muur en sloot zijn ogen.

'Dit is gewoon één grote puinhoop. Ik had nooit...'

'Luister nou eens een keer naar me.'

Haar stem klonk schril en autoritair. Moeilijk om tegenin te gaan. Dat was altijd al zo geweest.

'Nou?' vroeg Kuyper.

'Hou je gedeisd. Doe geen gekke dingen. Je gaat gewoon weer aan het werk alsof er niks is gebeurd. Binnenkort komen we in rustiger vaarwater. Dan zien ze dit voor wat het was. Een gewone misdaadzaak. Een die voor beide partijen slecht is afgelopen.'

'Maar het kind...'

'Dat kind is Vos' pakkie-an. We kunnen geen van beiden iets doen om dat te veranderen.'

Hij bewoog zich niet.

'Dus je hebt geen idee waar ze is?' vroeg hij.

'Jij wel dan?'

‘Ik heb Renata geld gegeven. Alles wat ik had. Ze lijkt te denken dat ze op de een of andere manier dat losgeld kunnen ophoesten.’

Ze had hem het liefst een klap in zijn gezicht gegeven.

‘Godsammelazarus, Henk. Ga je nou niet ineens als een idioot gedragen. We leven in een gevaarlijke tijd.’

Hij schonk haar een woeste blik.

‘Het is onze schuld dat dat kind is gekidnapt!’

‘En Barbone loopt ook nog steeds vrij rond. Ben je dat soms vergeten?’

Ze wachtte op een reactie.

‘Heb je echt niks over hem?’

‘Helemaal niks,’ zei Kuyper.

‘Soms vergeten mensen aan welke kant ze staan en zien ze door de bomen het bos niet meer. Geen routepunten. Geen positie. Als ik eraan denk…’

‘Ik weet wie ik ben. En ik weet ook wie jij bent.’ Hij liet een stilte vallen. ‘Ik weet dat we dat kind iets verschuldigd zijn.’

‘In elke oorlog vallen onschuldige slachtoffers. Je bent niet goed wijs als je denkt dat dat niet zo is. En dit is een oorlog. Eén waar nooit een einde aan komt.’

Hij keek haar recht in de ogen.

‘Dus je doet niks?’

‘Ik probeer nog steeds Barbones organisatie te slopen. Noem je dat niks?’

Henk Kuyper maakte aanstalten om te vertrekken. Ze pakte zijn arm beet.

‘Je bent gevaarlijk en dom bezig. Flik dit niet nog een keer. Als ik met je wil praten zoek ik op de afgesproken manier contact.’

‘En als ik met jou wil praten?’

‘Dan zul je gewoon moeten afwachten. Ga naar huis, Henk. Ga naar je vrouw en je dochter. Gedraag je normaal. Ik wil me geen zorgen moeten maken.’

Een vuile blik, een vloek, en toen draaide hij zich om en beende weg.

Ze liep naar het begin van het steegje en keek hem na. Vervolgens belde ze naar kantoor. Ze werd doorverbonden met een van de surveillancemensen.

‘Henk Kuyper loopt vanaf de Dam in de richting van de Nieuwe

Kerk. Ik denk dat hij teruggaat naar de Herenmarkt.'

'En?'

'Ik wil dat hij in de gaten wordt gehouden. Laat me weten waar hij naartoe gaat en met wie hij praat.'

Er viel een korte stilte. Toen zei de stem aan de andere kant: 'Is dat niet iemand van ons?'

'Je hebt me gehoord,' zei ze.

Op weg naar buiten belde Vos met Aisha om te zeggen dat ze naar het verdwenen geheugenkaartje moest blijven zoeken. Twee minuten later stapte hij in een bestelbus met een gewapend, vier man sterk arrestatieteam, compleet met kogelwerende vesten, helmen en gordels vol gadgets, klaar om elke uitdaging aan te gaan.

'Trouwens, het feit dat we het De Groot niet hebben verteld...' begon Van der Berg.

'Die zit nog steeds ergens in een vergadering.'

'En dat we de papierwinkel hebben overgeslagen...'

'Als je niet mee wilt...' zei Vos terwijl ze achterin plaatsnamen op de bankjes.

'Ik zou het voor geen goud willen missen,' antwoordde Van der Berg met zijn blik op de agent tegenover hem, die zijn kogelwerende vest aantrok en zijn wapen controleerde.

Het busje schoot de straat op.

'Houden we Hanna Bublik aan?' vroeg Bakker.

Vos schudde zijn hoofd.

'Hoezo? Er is geen bewijs dat ze iets verkeerds heeft gedaan.'

Bakkers scherpe blik bleef op hem gericht.

'Geen bewijs,' herhaalde ze.

'We hebben dit al eerder besproken, Laura. Probeer je in haar te verplaatsen. De ontvoerder heeft niet gebeld. En zelfs als dat wel zo was geweest – we willen hem een koffer geven die grotendeels met waardeloos papier is gevuld.' Hij keek haar aan. 'Wat zou jij doen?'

Geen antwoord.

Het busje minderde vaart. Ze reden de rosse buurt in. Neonverlichting achter veiligheidsglas. Seksboetieks en coffeeshops. Het was inmiddels donker, en de smalle kronkelstraatjes glommen van de regen. Ineengedoken gestalten begaven zich van raam tot raam, vluchtig het aanbod inspecterend. Even later de eerste tekenen dat ze de Chinese buurt binnengingen. Felle neonreclames. Exotische aroma's. Groepjes mannen die stonden te praten bij de winkeltjes.

Vos had de dossiers bestudeerd. Er was niets wat de oosterse misdaadsyndicaten aan extremisme koppelde. Ze waren te druk met geld verdienen om tijd te hebben voor politiek. Het lag meer voor de hand dat het een van de groepen uit het Midden-Oosten of Noord-Afrika was. Die waren er in overvloed.

Maar dat was allemaal speculatie. Wat Saif Khaled betrof, beschikten ze over harde feiten. De naam in Natalya's kleurboek. Het feit dat een buurvrouw een blond meisje had gezien door het raam van het souterrain. De boodschappen.

Deze inval was onvermijdelijk. Ze hadden geen keus. Ondanks het feit dat hij zich er niet goed over voelde.

Het busje kwam tot stilstand. De leider van het team – in vol ornaat, helemaal in het zwart met in zijn gordel een *taser* en pepperspray en in zijn rechterarm een semiautomatisch wapen – keek naar hen en verontschuldigde zich voor de onderbreking.

Khaleds keurige huisje bevond zich aan de overkant van de straat.

'Wat wilt u dat we doen? Die deur is een makkie. Daarna kunnen we met z'n allen naar binnen stormen.'

'Jullie blijven hier,' zei Vos, en hij stapte uit de bestelbus.

Twee van de agenten in burger die de woning in de gaten hadden gehouden kwamen zijn kant op. Ze bleven staan voor het Chinese restaurant waar de surveillanceman van Mirjam Fransen nodeloos had staan ruziën. De AIVD zou ongetwijfeld ook mensen in de buurt hebben. Er stond waarschijnlijk nu al iemand met haar te bellen.

Bakker en Van der Berg kwamen bij hem staan.

'Er gebeurt iets in het souterrain,' zei een van de mannen van het observatieteam. 'We zagen het licht aangaan. Ik denk niet dat we nog langer moeten wachten.'

Vos wierp een blik over zijn schouder. Een van de agenten achter in het busje speelde met de stormram die diende om deuren open te breken. De leider kwam naar hem toe en vroeg opnieuw wat ze moesten doen.

Vos keek op zijn horloge. Kwart voor vijf. Hij belde Koeman op de Marnixstraat. De telefoon was niet overgegaan en Hanna begon steeds chagrijniger te worden. De Groot was terug van zijn uitgelopen vergadering. Hij wilde weten wat er gaande was.

Willen we dat niet allemaal? dacht Vos.

Hij wist waar Hanna naar hunkerde. Informatie. Zekerheid. Twijfel was een wrede metgezel in dit soort situaties. Twijfel was voor haar een marteling. Voor hen allemaal, als hij eerlijk was.

'Jullie wachten hier,' zei Vos tegen de man in het zwart. 'Allemaal. Jullie komen alleen in actie als ik jullie een teken geef.'

Hij negeerde de binnensmondse vloeken, stak de straat over en belde aan. Hij ging zo staan dat hij zijn voet tussen de deur kon zetten, mocht dat nodig zijn. In de voorkamer zag hij een gestalte die op Khaled leek. Vanaf het stoepje kon Vos omlaag kijken in de trapruimte voor het souterrain. De ramen waren verduisterd, maar het licht erachter was niet constant, alsof er iemand heen en weer liep.

Saif Khaled had gelogen. En misschien was het zijn naam in het kleurboek dat de schoonmaakster had gevonden in de woonboot van Smits in het Westerdok.

Eindelijk ging de deur open. De Egyptenaar schonk hem een vuile blik. Hij was woedend.

'We moeten praten,' zei Vos. Hij knikte in de richting van de gang. 'Naar binnen. Nu.'

De man was nerveus. Niet zonder reden, nam hij aan.

Zonder iets te zeggen smeet hij de deur dicht in Vos' gezicht.

Dat maakte zijn beslissing een stuk eenvoudiger.

Hij gebaarde naar de bestelbus. Een paar tellen later stond het team op de stoep met de zware stormram. Twee mannen brachten de langwerpige stalen cilinder in positie.

Vos deed een paar stappen naar achteren en keek toe. De herrie die ze veroorzaakten in het kleine straatje op de Wallen was enorm. En het werd nog erger toen ze eenmaal binnen waren.

Een scherp mes. Een scherpe geest. Natalya Bublik kon zich verstaanbaar maken in drie talen. Die van haarzelf. Nederlands. Engels.

Ze werd door geen van de kinderen op school gepest. Er waren er een paar die het hadden geprobeerd. Daarna was het nooit meer voorgekomen.

Ze was Georgische. Een Bublik. Ze leek op haar moeder. Haar leven was een strijd geweest zolang ze zich dat kon herinneren. Als zich problemen aandienden, kroop je daar niet voor weg. Je vocht terug met alles wat je in je had.

Misschien had ze dat al eerder moeten doen. Ze zou het hebben gedaan als de eerste man er niet was geweest. De man die als een leraar had geklonken. Die in haar geïnteresseerd leek. Geen naar type. Misschien zelfs aardig, als hij de kans kreeg.

Maar hij was weg, en ze zat op een nieuwe plek.

Ze zat in elkaar gedoken bij de koude stenen trap en luisterde naar mensen op straat achter de dichtgeplakte ramen.

De jongen uit Anatolië zou terugkomen. Ze moesten haar tenslotte eten brengen. En de emmer legen die ze als wc gebruikte.

Ze wachtte.

Het was koud.

Ze was bang.

De avond was gevallen. Ze kon nog net de knipperende neonreclames zien van het restaurant aan de overkant.

Toen klonk er boven bij de deur geluid. Stemmen. Boos, zo te horen.

Ze omklemde het mesje. Dit was het moment. Het enige. Het moest nu gebeuren. Ze wilde naar huis.

Aan de eetkamertafel van het smalle huis aan de Herenmarkt was een ander meisje van acht in een onwelkome confrontatie verzeild geraakt.

Saskia Kuyper, die alleen een T-shirt en jeans droeg, huiverde. Haar moeder had haar jas nog aan. Ze was buiten adem omdat ze zich door de koude avond naar huis had gehaast. Er stonden kaarsen op tafel. Het eten was niet aangeroerd. De feestlichtjes dansten voor het raam, rood, groen en blauw.

'Waar is hij?'

Ze schudde haar hoofd en mompelde wat excuses.

Ik zat mijn huiswerk te doen. Ik was op mijn kamer.

'Saskia!'

Ze nam de koude handjes van haar dochter in de hare. Er was niet echt een band tussen hen. De zwangerschap was verschrikkelijk geweest; pijnlijk, moeizaam. Henk had het grootste deel van de tijd gewerkt. Vanaf het moment dat ze uit het ziekenhuis kwamen was er tussen hen een afstand geweest. Daar waren ook redenen voor. Soms ging dat zo.

'Papa is niet thuis,' zei het meisje, en ze trok haar handen weg. 'Ik weet niet waar hij is.'

'Je bent pas acht. Hij had je niet alleen thuis mogen laten. Dat mag niet volgens de wet.'

'De wet,' snauwde het meisje. 'Wie interesseert dat nou?'

Renata belde Henk. Opnieuw zijn voicemail.

'Je bent de baas niet over ons,' zei het meisje. 'Ook al denk je van wel.'

Ze moest het zeggen.

'Waarom heb je zo de pest aan me? Wat heb ik fout gedaan?'

Haar ogen waren klein en onpeilbaar. Ze leek zo op Henk. Niet alleen uiterlijk, maar ook door haar gehaaidheid.

'Ik stel je een vraag.'

'Waarom haat jij papa?'

'De dingen lopen niet altijd zoals je wilt.'

'Hij zei dat je weg wilde. Dat je me mee wilde nemen.'

'Mensen zeggen van alles als ze ruzie hebben. Dingen die ze niet menen.'

Een plotselinge opwelling van kinderlijke woede.

'Papa houdt tenminste van me…' mompelde Saskia.

'En ik niet?'

Geen antwoord.

'Wie ging er met je naar Sinterklaas toen hij het te druk had? Wie koopt je kleren? Wie haalt je van school? Wie brengt je naar al die feestjes?'

Een giftige blik.

'Daar kan papa iemand voor inhuren als hij wil.'

Dat waren Henks woorden. Hij had het haar regelmatig voor de voeten geworpen tijdens ruzies.

'Nee, dat kan papa niet. Daar hebben we het geld niet voor.'

'Opa kan het betalen.'

Dat had Renata ook al eerder gehoord.

'Waarom zou hij dat doen? We zijn toch volwassen? Lucas helpt ons al genoeg. Misschien wel te veel.'

Saskia schonk haar een hatelijk kinderlachje. 'Het is niet papa's schuld dat jij je altijd rot voelt.'

Ze liet dat even op zich inwerken terwijl ze zich afvroeg hoe het kwam dat hun dochter zo was geworden. Verbitterd. Onhebbelijk. Diep ongelukkig. Dat was nog het ergste.

'Ik weet het.'

'Waarom geef je hem dan de schuld?'

'Dat doe ik niet.'

Ze nam opnieuw de koude handen van het meisje in de hare, boog zich naar voren en keek in haar gekwelde, vertwijfelde ogen.

'Hoe kan ik het goedmaken? Wat kan ik doen om weer vriendjes met je te worden?'

Weer?

Het was er per ongeluk uitgefloept, en ze wisten allebei dat het een leugen was.

'Ik ga hier niet weg,' zei Saskia resoluut. 'Ik wil niet met je mee naar opa. Ik blijf hier bij papa.'

Renata knikte.

'Ik ook. We horen bij elkaar. We zijn een gezin.'

We zijn wéér een gezin.

De kleine vingers bleven waar ze waren. Renata kneep er zachtjes in en glimlachte.

'Laten we leuke dingen gaan doen in de kerstvakantie. Misschien kunnen we ergens naartoe. Waar jij het leuk vindt. Bedenk maar iets. Laten we voor de verandering eens vrolijk zijn. Niemand vindt het leuk om verdrietig te zijn.'

Acht jaar oud. Mijn god, dacht ze, hoe moet dat gaan als ze straks een tiener is?

'Oké.'

Het was een kort, verzoenend geluid. Maar er zat iets van hoop in.

'Ik denk dat papa een biertje is gaan drinken. Hij zal straks wel toeterzat thuiskomen. En zingend.'

Ze zong uit volle borst een paar regels van een schunnig liedje dat ze een keer in een kroeg in de Jordaan had gehoord. Saskia lachte. Haar gebit was zo gelijkmatig. Bijna zoals dat van een peuter.

'Zo dronken wordt papa niet!'

'Echt wel. Jij ziet dat alleen nooit. Soms...' Ze streelde het blonde haar van haar dochter, en Saskia trok voor de verandering haar hoofd niet weg. 'Hij kan soms heel grappig zijn. We moeten hem weer laten lachen. Dat is voor ons allemaal goed. Vind je ook niet?'

Saskia prikte in haar eten. Ze at niet genoeg. Ze was te mager. Als ze niet oppaste kon ze daar problemen mee krijgen.

'Weet je,' zei Renata, 'toen we laatst thuiskwamen van dat gedoe op het Leidseplein, hebben we samen wijn gedronken. Nadat jij naar bed was gegaan.'

Ze schudde haar blonde hoofd.

'Jij drinkt niet, mam. Je mag niet liegen.'

'Maar die avond wel. We waren je bijna kwijt geweest. Ik kon niet meer helder denken. En papa vond het vreselijk dat dat meisje was verdwenen.'

Saskia legde haar mes neer. Haar vork ook. Renata bleef glimlachen, alsof dit alles ver achter hen lag en er helemaal niet meer toe deed.

'Papa heeft me verteld wat er is gebeurd,' vervolgde ze.

'Wat heeft hij verteld?' vroeg Saskia met een zacht, nerveus stemmetje.

Renata boog zich een stukje naar voren en schonk haar een veelbetekenend glimlachje. Zoals moeders en dochters doen als ze een geheimpje delen.

'Over de streek die je hebt uitgehaald. Dat je zomaar bent weggelopen toen we op het plein stonden.'

Ze zette grote ogen op.

'Het was maar een spelletje, mam. Hij zei dat je het niet erg zou vinden.'

Renata lachte en klopte zachtjes op haar hand.

'Natuurlijk vond ik het niet erg. Ik ben soms wat zwaar op de hand. Dan moet je me gewoon terugfluiten.' Ze glimlachte opnieuw. 'Dat besef ik zelf ook wel.'

'Hij zei alleen dat ik weg moest rennen en naar Zwarte Piet moest gaan. Maar ik had de verkeerde uitgekozen. Het was papa's vriend helemaal niet. Hij was helemaal niet aardig.'

'Het was gewoon de verkeerde,' beaamde ze. 'Maar er liepen die middag ook zo veel Zwarte Pieten rond. Zo'n vergissing is zo gemaakt.'

Saskia keek tegelijkertijd ongerust en beteuterd.

'Het was niet onze schuld dat dat andere meisje is verdwenen. Dat heeft papa zelf gezegd.'

'Nee. Dat was niet jullie schuld.'

'Maar...' Saskia stak haar hand uit en pakte haar arm vast. 'Je mag het tegen niemand zeggen, mam, anders geven ze hem de schuld. De politie. Die kunnen hem toch al niet uitstaan. Het was onze schuld niet.'

'Natuurlijk zeg ik het tegen niemand! Waarom zou ik dat doen?'

‘Om hem in de problemen te brengen.’
Ze schudde haar hoofd.
‘En waarom zou ik dát doen?’
Saskia keek een beetje schuldig.
‘Ik heb geen hekel aan je vader, Saskia. Ik hou van hem, en hij houdt van mij. En we houden allebei van jou. Maar soms gaat er wel eens wat mis in de liefde. Het is net als... een fiets. Je rijdt overal naartoe. Je raakt eraan gewend. Je gaat het vanzelfsprekend vinden. En dan op een dag gaat hij kapot en denk je... het is de schuld van de fiets. Terwijl het gewoon je eigen schuld is omdat je hem niet goed hebt onderhouden.’
‘Mijn fiets is kapotgegaan.’
‘En toen hebben we hem gerepareerd, toch?’
‘Dat heeft papa gedaan.’
Klopt, dacht ze. Maar daar waren vaders voor.
‘Nou, we repareren dit ook. Jij en ik en papa.’ Ze glimlachte. ‘Oké?’
Saskia’s stem klonk heel zacht en gedwee.
‘Oké.’
Ze boog zich naar voren en keek haar dochter nog een laatste keer recht in de ogen.
‘En je praat niet meer over wat er op het Leidseplein is gebeurd. Niet met mij. Niet met papa. Met niemand. Het is voorbij. Voor altijd. Als je erover begint... zelfs tegen papa... dan raakt hij weer overstuur. We willen geen problemen, Saskia. Die hebben we genoeg gehad.’
Saskia knikte.
‘Maar dat meisje dat hij heeft meegenomen? Dat dezelfde jas droeg als ik? Dat op de televisie was?’
‘Wat is er met haar?’
‘Is ze dood?’
Renata schudde haar hoofd.
‘Dat heeft toch niemand gezegd?’
‘Maar papa...’
‘Papa weet het niet, schat. Niemand weet het. Alleen die lelijke mannen die het hebben gedaan.’ Ze tikte met haar vinger op de rand van Saskia’s bord. ‘En nu een hapje eten, dan kopen we straks een game voor je iPad, als je dat wilt. Of een video.’
‘Papa zei...’
‘Dat is allemaal verleden tijd. We gaan nadenken over de kerstva-

kantie. Over Sinterklaas. Morgen kopen we voor papa een cadeautje om hem op te vrolijken. En jij mag er een gedicht bij schrijven.'

Saskia giechelde.

'Als hij dronken thuiskomt zeg ik dat we hem hebben gezien!'

'Dat kan.'

Ergens vanbinnen zat een leuke meid, dacht Renata. Niet echt slim. Dat zou ze ook nooit worden. Maar dat deed er absoluut niet toe.

Ze keek op haar horloge en vroeg zich opnieuw af waar hij was.

'Maar het is beter om dat ook geheim te houden. Net als dat verhaal van het Leidseplein...'

Ze tuitte haar lippen en hield haar wijsvinger ervoor.

Saskia deed hetzelfde en fluisterde: 'Sst...'

Vos keek toe terwijl de vier agenten aan het werk gingen. Hij vroeg zich af of ze in hun vrije tijd iets anders deden dan naar actiefilms kijken.

Het was een oorverdovende uitbarsting van bruut geweld. Voor hij het wist lag de deur eruit en waren ze binnen. Ze duwden Saif Khaled opzij terwijl hij met gebalde vuisten naar hen schreeuwde.

Dirk van der Berg, die alles volgde vanaf het trottoir, stond te wiebelen op zijn grote voeten. Hetzelfde gold ook min of meer voor Laura Bakker.

Toen ze Khaled op zijn knieën hadden met zijn gezicht naar de muur kwam Vos binnen, gevolgd door zijn twee collega's.

Aan het einde van de gang was een deur. Erachter was waarschijnlijk de trap die naar het souterrain voerde. De Egyptenaar brulde de meest uiteenlopende verwensingen. Geen ervan obsceen. Dat was nieuw.

Een van de leden van het arrestatieteam controleerde met getrokken wapen alle kamers. Vervolgens probeerde hij de deur aan het einde van de gang. Die zat op slot. Hij riep de mannen met de stormram.

'Wacht, wacht, wacht,' zei Vos, en hij stak een hand op om hen tegen te houden.

Hij keek naar de boze man op de grond. Westerse kleren. Westers kapsel. Sprak goed Nederlands.

'Luister, Khaled. We gaan een kijkje nemen, of je dat nu leuk vindt of niet. We kunnen de deur openbreken, als je dat liever hebt.'

Er klonk een vloek. Of in elk geval iets wat daarop leek.

'Volgens mij zit daarbeneden een meisje,' vervolgde Vos. 'Ik wil haar niet nog banger maken dan ze al is.'

'Fuck you, Vos! Waarom kunnen jullie ons niet met rust laten?'

'Omdat we op zoek zijn naar een meisje dat naar haar moeder wil,' zei Bakker tegen hem. 'Wat dacht jij dan?'

Vos stak een hand uit en knikte naar de agenten die Khaled vasthielden om aan te geven dat ze zijn armen moesten loslaten.

Dat deden ze. De man sprong op en kwam schreeuwend en met gebalde vuisten op hem af. De grootste agent van het arrestatieteam stond meteen voor hem. Eén krachtige vuistslag in het gezicht en hij sloeg tegen de grond. Daarna nog een trap in zijn buik, voor de zekerheid.

Er stroomde bloed uit zijn neus, die er gebroken uitzag.

'Geweldig,' mopperde Vos, en hij wierp een blik op de deur. 'Breek maar open.'

Hij was oud. Massief. Lastiger open te krijgen dan de dunnere, geschilderde voordeur.

'Ik ga eerst,' zei Vos toen de deur het begon te begeven.

Te laat. Dit was hun moment. De grote man stapte naar binnen.

Er verscheen iemand boven aan de trap. Natalya verborg zich in de schaduwen en keek omhoog. Toen hij de kelder in kwam, schoof ze een stukje opzij. Hij stak zijn hand uit en riep haar naam. Zoals haar moeder deed. Zoals volwassenen dat altijd deden als je mee moest komen, alsof je een ding was dat ze van hot naar haar konden slepen.

Het mes, dat stevig in haar hand lag, kwam tevoorschijn, flitste zijwaarts en raakte vlees. Een schrille kreet van pijn. Een gedaante struikelde op de trap. Als een lenige kat ontweek ze zijn vallende benen, schoot langs hem heen en sprintte de stenen treden op, de koude avond in.

Overal mensen. Licht. Geluid.

Ze had geen idee waar ze was. Welke kant ze op moest rennen.

Weg.

Het maakte niet uit waarnaartoe, zolang ze maar kon vluchten. Naar een plek waar het warm was. Naar iemand die in het licht leefde en naar haar wilde luisteren.

Op bureau Marnixstraat was Frank de Groot terug van zijn bespreking met de AIVD. Hij had evengoed niet kunnen gaan. Er was niets uitgekomen. Hij kon nergens iets aan veranderen. Ze hadden hem in de tang.

Deze mensen waren de oren en de ogen van politici en schimmige veiligheidstypes in Den Haag. Uiteindelijk trokken ze altijd aan het langste eind. Hoe dan ook.

Hij liep rechtstreeks naar het kantoor van Vos. Er was niemand. Een van de junioren bracht hem op de hoogte van de inval bij Saif Khaled. Hij moest moeite doen om zich te beheersen.

Koeman zat in een verhoorkamer met Hanna Bublik. Het koffertje en de Samsung lagen op tafel. Er had niemand gebeld. Niemand had nieuws over de actie bij Khaled.

De Groot trok de rechercheur het vertrek uit, de gang in, buiten gehoorsafstand van de vrouw.

'Ik zou het erg op prijs stellen als iemand me wilde vertellen wat hier in godsnaam aan de hand is,' zei hij, en hij bracht zijn gezicht zo dicht bij dat van Koeman dat hij zijn goedkope aftershave kon ruiken.

'We hebben van niemand wat gehoord,' zei de rechercheur tegen hem. 'Er kwam wat informatie binnen over de Egyptenaar. Het leek ze beter om ernaartoe te gaan.'

De Groot beschikte over de gave om van het ene op het andere moment een intimiderende houding te kunnen aannemen.

Die stand was nu maximaal.

'Heeft iemand Vos duidelijk gemaakt dat Khaled op de watchlist van de AIVD staat? En dat we niet bij hem in de buurt mogen komen zonder hun toestemming?'

Koeman knikte in de richting van de gang.

'Er moet iemand bij haar blijven. Ze mag me niet echt, maar volgens Vos...'

'Mirjam Fransen heeft me over de inval verteld,' onderbrak De Groot hem. 'Ik zat bij de AIVD toen ze een telefoontje kreeg over de actie.' Hij sloeg Koeman op de rug. 'Laten we hopen dat Vos niet met lege handen terugkomt.'

Koeman maakte een weinigzeggende opmerking en liep terug naar de verhoorkamer. Hanna Bublik was weg. Een politieagente was bezig de lege koffiekopjes weg te halen.

'Waar is ze gebleven?'

De vraag leek haar te ergeren.

'Ze werd gebeld en zei dat ze weg moest.'

De Samsung lag nog op tafel en zweeg in alle talen.

'Op die telefoon?' vroeg hij.

'Denk je nou echt dat ik gek ben, Koeman? Op haar eigen telefoon natuurlijk. Ze was toch niet aangehouden, of wel soms?'

'Haal haar terug,' beval hij. 'Waar is ze?'

'Ben ik soms helderziend?' vroeg de vrouw.

Geen antwoord.

'Nou?' drong ze aan.

'Wat is dit?' vroeg Vos nadat hij zich een weg naar beneden had gebaand.

Het souterrain van Saif Khaled was niet de griezelkelder die hij had verwacht. Het vertrek was keurig gemeubileerd. Lichte muren, lampen, een sofa en een tweepersoonsbed. Er stonden ook een televisie en een computer. Vanaf de straat was niets te zien door het zwarte plastic dat tegen de ramen was geplakt.

'Breng hem hier,' beval hij. Khaled werd de trap af gesleurd.

Een vrouw in een lang zwart gewaad zat angstig in een hoek met haar arm om een kind. Een meisje. Geen blond haar. Alleen een gele hoofddoek. Ze zagen er allebei buitenlands uit. Midden-Oosters. De blik van het kind was op de grond gericht. Ze leek nog banger dan de vrouw.

Vos liep naar hen toe, op de voet gevolgd door Bakker. Van der Berg had de Egyptenaar bij zich.

'We zijn van de politie,' zei Vos terwijl hij zijn legitimatie tevoorschijn haalde. Hij benaderde de vrouw rustig en behoedzaam. 'We zijn hier voor inlichtingen. En u bent?'

'Gasten,' onderbrak Khaled hem. Hij depte zijn bloedende neus met een tissue en kwam naar voren. 'Gasten die geen behoefte hebben aan intimidatie door mensen als jullie.'

Bakker glimlachte, zakte voor het tweetal door haar knieën en keek naar het meisje. Ze stak een hand uit.

'Mag ik je haar even zien?' vroeg ze op vriendelijke toon. 'Daarna gaan we weer weg.'

Het meisje keek naar haar moeder. Die schonk Bakker een nijdige blik, maar knikte niettemin. Vervolgens wikkelde ze voorzichtig de gele hoofddoek af.

Laura Bakker moest het hebben geraden. Er was geen haar. Het meisje, dat bleek en broodmager was, was helemaal kaal.

'Sorry,' zei Bakker, en ze kneep zachtjes in haar hand.

'Naar boven,' beval Vos, en hij liep achter Saif Khaled aan.

De Egyptenaar liep te razen en te tieren toen ze de voorkamer hadden bereikt.

Hij verzweeg nu niets meer. Alles kwam eruit. De moeder was Syrische en de dochter was in Amsterdam geboren. Het meisje werd behandeld voor een hersentumor. Ze had haar haar verloren door de chemotherapie. Ze waren op straat gezet door de vader, een Nederlander, die geen zin meer had om de privébehandeling te bekostigen. Khaled had ze in huis genomen en iemand gevonden die bereid was de rekeningen te betalen.

Waarschijnlijk hijzelf, dacht Vos, maar dat hield hij voor zich.

'Waarom heb je dat in godsnaam niet meteen gezegd?' zei Vos op scherpe toon.

De vraag verontwaardigde hem geenszins.

'Haar man is een smeerlap. Een klootzak die zijn handen niet thuis kan houden. Ze is doodsbang voor hem. Dat kan ze er nu gewoon niet bij hebben.'

'Ze had naar ons moeten komen,' verzuchtte Bakker. 'Daar zijn we voor.'

Khaled sloot zijn ogen even en schudde zijn hoofd.

'Ze is ook bij jullie geweest. Vijf keer. Toen hij dreigde haar te molesteren. Jullie zeiden dat jullie niks voor haar konden doen. Niet zolang hij haar niks had aangedaan.'

Van der Bergs telefoon ging. Hij nam op en liep de gang in.

'Luister…' Khaled deed zijn best om redelijk te blijven. 'We zitten hier echt niet op te wachten.'

Vos zei tegen het arrestatieteam dat ze de schade aan de voordeur moesten herstellen.

'Ze blijven een paar dagen hier,' vervolgde de Egyptenaar. 'Daarna kunnen ze waarschijnlijk naar een geheim adres in Leiden. Nog twee behandelingen in het ziekenhuis. Daarna kan Lisa even tot rust komen.'

'Komt het weer goed met haar?' vroeg Bakker.

Hij knikte.

'Met een beetje geluk. En veel bidden.' Hij liet een stilte vallen. 'Ik neem aan dat jullie niet bidden, of wel soms?'

Van der Berg kwam binnen en nam zijn collega's terzijde.

'We moeten terug naar de Marnixstraat. De Groot is compleet over de rooie. Hanna Bublik is weggelopen. Ze kunnen haar niet vinden. En de AIVD is woest dat we hiernaartoe zijn gegaan.'

Vos liep de straat op en belde Hanna's nummer. Het regende nu ononderbroken. Bij de Chinese restaurants aan de overkant van de straat begon het druk te worden.

Nadat de telefoon drie keer was overgegaan nam ze op. Haar stem klonk krachtig. Vastberaden als altijd.

'Wil je het niet weten?' vroeg hij.

'Wat?'

Ze was ergens buiten. Hij kon stemmen horen. Verkeer. Zelfs het geluid van een fietsbel.

'Wat we hebben gevonden.'

'Laat maar horen.'

'Een klein meisje. Ze was ziek. Iemand liet haar en haar moeder onderduiken. Huiselijk geweld. Ze wilden niet dat wij het wisten.'

Stilte.

'Waarom ben je weggegaan, Hanna?'

'Omdat ik niet kan zitten niksen. Nog even over dat koffertje, Vos. Denk je echt dat ze erin waren getrapt?'

Een goede vraag.

'Misschien lang genoeg voor ons om haar te kunnen vinden.'

'En hebben ze gebeld?'

'Mij niet,' zei hij. 'En jou?'

Het hoge woord was eruit. En daar was hij blij om.

'Ik weet niet waar je het over hebt,' antwoordde ze, en ze verbrak de verbinding.

Hij had niet gemerkt dat Bakker het huis uit was geglipt en nu met haar armen over elkaar naast hem tegen de muur leunde.

'We moeten haar laten volgen,' zei ze. 'Ik regel wel surveillance.'

'Nee.'

'Pieter!'

Vos werd zelden boos. Ditmaal scheelde het niet veel. Het feit dat ze voor Piet Snot achter Khaled aan waren gegaan. Het zieke meisje in het souterrain. Hanna Bublik die de benen had genomen en er nu opnieuw alleen voor stond.

Hij stak een vinger op en hield hem voor haar gezicht.

'Ik zei nee, Laura. En zeg tegen niemand dat ik net dit gesprekje met haar heb gehad. Begrepen? Want anders...'

Hij zweeg.

'Anders wat?' vroeg ze.

Het arrestatieteam was met de opengebroken deur bezig. Chagrijnig en enigszins bedremmeld. Alsof het allemaal de schuld van Vos was.

'Ik hou het hier voor gezien,' zei hij, terwijl hij zich afvroeg waar hij een taxi kon vinden.

De trap op, naar de straat. Koude regen spatte op haar jonge gezicht. Het voelde als vrijheid.

Glimmende klinkers weerspiegelden neonreclames van restaurants. Rood, groen, blauw en geel. Buitenlandse gezichten keken naar haar en zeiden dingen in vreemde talen.

Natalya Bublik verlangde naar haar moeder, naar een manier om haar te vinden.

Rennen.

Maar welke kant op?

Het straatje rook exotisch, naar eten en kruiden. Eenden hingen als gewurgde ornamenten aan haken in etalages, glanzend van de marinade. Ernaast zag ze stukken vlees die ze onmogelijk kon thuisbrengen. Ingewanden en vet, weerzinwekkende dingen aan wrede, blinkende spiesen.

Rennen.

Ze sloeg rechtsaf en schrok. Een grote gestalte versperde haar de weg.

Ze keek op. Ze zag een gezicht dat naar haar glimlachte. Een hand die werd uitgestoken.

'Kom maar, meisje,' zei de man stralend, 'dan gaan we je moeder zoeken, oké?'

Zijn hand had de kleur van de dode, verminkte eenden aan de overkant van de straat. Maar ze gehoorzaamde toch, en zijn vuist sloot zich om haar kleine vingers en zijn vrije hand greep de kraag van haar groezelige roze jas.

De glimlach werd breder.

Op dat moment wist ze dat ze verloren was.

'Kom mee,' zei hij. Zijn stem klonk nu niet vriendelijk meer.

Hij trok haar mee, terug naar de trap. Natalya gilde en gilde.

De mannen aan de overkant van de straat draaiden zich om en staarden naar de ramen. De opgeknoopte karkassen. Hun reflectie in het glas.

Omlaag via de koude stenen treden. De deur sloeg achter hen dicht.

De jongen uit Anatolië lag op de grond. Hij huilde zachtjes en omklemde zijn been.

Hij was banger van de man dan van de wond die ze hem had toegebracht.

Buiten klonk ergens harde muziek. Een of ander popnummer, dat uit een café kwam. Ze vroeg zich af waarom. Of degene die dat deed iets wist. Of hij een boodschap had gekregen van de grote man en wist wat hem te doen stond.

'Ga zitten, Natalya,' zei hij, en hij duwde haar op het lage, kleine bed. 'Ga zitten en kijk.'

Toen draaide hij zich om naar de onnozele tiener die haar hier gevangen moest houden, verloren en weggestopt beneden de kille, blinde straten van de stad.

Het duurde even voordat ze het begreep van de muziek. Toen kwam het.

Hij had iets nodig om het geschreeuw te overstemmen.

Bakker volgde Vos naar de taxi en schoof naast hem voordat hij het portier kon sluiten. Ze reden zwijgend – zijn keuze, niet die van haar – naar het bureau door straten die krioelden van winkelend publiek.

Na binnenkomst beende hij naar de verhoorkamer waar Hanna Bublik had moeten zitten. Hij droeg Koeman op de zaak met het koffertje af te handelen, het echte geld, de nepbiljetten en de nutteloze technologie die ze in de naden hadden genaaid.

Vervolgens stak hij eigenlijk zonder reden de Samsung in zijn zak, waarna hij zich naar het mortuarium begaf om te zien of Aisha en haar telefoongeek Thijs nog iets hadden bereikt met hun speurtocht naar het geheugenkaartje uit Ferdi Pijpers' telefoon.

'De Groot wil je onmiddellijk spreken,' zei Koeman op weg naar beneden. 'Hij is woest. Ik denk dat hij ontzettend op zijn lazer heeft gekregen van dat mens van de AIVD.'

'Frank kan wachten.'

Aisha en Thijs hadden al Pijpers' bezittingen onderzocht. Ze hadden niets gevonden.

'Laat mij eens even kijken,' zei Bakker, en ze begon door de bebloede kleren te rommelen die in het ziekenhuis waren uitgetrokken.

'Vos...' begon Koeman.

'De AIVD heeft zijn telefoon gewist,' onderbrak Bakker hem terwijl ze Pijpers' jasje onderzocht. 'Joost mag weten wat ze nog meer hebben geflikt terwijl wij naar dat meisje op zoek waren.'

'Ze zeggen waarschijnlijk dat ze gewoon hun werk hebben gedaan,' beet de rechercheur terug.

'Dat geloof ik graag,' beaamde Vos.

Aisha zei: 'Weet je zeker dat er een geheugenkaart in zat?'

Thijs knikte.

'Tenzij hij dat ding er vlak voordat hij werd neergeschoten uit heeft gehaald. Als er iets belastends op stond, zou hij het hebben verborgen, toch?'

Bakker had een blikje met tabak gevonden.

'Ach, jezus,' bromde Koeman. 'Hij wilde dat stinkspul gisteren opsteken toen hij bij de receptie stond. Hij begon bijna te schuimbekken toen ik zei dat dat niet mocht.'

'Een pijp,' zei Bakker. 'Mijn oom Kees had er een van meerschuim.' Ze rook aan het blikje. 'Ik vond het lekker ruiken toen ik klein was.'

'Dat komt omdat je nog maar een kind was,' zei Koeman. 'Je wist niet beter.'

Ze trok een gezicht, opende het blikje en rook aan de tabak. Het was sterk spul. Het aardachtige aroma verspreidde zich door het volle, bedompte vertrek.

Bakker haalde een pakje vloeitjes uit het blikje en hield het omhoog.

'Wat moet een pijproker hiermee?'

'Misschien rolde hij er sjekkies mee,' opperde Aisha, en ze maakte een gebaar met haar vingers. 'Je weet wel...'

'Niet met pijptabak,' zei Vos.

Bakker stak haar vinger in de uitsparing waardoor de dunne velletjes naar buiten moesten worden getrokken en haalde een minuscuul plastic hoesje tevoorschijn.

'Halleluja,' zei Thijs. Hij nam het behendig van haar over, zette zijn bril af en bekeek het van dichtbij. 'Twee gieg. Oud dingetje. Maar het is een micro-SD-kaart.' Hij haalde een adapter uit zijn jaszak. 'Als jullie willen weten wat erop staat...'

Ze liepen naar de dichtstbijzijnde pc. Frank de Groot kwam binnen en zei tegen Vos dat hij hem wilde spreken.

'Geef me even een minuutje,' antwoordde Vos.

'Heb ik gezegd dat ik je over een minuutje wilde spreken?' snauwde de commissaris.

Thijs stak het kaartje in de computer en begon te typen.

'Nu,' herhaalde De Groot.

Vos reageerde niet en voegde zich bij de anderen die om de monitor stonden. De stem van De Groot werd een paar tonen hoger. En harder.

'Dit zijn de foto's,' zei Aisha. 'Die van de thumbnails.'

'Zeker weten,' beaamde Thijs. 'Genomen op zaterdag. Een aantal om twee uur 's middags en de rest om een uur of vier. Kijk maar. Je kunt zien dat het donker begint te worden.'

Vos keek naar de foto's die op het scherm verschenen.

'Wat doet dat er nou toe?' zei Bakker. 'Wie staan erop?'

De commissaris beende op het groepje af en beval Aisha en Thijs het vertrek te verlaten.

Aisha's donkere ogen lichtten boos op.

'Maar. Maar...'

'Wegwezen. Nu,' donderde hij. 'Jullie hoeven vandaag niet meer terug te komen. Het werk zit erop. Opgehoepeld.'

Koeman stond te wiebelen op zijn benen. Hij keek benauwd en niet op zijn gemak uit zijn ogen.

'Jij ook,' vervolgde De Groot. De rechercheur wist niet hoe snel hij zich uit de voeten moest maken.

Bakker stak haar hand uit naar het toetsenbord.

'Hou daarmee op,' beval hij. 'Ik wil weten wat er in het huis van die Khaled is gebeurd. Wat jullie daar in godsnaam te zoeken hadden.'

Vos vertelde het hem.

'We hadden niks anders om achteraan te gaan, Frank. Dat telefoontje kwam niet. We wisten – tenminste, dat dachten we – dat daar iets niet in de haak was.'

'Ben ik hier soms alleen om jullie urenbriefjes af te tekenen? Hoef ik zoiets niet te weten?'

'Je was er niet. Er moest een beslissing worden genomen. Dat heb ik gedaan.'

'Dus nu hebben we helemaal niks. Geen idee waarom die klootzak niet heeft gebeld. Wat voert hij in zijn schild?'

Vos gaf een klopje op het toetsenbord en zei: 'We hebben dit toch?'

Laura Bakker, die aan een half woord genoeg had, opende de map met foto's en liet ze een voor een op het scherm zien.

De meest recente, die van vier uur, verschenen als eerste. Martin Bowers – Mujahied Bouali – ditmaal zonder zwartepietenpak. Gewoon een jonge blanke man met een rossig vlasbaardje die ergens in de schaduw stond. Hij praatte tegen... nee, hij werd toegesproken... door een grote, indrukwekkend uitziende man in een lange grijze jas.

Thom Geerts. Onmiskenbaar.

'Jezus,' zei Laura Bakker zacht. 'Hij laat hem iets zien. Kijk. Een zak.'

Een grote zak. Zo een voor kampeerspullen. Zelfs van deze afstand was duidelijk te zien dat de jonge Brit een angstige blik op zijn gezicht had toen hij erin keek.

Toen de volgende foto. Geerts had iets vast wat veel op een handgranaat leek.

De foto's volgden elkaar op. De Groot zei niets.

'Wie is dat in vredesnaam?' vroeg Bakker toen de andere persoon verscheen. 'Ik ken hem niet. Zal ik deze naar Inlichtingen mailen?'

'Dat is niet nodig,' zei de commissaris.

'Maar...'

Vos legde zijn hand op de hare om haar tegen te houden.

'Dat is Lucas Kuyper,' zei hij. 'De vader van Henk.'

'Die militair?' vroeg ze. 'Die in Bosnië al die ellende op zijn dak heeft gekregen?'

De Groot liep naar de pc, trok het kaartje eruit en stak het in zijn zak. De computer sputterde tegen.

'Je kunt vertrekken,' zei hij tegen Bakker. 'Ik wil Vos onder vier ogen spreken.'

'Oké, best.' Ze dacht even na. 'Zal ik een team regelen om hem op te halen? We zouden Mirjam Fransen ook hiernaartoe moeten laten komen. Geerts werkt voor haar. Ze moet toch...'

'Rechercheur Bakker,' blafte De Groot. 'Daar is het gat van de deur. Wegwezen. Je vertelt niemand wat je hier hebt gezien. En dan bedoel ik absoluut niemand. Is dat duidelijk?'

Laura Bakker was bijna even lang als hij. Ze zette haar handen in haar zij, schudde haar hoofd en schonk hem een afkeurende blik.

'Niet echt. Dit is alles wat we hebben. Wilt u dat ik dit zomaar vergeet?'

De Groot begon rood aan te lopen. De walrussnor vertoonde stuiptrekkingen.

'Wat ik wil...'

Vos kwam tussenbeide, legde een geruststellende hand op haar rug en loodste haar naar de deur.

'Pieter,' fluisterde ze. 'Wat is hier in godsnaam aan de hand?'

'Ga nou maar gewoon...'

Hij duwde haar zachtjes de kamer uit.

'Je hebt me nooit op deze zaak gewild, hè? En' – haar blik gleed in de richting van de grote man in het donkere kostuum bij de pc – 'hij ook niet. Wat ze...'

Vos wuifde met zijn vingers en sloot de deur.

Al snel barstte de woordenwisseling in alle hevigheid los. De gemoederen raakten zelfs dermate verhit dat het tumult op de gang was te horen.

Hanna Bublik liep het huis aan de Oude Nieuwstraat binnen, klopte de regen van haar zwarte jack en bleef even in het halletje staan.

Haar schouder deed weer pijn. Ze liep naar boven, naar het kamertje dat ze met Natalya had gedeeld. Ze nam niet de moeite de deur te sluiten toen ze zich uitkleedde. Ze bekeek zichzelf in de spiegel, draaide zich om en zag het verband dat Renata Kuyper had aangebracht.

'Het geneest vanzelf,' zei een stem vanaf de overloop.

Het was Chantal. Jong. Onnozel. Schuldbewust. En voor de verandering eens vriendelijk.

'Heb je al iets over Natty gehoord?' vroeg ze.

'Nee.'

Het meisje knikte.

'Het gaat wel weer over. Het is maar een tattoo.'

'Dit is geen tattoo,' zei ze. 'Echt niet.'

Er lag angst in haar donkere, domme ogen. 'O. Ik heb gehoord dat hij soms iets anders doet. Als hij iemand speciaal vindt.'

'Speciaal?'

Wat was die meid een leeghoofd. Soms zou Hanna Bublik haar het liefst door elkaar schudden om te zien of er misschien toch nog iets verstandigs uit dat knappe, nietszeggende mondje kwam.

Ze sloot de deur en verwisselde het verband. Ze vroeg zich af of Vos haar opnieuw zou lastigvallen. En hoe ze dan zou reageren.

Toen ze zich weer half had aangekleed, ging haar telefoon. Cem Yilmaz. Hij klonk opgewekt en zelfverzekerd, zoals gewoonlijk.

'Heb je al wat gehoord?'

'Hij heeft gebeld. Toen ik op de Marnixstraat zat.'

Een bezorgde stilte.

'Heb je het de politie verteld?'

'Nee. Die weten van niks.'

'Prima. Houden zo. Wat zij belangrijk vinden is niet hetzelfde als wat voor ons belangrijk is. Het gaat erom dat Natalya vrijkomt...'

'Alsof ik dat niet weet,' onderbrak ze hem.

Er viel een korte stilte. Het beviel hem niet dat ze hem op zijn plaats zette.

'En het geld?' vroeg Yilmaz. 'Wat zei hij daarover?'

'Ik kan zelf met zestigduizend euro over de brug komen. Als jij honderdduizend euro kunt vrijmaken...'

Stilte.

'Ik heb tegen hem gezegd dat ik honderdzestigduizend euro kon ophoesten.'

'Ik heb je zeventig geboden. Dat is wat je waard bent.'

Het lag voor de hand dat hij met dit argument op de proppen kwam.

'Hij doet het niet voor minder. Ik kom dertigduizend euro tekort. Als jij voor de rest zorgt, dan doe ik...'

Alles.

'Dan doe ik alles wat je wilt.'

'Je dochter...'

'Ja. Natalya.'

Hij dacht even na.

'Goed. Dan doen we het zo. Je krijgt honderdduizend euro van me. Ik zal voorlopig niks van haar vragen. Pas als ze wat ouder is. Ik ben tenslotte geen monster.'

Ze had het gevoel dat de kamer begon te draaien toen ze besefte wat hij bedoelde.

'Nee, nee, nee. God, alsjeblieft. Nee. Ze is mijn kleine meid...'

'Je wilt haar toch levend terug?'

'Natuurlijk, maar...'

'Ik begrijp niks van je, mens. Als dit beroep voor jou acceptabel is, waarom dan niet voor Natalya? Je ziet trouwens wel vaker dat dit soort dingen van moeder op dochter overgaan.' Hij lachte. 'Of denk je soms dat ze later advocaat wordt?'

Er kwamen geen woorden. De omvang van wat ze zojuist onbedoeld had geaccepteerd maakte haar het spreken volledig onmogelijk.

'Dat is mijn aanbod. Er wordt niet meer onderhandeld,' zei Yilmaz. 'Dat station zijn we gepasseerd. Belofte maakt schuld.'

Ze zweeg. Ze wist niet wat ze moest zeggen.

'Ik ben een druk bezet man,' zei Yilmaz. 'Ik wil nu een antwoord van je. Ja of nee.'

'Ja,' zei een broos stemmetje. Dat van haar.

'Goed zo. Dat is dan afgesproken. Zei hij nog meer?'

'Hij belt me morgenochtend voor een afspraak over het oppikken van het geld. Daarna laten ze Natalya gaan.'

'Dan vul ik jouw zestig mille aan met honderdduizend euro van mij. Neem je eigen aandeel wel even mee, dan kan ik het zien. Doe wat die man zegt. Cem Yilmaz zorgt ervoor dat jij je dochter terugkrijgt. Maar je houdt mijn naam erbuiten. Begrepen?'

Ze wist opnieuw niet wat ze moest zeggen.

'Ben je er nog?' vroeg hij op scherpe toon. 'Begrijp je het?'

'Ja.'

'De politie mag niks vermoeden. Zorg ervoor dat je je normaal gedraagt.' Hij dacht even na. 'Ze zijn niet gek. Misschien houden ze je in de gaten.'

Hanna liet zich voorover op het bed vallen. Ze kon wel janken.

'Normaal?'

'Doe niks wat ze achterdochtig zou kunnen maken. Ga vanavond werken. Zoek een raam. Laat jezelf zien. Ik weet dat ik heb gezegd dat ik dat niet meer wilde, maar het is beter om de schijn op te houden. Onze afspraak gaat in zodra je dochter weer thuis is. Dan bespreken we hoe we het in de toekomst gaan doen.'

Ze kon niet helder meer denken. Werken was wel het laatste waar ze nu zin in had, dat wist hij maar al te goed.

'Niet vanavond...'

'Ik zet ook een hoop op het spel. Zonder er meteen wat voor terug te krijgen. Je doet wat ik zeg, anders help ik je niet.'

Ze fluisterde iets, eigenlijk zonder te weten wat.

'Bel me morgen maar als je iets hoort,' zei hij. 'Nog een fijne avond.'

Natalya's bed stond in de hoek van het kamertje, vlak bij het raam. Het was netjes opgemaakt. Ze liep ernaartoe en trok de lakens recht. Het was alsof ze al weken weg was in plaats van vier dagen. De kamer leek leeg zonder haar slimme, nieuwsgierige stem en haar vrolijke lach als ze een boek las of een tekenfilm keek op de kleine televisie die ze hadden gekocht.

Ze belde Renata Kuypers mobiele nummer en zei dat ze het geld de volgende ochtend nodig had.

'Goed,' zei ze, maar zo klonk ze niet.

'Gaat het lukken?'

'Ik heb onze dertigduizend euro hier. Henks vader heeft het verdubbeld. Zeg maar wanneer ik het langs moet brengen.'

'Bedankt.' Het viel haar zwaar om dat woord te zeggen. 'Zodra ik de kans krijg, betaal ik jullie terug...'

'Dat zit er niet echt in, hè?'

'Nee,' beaamde ze. 'Niet echt.'

Renata aarzelde even en zei vervolgens: 'Ik moet het vragen. Heb je hem gesproken?'

'Wie?'

'Henk.'

'Waarom zou ik met je man praten?'

'Hij is vanmiddag de deur uit gegaan. Sindsdien heb ik niks meer van hem gehoord. En hij neemt zijn telefoon ook niet op.' Haar stem klonk een beetje vreemd. Niet zozeer ongerust, als wel in de war. 'Dat is niks voor hem.'

'Ik heb hem niet gezien. Ik bel morgen wel.'

Dat was het dan. Alle mogelijkheden waren uitgeput. Yilmaz had haar gezegd wat hij wilde en een prijs gevraagd die ze niet kon weigeren. Hij zou vanavond ongetwijfeld een mannetje op pad sturen om te kijken of ze deed wat haar was gezegd.

Ze liep naar haar kleerkast en zocht de dingen bij elkaar die ze voor haar werk nodig had. Het goedkope satijnen ondergoed. De condooms. De gels. De tissues. Twee schone handdoeken.

En een oude sjaal die ze uit Georgië had meegenomen. Ze sloeg hem om haar schouders om de wond op haar rug te verhullen.

Even later liep ze door de Oude Nieuwstraat. Er was maar één leeg raam. De rode neonverlichting flikkerde als een idioot, en het was duidelijk dat haar hoofdpijn er niet minder van zou worden. Maar even later zat ze halfnaakt op een barkruk achter het raam en staarde ze naar de gezichten die aan haar voorbijtrokken, vurig hopend dat er niemand op de bel zou drukken.

Vos en De Groot spraken twintig minuten met elkaar in het zijkamertje van het forensisch lab. Het plensde ondertussen, en de hemel was zwart. De regen kletterde onafgebroken tegen de getraliede ramen, maar zelfs dat kon het geruzie van de mannen niet verhullen. Ze gingen steeds harder praten, totdat iedereen in het aangrenzende kantoor hen kon horen.

Laura Bakker en Dirk van der Berg deden hun best om te werken. Koeman controleerde het logboek om na te gaan of er misschien nieuwe aanwijzingen waren, maar dat was niet het geval. Hanna Bublik nam nog steeds haar telefoon niet op.

Het begon ernaar uit te zien dat de zaak muurvast zat. Vos moest met iets nieuws komen. En Bakker meende precies te weten wat daarvoor moest gebeuren.

Ze moesten Lucas Kuyper, zijn zoon Henk, diens vrouw en hun dochter Saskia op het bureau laten komen om alles door te nemen wat er de zondag ervoor op het Leidseplein was voorgevallen. Ze moesten proberen werkelijkheid van fictie te scheiden. Daarna konden ze bepalen wat de volgende stap was.

Bakker keek naar Van der Bergs gezicht terwijl ze haar plan opnieuw met hem besprak. Hij was halverwege de veertig, een paar jaar ouder dan Vos. Een rechercheur die nooit promotie zou maken. Daarvoor ontbrak het hem aan ambitie. Hij was tevreden met zijn plekje onder aan de ladder. Als alles goed ging zou ze over een paar jaar zijn baas zijn. En er zouden ongetwijfeld momenten komen waarop ze hem de wind van voren moest geven.

'We kunnen die foto's niet negeren,' zei ze. 'Of wel soms?'

Hij knipperde met zijn ogen en vroeg: 'Welke foto's?'

'Kuyper. Thom Geerts. Hoezo welke foto's?'

Hij schudde zijn hoofd.

'De commissaris heeft dat geheugenkaartje ingepikt, Laura. Het is nu tussen hem en Vos. Wij doen gewoon wat ons gezegd is. Zo werkt het nu eenmaal.'

‘Dat is het oudste excuus ter wereld, denk je ook niet?’

‘Zo’n beetje,’ beaamde hij. ‘Als je hier lang genoeg werkt, hoor je er nog veel meer.’

‘Er is een klein meisje ontvoerd…’

‘Denk je dat De Groot dat niet weet? Of Pieter?’

‘Maar dan…’

Zijn gezicht betrok, en ze zag iets wat ze zelden te zien kreeg: hij begon boos te worden. En niet zo’n beetje ook.

‘Je voert één gevecht tegelijk, Laura. Het gevecht dat ertoe doet. Ik heb geen idee wat die klootzakken van de AIVD in hun schild voeren, maar ze weten niet waar Natalya Bublik is. Op dit moment, in elk geval.’

‘Je lijkt erg zeker van je zaak.’

‘We komen er wel achter wat er is gebeurd. En dan…’

Hij zweeg. Er klonk tumult op de gang. Harde stemmen. Boos geschreeuw.

Het duurde even voordat Bakker doorhad wie de tweede persoon was. Ze had De Groot al tientallen keren uit zijn dak horen gaan, maar Vos verhief zijn stem nooit. Tegen niemand. Nu besefte ze dat hij de commissaris op dat punt ruimschoots de baas was. En zijn woordkeus was navenant.

De Groot volgde hem met een rood gezicht en gebalde vuisten het kantoor in.

‘Ruim onmiddellijk je bureau leeg, Vos,’ donderde de commissaris. ‘En ik wil je politielegitimatie. Ik snap niet dat ik ooit zo stom ben geweest om je terug te halen.’

Bakker en Van der Berg keken geschokt toe. Vos had een blik op zijn gezicht die Bakker al heel lang niet had gezien. Een blik van verslagenheid en wanhoop. Zo was hij ook geweest toen De Groot haar op pad had gestuurd om hem over te halen terug te komen bij de politie; de tijd waarin hij dag in, dag uit het Rijksmuseum had bezocht om naar het poppenhuis van Petronella Oortman te staren.

‘Kan het misschien een beetje rustiger?’ opperde Van der Berg. ‘Dit soort conflicten kun je het beste oplossen onder het genot van een paar biertjes.’

‘Geweldig!’ blafte De Groot, terwijl hij een vinger in de lucht priemde en Vos naar zijn bureau liep om zijn spullen te pakken. ‘Ga maar zuipen met die losers waarmee je je de hele dag omringt. Sluit jezelf maar op in die kloteboot en rook jezelf maar kapot. Opgeruimd staat netjes...'

Hij liep naar Vos toe, pakte hem bij zijn schouder en knipte met zijn vingers. De Groot was een boom van een kerel met een indrukwekkende fysieke aanwezigheid. Vos leek in vergelijking met hem maar een schriel mannetje.

'Je legitimatie,' beval De Groot. 'En je wapen.'

Vos reikte in zijn jaszak en haalde zijn politielegitimatie tevoorschijn. Vervolgens pakte hij een sleutel uit zijn la.

'Mijn wapen ligt nog in het kluisje, Frank. Je weet dat ik niet van die dingen hou.'

'Je vindt jezelf te slim voor ons, hè?' zei De Groot. 'Dat heeft voor dat meisje anders niet zo goed uitgepakt.'

Er kwamen steeds meer mensen om het ruziënde tweetal heen staan. Ze wilden niets van de bittere woordenstrijd missen.

Vos wierp een blik op De Groots rood aangelopen gezicht, overwoog iets te zeggen, maar zag ervan af.

'Nee,' beaamde hij ten slotte. 'Je hebt gelijk.'

Vervolgens pakte hij zijn duffelse jas en liep naar de trap.

'De voorstelling is voorbij,' riep De Groot tegen het groepje mannen en vrouwen dat op de ruzie was afgekomen. 'Iedereen weer aan het werk.'

Hij was nog steeds razend en ademde zwaar.

'Nu we het daar toch over hebben,' zei Bakker op ijzige toon. 'Ik neem aan dat we Lucas Kuyper en dat mens van de AIVD voor een gesprekje gaan uitnodigen?'

De Groot keek op zijn horloge.

'Jullie werkdag zit erop. Ga naar huis. Ik zie jullie morgen om acht uur op mijn kantoor. Vanaf nu leid ik deze zaak persoonlijk.'

Bakker bleef staan waar ze stond.

'Vergeet het maar,' zei ze tegen hem. 'Dit gaat niet de doofpot in. Dat sta ik niet toe.'

Van der Berg, die naast haar stond, slaakte een zucht en greep naar zijn voorhoofd. De commissaris kwam voor hen staan.

'O nee?' vroeg hij.

'Nee. De wet is voor iedereen gelijk. En die lui hebben hem overtreden.'

'Jezus,' foeterde De Groot. 'Ik heb net een half uur naar het geraaskal van Pieter Vos moeten luisteren. Krijg ik nu ook nog een preek van z'n kleine meid?'

'Ik ben niet klein, commissaris,' antwoordde Bakker. 'En ik ben ook geen meid.'

'Nee, je bent net zo'n lastpost als hij.' Hij wees naar de deur. 'Morgenochtend om acht uur op mijn kantoor. Prettige avond.'

Het monster in de kelder was echt. Het was een grote man. Een buitenlander. Met een wrede lach en iets boosaardigs in zijn ogen.

Hij trapte het domme joch uit Anatolië. En stompte hem. Sloeg zijn bloedende hoofd tegen de muur. Toen de jongen niet meer dan een zak met gebroken botten was die stilletjes bij de stenen trap lag, kwam het monster naar haar toe en ging naast haar op het bed zitten.

Hij legde zijn sterke arm om haar tengere, bevende schouders.

'Je ziet het, meisje,' zei het monster. 'Dat krijg je ervan als je niet doet wat je wordt gezegd.'

De grote arm drukte op haar pols. Ze was bang dat ze het in haar broek zou doen.

'Het is verstandiger om je te gedragen, Natalya. Anders moet ik het tegen je moeder zeggen.'

Ze verzamelde al haar moed en keek hem aan.

'Ja,' zei hij. Hij haalde zijn arm weg, legde zijn reusachtige handen in zijn schoot en knikte. 'Ik ken haar. Dit...'

Hij maakte een weids gebaar met zijn hand.

'Dit is de wereld van de volwassenen. De echte wereld. Mijn wereld. Hier is geen plek voor kinderen en hun dromen. Er zijn dingen die jou niet aangaan. Belangrijke dingen. Leven en dood.'

Natalya wierp een blik op de trap. Ze wilde dat ze de kracht had om uit deze kelder te ontsnappen.

'Je moeder en ik zijn het eens geworden,' vervolgde hij. 'Je blijft hier totdat het tijd is om te vertrekken. Dat is veiliger.'

Hij boog zijn hoofd naar haar toe. Twee rustige, donkere ogen boorden zich in de hare.

'Voor jullie allebei. Dat wil je toch?'

Ze knikte. Hij had niet anders verwacht.

'Dus je doet wat je moeder wil. Je gedraagt je. En geen streken meer, alsjeblieft.' Hij knikte naar de roerloze gestalte bij de trap. 'Jij hebt dit op je geweten, Natalya. Je bent een slim meisje. Je kent je verantwoordelijkheid.'

De ogen richtten zich weer op haar. Ze kon wel huilen, maar dat vertikte ze.

'Wie heeft dit gedaan?' vroeg hij.

Met een zwakke, maar vastberaden stem zei ze: 'Ik.'

Zijn grote hand gaf een klopje op haar been. Toen stond hij op. Terwijl hij naar het lichaam liep dat op de koude stenen vloer lag, zei hij: 'Ik stuur iemand anders om op je te passen. Als je je gedraagt zie je morgen je moeder weer.'

Het monster sleurde de jongen uit Anatolië de trap op. Hij bewoog zich niet, maakte geen geluid en ademde zelfs niet, voor zover ze dat kon zien.

Toen verdween het schepsel, in zijn kielzog de scherpe en bijtende geur van bloed achterlatend.

Van der Berg volgde Laura Bakker via de hoofdingang naar buiten, de stromende regen in. Bakker wist waar Vos naartoe zou gaan. Regelrecht naar de Elandsgracht, naar het warme, vertrouwde interieur van De Drie Vaten. Daar zou hij aan een van de aftandse tafeltjes in zijn bier gaan zitten staren met de terriër Sam opgerold aan zijn voeten.

Ze haalde haar fiets van het slot. Van der Berg kwam naar haar toe voordat ze kon wegrijden.

'Waar ga je naartoe?' vroeg hij.

'Wat denk je?'

'Laura, wil je nou alsjeblieft eens een keer naar me luisteren?'

Hij keek zo wanhopig dat ze instemde. Zo kwam het dat ze met z'n tweeën in een kroeg belandden die ze niet kende, op een paar straten van de Elandsgracht. Zo te zien een homobar. Voor lesbiennes. Een charmante bardame met een crewcut serveerde hen allebei een biertje van een merk waarvan ze nog nooit had gehoord.

Van der Berg bedankte de bardame – hij kende haar naam – en ging Bakker voor naar een tafeltje in de hoek.

'Ken jij soms elk café in Amsterdam?' vroeg Bakker.

'Dit is een grote stad. Ik moet blijven zoeken.'

Hij hief zijn glas. Het bier had de kleur van honing. Even later kwam de bardame naar hem toe met twee gepelde versgekookte eieren, een schoteltje met wat zout en een paar servetten.

'Mijn god, we weten wel wat lekker is, hè?' fluisterde Bakker.

Hij lachte en nam een slok.

‘Ik ben blij dat je grapjes maakt. Dat betekent dat je hier begint te wennen.’

‘Was dat een grap?’

Hij brak zijn ei in tweeën, doopte een helft in het zout en stak die in zijn mond.

‘Wat is er nou eigenlijk aan de hand?’ vroeg Bakker.

‘We hebben het helemaal verkloot. Iemand trapt omlaag naar Frank de Groot. Dus hij doet waar de hogere rangen in uitblinken. Omlaag trappen naar de eerste de beste die onder hem staat.’

Hij schoof het tweede ei over de tafel naar haar toe. Ze bedankte.

‘Als Pieter een gewone brigadier was, zou hij nu naar ons trappen. Maar dat doet hij niet.’

‘We kunnen niet doen alsof onze neus bloedt en hem de schuld op zich laten nemen. We hebben er allemaal een puinhoop van gemaakt. Trouwens… die smeerlappen van de AIVD…’

De bedachtzame manier waarop Van der Berg het glas bier in zijn hand hield en bewonderde, deed haar zwijgen.

‘Klopt,’ zei hij.

‘En wat doen we nu?’

‘We doen wat de commissaris zegt. We gaan morgenochtend naar zijn kantoor. We luisteren naar wat hij wil. We proberen dat meisje te vinden. Met een beetje geluk trekt De Groot over een dag of wat wel weer bij. Dit is niet voor het eerst dat bij hem de bom barst.’

‘Dus we laten Pieter gewoon barsten? Geen steunbetuigingen? Geen…’

‘Hij was als aspirant onder mij aangesteld toen hij op de Marnixstraat kwam,’ onderbrak Van der Berg haar. ‘Ik was eigenlijk degene die promotie zou gaan maken. Pieter was gewoon zo’n slimme, softe gozer die door iedereen aardig werd gevonden. Ik had eerlijk gezegd een beetje medelijden met hem.’

‘Wat is er gebeurd?’

Van der Berg glimlachte naar haar.

‘Hij was toen al net zo. Je kon niet echt met hem praten of hem iets opdragen. Hij ging altijd zijn eigen gang. Maar hij wist de klus altijd te klaren. Een paar jaar later kreeg hij promotie. Ik piste naast de pot.’

Zijn bier was op. De bardame bracht een flesje zonder dat hij erom hoefde te vragen.

‘Vos is een echte binnenvetter. Hij moet de dingen in zijn eentje verwerken. Daar ben ik lang geleden achter gekomen. Je moet hem gewoon wat tijd gunnen. Samen met zijn hondje en dat knagende geweten van hem. Wij kunnen niks voor hem doen, jij en ik. We kunnen alleen wachten.'

Hij schonk haar wat bier bij uit de fles en klonk met haar.

'Afgesproken?'

'Wat is het alternatief?' vroeg ze.

'We vallen met tranen in de ogen bij hem binnen en leven vreselijk met hem mee zodat hij weer in zijn schulp kruipt. Precies daar waar je hem maanden geleden hebt gevonden. Weet je nog?'

Ze nam een paar slokken van haar bier en vond het heerlijk.

'Ik baal alleen van het idee dat ik niks kan doen.'

Van der Berg trok zijn dikke wenkbrauwen op.

'Ik zei dat we moesten wachten. Dat is niet hetzelfde, toch?'

Geen antwoord.

'Ik loop wel even met je mee naar huis,' zei hij. 'Het ligt toch op mijn route.'

Twee straten verderop zat Vos precies daar waar Bakker had voorspeld: aan zijn stamtafeltje met de hond aan zijn voeten en een biertje en een glas oude jenever voor zijn neus. Sofia Albers sloeg hem gade vanachter de bar.

Het was tegen elven. Hij was de laatste klant in De Drie Vaten en hij zag er niet uit alsof hij op korte termijn zou vertrekken.

'Hoe gaat het met je moeder?' vroeg Vos, wetende dat ze van plan was hem eruit te zetten.

'Een stuk beter, dank je. En hoe is het met jou?'

Hij hief het glas, toostte op haar en dronk het leeg.

'Zo is het wel weer mooi geweest,' zei ze.

De hond, die de woorden herkende, begon zich te roeren aan zijn voeten, stond op en schudde zijn dikke vacht.

'Ben ik niet degene die dat bepaalt?' vroeg Vos.

'Hou daarmee op, Pieter. Ik begin me zorgen om je te maken.'

'Waar moet ik mee ophouden?'

'Kijken zoals je vroeger altijd deed.'

'Ik kan de hele nacht doordrinken als ik wil.'

'Dat zal best, maar niet hier.'

Vos zag een gestalte buiten bij de boot. Slank. Vertrouwd. Behoedzaam. Alles had een risico.

Hij stond op, liep met Sam naar de bar en stak zijn hand uit met de riem erin.

'Ik moet nog aan de slag.' Hij legde de lus over de dichtstbijzijnde biertap. 'Sam begint ondertussen te denken dat hij hier woont.'

'Wat is dat nou voor onzin! Ik pas alleen op hem. Hij is van jou.'

De hond wist zoals gewoonlijk wanneer ze het over hem hadden. Hij ging kwispelend met zijn pootjes tegen de bar staan in de hoop een lekker hapje te krijgen.

'Hij kan je horen als je aan komt lopen over straat,' vervolgde ze. 'Lang voordat ik dat kan. Je moest hem eens zien...'

'Ik heb hier geen tijd voor,' zei Vos. 'Nu even niet.' Hij wees op de riem. 'Alsjeblieft?'

Ze liet Sam achter de bar. De hond leek eerder verbaasd dan teleurgesteld.

'Het heeft met dat meisje te maken, hè? Ik weet dat je niet over je werk kunt praten...'

'Yep. Werk.'

Sofia was een aantrekkelijke vrouw. Gescheiden. Vaak alleen. Ze had ongeveer zijn leeftijd, en ze was naar iemand op zoek, maar niet wanhopig. Toen zijn wereld was ingestort en hij zich had teruggetrokken in de eenzame kajuit van de woonboot aan de overkant van de straat had ze hem in zekere zin gered. Vos zei nooit bedankt. Dat vond hij op de een of andere manier aanmatigend. En onnodig. Ze kwam uit de Jordaan. Mensen als zij hielpen anderen zonder er ook maar één seconde over na te denken en zonder er iets voor terug te verwachten.

'Hoe gaat het met je dochter, Pieter?' vroeg Sofia. 'Heb je nog wat van haar gehoord?'

Hij haalde een ansichtkaart uit zijn jaszak en gaf hem aan haar. Een strand op Aruba, waar Anneliese nu woonde met haar moeder.

De kaart was zes weken geleden gepost. Hij hield hem om de een of andere reden bij zich. Op de achterkant stond één zin, een simpele boodschap: *Ik mis je, pap. Wanneer kom je van de zon genieten?*

'Nou, wanneer?'

'Ik hou niet...' Vos aarzelde en zocht naar een excuus. 'Ik hou niet zo van warmte. Ze komt wel weer terug. Als ze er klaar voor is.'

'En ondertussen werk je jezelf het apezuur om anderen te redden? Helemaal in je eentje?'

Hij stopte de ansichtkaart weer in zijn zak.

'Dat is de bedoeling, nietwaar? Ik zit tenslotte weer bij de politie.'

'Je vindt dat meisje nooit als je jezelf weer zo'n diep dal in werkt,' zei Sofia.

Dat bracht Vos van zijn stuk. Het was de heftigste en meest kritische opmerking die ze ooit tegen hem had gemaakt.

Hij keek om zich heen in het smoezelige cafeetje en wierp een blik op de vrouw die het uitbaatte.

'Ik ben niet helemaal alleen, toch?' zei hij. Hij glimlachte schaapachtig, tikte tegen een denkbeeldige hoed en kuierde naar buiten, de nacht in.

De eenzame vrouw die zo veel op het spel had gezet stond te wachten bij de brug. Hij nam het voorwerp aan dat ze hem toestak en zei gedag.

Koude winterregen viel gestaag. De druppels maakten speldenprikken in de gracht, die glinsterde onder de straatlantaarns. Een rondvaartboot voer langs en doorkliefde het zwarte water. Binnen waren feestende mensen te zien. Mannen in smoking, vrouwen in fleurige feestjurken. Met glazen champagne in de hand. Omringd door gelach en muziek. Het leven in de stad stopte voor niemand. Er was geen tijd voor zorgen om hen die onrecht was aangedaan, zoals Hanna en Natalya Bublik. Dat had niets met wreedheid of een gebrek aan medeleven te maken. Het was een conventie die voortkwam uit de praktijk. Waarom zou je je druk maken als je niets kon doen? Dat was iets voor anderen.

Bij de Berenstraatbrug waren de gekleurde lichtjes van de Negen Straatjes te zien als reflectie op de uitwaaierende rimpelingen in het kielzog van een langzaam vervagende rondvaartboot. De stad had op dat moment een vreemde, verlaten schoonheid. Een die niet zou voortduren.

Vos haalde zijn vissershoed tevoorschijn. Het ding was van wol en hielp niet echt tegen de nattigheid. Hij zette hem op en begaf zich op weg.

Er waren nog genoeg kroegen open, mocht hij daarin geïnteresseerd zijn. Maar hij kon Sofia Albers niet vertellen dat hij geen behoefte had aan drank, evenmin als aan het diepe dal dat ze vreesde.

Tien minuten later stond hij in de Oude Nieuwstraat voor het huis waar Hanna Bublik woonde. Er werd opengedaan door een jonge vrouw. Ze zag er Maleisisch of Filippijns uit en had de broze onschuld die importhoertjes uitstraalden. In het begin, tenminste. Totdat de tijd en de stad het wegnamen.

'Hanna is er niet,' zei het meisje. 'Ze werkt trouwens niet vanuit huis.'

Hij had geen politielegitimatie meer. Het was een begrijpelijke vergissing.

'Waar is ze nu?' vroeg Vos.

'Geen idee. Maar ik ben er toch? Ik werk wel vanuit huis,' zei ze met een koket glimlachje.

Iets in zijn teleurgestelde blik deed haar de deur in zijn gezicht dichtslaan.

Even verderop laaide een ruzie op. Een hoer en een klant. Zo te zien was er ook een pooier bij betrokken. Vechtpartijen, dronkenschap, geschreeuw, gegil – het begon in deze buurt al ver voor middernacht. De volgende ochtend was alles weer rustig. Ouders brachten hun kinderen naar school door dezelfde straat en negeerden de straatveger die in de weer was met afval, injectiespuiten, gebruikte condooms en zatlappen die in hun eigen kots lagen.

Vos liep op de herrie af met het idee dat hij misschien moest ingrijpen. Proberen de zaak te sussen. De amokmakers ervan overtuigen dat ze hun gezonde verstand moesten gebruiken – iets waar hij zelf ook wel eens moeite mee had. Zijn eigen leven had zich teruggetrokken tot aan de rand van de samenleving toen een verlossend aanbod van Frank de Groot in combinatie met Laura Bakkers overredingskracht hem terug hadden gebracht bij de politie. Maar een terugval was niet ondenkbaar, en dat wisten zij ook.

Zijn blik dwaalde af naar het raam aan zijn linkerhand. Rood licht. Een felle neonbuis. Een hoertje achter het raam met hangend hoofd, gesloten ogen en een gezicht dat pijn uitstraalde. Ze droeg een oude sjaal om haar naakte schouders, een glanzende satijnen beha en dito slipje. Ze had de benen over elkaar geslagen en de armen gekruist. Ze straalde iets uit van: 'Ga weg. Nu even niet.'

Iets wat je in deze buurt nooit zag.

Vos vergat de ruzie verderop en liep naar het raam. Ze opende haar ogen nog steeds niet. Hij drukte op de bel. Hanna Bublik keek op en het kostte hem moeite om te interpreteren wat hij zag. Een vreemde combinatie van haat en vertwijfeling. En misschien een aarzelend glimpje hoop.

Haar blik schoot over straat, koortsachtig op zoek naar iemand.

Vervolgens drukte ze op de knop van de intercom en zei: 'Nee, Vos. Ga weg. Alsjeblieft.'

In de aanhoudende regen opende hij zijn jas, trok zijn portefeuille tevoorschijn, haalde er alle bankbiljetten uit – ongeveer driehonderd euro – en drukte ze tegen het glas.

Hanna bleef zitten met de hoorn in haar hand. Haar ogen zochten opnieuw de straat af. Ze werd door iemand in de gaten gehouden, en hij besefte tot zijn ontzetting dat hij haar had gedwongen hem binnen te laten. Weigeren zou haar op de een of andere manier nog meer pijn bezorgen.

'Alsjeblieft...' zei hij met een smekende blik.

'Laat je me dan nooit met rust?'

'Nog even niet.'

'Ga naar huis.'

'Dat kan niet...'

Een vloek. In haar eigen taal, vermoedde hij.

Hij zag haar door de kleine cabine lopen. De sjaal gleed weg. Op haar schouder zat verbandgaas. De huid eromheen was rood.

De lange, scharlaken gordijnen voor het raam werden dichtgetrokken en de smalle glazen deur zoemde. Vos duwde hem open en stapte naar binnen, blij dat hij uit de regen was.

5

Donderdag. Een heldere, koude ochtend. De winter stond voor de deur.

Henk Kuyper schoor zich, kleedde zich aan en vertrok om zeven uur uit het hotel aan de Zeedijk. Even later liep hij een cafeetje aan de rand van de Chinese buurt binnen voor een ontbijt.

Er waren geen andere gasten. Hij bestelde koffie en twee croissants. Gisteravond had hij niet veel gedronken. Alleen een paar biertjes in een smoezelig barretje in de buurt van de Oude Kerk. Achteraf gezien een goede beslissing. Het had hem twee uur gekost om de achtervolgers af te schudden die hem vanaf de Herenmarkt hadden geschaduwd. Een man en een vrouw die elkaar hadden afgewisseld.

Hij had de techniek zelf ook geleerd. Dit duo was niet echt goed. Hij nam aan dat Mirjam Fransen erachter zat. Omdat hij het spuugzat was, had hij de euvele moed gehad om haar aan te spreken in de buurt van het kantoor.

Alsof het er allemaal nog iets toe deed. De operatie om Barbone in de val te lokken was mislukt. Alleen een wonder kon de zaak nog redden. En dan was er nog de kwestie met Natalya Bublik. Dat was zijn verantwoordelijkheid. Een onschuldig kind dat nodeloos in gevaar was gebracht. En Fransen interesseerde het geen biet. Die zag alleen het grote geheel, nooit het individu. Zo was het ze geleerd. Hij herinnerde zich de mantra die er tijdens de training was ingestampt.

We zijn er om de burgers te beschermen. Ze moeten ons alleen niet voor de voeten lopen.

Ooit had hij er tot op zekere hoogte in geloofd.

Hij had vijfhonderd euro op zak, afkomstig van het stapeltje bankbiljetten dat hij een dag eerder had opgenomen voor Renata. Hij had een klein bedrag laten staan om de rekening aan te kunnen houden. Voordat hij naar het hotel was gegaan, was hij een goedkoop winkeltje in de rosse buurt binnengelopen, zo'n zaak waar ze alles voor je konden regelen.

Hij had er voor honderd euro een eenvoudig prepaid mobieltje gekocht. Zijn eigen telefoon durfde hij niet te gebruiken. Hij wist niet eens of hij zijn e-mail wel kon checken. De AIVD keek altijd mee.

Mirjam Fransen was goed in dat soort dingen. Ze hadden tijdens een van de trainingen het bed met elkaar gedeeld. Hij had nooit de moed gehad om het Renata te vertellen. Het was geen verhouding geweest. Eerder een avontuurtje. Iets om de verveling te verdrijven, de nieuwsgierigheid te bevredigen. Voor hem in elk geval. Voor haar was het een weloverwogen carrièrestap geweest. Een stap die de zaken er wel erg eenvoudig op had gemaakt toen ze had besloten hem bij de AIVD weg te halen om hem als lokaas te gaan inzetten. Hij was een afvallige geworden, een activist, die de interesse probeerde te wekken van de mensen over wie zij informatie wilden.

Het was zinloos om met haar in discussie te gaan over de schade die het aan hem en zijn gezin toebracht. Zijn protest was aan dovemansoren gericht. En om het nog eens in te wrijven had ze zijn vader erbij betrokken. Lucas Kuyper, de in diskrediet gebrachte lafaard van Srebrenica, die door de pers onnodig aan de schandpaal was genageld. Nu werkte deze teruggetrokken man als adviseur voor de AIVD aan een nieuwe, geheimere oorlog.

Hoe had hij dit stel het hoofd moeten bieden?

Kuyper vroeg de barman of hij de televisie aan wilde zetten. Het was tijd voor het nieuws. Het hoofdonderwerp: de economie. Volgens recente cijfers zou het land uit het dal zijn. Het ergste was achter de rug, en er waren betere tijden op komst. Voor sommigen, aldus de commentator, waren die al aangebroken.

Er werd overgeschakeld naar beelden van de Negen Straatjes. Welgestelde mensen die in de etalages tuurden naar dure kleren en de nieuwste snufjes. Zinloze, opzichtige luxeartikelen die ze eigenlijk niet nodig hadden.

Het ontvoerde Georgische meisje was, na een verslag over problemen rond een voetbalwedstrijd, het derde item. Natalya Bublik begon langzaam uit het publieke bewustzijn te verdwijnen. De wereld had een korte aandachtsspanne. Dat maakte het leven gemakkelijker.

Hij werkte de laatste restjes van zijn ontbijt naar binnen, rekende af en vertrok. Buiten zette hij zijn capuchon op, liep naar de Nieuwmarkt en zocht een bankje in de buurt van de Waag.

Kuyper liet zijn blik over het plein glijden. Voor zover hij dat kon zien was niemand hem gevolgd. Hij was alleen. Zoals de bedoeling was. Mirjam en zijn vader hadden hem vanaf het begin duidelijk gemaakt dat hij onafhankelijk te werk zou gaan. Hij kon doen en laten wat hij noodzakelijk achtte. Hij hoefde geen enkele verantwoordelijkheid af te leggen aan het ministerie. Ze waren alleen geïnteresseerd in resultaten, en die konden jaren op zich laten wachten – als er al iets uitkwam.

Een week geleden leek het succes binnen handbereik. Sinterklaas en zijn Zwarte Pieten zouden een spectaculaire overwinning inluiden. Het netwerk dat hen jarenlang tot wanhoop had gedreven zou worden vernietigd.

Maar toen was de Marnixstraat overijverig geworden, waardoor het feestje was verknald.

Hij haalde zijn nieuwe mobieltje tevoorschijn en startte Skype. Hij hoopte vurig dat ze haar iPad binnen handbereik had.

Het duurde even voordat de verbinding tot stand kwam. Toen vroeg Renata met een dun tabletstemmetje: 'Waar zit je in godsnaam, Henk? Wat ben je aan het doen?'

'Denken.'

'Kun je thuis niet denken?'

Ze klonk vermoeid en boos.

'Niet altijd. Hoe is het met Saskia?'

Ze liet een korte stilte vallen.

'In de war. Net als ik.' Hij hoorde dat ze diep ademhaalde. 'Ze heeft het me verteld. Over je spelletje. Op het Leidseplein.'

'O.'

'En al dat gelul over orang-oetans. Het liegen gaat je wel erg gemakkelijk af...'

Een zwerver zwalkte doelloos over het plein en bedelde bij passanten om geld. Kuyper keek naar hem en vroeg zich af of...

'Wie bén jij in godsnaam?' vroeg Renata. 'Weet je dat eigenlijk zelf wel?'

Hij leefde al vijf jaar met deze leugen in een poging een doorbraak te forceren en de mensen met wie hij in de loop der tijd contact had gelegd ervan te overtuigen dat hij was wie hij zei te zijn: een voormalig geheim agent die het licht had gezien en zich nu voor hen wilde inzetten.

'Soms. Als ik even wat tijd voor mezelf krijg.'

'En dat is nu?' vroeg ze met een plotseling scherpe stem.

De zwerver zwalkte verder met een blikje Heineken in zijn groezelige vuist. Dit was niet een van Mirjams mensen.

'Jezus, Henk! Hoe kun je in godsnaam het leven van een kind op het spel zetten? Je eigen dochter! En dat andere kind!'

'Ik heb Saskia's leven niet op het spel gezet. Ik heb er juist voor gezorgd dat ze haar niet te pakken kregen.'

'Je hebt me er met haar naartoe laten gaan!'

'Ik had geen keus. Ze hielden me in de gaten. Als ik gewoon...'

Het was tijdens zijn training allemaal aan de orde gekomen. Maar de realiteit was anders. Hij had het van alle kanten bekeken. Het was belangrijk dat Saskia zich op het plein bevond. En ook dat Bouali in eerste instantie háár zou meenemen. Vervolgens zou Bouali haar op zijn teken – en alleen zíj wisten daarvan af – laten gaan en contact opnemen met de anderen om tegen ze te zeggen dat ze moesten uitkijken naar een meisje in een roze jasje.

'Soms verlies je bepaalde dingen uit het oog,' zei hij zacht. Het klonk vreselijk meelijwekkend. 'Het was niet de bedoeling dat het zo zou lopen.'

'Maar het is wél zo gelopen,' blafte ze. 'Wij betalen het losgeld. Hanna Bublik heeft ook nog ergens geld geregeld.'

'De politie?'

'Die vertrouwt ze niet. Ze heeft me gisteravond gebeld. Vos is geschorst, en hij is de enige die ze een beetje kon lijden. Ze weet niet eens wie er nu op de zaak zit.'

Henk dacht daar even over na en vroeg vervolgens om Vos' nummer. Ze gaf het hem door en hij voerde het in zijn mobieltje in.

'Waarom heb je het gedaan?'

Een korte zin, maar een grote vraag.

'Omdat ik niet anders kon. Maar ik was niet van plan om ze Saskia mee te laten nemen. Dat was nooit...'

De grauwe dag daalde over hem neer. Zijn geest was plotseling leeg.

'Ben je er nog? Henk? Ik heb vanochtend drie keer geprobeerd je vader te bellen. Hij neemt zijn telefoon niet op. Wat is er in godsnaam aan de hand?'

Het leven, dacht hij. Het leven dat hij had gekozen. Of voor hem had gekozen.

'Dat komt later. Ik vertel je alles. Dat beloof ik.'

'Ik heb niks aan beloften...'

Haar stem had nooit die verbitterde, teleurgestelde toon gehad toen ze elkaar pas kenden. Die had hij haar bezorgd. Nog een ongewenste gift.

'Gaan jullie ze het geld brengen?' vroeg hij.

'Dat is wel het idee. Wat moeten we anders?'

Hij wist het niet.

'Wanneer kom je thuis?' vroeg ze.

'Binnenkort.'

Hij zei gedag. De wind begon aan te trekken. Aan de heldere hemel verschenen witte wolken. Er zat verandering in de lucht.

'Pas goed op jezelf,' zei ze, en ze verbrak de verbinding.

Henk Kuyper keek naar het nummer van Vos.

Er was iemand die hij eerst moest bellen. De enige link met Barbone die hij had.

Vos had het lome, winterse ochtendgloren gadegeslagen vanaf een wiebelige stoel op het voordek van zijn woonboot. Bleke zonnestraaltjes dansten over de zilverkleurige ballerina alsof ze zich uitstekend vermaakten. Hij vond ergens een verdwaalde sigaret, stak hem op en probeerde te denken. Maar het enige wat in hem opkwam was het besef dat hij roken niet echt lekker meer vond.

Niet veel later hoorde hij vertrouwd getrippel op de loopplank. Het was Sam, die op een drafje naar hem toe kwam met de riem achter zich aan. Hij ging rechtop op het dek zitten, stak zijn neus in de lucht en begon te snuffelen, Vos daarbij strak aankijkend.

Het dier bleef naar de sigaret kijken totdat Vos reageerde.

'Het lukt me best, oké?'

De lange snuit van de terriër bewoog zich niet.

'Geweldig,' mopperde Vos. 'Nu begint mijn hond ook al aan mijn kop te zeuren.'

Hij gooide de sigaret in de gracht. Sam hoorde het korte gesis en begon te kwispelen.

'We willen niet dat je daar weer mee begint, Pieter,' riep Sofia Albers vanaf de kade.

'Ik heb hem toch weggegooid?'

'En reageer je kater niet af op mij en Sam.'

'Ik heb geen kater,' bromde hij.

In de kajuit van de woonboot klonk een geluid. De deur werd opengegooid en Hanna Bublik stak haar hoofd naar buiten. Ze had een handdoek om haar hoofd en droeg Vos' zwarte kamerjas.

'O, sorry,' bracht Sofia uit. Ze keek ontzet en opgelaten tegelijk. 'Ik wist niet...'

Vos stond op en loodste Sam terug naar de kade. De hond gromde bij elke stap.

'Nog één dag.' Hij hield haar de lus van de riem voor. 'Dan is alles weer normaal.'

'Weet jij eigenlijk wel wat normaal is?'

Hanna Bublik sloeg hen gade terwijl ze haar blonde haar droogwreef in de ochtendzon.

'Ik kan het niet uitleggen,' zei hij tegen Sofia.

'Dat hoeft ook niet. Niet aan mij.'

Ze pakte de riem en probeerde Sam zover te krijgen dat hij meeging naar De Drie Vaten, maar de hond verzette zich. Totdat ze het woord 'lekkers' zei.

Toen hij terug was op de boot knikte Hanna in de richting van de straat.

'Ze vindt je leuk.'

Hij had de nacht doorgebracht op de bank in de boeg en haar de slaapkamer gegeven. Vos was vastbesloten Hanna niet uit het oog te verliezen tot het losgeld was betaald. Door hem, als het even kon.

'Iedereen vindt me leuk. Ik ben enorm populair.'

Ze lachte niet.

'Ik wil Natalya's stem horen als hij belt,' zei ze. 'Ik wil iets van... bewijs.'

Vos gebaarde naar de kajuit. Het was tijd om naar binnen te gaan.

'Wat is daar mis mee?' vroeg ze toen hij bleef zwijgen.

'Niks.'

'Waarom wil je dan niet dat ik het doe?'

Hij zette het koffiezetapparaat aan en wees op een paar saucijzenbroodjes die hij eerder die ochtend had gekocht bij het bakkerijtje aan de Elandsgracht.

'Nou...?'

'Laten we voorzichtig zijn,' zei hij. 'Dit is misschien onze laatste kans. Geef ze gewoon wat ze willen. Zorg ervoor dat je haar terugkrijgt en vergeet de rest. Zo zie ik het.'

'En al die anderen? Op de Marnixstraat?'

Ze hadden het er de avond ervoor over gehad terwijl ze zich aankleedde in het peeskamertje in de Oude Nieuwstraat. 's Ochtends zou er waarschijnlijk een surveillanceteam op pad gaan om haar te volgen. Dat was nog een reden om haar te overtuigen mee te gaan naar zijn woonboot.

'Vermijd complicaties. Zet ze niet onder druk. Ga niet met ze in discussie. We overhandigen het geld en krijgen Natalya terug. Daarna kan De Groot achter ze aan gaan. En wat mij betreft de AIVD ook.'

Ze schonk hem een nijdige blik, trok de kamerjas uit en pakte haar kleren. Vos slaakte een zucht en draaide zich om.

'Jezus,' zei Hanna, 'wat ben jij een preuts mannetje, zeg.'

'Dat is voor het eerst dat ik dat hoor,' mopperde hij. Hij pakte zijn telefoon, liep naar buiten en checkte zijn berichten.

Geen nieuws, afgezien van een stuntelig sms'je van Laura Bakker.

Dit is zo fout dat zegt iedereen.Wil je praten lmk.
Dirk & ik bt4y.

Die kids van tegenwoordig. Leefden in een wereld zonder interpunctie, zinsbouw en grammatica. Alleen al hierdoor voelde hij zich oud. Hij verwijderde het bericht, controleerde of de telefoon was opgeladen en stak hem in zijn jaszak.

Ze was aangekleed toen hij weer binnenkwam. Ze dronk haar koffie op en stak de laatste hap van haar saucijzenbroodje in haar mond.

Hij vroeg zich af wat hij moest zeggen. Hanna Bublik was niet een persoon die over koetjes en kalfjes praatte. Ze wilde het niet hebben over waar ze vandaan kwam en wat haar hiernaartoe had gebracht. Het leven dat ze hiervoor had geleid.

Haar haar was nat. Hij haalde ergens een föhn vandaan die hij nooit gebruikte. Ze stak de stekker in het stopcontact. Er gebeurde niets.

Hij verontschuldigde zich en haalde een droge handdoek.

Hij probeerde opnieuw een gesprek te beginnen, maar dat verzandde.

Toen vroeg ze: 'Waarom doe je dit eigenlijk?'

'Wat?'

'Helpen. Uitgerekend mij.'

'Ik kan niks anders bedenken om te doen. Het verdrijft de tijd.'

'En dat vind je een reden?'

'Blijkbaar wel. Ik dacht dat je het misschien zou begrijpen. Dat over niks anders kunnen bedenken.'

Er verscheen een zuur glimlachje op haar gezicht.

'Oké. Ik snap wat je bedoelt.'

Hij moest het vragen, hoewel hij wist dat ze het niet wilde horen.

'Als dit achter de rug is... als je een baan aangeboden zou krijgen. Een gewone baan. Zou je die dan aannemen?'

Ze sloot haar ogen en keek alsof ze wilde gaan gillen.

'Sorry,' voegde hij er haastig aan toe. 'Je zult dat soort dingen wel vaker te horen krijgen.'

'Het helpt het schuldgevoel te verlichten. Ik bedoel... je kunt je niet echt slecht voelen als je erna vriendelijk doet, toch?'

Hij zei niets.

'Oké,' gaf ze toe. 'Dit is geen "erna".'

'Ik vroeg me alleen af...'

De handdoek gleed omlaag. Haar blonde haar golfde om haar hals.

'Natalya en ik zijn al bijna zeven jaar onderweg. Zo'n beetje haar hele leven. We konden de eindjes nauwelijks aan elkaar knopen. Ik heb gebedeld als er niks anders op zat. Zij niet – nooit. We zijn een paar keer dakloos geweest. Dit is het enige wat ik ken, Vos. Wat zou ik dan moeten doen?'

'Als je je best doet zijn er misschien...'

'Doe me een lol, zeg!' riep ze uit. 'Denk je soms dat ik nu mijn best niet doe? We hebben een dak boven ons hoofd. Wat geld. We zijn veilig – tenminste, dat dacht ik. Als ik spaar kan ik misschien ooit uit dit wereldje ontsnappen, maar nu nog niet. Misschien wel nooit.'

Haar stem stierf weg.

'Hanna...'

Op dat moment ging de telefoon.

'Zo staan de zaken ervoor,' zei Mirjam Fransen. 'Ik heb de volledige bevoegdheid van het ministerie gekregen. Het is belangrijk dat jullie dat allemaal beseffen. Dit is onze operatie. Dat wás al zo, maar jullie hebben ons keihard genegeerd.'

Acht uur 's ochtends. Het kantoor van De Groot. Bakker, Van der Berg, Fransen, en Lucas Kuyper in een grijs kostuum en een dikke grijze winterjas. Hij had ze bij binnenkomst een visitekaartje overhandigd om duidelijk te maken hoe de verhoudingen lagen. AIVD-consultant. Zoals hij het presenteerde had er evengoed 'onaantastbaar' op kunnen staan.

'Volgens de wet…' begon Bakker. De commissaris schonk haar een zure blik.

'De wet is voor het gewone volk,' onderbrak Kuyper haar. 'Niets van dit alles is gewoon. Dat was al zo vanaf het begin. Als jullie dat hadden beseft, hadden we er nu allemaal een stuk beter voor gestaan.'

Zelfs Van der Bergs nekharen gingen overeind staan. De foto's van Ferdi Pijpers' telefoon lagen op tafel. Kuyper en wijlen Thom Geerts die met Bouali stonden te praten en hem iets lieten zien wat op een granaat leek.

'We zouden jullie allebei moeten arresteren,' zei hij.

Fransen vloekte.

'Dat kunnen jullie niet. Dit is een uiterst delicate situatie. Er zijn levens in gevaar. Werk van jaren staat op het spel.'

'En er is een meisje ontvoerd,' voegde Bakker eraan toe.

'Dat kind is waarschijnlijk al dood,' zei de AIVD-vrouw hoofdschuddend. 'En dat hebben jullie aan jezelf te danken. Vos had nooit naar die boot in het Westerdok mogen gaan.' Ze keek naar De Groot. 'Waar is hij trouwens?'

'Geschorst,' zei de commissaris tegen haar. 'Met hem reken ik later wel af. Dat geintje met Khaled gisteren…'

'Ze wisten het!' riep Bakker uit, en ze priemde een vinger in Fransens richting. 'Ze wisten dat we daar onze tijd verdeden.'

'Maar voor de verandering eens niet die van ons,' zei Kuyper.

De Groot schonk het AIVD-duo een vuile blik.

'Dit bevalt me niks. Helemaal niks.'

Mirjam Fransen boog zich naar voren.

'Dat doet er niet toe. Henk Kuyper valt onder mij.' Ze wierp een blik op zijn vader. 'En dit onderzoek ook.' Ze liet een korte stilte vallen. 'En jullie nu ook.'

De Groot zweeg.

'Ik wil dat je je team beneden in de waan laat dat we bezig zijn met dat meisje van Bublik,' vervolgde ze. Toen knikte ze naar Bakker en

Van der Berg. 'Dit stel werkt vanaf nu met mij samen. Wat ik vertel blijft onder ons. Te allen tijde.'

Frank de Groot bleef zwijgen.

'Goed zo,' zei ze. 'Dat is dan afgesproken. Lucas?'

Kuyper sloeg zijn armen over elkaar, leunde naar achteren en sloot zijn ogen. Voor het eerst sinds die zondag op het Leidseplein had Laura Bakker het idee dat ze misschien wel op het punt stond de waarheid te horen.

Hanna Bublik nam op. Haar stem klonk opnieuw krachtig en vastberaden.

Ze vroeg alle dingen die Vos haar had aangeraden te vermijden, eiste haar dochter te spreken en werd kwaad toen ze nee zeiden.

Hij gebaarde met een hand en zei geluidloos: 'Rustig nou!'

Ze schonk hem een woeste blik.

'Ik wil haar spreken, klootzak, anders geef ik je geen cent,' blafte Hanna.

Vos nam zijn hoofd in zijn handen.

Toen hij weer opkeek, was ze ergens anders. Haar ogen stonden helder en alert.

Ze luisterde.

Toen sprak ze een paar woorden in een taal die hij niet verstond.

Na nog wat korte zinnen werd de verbinding verbroken.

Ze keek naar hem en zei: 'Centraal Station om twaalf uur. Ze willen al het geld in een tas. Van mij. Niemand anders.'

De moed zonk hem in de schoenen. Het station was enorm. Het was er altijd druk. Vanuit hun standpunt de beste locatie. Ze konden het geld oppikken en verdwijnen in de menigte.

'Waar precies?'

'Geen idee. Hij zei dat hij me zou bellen als ik er was.' Ze pakte haar jas en haar tas. 'Ik ga het geld ophalen. Jij blijft hier.'

'Hanna...'

'Vergeet het maar, Vos. Dit is mijn pakkie-an.'

Hij wist dat een deel van het geld van de Kuypers kwam. Maar er was nog een bron, en op dat punt tastte hij in het duister. Het was duidelijk dat ze dat zo wilde houden.

'Ik vind het niet veilig. Het is een hoop geld. Je bent alleen.'

'Ik ben het gewend om alleen te zijn. Trouwens, we hebben het er gisteravond over gehad. Je hoeft niet alles te weten wat ik doe.'

'Heeft Natalya nog iets gezegd?'

'Ze moest Engels praten. Alleen wat ze van hen mocht zeggen.'

Stilte.

'En dat was?' vroeg hij.

'Alles is goed. Ze houdt van me. Ze wil dolgraag naar huis.'

'En wat heb jij gezegd?'

Hij keek naar haar terwijl ze de groene plastic met canvas reistas oppakte. Hij had niet gekeken wat erin zat. Dat was een domme nalatigheid geweest.

'Ik heb tegen haar hetzelfde gezegd, wat dacht jij dan?'

Ze bleef even staan op de loopplank en keek op haar horloge.

'Ik bel zodra ik het geld heb, en kom niet achter me aan. Waar is trouwens de dichtstbijzijnde goedkope kapper? Ik wil een andere look.'

'Hoezo?'

Ze schonk hem een geërgerde blik.

'Om het voor je mensen moeilijker te maken me te herkennen.'

Hij bracht haar naar de eerste kapper die hem voor de geest kwam, twee straten verderop. Toen ze binnen was hoorde hij haar vragen naar de goedkoopste stagiaire die aanwezig was.

Vos liep naar het café aan de overkant, waar ze hem niet kenden. Hij ging bij het raam zitten en controleerde zijn berichten.

Er was iets gaande op de Marnixstraat. Misschien hadden ze een aanwijzing.

Die gedachte knaagde aan hem.

Vijfentwintig minuten later kwam Hanna Bublik weer naar buiten. Hij herkende haar nauwelijks. Het lange blonde haar was nu kort en bruin geverfd. Terwijl hij naar haar toe liep, haalde ze een ouderwetse zonnebril uit haar zak en zette die op. In haar rechterhand had ze haar aftandse groene reistas.

Van hoer tot onderwijzeres in nog geen half uur. Niet gek. Ze had er blijkbaar ervaring mee.

'Wat vind je ervan?' vroeg ze.

'Je ziet eruit alsof je van plan bent om met de noorderzon te vertrekken.'

'Dat doe ik niet meer,' zei ze tegen hem. 'Die tijd ligt achter me.'

Haar hand ging naar haar haar.

'Zo ziet het er van nature uit. Ik ben niet blond. Dat heb ik alleen voor het werk gedaan.'

'Het zou helpen als ik wist waar je naartoe ging.'

'Nee,' zei ze. 'Dat denk je maar.'

In de koude kelder omklemden Natalya's vingers de telefoon. Hij moest hem lospeuteren om hem terug te krijgen.

Een andere man. Even groot. Zwart, ditmaal. Hij had een norse Engelse stem. En dreadlocks met een gekleurde band erin.

'Braaf meisje,' zei hij. 'Je hebt gedaan wat ik zei.'

Hij klopte met zijn enorme hand op haar hoofd, alsof ze een hondje was. Haar haar was nu vies, en in deze nieuwe gevangenis was geen gelegenheid om te douchen.

Elke gedachte aan ontsnappen was verdwenen. Ze zag nog steeds voor zich hoe het bebloede lichaam van de jongen uit Anatolië roerloos op de grond lag bij de trap. Hoe de jongen geschopt en geslagen en gestompt werd.

Dood, dacht ze.

Zo had het er in elk geval uitgezien. Na die laatste trap van de schoen van het monster had iets de kille, donkere kelder verlaten. Het was weggevlogen als een vogel die was vrijgelaten uit een kooi.

Dood.

'Wat zei je moeder?' vroeg de nieuwe man.

Ze had in het Georgisch gesproken, wat ineens heel vreemd had geklonken. Ouderwets. Alsof de woorden in een andere wereld hoorden, een wereld die ze zich niet echt meer herinnerde.

Je bent het licht van mijn leven, schat. Als ze je ook maar een haar hebben gekrenkt, zullen ze ervoor boeten. Daar zorg ik persoonlijk voor. Maar eerst zorg ik dat je vrijkomt.

'Nou?' drong hij aan. 'Wat zei ze?'

'Ze wil dat ik naar huis kom.'

De grote hand ging opnieuw naar haar hoofd.

'Dat willen we allemaal, schat.'

'Wanneer?'

Hij lachte. Het geluid kwam van diep uit zijn buik.

'Als we geld krijgen, wat dacht jij dan?'

Boven aan de trap werd op de deur geklopt. Hij liep omhoog en deed open. Stemmen. Er was er nog een. Hij had iets bij zich.

De nieuwe man kwam terug met net zo'n koffer als zij en haar moeder hadden gebruikt toen ze van stad naar stad trokken. Maar zelfs die van hen was niet zo oud en smerig als deze. En er zat ook niet zo'n sterke ritssluiting in met aan beide uiteinden een hangslot.

Natalya keek ernaar. Het ding was enorm.

Ze keek naar zichzelf.

En toen naar hem.

Hij keek haar niet aan.

'Wees een brave meid,' zei hij.

Lucas Kuyper legde uit dat de AIVD al vijf jaar bezig was om zijn zoon in het netwerk van Barbone te laten infiltreren. Kuyper senior was Henks enige directe contactpersoon bij de dienst. Aangezien ze vader en zoon waren, had dat de veiligste oplossing geleken. Als dekmantel diende Henks ontslag nadat er documenten waren gelekt – die deels onbelangrijk waren en voor de rest vol stonden met opzettelijk valse informatie.

Zo was hij in zijn eentje als lokaas uitgezet.

Een maand geleden had hij gerapporteerd dat er eindelijk iemand leek toe te happen.

'Toen kwam de zaak aan het rollen,' vervolgde Fransen. 'Vergeet niet dat het hier om hele grote vissen gaat.' Ze trok een gezicht. 'Barbone heeft Henk één keer ontmoet. Dat was volkomen onverwacht. Hij sprak Henk aan toen hij Saskia naar school bracht. In het parkje tegenover zijn huis.'

'Wist Barbone dan waar hij woonde?' vroeg Bakker.

'En waarschijnlijk nog veel meer,' zei Lucas Kuyper tegen haar. 'Je kunt dit zien als schaken. Of pokeren. Daarom moeten jullie je erbuiten houden. Barbone wilde er zeker van zijn dat Henk aan hun kant stond. De zaak-Alamy stond op de rol. Ze wilden dat hij de imam vrij zou krijgen. Ze beseften waarschijnlijk dat Alamy hen anders zou kunnen verraden om zijn eigen huid te redden.'

De Groot zat onbeweeglijk op zijn stoel, staarde strak voor zich uit en dronk van zijn koffie. Hij zei geen woord.

'Ze vroegen hem Saskia te gebruiken,' vervolgde Kuyper. 'Ze kenden mijn verhaal. Mijn verleden. Ze wilden haar ruilen tegen Alamy. Er zou haar niks overkomen, zeiden ze.'

Van der Bergs ogen waren onafgebroken op de commissaris gericht.

'Dus je zoon is akkoord gegaan, maar heeft haar omgeruild voor de dochter van een sekswerker?'

Fransen haalde haar schouders op.

'Henk werkt zelfstandig. Hij regelt zijn eigen zaakjes. Wij hebben hem de ondersteuning gegeven waar hij om vroeg. Ze zouden nergens mee in verband worden gebracht. Wij ook niet, als het mis zou lopen.'

Bakker pakte de foto's van tafel: Bouali met Thom Geerts en de man die nu naast hen zat.

'En wat is dit dan?'

'Als we ze hun eigen wapens hadden laten regelen, denk je dat hij dan rookbommen had gegooid?' vroeg Lucas Kuyper. 'We wilden niet dat er slachtoffers zouden vallen...'

'Behalve die Britse mafketel die jullie erin hebben geluisd.'

Fransen trok een gezicht.

'Ze hadden Henk Bouali gestuurd voor de klus. Maar die idioot richtte een pistool op ons. Als hij dat niet had gedaan had ik hem wel' – ze aarzelde – 'in veiligheid gebracht.'

'Zodat wij in elk geval niet bij hem konden komen?'

'Moeten we alles tien keer zeggen? Jullie hadden hier niks mee te maken,' zei Kuyper geprikkeld. 'Trouwens, wie naar het zwaard grijpt, zal door het zwaard omkomen. Mijn familie heeft anderhalve eeuw in het Nederlandse leger gediend. Dat zegt jullie misschien niks, maar wij kunnen erover meepraten. En Henk...'

'Als Vos niet naar het Westerdok was gegaan, hadden wij de regie in handen gehouden,' onderbrak Fransen hem. 'Ofwel Barbone was daar opgedoken, zodat we hem hadden kunnen oppakken, of we hadden Alamy van betrokkenheid kunnen betichten om hem in ruil voor zijn vrijlating tot praten te dwingen.' Ze staarde naar De Groot. 'Dan zou het meisje ook weer boven water zijn gekomen. Het is jullie schuld dat de boel spaak is gelopen.'

'Maar dan hadden ze ook geweten dat Henk Kuyper hen had besodemieterd,' zei Van der Berg.

Fransen wierp haar hoofd in haar nek en schudde haar donkere haar.

'Jezus. Het is alsof ik hier tegen een stel kinderen zit te praten. We wisten dat Henk hoe dan ook niet binnen zou komen. Hij is blank. Hij is Nederlander. Ze zouden hem nooit volledig vertrouwen. Dat was ook niet onze insteek.' Ze keek naar Kuyper. 'Misschien hadden ze altijd al het idee dat we een spelletje speelden. Wat ik eerlijk gezegd zorgwekkend vind.'

Ze liet een korte stilte vallen.

'Nog één dag, en dan waren we er. Dan hadden we of Barbone in handen gehad, of Alamy aan de ontvoering gelinkt zodat hij maar al te graag een deal met ons had gesloten.' Haar gezicht verhardde. 'Als hij had geweten dat hij nooit meer vrij zou komen, had hij ons het complete netwerk op een presenteerblaadje gegeven.'

Haar vingers gingen naar de tafel en verschoven de foto's.

'Dat was de hoofdprijs. Jaren werk naar de bliksem omdat Vos zo nodig de held moest uithangen.'

'We waren op zoek naar een ontvoerd kind,' herhaalde Van der Berg. 'En dat zijn we nog steeds.' Hij keek naar De Groot. 'Toch?'

Fransen schonk hem een van haar minzame blikken en zei: 'Ze zijn niet met een losgeldeis gekomen. Dat kind is weg. En Henk trouwens ook. Joost mag weten wat er met hem is gebeurd.'

Ze keek even naar Lucas Kuyper. Die knikte en nam het over.

'De AIVD heeft gisteren geprobeerd mijn zoon op te sporen. Hij gedraagt zich de afgelopen tijd... anders dan anders.'

'Hij is onafhankelijk,' zei Fransen opnieuw. 'Hij probeert te redden wat er te redden valt in de shit die jullie over hem uit hebben gestort. In zijn eentje. Idioot.'

'En nu moeten wij hem voor jullie gaan zoeken?' vroeg Bakker.

'De AIVD zit ook op de zaak,' zei Kuyper. 'Dit is belangrijk. Henk staat aan onze kant. Hij heeft een hoop op het spel gezet. Misschien lukt het hem nog. En...' Hij haalde zijn schouders op. 'Hij is een soldaat. Net als ik destijds. Als ze denken dat hij ze heeft besodemieterd...'

'Dan is hij er ook geweest,' vulde Fransen aan. 'En als dat het geval blijkt' – ze wees achtereenvolgens met haar wijsvinger op elk van hen – 'dan zullen jullie daar allemaal voor boeten.'

Ze pakte haar telefoon en keek of er berichten waren.

'Misschien is er nog een kans om de boel te redden. Ik hoop het voor jullie. Lucas?'

Kuyper kwam overeind en zette zijn vilthoed op. Hij zag er weer uit als een sympathieke oude man.

'Jullie tweeën' – Fransen wees op Bakker en Van der Berg – 'houden ons op de hoogte van alle ontwikkelingen. Over Henk. Dat meisje van

Bublik. Ik wil een gedetailleerd rapport. Realtime. Jullie weten me te vinden.'

Ze vertrokken. Bakker, Van der Berg en De Groot bleven zitten.

De vaste telefoon op het bureau van de commissaris ging en hij nam op. Het was een lang gesprek. De Groot maakte zorgvuldig aantekeningen op een notitieblok.

'Nieuws?' vroeg Bakker zodra hij de hoorn op de haak had gelegd.

Hij keek op en dacht even na.

'We hebben de tweede boot gevonden waar ze het meisje hebben vastgehouden,' zei De Groot.

Hij toetste op zijn pc een adres in en er verscheen een kaart van Amsterdam op zijn beeldscherm. Hij draaide het naar de rechercheurs toe om hen de locatie te tonen.

'Jezus christus,' prevelde Van der Berg. 'Ze zat hier vlakbij.'

Een rode woonboot zonder ramen aan de Bloemgracht, maar een paar blokken verderop.

'We gaan eropaf,' zei Bakker terwijl ze opstond.

De Groot slaakte een zucht en hield haar tegen.

'Niks daarvan. Mag ik misschien ook even?'

Van der Berg was blijven zitten. Hij kende deze man.

'Ik geef dit door aan de AIVD,' zei De Groot. 'We kunnen wat mensen met ze meesturen. Laten we die Fransen een beetje bezighouden. Misschien is ze ons uiteindelijk wel dankbaar.'

Bakker schudde haar hoofd.

'Dankbaar? Sinds wanneer is dat voor ons belangrijk? Hoe zit het met...?'

Van der Berg stond op en zei: 'Wat moeten we doen, baas?'

De Groot schreef een naam en adres op en schoof het naar hem toe.

'De woonboot aan de Bloemgracht was ook verhuurd. Dezelfde eigenaar als die in het Westerdok.' Hij wees op de kaart. 'Smits, de man met wie Vos heeft gesproken. Zijn kantoor zit achter het Damrak. Ga ernaartoe en vraag hem of hij Henk Kuyper toevallig kent.'

'En de AIVD?' vroeg Van der Berg. 'Dat mens lijkt te denken dat wij haar loopjongens zijn.'

'Dat regel ik wel,' zei De Groot.

Vos ging terug naar De Drie Vaten en deed zijn best om een gezellig praatje aan te knopen met Sofia Albers terwijl zij een kop koffie voor hem maakte. Dat was niet eenvoudig. Ze zag er zowel boos als opgelaten uit.

Even later besloot ze dat hij wel wat tijd met zijn hond mocht doorbrengen, en ze haalde Sam op in de woning boven het café. Ze had een nieuw speeltje voor hem gekocht. Een stuk touw dat eruitzag als een bot.

'Lekker touwtrekken,' zei Sofia. 'Daar ben jij ook goed in.'

Hij liep met zijn koffie en een speculaasje naar het verhoogde gedeelte met de plankenvloer. Het touwbot had hij in zijn andere hand. Sam gromde en hapte ernaar met zijn scherpe witte tanden.

Wat hij tegen Hanna Bublik had gezegd was waar. De hond gaf nooit op. Er was maar één manier om hem te laten stoppen, en dat was hem om de tuin leiden.

'Hé, Sam,' zei hij met zijn blik op de deur. 'Daar heb je Laura!'

De terriër hield meteen op en draaide zich kwispelend om.

Vos grinnikte.

Toen Sam hem weer beledigd aankeek, gooide hij het touwbot het café in.

De hond was dol op dit soort spelletjes. Hij schoot tussen de krakkemikkige stoelen en tafels door in de richting van de bar, zijn speeltje achterna.

Hij had het te pakken bij de deur. Inmiddels lagen er drie stoelen op hun kant en was er een glas kapotgevallen op de vloer.

Sofia keek ernaar.

Vos keek ernaar.

'Oeps,' zei hij.

Ze kwam tevoorschijn met een stoffer-en-blik en was bij de scherven voordat Sam eraan kon gaan snuffelen. Vervolgens liep ze naar de hond, die haar zonder grommen het touwbot uit zijn bek liet trekken.

Ze kwamen samen terug.

'Hoe krijg je dat voor elkaar?' vroeg Vos. 'Ik bedoel... dat hij het je zomaar laat pakken.'

'Geen idee.' Ze overhandigde hem het speeltje. Sam ging zitten, speelde de brave hond en kwispelde met zijn staart totdat Vos hem opnieuw aan het touwbot liet trekken.

'Is alles echt goed met je, Pieter? Ik weet dat ik me er niet mee zou moeten bemoeien, maar...'

'Alles oké,' zei hij beslist. 'Hanna Bublik was bij me omdat ik met de zaak van haar dochter bezig ben. En ik wilde niet dat ze in haar eentje in de Oude Nieuwstraat zat. Oké?'

Ze zei niets. Ze leek niet helemaal overtuigd.

'Ik kan er verder niks over zeggen,' vervolgde hij. 'Ik moet er zo vandoor. Maak je geen zorgen.'

'Aan het werk?' vroeg ze hoopvol.

Hij salueerde en zei op ernstige toon: 'De Amsterdamse politie rust nooit, nietwaar?'

Ze mompelde iets wat klonk als 'cynische klootholmmel' en gaf hem nog een speculaasje.

In de deuropening verscheen een schaduw. De barman kwam binnen.

'Kom mee, Sam,' zei ze. 'Ik laat je even uit. Bert houdt de boel wel in de gaten. Waar is je riem?'

Waar is je riem?

Het was een 'toverspreuk' die zij hem had geleerd. De hond reageerde onmiddellijk, liet het speeltje vallen en rende op een drafje naar de deur.

Bert kwam naar Vos toe om hem te begroeten. Hij was een lange man met verzorgd, zilvergrijs haar en had altijd een opgewekte glimlach op zijn gezicht. Naast zijn werk in De Drie Vaten deed hij bijrolletjes in televisie- en filmproducties. Hij was ook in reclames te zien.

'Als je nog iets wilt, hoor ik het wel, Vos,' zei hij.

Hij knipoogde en nipte van een denkbeeldig glas.

'Oké.'

Vos liep naar de bar en haalde zijn telefoon tevoorschijn. Hij had weliswaar niet in Hanna Bubliks groene reistas gekeken, maar wel de bug in een zijvakje verborgen. Een vakje dat eruitzag alsof het nooit werd gebruikt.

De app voor zijn smartphone had hij van Aisha gekregen met een beetje hulp van haar telefoongeek.

Het was heel simpel. Er verscheen een kaart van de stad. Een rood bliepje bewoog zich over het Spui. Het stopte terwijl hij ernaar keek.

Smits. Geen voornaam. Geen andere informatie. Alleen een mobiel nummer en een adres van het reisbureau. Het was een klein kantoortje op de begane grond in een steegje aan het Damrak. Horden toeristen waren op weg naar coffeeshops en bedenkelijke attracties. De drukke straat was opgebroken, wat voor veel herrie zorgde. Overal waren klantenlokkers in de weer en ontredderde toeristen worstelden met wapperende stadsplattegronden.

Henk Kuyper maakte zich los uit het gedrang, dook het steegje in en keek naar de nummers.

Hij was hier nog nooit geweest. Zijn contact met Smits was uitsluitend telefonisch verlopen, hoewel ze elkaar even hadden ontmoet op de woonboot in het Westerdok, vlak nadat het Georgische meisje was ontvoerd. Kuyper had daarop gestaan. Hij had zich ervan willen vergewissen dat ze goed werd behandeld. En dat ze het verhaal begrepen: dit was een vergissing van hun kant. Hij had zijn dochter laten kidnappen om haar voor Ismail Alamy te kunnen ruilen, zoals Barbone van hem had geëist. Maar Bouali had de boel op de een of andere manier verprutst, en de anderen van het team – mannen die hij niet kende en over wie hij niets te zeggen had – hadden een ander meisje in eenzelfde jasje van de straat geplukt.

Of ze hem geloofden? Dat wist hij niet. Smits weigerde nog steeds hem met anderen in contact te brengen. Het was nog te vroeg, zei hij. Zodra Alamy vrij was...

Het plan was dat de AIVD onverwacht zou toeslaan en het meisje zou bevrijden zodra Barbone zijn gezicht liet zien. Als hij niet kwam opdagen, zouden ze na twee dagen een inval doen en Alamy de schuld in de schoenen schuiven. Vervolgens zouden ze hem voor het blok zetten: levenslange gevangenisstraf of een nieuwe identiteit in het buitenland in ruil voor de benodigde informatie over het netwerk.

Daarna zou Henk Kuyper zijn oude werk weer oppakken: dat van AIVD-agent. Er zou een einde komen aan de smoesjes, de excuses en de leugens. Hij zou eindelijk zijn leven terugkrijgen en kunnen proberen zijn huwelijk te redden. Mirjam Fransen had gewild dat hij er vanaf het begin helemaal voor zou gaan. Om te zien of hij door zich actief op te stellen rechtstreeks in een van de cellen kon infiltreren.

Het leek een goed plan toen ze het vijf jaar geleden hadden voorgesteld in een chic kantoor in Den Haag. Zijn vader, die er ook bij was geweest, had een trotse glimlach op zijn gezicht gehad. Dit was wat Kuypers deden. Ze zetten zich in voor hun land.

Plichtsbesef.

Een suggestief, allesomvattend woord. Maar Lucas Kuyper had een uniform gedragen. Hij had bevelen gekregen en bevelen gegeven. En hij had een hoge prijs moeten betalen nadat alles voor het oog van de wereld was misgegaan en duizenden burgers een zinloze dood waren gestorven. Later was hij als adviseur voor de AIVD gaan werken in een nieuwe wereld waar de scheidslijn tussen goed en kwaad, tussen vriend en vijand een stuk lastiger was vast te stellen.

Zijn zoon had er niet lang over hoeven nadenken. Hij was een Kuyper. Een man uit een familie van strijders, zoals zijn vader hem had ingeprent. Hij moest zich dienstbaar maken. Het zat tenslotte in zijn bloed.

Ze hadden geen van allen kunnen vermoeden dat een onvermoeibare Amsterdamse rechercheur binnen een dag de woonboot in het Westerdok zou weten op te sporen. Of dat de mannen van Barbone het meisje zonder Kuypers medeweten naar een andere locatie zouden overbrengen voordat ze kon worden bevrijd.

Kuyper vond het adres. Een smal gebouw, matglazen ramen en een rode deur. Geen bordje. Alleen een intercom. Hij belde aan. Een stem die klonk als die van Smits gaf antwoord. Kuyper noemde zijn naam.

Er volgde niet meteen een reactie. Toeristen met narrenkappen op liepen langs het steegje. Iemand bij het opgebroken stuk straat riep een waarschuwing. De bel van een passerende tram overstemde het rumoer.

'Ben je nou helemaal van de pot gerukt?' zei de stem van Smits door het tere luidsprekertje.

'Ik blijf hier staan tot je me binnenlaat.'

Stilte.

'Hoor eens, Smits. Ik ben niet gek. Niemand is me gevolgd. Ik ben alleen. We moeten praten.'

'Wat ben jij voor iemand, man?' klaagde de korzelige Amsterdammer.

'Ik moet je wat dingen vertellen,' zei Kuyper, die maar wat improviseerde. 'Onder vier ogen. Nu meteen.'

De deur zoemde en hij liep naar binnen. Het was het kantoor aan zijn rechterhand, achter het matglazen raam.

Smits was een zware man met een dikke snor en een zo kwabbig gezicht dat er van gelaatstrekken nauwelijks sprake leek.

'Waar is ze?' vroeg hij.

'Wie?'

'Het meisje.'

Smits droeg een kitscherig zwart colbert met daaronder een glimmend wit overhemd. Geen stropdas.

'Je doet dit alleen voor het geld, hè?' zei Kuyper toen hij geen antwoord kreeg.

'En wat zijn jouw redenen eigenlijk?' vroeg de man, die zichtbaar verbolgen was door de beschuldiging.

'We hadden afgesproken dat het meisje vrijuit zou gaan.'

'We hadden afgesproken dat het jouw dochter zou zijn,' kaatste Smits terug. 'En aangezien dat niet zo was...' Hij slaakte een zucht en vouwde zijn handen achter zijn hoofd. 'Wat moeten we daar nou van denken, Henk? Serieus.'

'Ik wil met Barbone praten. Ik heb informatie voor hem.'

'Je hebt hem een keer gezien. Je zult het wel niet begrijpen, maar hij was niet onder de indruk.'

Kuyper voelde dat zijn gezicht rood aanliep. Smits lachte.

'Hij heeft je gevraagd je eigen dochter op het spel te zetten om je op de proef te stellen. *Je bloedeigen dochter!* Je hoefde er niet eens over na te denken.' Een zuur glimlachje. 'Denk je dat hij... overtuigd was?'

'Ik wil met hem...'

'Zeg het maar tegen mij. Ik geef het wel door.'

Stemmen. Buiten liepen mensen voorbij. Het was een smal steegje, dat als doorsteek werd gebruikt naar de winkelstraat erachter.

'Ik wil het meisje. Er was me beloofd dat haar niets zou overkomen.'

Smits keek naar zijn vingers en schudde zijn hoofd.

'Het meisje is weg. We houden het hier voor gezien. Eerder dan gepland, helaas. Dankzij jou...'

'Als ze haar niet vrijlaten, ga ik naar de politie. Naar de AIVD. Naar iedereen die maar wil luisteren. Als...'

Er verscheen een brede grijns op Smits' gezicht, en hij wees naar hem vanachter zijn bureau.

'Doe me een lol, Henk!' Hij lachte. 'Denk je soms dat we gek zijn? Dacht je nou echt dat we nog in je geïnteresseerd waren als we dat meisje eenmaal hadden?'

'Wat ik heb gedaan...'

De grijns verdween.

'Dat was niet voor ons, maar voor hen. Voor de mensen die aan jouw touwtjes trekken.' Hij boog zich naar voren en werd plotseling ernstig. 'Dat is het probleem met touwtjes. Je kunt ze twee kanten op trekken. En nu ben je hier...'

'In mijn eentje,' verklaarde Kuyper.

'In je eentje,' herhaalde Smits. Dat leek hem te interesseren.

'Het is echt heel simpel. Zeg gewoon wat ik moet doen om haar vrij te krijgen. Daarna ben ik weg. Jij, Khaled, Barbone – jullie zijn veilig. Jullie hebben niks te vrezen.'

'Werkelijk?' vroeg Smits.

'Dat garandeer ik je.'

'Denk je dat je je in een positie bevindt om iets te garanderen?'

'Ja,' zei Kuyper resoluut. 'Dit is een aanbod. Een deal. Zou ik hier anders niet met een heel team naartoe zijn gekomen om je te arresteren?'

Smits liet een stilte vallen. Vervolgens pakte hij de telefoon en toetste een nummer in.

Het was een vrij lang gesprek. In het Arabisch, een taal die Kuyper niet verstond.

Op een gegeven moment vloekte Smits zachtjes, waarna hij Kuyper even scherp aankeek.

'Begrepen,' zei hij ten slotte in het Nederlands, en hij verbrak de verbinding.

Hij trok een notitieblok naar zich toe, krabbelde met een pen iets op het bovenste vel en scheurde het af. Hij schoof het over zijn bureau naar Kuyper.

Een adres. Het Rapenburg, in de buurt van de IJtunnel.

Smits stond op, begon zijn bureauladen te doorzoeken en haalde mappen en papieren tevoorschijn. Dingen die Kuyper niet kon zien. Vervolgens liep hij naar een grijze metalen archiefkast, opende de onderste la en haalde er een jerrycan uit.

'Dat is toch wat je wilde?' zei hij, en hij knikte naar het vel papier. 'Neem mee en maak dat je wegkomt. Ik heb een hoop te doen.'

Hij schroefde de dop van de jerrycan, begon door het kantoor te lopen en sprenkelde overal benzine op.

'Je man zit daar de komende twee uur. Daarna is hij weg, en ik ook.'

Kuyper pakte het vel papier van het bureau en stond op.

Smits bleef rondlopen met de benzine. De geur werd steeds sterker.

'Als...'

'Ga nou maar, oké?' blafte Smits.

Henk Kuyper vertrok door de rode deur en liep via het steegje het Damrak op in de richting van het Rapenburg.

Hanna had het café uitgekozen. Er hingen elpees aan de muur. Op de smalle stoeltjes zaten wat verlopen types. Niet het soort gelegenheid waar de middenklasse zich regelmatig liet zien.

Het was kouder geworden. Renata kwam binnen in een jas van nepbont. Ze droeg een duur uitziende felrode tas met bijpassende lipstick. Hanna zette haar goedkope reistas op de grond om plaats te maken op de stoel die ze had vrijgehouden.

'Het is druk hier,' zei Renata.

Hanna vroeg wat ze wilde drinken en gaf de bestelling door aan de man achter de toog.

'Daar hou ik van.'

Renata zette haar rode tas op tafel.

'Hier zit alles in wat ik heb kunnen krijgen,' zei ze. 'Zestig mille. De helft van ons. De helft van Henks vader.'

'Dat is heel genereus van je.'

'Zijn vader kan het zich veroorloven. Wij niet.' Ze wierp een afkeurende blik in de richting van een oude man twee tafeltjes verderop die nauwelijks in staat was om van zijn stoel te komen. 'Je had ook iets anders uit kunnen kiezen.'

Hanna wierp een blik om zich heen om zich ervan te vergewissen dat er niemand naar haar keek. Vervolgens ritste ze de rode tas open. Er zat een schoenendoos in. DKNY.

Renata knikte.

Hanna haalde de doos eruit en deed hem in haar reistas.

'Zou het lukken?' vroeg Renata.

'Geen idee. Hoe moet ik dat weten?'

'En de politie...?'

'Die weten van niks, dat zei ik toch?'

Renata zweeg.

'Is er iets?'

'Je ziet er zo anders uit. Je haar. Die bril. Waarom?'

'Ik wil het de mensen van Vos niet te makkelijk maken als ze proberen me te volgen.'

Renata Kuypers gezicht verhardde.

'Vos is van de zaak gehaald. Dat heb je gisteravond gezegd.'

'Ik wil niet dat ze zich ermee bemoeien. Ik ben gebeld over het losgeld. Vanmiddag om twaalf uur.'

'Waar?'

Het leek een vreemde vraag.

'Het is beter als je dat niet weet. Ik moet dit alleen doen.'

Opnieuw een onbehaaglijke stilte.

'Ik was niet van plan om er met je geld vandoor te gaan als je dat soms denkt. Ik wil mijn dochter terug. Ik ben geen dief.'

Renata Kuyper keek alsof ze het liefst in het niets zou oplossen.

'Dit soort dingen horen hier niet te gebeuren,' zei ze zacht. 'Het is gewoon zo fout.'

'Waar horen ze dan wel te gebeuren? Ergens ver weg? In een vreemd land? Bij mensen die er minder toe doen?'

Dat viel niet goed.

'Je begint al net zo te praten als mijn man. Weet je zeker dat je hem niet hebt gesproken?'

Ze schudde haar hoofd.

'Jij bent de enige die me vandaag geld heeft gegeven.'

'Ik zou het terug kunnen vragen.'

Hanna Bublik legde haar handen op de reistas.

'Maar dat zou lomp zijn. Eens gegeven blijft gegeven.'

'Waarom heb je zo'n hekel aan me?' zei Renata met stemverheffing. Mensen in het café begonnen te kijken. Ze merkte het en vervolgde op zachtere toon: 'Ik probeer je alleen maar te helpen.'

'Ik weet het. Sorry. Ik ben gewoon niet zo goed in dankjewel zeggen.' Ze keek op haar horloge. 'Ik moet gaan.'

'Veel succes.'

Ineens voelde Hanna zich schuldig. Ze was erg hard geweest tegen deze vrouw.

'Je man komt vanzelf weer naar huis. Echt. Waar moet hij anders naartoe?'

'Is dat een reden?'

'Wat mij betreft een uitstekende.'

Renata Kuyper stond op en wilde de koffie betalen.

'Dat doe ik wel,' zei Hanna. Ze keek de vrouw na terwijl ze zonder nog een woord te zeggen vertrok.

Half elf. Tijd om naar de Spooksteeg te gaan en het aandeel van Cem Yilmaz op te halen.

Vervolgens zou ze Vos bellen en afspreken op het station. Ze wilde hem er wel bij hebben, maar ze wilde niet dat hij de regie overnam.

Tijdens het afrekenen keek ze opnieuw naar de reistas. Er zat nu al meer geld in dan ze ooit had gezien. Als Yilmaz woord hield, zou de inhoud straks honderdzestigduizend euro bedragen. Dan zou ze heel even rijk zijn. Rijk, maar alleen. Ze zou haar laatste geld geven om Natalya vrij te krijgen. En meer.

'Alsjeblieft,' zei de ober toen hij terugkwam met haar wisselgeld.

'Laat maar zitten,' zei ze tegen hem.

Het was maar een paar cent.

Ze had de reistas op een zaterdag op de Noordermarkt gekocht. Aan de zijkant zaten vakjes met een ritssluiting. Ze waren zo klein dat ze zich niet kon voorstellen hoe of waarom iemand ze zou gebruiken.

Een van de ritssluitingen was niet helemaal dichtgetrokken. Ze was heel precies, en ze zou het hebben gemerkt als dat al eerder zo was geweest.

Hanna opende het vakje en haalde er een zwart, glimmend plastic schijfje uit. Ze keek ernaar in de fluorescerende verlichting van het café.

Er dreef rook naar binnen van de coffeeshop om de hoek. De geur deed haar denken aan hoe ze in zo'n tent verzeild was geraakt nadat Yilmaz haar had gebrandmerkt. Beide ervaringen waren niet voor herhaling vatbaar.

Het was iets elektronisch, dat was duidelijk. Het ding kon er maar op één manier in terecht zijn gekomen. Aan de onderkant zat een aan-uitschakelaar, en ze zette hem bijna om. Maar dan zou Vos nog achterdochtiger worden dan hij al was.

Het was koud buiten. Ze had de reistas in haar rechterhand. Hij was zwaar. Het pistool en de munitie die ze van de Turk had gepikt namen bijna alle ruimte in haar schoudertasje in beslag.

Met geen van beide tassen mocht iets gebeuren, maar een van de twee was de belangrijkste. Ze stak haar arm door de hengsels van de reistas en drukte hem tegen haar borst. Terwijl ze door de rosse buurt liep, vroeg ze zich af wat Cem Yilmaz van haar nieuwe kapsel en de bril zou zeggen.

Ze was nu van hem. Misschien was hij het er niet mee eens.

Er zaten vijfentwintig minuten tussen Henk Kuypers vertrek van het Damrak en het moment waarop Bakker en Van der Berg er op de fiets arriveerden.

'Waar zit dat kantoor in vredesnaam?' vroeg ze terwijl ze op haar telefoon keek.

Van der Berg knikte naar het steegje.

Er kwam een stevig gebouwde man met een baard, een donkere huid en een vriendelijk gezicht tevoorschijn. Hij had zijn handen diep in de zakken van zijn zwarte mantel.

'Goeiemorgen,' zei hij vriendelijk toen hij hen passeerde.

Inlichtingen had wat informatie over Smits gestuurd terwijl ze naar zijn kantoor onderweg waren. Zijn reisbureau in Amsterdam bestond pas drie jaar. Voor die tijd had hij in het vastgoedonderhoud gezeten in Saudi-Arabië en Jemen. Ze hadden niets kunnen vinden wat hem met terrorisme in verband bracht. Volgens de boekhouding hield de omzet van het bedrijf niet over, hoewel Smits een luxeappartement in de buurt van het Rijksmuseum bezat.

Van der Berg nam de gegevens door.

'Die gast is huurling. Hij werkt voor iedereen die hem wil betalen.'

'Lekker,' zei ze terwijl ze het steegje in liepen.

Er hing een vreemde geur.

Bakker bleef staan en keek naar Van der Berg.

'Wat is dat?'

'Rook,' zei hij, en hij begon te rennen.

Het adres waar ze moesten zijn bevond zich halverwege het steegje. De rode deur stond open en er waren vlammen te zien. Buiten stond een vrouw in iets wat eruitzag als een kappersschort. Ze had een mobieltje in haar hand en keek geschokt. Er stonden tranen in haar ogen.

Bakker deed een stap in de richting van het kantoortje.

'Ik zou maar niet naar binnen gaan,' zei de vrouw, en ze stak een hand uit. 'Ik heb een ambulance gebeld. Jezus... ik hoorde net iemand schreeuwen.'

Drie deuren verderop was een kapsalon.

Van der Berg toonde zijn politielegitimatie.

'Een ambulance?'

Laura Bakker was al binnen. Hij volgde haar.

De rook was afkomstig van een brandende stapel papier op de grond. Tegen een archiefkast zat een gezette man van middelbare leeftijd. Zijn mond stond open, zijn armen hingen slap naar beneden en zijn benen zaten klem onder zijn lichaam.

Dode ogen staarden naar het plafond. Op zijn voorhoofd zat een bloederige kogelwond.

'Shit,' bracht Bakker uit. Ze controleerde of hij nog leefde, maar dat bleek niet het geval. 'Shit.'

Van der Berg begon op de vlammen te trappen en slaagde erin ze te doven.

'We zijn net te laat, Dirk.'

'Ja.' Zijn grote voeten bleven op het papier stampen. 'Kijk, boven de deur.'

'Wat?'

'Hij heeft een videocamera. Waarschijnlijk aangesloten op de computer.'

Er was een lensje te zien dat op het bureau was gericht. Bakker liep naar de pc, haalde een paar latex handschoenen tevoorschijn en begon op het toetsenbord te ratelen.

Van der Berg kwam naast haar staan. Het vuur was uit. Buiten klonken ergens sirenes.

Toen begon het storm te lopen.

Tien minuten later stond het kantoortje vol. Brandweerlieden. Politieagenten. Mirjam Fransen en een stel verse dommekrachten van de AIVD.

Bakker negeerde ze. Ze had de video op de computer in omgekeerde volgorde bekeken.

'Iets gevonden?' vroeg Mirjam Fransen.

'Misschien Barbone,' zei ze.

Ze spoelde terug naar een paar minuten voor hun komst.

Er kwam een breedgebouwde man binnen met een volle zwarte baard en een opgewekt gezicht. Smits keek op en stopte met het sprenkelen van benzine. Hij zei iets wat ze niet konden verstaan. Hij leek verrast. En tegelijkertijd bang.

De man met de baard glimlachte, liep op Smits af, trok een pistool en schoot hem in het hoofd. Vervolgens keek hij naar het vuur, gooide er nog wat papieren op en vertrok.

'We zijn die smeerlap net op straat tegengekomen,' zei Bakker. 'Grote vent. Aparte uitstraling. Ik zou hem zo herkennen.'

'Zijn jullie hem tegengekomen?' vroeg Fransen.

'Ja,' zei Van der Berg. 'En ook nog een hoop andere mensen. Wil je...?'

'Kop dicht, Dirk,' zei Bakker.

De rechercheur keek haar met open mond aan en wist even niets te zeggen.

'Kijk,' zei Bakker, en ze wees op het scherm. 'Barbone was niet de enige bezoeker.'

Ze had teruggespoeld naar de komst van Henk Kuyper. Ze zagen hem binnenkomen. Er volgde zo te zien een moeizaam gesprek.

'Wat deed Kuyper hier in vredesnaam?' vroeg Bakker zich af.

Toen ging Smits' telefoon.

'Mail dit naar mijn kantoor,' beval Fransen. 'Laat de technici ernaar kijken. Misschien kunnen die erachter komen wat er is gezegd...'

'Hij heeft nog iets opgeschreven!' Bakker spoelde door naar de beelden. Smits pakte een pen en krabbelde iets op een notitieblok. Niet meer dan een paar woorden. Vervolgens schoof hij een vel papier naar Kuyper. 'Daar was het Kuyper om te doen. Daar is hij naartoe.'

De beelden waren erg onduidelijk. Bakker nam een foto met haar telefoon en stuurde hem naar Aisha op de Marnixstraat. Ze dacht even na, speelde de beelden nog een keer af en maakte er een video-opname van. Die stuurde ze haar ook. Misschien konden ze iets met de beweging van Smits' arm of pen of...

Er waren buiten het AIVD-team ook drie technisch rechercheurs gearriveerd, die naar het lichaam op de grond keken.

'Ik heb de leiding over deze operatie,' meldde Fransen op scherpe toon. 'Jullie doen niks zonder mijn toestemming.'

'Er is hier een moord gepleegd,' sputterde Van der Berg tegen. 'En je hebt onze beste rechercheur laten schorsen. Even dimmen.'

Ze deed een stap in zijn richting.

'Ik zei even dimmen!' brulde hij.

'Dirk,' zei de technisch rechercheur die de leiding had.

'Wat?'

'We kunnen zo niet werken met dat geschreeuw. Zou je misschien even willen dimmen?'

Bakker liep het steegje in en belde Aisha.

'Je moet meteen naar de beelden kijken die ik je heb gestuurd...'

'Ik heb ze hier voor me,' zei de forensisch expert.

'En?'
'En wat? Je hebt er niet bij gezegd wáár ik naar moet kijken.'
'Hij heeft iets op een notitieblok geschreven. Ik wil weten wat dat was.'
Er volgde een stilte. Toen zei Aisha: 'Sorry hoor, maar je kunt vanuit deze hoek de woorden echt niet zien.'
'Je ziet de pen toch? Kun je daar niet uit opmaken wat hij schrijft?'
Aisha zuchtte en zei: 'Ik beoefen wetenschap, Laura. Geen magie.'
Bakker vloekte.
'Kijk eens of je dat notitieblok kunt vinden,' opperde Aisha. 'Misschien heeft hij zo hard gedrukt dat de woorden nog te lezen zijn op het vel eronder. Neem het in elk geval mee naar het bureau...'
Ze liep weer naar binnen en begon de verbrande papieren bij de archiefkast te doorzoeken. Er was één notitieblok, maar daar was weinig meer van over. Alleen de metalen spiraalbinding was nog intact. Niets wat misschien iets zou kunnen opleveren.
Ze stuurde Aisha er een foto van.
'Sorry,' was het antwoord. 'Dat gaat tijd kosten. Als ik er al iets mee kan.'
'Zou je...?'
'Ik moet ophangen,' zei Aisha plotseling. 'Ik heb Vos op de andere lijn. Hij zit maar te mekkeren over zijn problemen.'
Fransen stond nog steeds te bekvechten met Van der Berg. Binnen gehoorsafstand.
Bakker liep naar de deur.
'Vos is geschorst,' zei ze.
'Ik moet ophangen,' zei Aisha tegen haar. 'Ik zie je.'

'Stap erin,' zei de man met de dreadlocks tegen haar.
De koffer lag geopend op de grond. Ze paste er minstens twee keer in. Ze zag dat ze er kussens en een deken in hadden gedaan, en ze vroeg zich af of dat goed of slecht was.
'Schiet een beetje op,' zei hij. Hij schudde zijn hoofd, en de lange, donkere lokken dansten heen en weer. 'Ze zeiden al dat je lastig kon zijn. Maar niet bij mij, meisje. Stap gewoon in de koffer. We hoeven niet ver. En geen geintjes meer...'
Hij boog zich naar voren en keek haar aan.
'De baas heeft het me verteld. Je krijgt niet nog een keer de kans om

te ontsnappen. En nu de koffer in, want anders...'

Hij haalde iets uit zijn zak. Ze zag dat het een lange, schone zwachtel was, van het soort dat ze op school in het medicijnkastje hadden. Voordat ze iets kon zeggen, had hij hem afgerold, om haar hoofd gewikkeld en strak getrokken tussen haar tanden. De droge stof gaf haar even het gevoel dat ze stikte.

Hij duwde haar in de richting van de geopende koffer.

Natalya ging op haar knieën op de deken zitten die erin lag. Ze draaide wat rond, bleef even zitten en ging vervolgens liggen.

'Braaf meisje,' zei hij. 'Het duurt niet lang.'

Toen zag ze dat de rits werd dichtgetrokken. Haar wereld werd donker.

Monster.

Maar daar was geen ruimte meer voor.

Zijn tweede kop koffie begon koud te worden en de hond kreeg langzaam maar zeker genoeg van het touwbot. Bert had muziek opgezet. Vos vond het vreselijk als hij dat deed. Hij koos liever zelf iets uit. En Golden Earring paste nu even niet bij zijn stemming.

De rode stip had al vijfentwintig minuten niet bewogen. Hij had Aisha laten controleren of het systeem nog werkte. Volgens haar was de bug gewoon op de aangegeven plek. En dat klopte niet. Hij had al ingezoomd op de kaart en uitgezocht naar welk café ze moest zijn gegaan. Het was geen gelegenheid die hij kende.

Maar er stond een naam bij, en ze bleken ook telefoon te hebben. Omdat hij wanhopig begon te worden, belde hij het nummer. Hij omschreef Hanna – kort bruin haar, een bril – en vroeg of ze er nog was.

'Wat is dit voor ongein?' vroeg de man aan de andere kant van de lijn. 'We zijn hier geen boodschappendienst.'

De verbinding werd verbroken.

Hij liep met Sam naar de bar, waar Bert met zijn tong begon te klakken. De hond merkte nauwelijks dat Vos naar buiten glipte en een taxi aanhield die langzaam voorbijreed onder de kale lindebomen langs de Prinsengracht.

Tien minuten later was hij er.

Hij keek nog een keer op zijn telefoon. De stip bevond zich nog steeds op dezelfde plek. Hij belde weer met Aisha. Er waren nieuwe ontwikkelingen in de zaak-Kuyper. De AIVD was er ook bij betrokken.

'Smits is doodgeschoten, Vos. Die man van dat reisbureau. Ze denken dat die terrorist het heeft gedaan. Henk Kuyper was er ook net geweest.'

Hij probeerde te bedenken wat er kon zijn gebeurd.

'Trouwens, ik had begrepen dat het niet de bedoeling was dat wij met elkaar zouden praten,' vervolgde ze. 'Weet je zeker dat je het precies zo hebt gedaan als ik je gisteravond heb laten zien?'

Nadat De Groot haar de avond ervoor op de hoogte had gebracht en ze zich ervan had vergewist dat niemand haar bij de Marnixstraat zag vertrekken, was ze de duisternis in gelopen. Even later had ze Vos in de buurt van De Drie Vaten de *satnav*-tracker overhandigd. Het was van cruciaal belang dat met name de AIVD niet wist dat hij nog steeds aan de zaak werkte.

'Ik heb precies gedaan wat je zei. Ik ben nu op de plek die de stip aangeeft, maar ze is nergens te zien.'

Aisha deed iets op haar systeem, en Vos keek opnieuw op zijn telefoon. Er was ingezoomd op het café.

'Dichterbij kan ik niet komen,' zei ze. 'Als je haar nu nog niet ziet, kan ik er ook niks aan doen.'

Vos wierp een blik op het schermpje, keek hoe de plattegrond correspondeerde met de indeling van het café en ging naar binnen.

Bij een van de tafeltjes stond een miezerige, verlepte geranium op de vensterbank. Er stonden nog twee koffiekopjes. Een ervan met lipstick op de rand, het andere alleen met een bruine vlek.

Hij boog zich naar voren en rommelde wat tussen de verwelkte bladeren.

De zwarte plastic bug lag tussen de wortels.

'Heb je haar gevonden?' vroeg Aisha.

'Niet echt,' zei Vos. Hij haastte zich naar buiten, de straat op, en keek om zich heen. Maar hij zag niets.

Hanna bleef staan voor het huis in de Spooksteeg. Ze trok de mouw van haar trui omhoog en keek naar de nummers die ze eerder met balpen op haar linkerarm had gekrabbeld. Een code voor de deur en een tweede combinatie voor de lift. Drie verdiepingen omhoog, dan kwam ze rechtstreeks in zijn woonkamer uit.

Maar ze had die codes nu niet nodig. Ze drukte op de bel en wachtte. De wond op haar rug prikte. Hij zou nooit meer weggaan. Ze zou de initialen van deze man de rest van haar leven op haar lijf dragen.

Even later was ze boven. Ergens klonk zachte exotische muziek. Hij was alleen en zat op de bank. Voor de verandering in een kostuum. Het rook niet naar zweet of reukwater. Cem Yilmaz zag eruit… als een zakenman. Dat was een nieuwe kant van hem. Een kant die ze nog niet eerder had gezien.

'Heb je het geld?' vroeg hij toen ze binnenkwam.

Ze knikte.

'Ik wil het zien,' zei hij.

'Hoezo?'

Hij schudde zijn hoofd en kneep zijn ogen even samen.

'Om wat je bent. Ik word van tijd tot tijd opgelicht, en daar kan ik niet echt om lachen. De oplichters trouwens ook niet.'

Ze opende haar groene reistas en haalde Renata Kuypers schoenendoos van DKNY tevoorschijn. Op het etiket aan de zijkant was te lezen dat er meisjessportschoenen in hadden gezeten. Bijna tweehonderd euro.

Yilmaz haalde het deksel van de doos en wierp een blik op de zorgvuldig opgestapelde bundeltjes bankbiljetten. Hij liep ze even na om te controleren of ze allemaal echt waren.

'Dat ziet er goed uit. We moeten elkaar kunnen vertrouwen. Dat is belangrijk voor de toekomst.'

Hij hoefde de la niet te openen. Het geld lag in nette stapeltjes op zijn bureau. Groene briefjes van honderd. Ze had er nog nooit één in haar handen gehad.

'Neem dit mee,' beval hij. 'Zorg ervoor dat je je dochter terugkrijgt. Morgen, als alles weer normaal is, praten we over hoe de zaken ervoor staan tussen ons. Wat voor werk je gaat doen.'

Ze knipperde met haar ogen.

'Ik dacht dat we al hadden besloten wat voor werk dat was.'

'Dat klopt.' Cem Yilmaz glimlachte. 'Je doet alles wat ik van je vraag.'

Hij gebaarde naar het geld. Ze stopte het in de tas en borg het zorgvuldig weg.

'Waarom zie je er anders uit?' vroeg hij. 'En wat moet je met die bril?'

'Ik wil niet dat de politie me volgt.'

'En als hij weet hoe je eruitziet?'

Ze haalde haar mobieltje tevoorschijn en liet hem een foto zien.
'Zo kent hij me.'
Yilmaz gromde iets en zei: 'In de toekomst doe je alleen wat aan je uiterlijk als ik dat zeg. Dit...' Hij kwam naar haar toe. Zijn reusachtige hand raakte ruw haar hoofd en voelde aan haar haar, alsof hij het wilde kopen. 'Blond staat je beter. Mannen hebben het liever. Voordat je weer aan het werk gaat, verf je het. En je laat het weer groeien.'
Hanna aarzelde even en zei oké.
'We zijn hier klaar,' zei Yilmaz tegen haar.
Ze tilde de zware tas een stukje op met haar hand en liet hem weer zakken.
'Wil je niet weten waar het is?' vroeg ze. 'Of hoe laat?'
'Ik wil niks weten,' snauwde hij. 'Waarom zou ik? Ik zorg voor het geld. Dat is alles. Begrepen?'
Hij pakte ruw haar rechterschouder vast en kneep in de wond, de paraaf die hij in haar vlees had gezet.
Ze kromp ineen. Blijkbaar niet voldoende, want hij begon harder te knijpen. Ze voelde hoe de wond weer begon te bloeden onder de korst. Ten slotte kon ze zich niet meer beheersen, en ze begon zachtjes te kreunen van de pijn.
'Goed zo,' gromde hij. 'Je snapt het. En nu wegwezen. Zorg ervoor dat je morgenochtend om tien uur hier bent. Dan hebben we het over de toekomst.'

Bakker nam Van der Berg terzijde bij de deur van Smits' kantoor. Het begon te stinken, naar rook en bloed en de chemicaliën die door het forensisch team werden gebruikt. Mirjam Fransen en haar mensen werden steeds ongeduldiger. Het zag er niet naar uit dat de technisch rechercheurs snel klaar zouden zijn.
'Is er iets wat je me wilt vertellen?' vroeg ze.
Hij wipte heen en weer op zijn grote zwarte schoenen.
'Over iets in het bijzonder?'
'Over Vos.'
Hij wierp een blik op Fransen, die met iemand aan de telefoon was.
'Niet echt.'
'Dirk...'
Hij slaakte een zucht. Een lang, diep en vertrouwd geluid.
'Later. Oké? We hebben momenteel genoeg op ons bord.'

Ze had nog een keer met de Marnixstraat gebeld, maar alleen ontwijkende antwoorden op haar vragen gekregen.

'Dus hij werkt in zijn eentje aan de zaak? Om te proberen het losgeld alsnog overhandigd te krijgen?'

Van der Berg knikte naar het AIVD-team. Zijn vinger ging naar zijn lippen.

'Waarom ben ik altijd de laatste die alles te horen krijgt?' vroeg ze.

'Zullen we anders even... een ommetje maken? Ik lust wel...'

'Een kop koffie,' vulde ze aan.

'Een kop koffie,' herhaalde hij.

Ze liepen zwijgend het steegje uit en vonden op het Damrak een vestiging van een van de koffieketens. Ze bestelden twee cappuccino's. Van der Berg nam ook nog een kaneelbroodje.

Bakker had de afgelopen tijd aan haar klunzige imago gewerkt. Op de Marnixstraat werden er regelmatig grapjes over gemaakt. Dat weerhield haar er echter niet van haar kopje om te stoten toen ze een gebaar maakte met haar hand. De hete koffie zat overal.

'Verdomme!' riep ze uit.

Van der Berg was er als de kippen bij om alles met servetjes droog te deppen.

'Ik zit er echt mee,' klaagde ze.

'Dat je je koffie hebt omgegooid? Gewoon een kwestie van uit je doppen kijken.'

'Ik bedoel dat ik overal buiten word gehouden.'

Hij gooide de servetjes weg en bekeek zijn zoete broodje van alle kanten.

'Inderdaad,' gaf hij toe. 'Dat lijkt me best frustrerend.'

Ze konden de ingang van het steegje zien. Het AIVD-team was verschenen. De twee mannen stonden te roken. Mirjam Fransen was alweer aan de telefoon. Ze keek alsof ze elk moment kon ontploffen.

'Ik weet niet wat Vos in zijn schild voert, maar ik hoop dat hij meer geluk heeft dan wij,' verzuchtte Bakker.

Het Centraal Station. Tien minuten voor twaalf. Vos liep heen en weer met zijn handen in zijn zakken en zijn blik op de grond gericht. Hij probeerde te denken.

Ze had hem twintig minuten eerder gebeld en alleen gezegd dat ze buiten zou staan bij de tramhaltes. Hij mocht niet in de buurt komen.

Ze zouden per telefoon contact houden. Dat was alles.

Het idee dat de losgeldoverdracht hier zou plaatsvinden vervulde hem met wanhoop. Het Centraal Station kreeg dagelijks een kwart miljoen mensen te verwerken die op weg waren naar trein, metro, tram of bus. Het uitgestrekte, honderdtwintig jaar oude gebouw van rode baksteen was een Hollandse leviathan van torens en trapgevels, een labyrint van gangen, perrons, winkels en kantoren. Bijna een stad op zich.

Hanna Bublik stond op de plek die ze had aangegeven, buiten in de kou, in een stralende winterzon. De groene reistas hing aan haar rechterarm. Links had ze een kleiner tasje. Ze droeg ook andere kleren. Het zwarte jack was verruild voor een effen bruine jas, waardoor ze nog meer op een lerares of secretaresse leek.

Hij passeerde haar en ging bij de kaartjesautomaten staan.

Daar belde hij.

'Laten we het kort houden,' zei ze. 'Hij kan elk moment contact opnemen. Je hebt toch niemand meegenomen?'

Hij kreunde.

'Ik ben alleen. Dat zei ik toch? Is dat zo moeilijk te geloven?'

Ze wierp hem een blik toe vanaf de tramhalte en keek vervolgens om zich heen.

'Je wilt met alle geweld dat de mensen je vertrouwen, Vos. Volgens mij ben jij ooit vreselijk teleurgesteld.' Ze liet een stilte vallen en voegde eraan toe: 'Of andersom.'

'Waarschijnlijk allebei,' merkte hij op.

'Het spijt me van het speeltje dat je in mijn tas hebt gestopt. Ik hoop dat het niet duur was.'

Hij mompelde iets onverstaanbaars en zei toen: 'Heb je alles?'

Ze tilde de groene reistas een stukje op.

'Heeft het zin om te vragen waar je de rest vandaan hebt?'

'Absoluut niet.' Ze deed een stap naar achteren toen er een bus langsreed en keek op haar horloge. 'Ik bel je zodra ik iets hoor.'

Vos kocht een kop koffie bij een kraampje en dacht na over hoe hij dit zou aanpakken. Ze gingen er ongetwijfeld van uit dat Hanna in de gaten werd gehouden, ook als ze dat zelf niet wist. Een simpele overdracht – naar de man in het zwart gaan en hem de tas geven – zat er niet in.

Stations waren niet alleen goed voor menigten, maar ook voor andere dingen.

Hij liep voor de zekerheid naar de dichtstbijzijnde kaartjesautomaat en kocht twee enkeltjes Schiphol. Een voor de hand liggende bestemming en vanaf dit station een van de meest gangbare. Daarbij zouden de kaartjes gedoe in de trein voorkomen.

Het stationsgebouw had twee torens. Hanna keek van de ene naar de andere. Er verscheen een verbaasde blik op haar gezicht, iets wat de meeste mensen overkwam. Een van de torens was een klok. De andere leek dat ook, maar had slechts één wijzer, iets waar onbekenden zich het hoofd over braken aangezien hij alleen de windrichting aangaf.

Noordenwind, dacht Vos. Hij herinnerde zich die aanhoudende, bittere kou van vroeger.

Hanna bleef staan en bracht de telefoon naar haar oor. Haar blik was gericht op de straatstenen en de stalen tramrails die ertussendoor liepen. Ze luisterde aandachtig.

Het gesprek kon niet langer dan een paar seconden hebben geduurd. Ze beende het station binnen met de telefoon nog aan haar oor.

Hij zag haar langslopen. Ze negeerde hem volledig. Even later belde ze.

'Hij zegt dat ik de trein naar Vlissingen moet nemen. Perron vijf. Derde treinstel. Bovenste compartiment. Vertrekt over vier minuten. Waar ligt Vlissingen in godsnaam?'

Drie uur naar het zuiden.

'Een flink stuk hiervandaan,' zei hij. 'Er liggen heel wat stations op dat traject.'

Schiphol. Den Haag. Delft. Rotterdam. Middelburg. Het viel onmogelijk te zeggen waar ze naartoe gingen.

'Hanna, ik heb een kaartje dat je kunt gebruiken.'

Ze liep zo snel dat hij moeite had om haar bij te benen.

'Ik heb al een kaartje,' zei ze tegen hem.

De dubbeldekker reed binnen toen ze op het perron kwamen.

Het was een intercity. Een lange trein. Niet al te druk.

Hanna stapte in het derde treinstel, liep naar boven en ging zitten. Vos liep door naar het achterste gedeelte van dezelfde coupé.

De trein zou niet lang blijven staan. Een conducteur riep naar een groepje toeristen dat ze moesten instappen.

Nog geen minuut later vertrokken ze. Vos pakte een krant die was blijven liggen. Hij deed alsof hij las en keek ondertussen om zich heen.

Elf mensen. Vier vrouwen, zes mannen en een jongen die niet ouder kon zijn dan twaalf.

Hanna staarde uit het raam met de telefoon in haar hand.

Natalya kon overal in de trein zijn. Hij kon hem met één telefoontje ergens laten stoppen en alle passagiers laten uitstappen en ondervragen, tot ze de contactpersoon te pakken hadden.

Vos deed de krant omlaag en vroeg zich plotseling af hoe hij zo traag van begrip kon zijn.

Ze zouden het meisje niet bij zich hebben. Dat zou te veel opvallen. Ze zou te gemakkelijk worden herkend. Het moest iets ingewikkelders zijn. En ingewikkelde dingen moest je langzaam op je laten inwerken. Om je een beeld te vormen. De zaak te analyseren. Bepalen wat je volgende stap was.

Het was nog een minuut of zeven tot aan het volgende station, Sloterdijk. Daarna kwam de Lelylaan.

En dan station Schiphol, ondergronds.

Hij kon zich niet voorstellen dat de reis ver zou gaan.

Het Rapenburg was een rustig, smal straatje. Oude huizen. Wat kantoorpanden. Keurige klinkerbestrating. Net de Zeedijk, maar dan zonder mensen, neonverlichting en viezigheid. Een woonwijk, nam Kuyper aan. Hij kende dit gedeelte van de stad niet echt, maar het was duidelijk dat de meeste mensen naar hun werk waren.

Een prima plek om je schuil te houden.

Ook hier een rode deur. Net als Smits' kantoor. Er was geen naambordje, maar hij belde toch aan. Het bleef lang stil. Eindelijk klonk het geluid van grendels die werden weggeschoven en een sleutel die werd omgedraaid. Er verscheen een nieuwsgierig, niet onvriendelijk gezicht. Gladgeschoren, nog maar kort geleden zo te zien. Op zijn wangen lag de ruwe, rode schaduw van een afgeschoren baard.

De man was een jaar of vijftig. Hij was zwaarlijvig en droeg een reusachtig, gebreid bruin vest met te lange mouwen en een fletse crèmekleurige broek. De verhoudingen van zijn lichaam leken niet te kloppen, wat hem een enigszins onappetijtelijke uitstraling gaf.

'Henk Kuyper,' zei hij. 'Kom binnen...'

Hij volgde de waggelende gedaante door een smal gangetje naar een kleine kamer in het achterhuis. Er was één raam, dat uitkeek op een minuscuul tuintje. In het vertrek stonden alleen een bureau met een computer en twee stoelen.

De man trok er een naar zich toe en zeeg moeizaam neer. Kuyper ging tegenover hem aan het bureau zitten. Uit de pc kwam het geluid van een radiojournaal. Meer over de economie. En de voetbalrellen. Verder niets.

'Ik ben Khaled,' zei de man, en hij stak een kwabbige hand uit.

Kuyper nam hem aan. Warm, zacht en droog. Hij had vijf jaar moeten wachten om dichter bij deze mensen te komen. Nu voelde het onwerkelijk.

'Hier.'

Hij schonk twee glazen water in uit een fles die naast de computer stond. San Pellegrino. Lauw. Zonder koolzuur.

'Wat een puinhoop,' zei Khaled hoofdschuddend. 'We hadden zulke hoge verwachtingen. We hoopten onze broeder Alamy te bevrijden. Een aantal misstanden recht te zetten.'

'Het meisje...'

'En dat aanbod van je. Je dochter. Kleinkind van een monster. Het leek zo... edelmoedig.'

'Ik dacht dat ik Barbone te spreken zou krijgen.'

Khaleds ogen versmalden zich.

'Wie is Barbone?'

'Doe me een lol...' verzuchtte Kuyper. 'Smits zei...'

'Smits is maar een stroman. Van ondergeschikt belang. Een idioot. Hij zou er goed aan doen niet voor zijn beurt te praten.'

'Het meisje...'

'...was niet je dochter. En de wapens die Bouali had... waren niet wat we ervan verwachtten. Je hebt ons aan het lijntje gehouden, Kuyper. Het was allemaal maar spel, nietwaar? Een gevaarlijk spel. Vanuit ieders gezichtspunt.'

De houding van de man ergerde hem.

'Als jullie dachten dat ik niet oprecht was, waarom zijn jullie er dan toch in meegegaan?'

Khaled trok een verbaasd gezicht.

'Omdat we nieuwsgierig waren. En omdat we hoopten er ons voordeel mee te doen. Wat dacht je dan?'

'Ik heb mijn best gedaan om jullie te helpen,' zei Kuyper beslist. 'Als ik jullie achter de tralies wilde hebben, waarom ben ik hier dan in mijn eentje naartoe gekomen?'

De man tegenover hem blies zijn wangen op, liet de lucht weglopen en keek even om zich heen.

‘Hoe staat het ook alweer in dat toneelstuk van jullie? “Zo verlamt het geweten ons tot lafaards.”’

‘Een lafaard zou hier niet zitten,’ zei Kuyper.

‘Klopt. Maar je hebt wel een geweten. Nu moeten we het allemaal bezuren. Barbone is woest. Op jou. Op mij. Op iedereen. Hij heeft gezegd dat ik weg moet uit Amsterdam. Een stad waar ik me thuis voel. Hij is niet iemand die je op de kast moet jagen. Het leven is hier niet veilig meer. En hoe komt dat?’

‘Jullie hebben het verkeerde meisje meegenomen. Dat is niet mijn schuld.’

Khaled trok een la open en haalde er een vel papier uit.

‘Roze jas. Blond haar.’ Hij schoof de uitdraai over tafel naar hem toe. ‘Dit is de foto die je ons hebt gestuurd. Dit is het meisje dat we hebben meegenomen. Doe me een lol, Kuyper, en stop met die schertsvertoning. Barbone is niet gek. Hij heeft je die eerste keer in het parkje meteen doorzien.’

Kuyper keek naar het vel papier. De foto was van Natalya Bublik. Hij had hem heimelijk op straat genomen toen ze met haar moeder uit school kwam. Hanna had hij eruit geknipt. Als de zaken volgens plan waren verlopen zou dat er allemaal niet toe hebben gedaan.

‘Ik heb me blijkbaar vergist,’ mompelde hij.

‘En niet zo’n beetje ook,’ beaamde Khaled. ‘Vergeten hoe je eigen dochter eruitziet.’

Hij zat op de een of andere manier heel vreemd op zijn stoel.

‘Dat meisje heeft voor jullie geen waarde,’ zei Kuyper. ‘Als jullie haar laten gaan…’

Opnieuw de verbaasde blik.

‘Je veronderstelt blijkbaar dat wij haar nog hebben. Je veronderstelt wel veel. Waarom eigenlijk?’

‘Omdat ik niet geloof dat jullie een kind van acht als een gevaar beschouwen.’

Khaled haalde zijn schouders op. Hij haalde een pakje sigaretten uit de rechterzak van zijn enorme vest, schudde er een uit en stak hem op. Zijn hand beefde.

‘Wat kan ik voor je doen?’ vroeg Kuyper.

‘Ik wil mijn vrijheid. Zeg tegen je mensen dat ik hier weg wil. Ik wil veilig uit Nederland kunnen vertrekken. Ik zal eerlijk tegen je zijn. Ik ben net als Smits. Ik ben ook maar een stroman. Geen fanaticus.

Ik doe dit omdat ik niet anders kan. Mijn gezin wordt door hen vastgehouden in Irak. Dacht je soms dat ik zelf voor al die ellende had gekozen?'

Kuyper zweeg.

'Ik heb het gevoel dat we allebei overgeleverd zijn aan de grillen van anderen, Henk. Als we een oplossing kunnen vinden die voor ons allebei goed uitpakt...'

Een sprankje hoop.

'Misschien kunnen we iets regelen als ik je persoonlijk opbreng.'

'Nee, nee, nee,' zei Khaled resoluut. 'Hoe kan ik je mensen na al die ellende nog vertrouwen? Ik wil iemand die integer is.'

'Ik ben...'

Hij zweeg. De zwaarlijvige man tegenover hem leunde achterover in zijn stoel en keek hem geamuseerd aan.

'Wat wil je dan?' vroeg Kuyper.

'Breng me in contact met je superieur. Je baas. Iemand die is wat hij lijkt. Niet zo'n idioot die denkt dat hij boven de wet staat. Als ik het uit zijn eigen mond hoor, hebben we iets om over te praten. Anders vergeet je het maar. Alles is al geregeld. We gaan ervandoor, man. Dat snap je toch wel?'

Hij bedacht zich dat Mirjam Fransen deze kans met beide handen zou aangrijpen. Ze was altijd bereid de inzet te verhogen.

'Als ik met iemand aan kom zetten, willen ze Barbone. Het netwerk.'

Khaled haalde opnieuw zijn schouders op.

'Als dat in mijn belang is, geef ik jullie wat jullie willen...' Hij glimlachte even. 'En dat is veel. Geloof me maar. Hij is nog hier. En sommigen van zijn mannen ook.'

'Je zei net dat ze je gezin hadden.'

Khaled hield zijn grote hoofd een beetje schuin. Hij keek geamuseerd.

'Hoe zeggen jullie dat ook alweer? Uit het oog, uit het hart. Soms moet je als man gewoon aan jezelf denken. Ik kan nu niks voor ze doen.'

Henk Kuyper haalde zijn telefoon tevoorschijn. Hij had Mirjam Fransen al in geen jaren rechtstreeks gebeld, dus hij moest het nummer opzoeken. Een paar tellen later had hij verbinding.

Ongeveer een minuut buiten Amsterdam Centraal ging Hanna's telefoon. Hij kon de blikkerige beltoon aan de andere kant van het compartiment horen. Het volume stond op maximaal. Begrijpelijk.

Een kort gesprek. Ze staarde uit het raam naar de grauwe stad die aan haar voorbijtrok.

Er liepen twee grote mannen door het compartiment. Zwarte leren jassen. Grimmige gezichten. Op zich niets bijzonders, maar ze zochten iets. Vos hield zijn blik op de krant gericht. Ze liepen langs Hanna en gingen aan de andere kant de trap weer af.

Daar zul je ze hebben, dacht Vos, en hij vroeg zich af hoe hij die informatie kon gebruiken.

Het was nog vijf of zes minuten tot Sloterdijk. Daarna vier tot aan de Lelylaan. Dan nog een minuut of zeven naar Schiphol. Vervolgens zouden er langere stukken komen, via Leiden naar het zuiden.

Even later had hij bedacht hoe hij het probleem moest benaderen. Toen hij dat eenmaal wist, zag hij ook hoe zíj het waarschijnlijk gingen aanpakken.

Hanna beëindigde het gesprek. Ze leek even in gedachten verzonken. Toen belde ze hem.

'Ze willen dat ik de tas onder de bank zet en bij het volgende station uitstap. Over tien minuten stopt daar een trein die teruggaat naar de stad. Vijfde treinstel. Bovenste compartiment. Ze bellen me daar als ze tevreden zijn.'

Sloterdijk. Nog drie minuten.

'Vos?'

'Doe wat ze zeggen,' zei hij.

'Is dit het?'

'Daar komen we gauw genoeg achter.'

Het duo dat het geld kwam ophalen, kon bij het eerstvolgende station meteen uitstappen, en er was niets wat hij daaraan kon doen.

'Als ze me naaien...'

'Hanna. Zij maken de dienst uit. We moeten het spel meespelen.'

Ze hadden het tot in de puntjes uitgekiend. Degene die de operatie aanstuurde zou mensen op Lelylaan hebben om te controleren of er op het station politie stond. Ze konden zich uit de voeten maken voordat het meisje vrij was.

Hoewel...

Treinen.

Veel te openlijk. Ze wilden haar natuurlijk verborgen houden totdat ze er zeker van waren dat ze haar konden laten gaan zonder te worden opgepakt.

Als dit natuurlijk allemaal menens was.

'Ik hoop dat je weet wat je doet,' zei ze.

'Maak je geen zorgen. Zet de tas onder de bank, ga naar de andere kant van het perron en wacht op de trein. Ik zit vlak achter je.'

'Als ze...'

'Ik weet het,' zei hij. 'Dat had ik de eerste keer al begrepen.'

Van der Berg zat aan zijn tweede kaneelbroodje. Om hem heen waren steeds meer kruimels te zien.

'Misschien moeten we ons gewoon tot de moordzaak beperken,' zei Bakker.

'De commissaris wil dat we bij onze AIVD-vriendjes in de buurt blijven. En de wil van de commissaris...'

'Is geen wet,' vulde ze aan. 'Ik weet niet of het je al was opgevallen, maar Mirjam Fransen trekt hier aan de touwtjes.'

Hij schonk haar een opgewekte blik en veegde wat kruimels weg.

'Dat denkt ze tenminste.'

'En Vos?'

Van der Berg luisterde niet. Hij keek naar het steegje. Fransen borg haar telefoon weg en verzamelde haar team. Ze stonden op het punt om te vertrekken.

'Er staat iets te gebeuren,' zei Bakker.

'Er staat altijd iets te gebeuren.' Van der Berg werkte zijn broodje weg en sloeg het laatste restje van zijn koffie achterover. 'De vraag is alleen in hoeverre het ertoe doet.'

Hij stond op van de tafel en keek naar haar.

'Ga je mee?'

Bakker pakte haar tas.

'Waar gaan we naartoe?'

De AIVD-mensen hadden hun vervoer gebeld. Twee zwarte Mercedes sedans en een grijs bestelbusje.

'Waar zij ons naartoe brengen,' zei hij.

De trein rolde station Sloterdijk binnen. Hanna stond op en vertrok via de voorste trap. Ze had nu alleen haar schoudertasje bij zich. Met haar bruine jas, het nieuwe kapsel en de bril zag ze eruit alsof ze naar kantoor ging.

Vos nam zijn krant mee en ging via de andere trap omlaag.

De mannen in de zwarte leren jassen waren nergens te zien. Hij liep over het perron naar voren, passeerde Hanna en keek naar de vertrekkende trein.

Daar waren ze. Ze liepen terug naar het bovenste compartiment.

Het geld was afgeleverd.

Als dit menens was, zou de transactie nu worden afgerond.

Tien minuten wachten.

Normaal gesproken zou hij onder dit soort omstandigheden een omvangrijke operatie hebben opgezet. Politieagenten in uniform en rechercheurs in burger, onopvallend opgesteld. Spoorwegpolitie in de treinen, op de perrons en op de loopbruggen. Agenten buiten, wachtend in auto's.

Maar dat lag nu allemaal buiten zijn bereik. Hij kon de AIVD de schuld geven. Zeggen dat hij pech had. Of het aan de omstandigheden wijten. Maar zo was Vos niet. Hij rekende het vooral zichzelf aan.

Hanna Bublik liep naar een bankje en ging buiten in de kou zitten. Vos leunde tegen een lantaarnpaal.

De lange intercity reed precies op tijd met krijsende remmen het station binnen.

Er stapte nauwelijks een handvol mensen in. Er kwamen er maar drie naar buiten.

Het vijfde treinstel.

Ze ging naar boven. Hij liep door en ging achterin zitten. De trein leek bijna leeg.

Hanna's telefoon ging.

'Mevrouw Bublik,' zei een stem.

Ze knipperde met haar ogen. Het was niet Cem Yilmaz. Alleen dezelfde woorden.

'Ik heb het geld achtergelaten,' zei ze zacht.

'Ik weet het.'

Er klonk iets geamuseerds in zijn stem.

'Ik heb alles gedaan wat jullie wilden,' zei ze op smekende toon.

'Dat weet ik ook.'

Hij speelde met haar. Genoot ervan.

'Waar is mijn dochter?' vroeg ze.

Geen antwoord.
'Waar is ze?'

Het was niet gemakkelijk om adem te halen nu ze gekneveld in de koffer zat. Het ding was oud en rook naar stof en schimmel. Liggend op het dunne dekentje sloeg Natalya haar armen om haar bovenlichaam. Ze had nog steeds haar roze jas aan, die met het uur smeriger werd.

Geluiden.

Ze probeerde ze te herkennen.

Een automotor. Nee, iets groters. Misschien een busje. Gedempte stemmen. Een radio die popmuziek speelde. Straten. Met hobbels. Eerst reden ze langzaam, alsof ze vastzaten in het stadsverkeer. Toen sneller, naarmate ze de opstoppingen achter zich lieten.

Er was nu een enorme afstand tussen haar en de wereld. Ze had er geen idee van hoeveel dagen er voorbij waren gegaan sinds de sinterklaasintocht.

Het had een droom kunnen zijn. Of een vreemde nachtmerrie, zoals die met het monster. Dat leek ook verdwenen. Het was alsof haar leven langzaam afliep en in zichzelf keerde, om als helemaal niets te eindigen.

Hoe lang waren ze nu onderweg?

Een kwartier. Misschien langer.

Plotseling stopten ze.

Er werden metalen deuren opengegooid. Het waaide flink. In de verte hoorde ze het janken van een vliegtuig. Stemmen. Twee mannen die zachtjes met elkaar praatten in een taal die ze niet verstond.

Het ging over haar. Daar was ze van overtuigd. Ze begreep er alleen niets van.

Toen ze de koffer naar buiten sleepten, stootte ze haar hoofd ergens tegen. Misschien een spatbord. Het was hard en deed pijn.

Ze kreunde.

'Stil!' riep een man in het Nederlands.

Natalya Bublik – acht jaar oud, niet bang, alleen bezorgd, maar ook nieuwsgierig – maakte zich nog kleiner in de stinkende koffer.

Ze werd opgetild en meegenomen. Door twee mannen. Ze droegen de koffer in hun armen.

Ze vroeg zich af waarnaartoe.

Al schuddend en ratelend reden ze terug naar Amsterdam Centraal. Andere treinen kwamen langszij rijden naarmate de sporen samenkwamen.

'Waar?' vroeg Hanna opnieuw.

'Kijk om je heen,' zei de stem.

Dat deed ze. Een oudere vrouw. Een tiener met een koptelefoon op zijn hoofd. Vos in de hoek, die deed alsof hij haar niet zag.

'In godsnaam, man, ik heb jullie het geld gegeven. Waar is ze?'

'Kleine meisjes houden van spelletjes. Waarom zouden wij dat dan niet mogen? Ze heeft zich verstopt. Een fijne dag, mevrouw Bublik.'

Ze ramde met haar vuist tegen het raam. Vos keek nu naar haar.

Hanna beende naar hem toe en vertelde hem wat ze had gehoord.

'Zei hij dat ze in de trein zat?' vroeg hij.

Ze draaide haar hoofd om, en toen de andere kant op. Mensen begonnen te kijken.

'Waar moet ik beginnen?'

'Hanna...'

Hij had zijn telefoon tevoorschijn gehaald en drukte op een knop.

'Hier is ze niet,' mompelde ze. 'Hoe groot is de trein?'

'Luister, Hanna...' Zijn hand lag op haar arm. Ze merkte het nauwelijks. 'Ik kan ervoor zorgen dat er op het station agenten klaarstaan. We doorzoeken alle treinstellen. Als Natalya hier is...'

'Als...?' Haar heldere ogen keken hem dreigend aan. '*Als...?*'

Het was een ritje van niets, en de trein begon alweer vaart te minderen. Het volgende moment werden ze opgeslokt door de immense overkapping van het Centraal Station. Vos belde naar de regelkamer en werd direct doorverbonden met het kantoor. Hij gaf opdracht een team naar het perron te sturen.

'Je hebt nooit geloofd dat ze haar lieten gaan, hè?' beet ze. 'Volgens jou is ze dood.'

Ze stond op het punt weg te rennen, het maakte niet uit waarheen.

'We doorzoeken de trein,' zei hij. 'Als we geluk hebben...'

'Mensen als ik hebben nooit geluk, Vos! Was je dat nog niet opgevallen?'

De weinige passagiers die zich in het compartiment bevonden schuifelden de trappen af. Toen het grauwe perron verscheen, wemelde het van politieagenten.

Op Amsterdam Centraal ging het leven gewoon verder. Er werden berichten omgeroepen. Mensen namen afscheid in de hal, keken verloren of verveelden zich. Sommigen hadden een lege blik in hun ogen, alsof ze opzagen tegen de reis, terwijl anderen zich leken te verheugen op wat er voor hen lag.

'We vinden haar wel,' zei Vos.

Bakker stapte zonder iets te vragen in het busje, gevolgd door Van der Berg. Ze glimlachte naar twee strak voor zich uit kijkende AIVD-agenten die achterin zaten.

Ze reden door het centrum, langs het Centraal Station – waar politieauto's met blauw zwaailicht voor de ingang stonden – naar een rustig klinkerstraatje. Ze zag de naam: Rapenburg. Ze keek naar Van der Berg, maar die haalde zijn schouders op. Dit was voor hem ook nieuw, en het zag er niet naar uit dat de twee AIVD-mannen van plan waren iets los te laten.

Ze bleven staan voor een eenvoudig rijtjeshuis van lichte baksteen. Ze waren nog steeds met alleen de twee zwarte Mercedessen en een busje. Zeven AIVD-agenten met oortjes in controleerden hun wapens. Bakker en Van der Berg schuifelden met hun voeten en probeerden niet op te vallen.

Fransen verzamelde het team achter het busje. Ze wierp een chagrijnige blik naar de twee rechercheurs, alsof ze er niet toe deden, en instrueerde de groep.

Ze was kort en to the point. Khaled bevond zich in de woning. De echte, ditmaal. Hij was in gesprek met Henk Kuyper en bereid tot een deal. Hij wilde een vrijgeleide voor zichzelf in verband met het incident op het Leidseplein en de ontvoering van Natalya Bublik. In ruil daarvoor zou hij ze het netwerk van Barbone op een presenteerbladje geven.

'Geloof je hem?' vroeg Bakker.

'Het doet er niet toe of ik hem wel of niet geloof,' zei Fransen. 'Hij denkt dat we een gezellig keukentafelgesprekje komen voeren.' Ze tikte op het wapen van de lange AIVD-agent met de scherpe gelaatstrekken die naast haar stond, maar zag niet dat hij daar niet van gediend was. 'Maar dan heeft hij het mis.'

Ze keek haar mannen een voor een aan.

'Klaar?'

Van der Berg liep naar de deur. Zijn vinger bewoog zich naar de bel.

'Nee,' zei Fransen. 'We doen dit op onze manier. Ik wil een entree maken.'

Ze keek naar de lange agent wiens wapen ze had gestreeld. Ze zag nog steeds niet dat hij absoluut niet onder de indruk was.

'Breek maar open,' zei ze.

Het volgende moment beukte de stormram de deur uit zijn scharnieren.

Tien minuten nadat de trein Amsterdam Centraal was binnengelopen waren alle compartimenten doorzocht. Geen jong meisje dat op zoek was naar haar moeder. Niemand die er ook maar enigszins verdacht uitzag.

Hanna Bublik straalde verslagenheid uit. Haar laatste hoop was vervlogen.

Vos stond naast haar op het perron. Hij had contact opgenomen met De Groot en het nieuws over de moord op Smits gehoord. Mirjam Fransen dacht dat ze een aanwijzing had, maar die had betrekking op Barbone, niet op Natalya Bublik. Ze had verder geen informatie gegeven, maar Bakker en Van der Berg waren erbij.

'Ze hebben in elk geval iets,' bromde de commissaris. 'Het spijt me, Pieter. Het was het proberen waard.'

'We zijn nog niet klaar met...'

'We zijn het meisje toch kwijt?' zei De Groot op zachte, sombere toon. 'Het spijt me dat ik het zeg, maar het is zo goed als zeker...'

'Nee,' onderbrak Vos hem. 'Dat weet je niet. En ik ook niet...'

'Luister, Pieter. Ik waardeer het dat je zo met de zaak begaan bent, maar...'

'Dit draait om geld, Frank. Dat is al zo sinds ze Natalya hebben overgedragen.'

Stilte. De Groot luisterde. Toen vroeg hij: 'Wat wil je daarmee zeggen?'

'Je doet iets wat waardevol is niet zomaar weg. Je bent je bewust van...'

Waarom alleen aan de moeder verdienen als je de dochter in handen hebt? Laura Bakker had dat gezegd, en het was waar.

'Je bent je bewust van de waarde van je bezit.'

De Groot maakte welwillende geluiden, maar reageerde verder niet.

'Ik moet ophangen,' zei Vos tegen hem, en hij ging terug naar Hanna Bublik.

Ze huilde. Zoals sterke, dappere vrouwen dat doen. Er stonden tranen in haar ogen. Ze veegde ze weg met de mouw van haar nieuwe bruine jas en gedroeg zich alsof ze zich zou moeten schamen. Maar haar wangen bleven droog.

'Je moet het me vertellen, Hanna.'

'Wat?'

'Het geld. Waar heb je de rest vandaan?'

Ze dacht even na en zei: 'Een pooier. Ik heb gezegd dat ik voor hem zou gaan werken.'

'Hoe heet hij?'

Ze aarzelde even en zei toen: 'Cem Yilmaz. Een...'

'Turk,' vulde Vos aan. 'Woont in de Spooksteeg. Probeert de schijn op te houden dat zijn zaakjes legitiem zijn.'

'Zijn ze dat dan niet?'

Deze vrouw rook een leugen op een kilometer afstand.

'Voor zover ik weet niet,' antwoordde hij.

'Volgens mij heeft hij iemand bij mij laten inbreken om spullen van me te stelen. Hij heeft me een tijdlang geprobeerd te dwingen voor hem te gaan werken. Ik vroeg me af...'

Ze sloot haar ogen even van verdriet.

'Ik vroeg me af of hij het was. Of hij haar misschien had...'

'Waarom? Je moet specifiek zijn. Als ik een arrestatiebevel wil kunnen...'

'Ik weet het niet! Ik heb niet echt een reden. Ik heb nee tegen hem gezegd. Meerdere malen. Dat beviel hem niet. Hij...'

Ze knoopte haar jas los, schoof haar trui omlaag en liet hem het rauwe litteken op haar schouder zien.

De initialen in het vreemde schrift: CY.

Ze trok de trui weer omhoog.

Bureau Marnixstraat beschikte over een klein team dat gespecialiseerd was in mensenhandel. Het werd geleid door een slimme, dappere vrouw die Lotte de Jonge heette. Vos belde haar, verspilde geen tijd aan koetjes en kalfjes en vroeg of Yilmaz in contact stond met mensenhandelaars.

Gedurende enkele tellen hoorde hij alleen het geluid van een toetsenbord.

'Ik heb het voor de zekerheid nog even gecontroleerd. Wij hebben hier absoluut niets wat hem met vrouwenhandel in verband zou kunnen brengen. Yilmaz is veel te slim om zelf bij dat soort dingen betrokken te raken.'

'En hoe zit het met ontvoering?'

Het was niet haar terrein, maar ze zat toch achter de computer. Niets te vinden, zei ze.

Hij zette Lotte in de wacht en richtte zich tot Hanna om nog een keer door te nemen wat er tussen haar en Yilmaz was voorgevallen. Het was te weinig om hem aan te houden, als ze daar al tijd voor hadden.

'Oké,' zei hij. 'En zijn mensen dan? Wie van hen heb je ontmoet?'

Ze haalde haar schouders op.

'Er loopt een ouwe griezel rond die de huur ophaalt. Jerry. Volgens mij werkt hij voor Yilmaz.'

'Hoe heet hij van...'

'Ik weet zijn achternaam niet! Hij ziet eruit als honderd.'

Ze stond op het punt om het op te geven. Dat kon hij niet toestaan.

'Een man als Yilmaz blijft uit de buurt van alles wat gevaarlijk is. Hij maakt gebruik van tussenpersonen. Heb je hem wel eens met iemand samen gezien? Maakt niet uit wie...'

'Hij had een keer een vriend op bezoek,' zei ze, en ze veegde haar gezicht af met haar mouw. 'Meer dan een vriend. Ze waren aan het worstelen.' Ze dacht even na. 'Dmitri.'

'Ik heb meer nodig dan Dmitri,' zei Vos op smekende toon. 'Een achternaam.'

'Ik heb geen achternaam. Het was een Rus. Zeker weten. Hij had van die afschuwelijke tattoos.'

Ze deed haar uiterste best om het zich te herinneren.

'Hij had twee ogen op zijn buik. Een schedel in een mand op zijn borst... En een bloedend hart in een driehoek. Die zat op zijn rug.'

Vos gaf het door aan de vrouw aan de andere kant van de lijn.

'Jezus,' zei De Jonge. 'Dat klinkt niet best.'

'Hoezo?'

'Het is een Russische gevangeniscode. De schedel betekent dat hij iemand heeft vermoord. De ogen... dat hij homo is. Het hart...'

Het toetsenbord klonk alsof het overuren maakte.

'Nou?' drong hij aan.

'Ik zit even te kijken. Het hart betekent dat hij pedofiel is. Volgens mij heb ik een match. Ik heb iemand met die tatoeages gevonden in het Europese systeem. Ik stuur je een foto.'

De afbeelding verscheen vrijwel onmiddellijk op zijn mobieltje. Een typische gevangenisfoto. De tekst eronder was in cyrillisch schrift. Vos liet hem aan Hanna zien. Ze keek ernaar en knikte.

'Wat is dat voor type, Lotte?' vroeg hij.

'Veel erger vind je ze niet. Dmitri Volkov. Zevenendertig. Prostitué. Volgens onze informatie verhandelt hij kinderen voor wat cellen. Maar dat hebben we natuurlijk nooit kunnen bewijzen.'

Hanna keek naar Vos. Ze was zich ervan bewust dat er iets gaande was.

'Je weet zeker niet waar die Dmitri woont?' vroeg Vos.

'Ik kan proberen erachter te komen.'

Er klonk een piepje op de lijn. Vos keek naar het inkomende gesprek en schakelde over.

'Frank,' zei hij voordat De Groot iets kon zeggen. 'Ik dacht dat we dit stilhielden.'

'Dat is voorbij,' zei de commissaris tegen hem. 'Ze denken dat ze Khaled hebben gevonden. Ik wil dat je ernaartoe gaat. Regel een auto.'

Bakker en Van der Berg liepen achter het AIVD-team naar binnen. Via een lange gang betraden ze een kamer, waar plotseling een hoop tumult ontstond. Henk Kuyper kwam onmiddellijk overeind en ging opzij.

Tegenover hen bevond zich een man. Zwaarlijvig. Op de een of andere manier misvormd. Het vet leek zich te hebben opgehoopt rond zijn middel. Hij zat achter een bureau op hen te wachten met zijn armen over elkaar en een sigaret in zijn zware rechterhand.

Er verscheen een woedende blik op zijn gezicht toen hij de overmacht zag waarmee hij werd geconfronteerd.

Hij stond op en begon met zijn armen te zwaaien, waardoor er papieren van de tafel dwarrelden.

'Wat heeft dit te betekenen?' blafte hij. 'Ik heb tegen Kuyper gezegd dat ik met jullie zou praten. Ik kan jullie een hoop nuttige informatie geven.'

Fransen bleef voor hem staan en gelastte de leider van haar team – de lange man met het verweerde gezicht en het zwarte pak – hem in de boeien te slaan.

Er volgde een korte worsteling die Khaled onmogelijk kon winnen, en de sigaret viel op de grond. De agenten kregen een uitgebreid repertoire aan Nederlandse scheldwoorden naar hun hoofd.

'Jullie kunnen hem nu wel loslaten,' beval Fransen.

'Hij heeft aangeboden mee te werken,' zei Kuyper met zijn armen over elkaar en zijn rug tegen de muur. 'Volgens mij is hij een tussenpersoon. Een fixer. Meer niet.'

'Meer niet?' Khaled lachte.

De rest van het AIVD-team begon het kantoortje te doorzoeken, archiefkasten te openen en in papieren te rommelen.

Fransen liep naar hem toe en zei: 'Geef me Barbone en ik zet je op een vliegtuig naar de bestemming van je keuze. Inclusief zakgeld. En een nieuw paspoort.'

'Natalya Bublik ook,' voegde Bakker eraan toe. Ze kreeg als dank een vuile blik van Fransen.

Khaled duwde de man die achter hem stond van zich af en gaf een uitstekende impressie van verontwaardiging ten beste.

'Wie is die vrouw? Ik heb tegen je gezegd dat ik met je baas wilde praten, Kuyper. Niet een of ander kreng met een grote bek...'

Dat was tegen het zere been. Fransen liep op hem af, bleef vlak voor hem staan en keek hem recht in de ogen.

Bakker keek nauwlettend toe. Ze probeerde het te begrijpen. Er klopte iets niet.

'Ik ben zijn baas, imbeciel,' blafte Fransen tegen hem. 'Ik ben het hoofd van de AIVD in Amsterdam en ik leg rechtstreeks verantwoording af aan Den Haag. Als je een deal wilt, kan ik die voor je regelen. Er is niemand anders.'

Het kostte hem een paar tellen om dat te laten doordringen.

'Maak die stomme handboeien dan los,' zei Khaled.

'Die blijven zitten totdat je met iets bruikbaars komt.' Ze kwam zo dichtbij dat ze hem bijna aanraakte. Dat beviel hem absoluut niet. 'Een adres. Namen. Een reden om je te geloven.'

Zijn gezicht straalde iets van onzekerheid uit. Misschien zelfs angst.

'Als je dat doet,' voegde ze eraan toe, 'hebben we een deal. Maar als je niks...'

Zijn handen bewogen zich achter zijn rug. Bakker dacht dat ze iets vreemds onder het dikke vest zag.

Khaled liet zijn blik door de kamer glijden alsof hij een inschatting maakte. Van het aantal aanwezigen.

'Er klopt iets...' begon Bakker.

Maar toen kwam Khaled in actie. Hij boog zich naar voren, beukte zijn reusachtige hoofd tegen het lichaam van Mirjam Fransen en wierp zich op haar zodat ze samen op het bureau vielen. Vervolgens begon hij pompende bewegingen te maken met zijn borst, waarbij hij Fransen steeds opnieuw tegen het vlekkerige houten oppervlak drukte.

Hij zoekt naar een knop, dacht Bakker meteen.

'Hij heeft iets om zijn lijf!' gilde Bakker. 'Dirk...'

De rechercheur kwam nu ook in beweging. Net als de meeste AIVD-agenten, die het kantoortje uit sprintten, de gang in. Henk Kuyper was er ook bij.

Khaled zette alles op alles om nog één keer uit alle macht het bomvest op de vrouw te drukken die onder hem lag.

Het beste doelwit dat hij had.

Door zijn heftige bewegingen scheurde de rug van het vest. Op dat moment kwam de valstrik die hij had gezet aan het licht. Bedrading. Buisjes. En ergens, zo wist Bakker, een ontstekingsmechanisme.

Het huis stond aan de Joop IJisbergstraat, een smal straatje in een woonwijk, niet ver van station Sloterdijk, waar haar moeder een uur eerder nog was, bang en terneergeslagen. Ze droegen het meisje, dat nog steeds in de koffer zat, naar binnen en ritsten het ding open. Vervolgens zeiden ze dat ze eruit moest komen en moest gaan staan.

De man met de dreadlocks vertrok. Evenals iemand anders, die ze niet herkende. Ze zag een potig, schurkachtig type met een tattoo op zijn biceps die net onder de mouw van zijn T-shirt vandaan kwam. En twee mannen. Ze zagen er vreemd uit. Het hadden broers kunnen zijn. Misschien wel een identieke tweeling.

Ze droegen een donker kostuum met een krijtstreep en deden haar denken aan personages uit een stripverhaal dat ze op school had gelezen. *Tintin.*

Het was in het Engels. Zij waren ook Engelsen. Thomson en Thompson. Dit stel had alleen geen grote snor. Maar ze waren wel kaal. Bijna identiek. Oud. Dikkig. Ze zaten op een bank en bestudeerden haar. Een van hen zei: 'Tss.' De ander glimlachte en maakte geluidjes die waarschijnlijk vriendelijk waren bedoeld.

Ze hadden elegante theekopjes in hun hand en doopten er biscuitjes in terwijl ze haar kritisch opnamen.

'Haal dat ding van haar mond, Dmitri,' zei de man links – Thomson, besloot ze.

Dmitri deed het en zei dat ze haar mond moest houden, anders zou er wat zwaaien.

'Naam,' zei de ander.

'Wat doet de naam er nou toe?' vroeg de man met de tattoo. Natalya herkende het accent uit Georgië. Russisch, dacht ze. Haar moeder schrok altijd als ze dat hoorde.

'Die doet ertoe als ze ons onderweg naar België aanhouden,' merkte Thompson op. 'Ik mag aannemen dat je papieren hebt.'

De Rus gooide drie dingen op tafel.

'Zoek maar uit,' zei hij. 'We hebben ze gisteravond laten maken. Een Nederlandse identiteitskaart, een Luxemburgse en een Georgische.'

'Knap kind,' zei Thomson.

Hij boog zich naar voren, keek naar haar en hield haar een biscuitje voor. Natalya, die honger had, stak haar hand uit, maar hij trok het terug en lachte.

'En gulzig. Dat betekent extra kosten. Hoe heet je?' vroeg hij opnieuw.

'Mary,' zei ze.

De Rus gromde iets en schonk haar een dreigende blik.

'Ze heet Natalya. Klote-Georgiërs. Spreken de waarheid nog niet eens als je ze ervoor betaalt.'

'Tss,' zei Thompson opnieuw. De ander volgde zijn voorbeeld.

'Kleine meisjes die liegen,' zei Thompson.

'Wat moet je daar nou mee?' vroeg Thomson.

'Streng zijn,' voegde de eerste eraan toe. 'Altijd. Verstandig zijn, goed oppassen en die kattenkoppen geen moment uit het oog verliezen.'

De tweede keek naar de Rus en vroeg: 'Hoeveel?'

'Veertig mille.'

De twee stonden gelijktijdig op en veegden denkbeeldige kruimels van hun pantalon.

'Geen wonder dat je de prijs niet over de telefoon wilde noemen.

En dan te bedenken dat we hier helemaal uit Gent naartoe zijn gereden. Dat is toch niet te geloven?'

Hij nam haar opnieuw op.

'Ze is wel knap, maar ook weer niet zó. En het lijkt me een lastig kind. Het is geen lolletje om zoiets in het gareel te houden.'

Hij liep naar het raam en trok de lange, dikke gordijnen open. Ze bevonden zich zo te zien in de voorkamer van een huis. De inrichting was minimaal, en het rook vreemd. Naar medicijnen. Of een gymzaal.

'En dat verrekte ding zuipt ook nog eens diesel,' zei Thompson.

Ze rechtte haar rug en slaagde er net in naar buiten te kijken. In het smalle straatje stond een lange, glanzende zwarte auto.

Het duurde even voordat Natalya besefte wat het was. Een lijkwagen. Met achterin, even glanzend als het koetswerk, een eenvoudige doodskist.

'Jullie willen toch niet onverrichter zake naar huis rijden?' vroeg de Rus.

Het gordijn ging weer dicht. Thomson en Thompson keken elkaar aan en zeiden niets.

'Er valt over te praten,' voegde Dmitri er enigszins vertwijfeld aan toe.

Er was in de woonkamer één deur, die op een kier stond. Natalya kon de voordeur erdoor zien. Er zat een eenvoudig slot op dat je van binnenuit kon openen. Een snel sprintje. Een beetje geluk. En dan een straat die ze niet kende in een deel van de stad waar ze alleen maar naar kon raden.

'Het is toch niet te geloven,' zei Thomson geamuseerd. 'Dat pittige ding is van plan om ervandoor te gaan.'

Dmitri mompelde iets en keek naar het meisje.

'Je kunt dat kind maar beter immobiliseren,' voegde Thompson eraan toe. 'Daar voorkom je een hoop ellende mee.'

'Immobiliseren?' vroeg de Rus. 'Bedoel je…'

Hij haalde uit met een denkbeeldige hamer.

'Goeie genade,' merkte Thompson op met een zucht. 'Dan kun je haar toch niet meer verkopen?'

Hij stond op, liep naar haar toe en zei dat ze op een stoel aan de eettafel moest gaan zitten.

De stoel was zo hoog dat haar benen de grond niet raakten. De andere man opende ondertussen de gordijnen even en wierp een blik op de verlaten straat. Natalya kon de lijkwagen duidelijk zien.

Thompson haalde een rode zijden sjerp uit zijn zak en bond die om haar enkels.

'Zo,' zei hij, en hij tikte zachtjes tegen haar kuit. 'Dat is beter.'

'Ik zal ondertussen nog een kop thee voor jullie halen,' zei Dmitri, en hij vertrok naar de keuken.

Thompson voelde aan Natalya's roze jasje. Er zaten aarde- en schimmelvlekken op.

'Mijn god, wat stinkt dat ding,' zei hij, en er trok een rilling door hem heen. 'Dat kan wel een stevige wasbeurt gebruiken. Nog meer kosten.'

Dmitri kwam terug met de thee. 'Ik heb mooie gerookte zalm,' zei hij. 'En ook wat paling. Dus als jullie honger hebben. En er is ook wijn...'

'O, wij hebben altijd honger!' kondigde Thomson aan met een brede grijns. 'Als het tenminste de moeite van het eten waard is. Maar geen wijn. We moeten nog rijden.'

'Dan houden we het bij de hapjes,' zei de Rus, en hij liep de kamer weer uit.

Thomson en Thompson namen weer plaats op de bank. Thomson bracht zijn hand naar zijn kin, en Thompson volgde zijn voorbeeld.

'Duitsland,' zei de eerste. 'Hamburg. Daar zullen ze haar vast wel zien zitten.'

De ander schudde zijn hoofd.

'We kunnen meer krijgen als we het verderop zoeken. Buiten Europa. De Golf. Afrika.' Hij glimlachte. 'Jonge blonde meisjes. Daar is iedereen toch dol op?'

De glimlach verdween van zijn gezicht.

'Het probleem is alleen dat ze niet zo blijven. Tenzij je ze verft. Je denkt toch niet...?' Hij liep naar haar toe en voelde aan haar haar. 'Nee, dat ziet er echt uit.'

Ze zwegen even. In de keuken stond een radio aan. Er klonk geluid van bestek en borden.

'Het is altijd hetzelfde,' verzuchtte Thomson. 'Hoe weeg je de kosten en de baten tegen elkaar af?'

Zijn vinger gleed omhoog naar zijn wang. Hun kraaloogjes bleven onafgebroken op haar gevestigd.

'We beginnen op drie,' zei hij met een zachte, vastberaden stem. 'En we gaan tot acht. Maximaal tien.'

'Je bent zoals gewoonlijk weer veel te genereus,' zei Thompson. 'Laat dit maar aan mij over.'

Dmitri kwam terug met de hapjes, die hij droeg als een geroutineerd kelner. De kamer vulde zich met de geur van gerookte vis.

Natalya keek naar hem en zei: 'Ze zeggen dat je een idioot bent, Rus. Ze betalen je geen cent. Als...'

Hij zette de borden met een klap op tafel en stormde met geheven vuist naar de andere kant van de kamer.

Thomson en Thompson lachten. Zo hard dat ze tranen in hun ogen kregen.

De getatoeëerde man boog zich over haar heen, klaar om toe te slaan. Ze hield haar hoofd omhoog en keek hem recht in de ogen.

'Vriend,' zei Thomson terwijl hij naar hem toe liep en zijn arm vastpakte. 'Dmitri. Niet doen.'

De Rus kalmeerde enigszins en zei iets in de vreemde keelklanken van zijn moedertaal.

'Aan gehavende waar hebben we niks,' zei Thompson.

Natalya schonk hun alle drie een giftige blik. Ongebroken. Uitdagend.

'Tenzij we de schade zelf aanrichten,' merkte de tweede op, en hij stak zijn hand uit naar een verrukkelijk stukje paling op bruinbrood.

Van der Berg was fors, en zijn conditie liet te wensen over, maar hij was niet traag. Hij was er als eerste bij en begon Khaled naar achteren te trekken aan de kraag van zijn bruine vest.

Hij kreeg hulp van de enige overgebleven AIVD-man, de grote agent die met Fransen had staan kibbelen.

Bakker had de juiste conclusie getrokken. Khaleds handen waren geboeid, waardoor hij niet bij het mechanisme op zijn vest kon komen. De enige manier om het in werking te stellen was zich op Fransen werpen.

Als ze hem weg konden trekken...

Khaled bleef maar obscene verwensingen roepen, zowel in het Nederlands als in het Engels. Alles wat hij kon bedenken. Toen slaagde Van der Berg erin zijn arm om de keel van de man te slaan, zijn spieren te spannen en Khaleds luchtpijp dicht te drukken. Fransen schoof onder hem vandaan.

Bakker had een *multitool* in haar jas, naast haar pistool. Ze opende het scherpe mes, stak het in de bruine stof en sneed het vest open.

Rijen met ronde buisjes. Nog meer bedrading. De AIVD-man kon zijn ogen er niet van afhouden, en ze wist wat zijn blik betekende: genoeg om het hele pand op te blazen.

'Hou hem vast,' zei Bakker, en dat deden ze.

Ze negeerde Khaleds wanhopig trappende voeten, sneed de riemen over beide schouders door en vervolgens die rond zijn middel. Ten slotte haalde ze het vest weg. Ze deed een stap achteruit en bleef staan met het ding in haar handen.

Mirjam Fransen was naar een hoek van de kamer gevlucht. Ze zat in elkaar gedoken op haar hurken en hapte naar lucht.

De AIVD-man werkte Khaled tegen de grond, haalde een pistool tevoorschijn en drukte het tegen zijn wang. Hij zei iets over dat hij maar één excuus nodig had. Het maakte niet uit wat.

Toen de situatie enigszins was genormaliseerd stelde hij zichzelf voor: Blok.

'Waarom is dat ding niet afgegaan?' vroeg Bakker, die zoals altijd nieuwsgierig was, terwijl ze het vest door haar vingers liet gaan.

Blok wees op een vierkantje ter hoogte van de taille.

'Drukplaatje. Je moet het een paar seconden ingedrukt houden voordat het zijn werk doet. Als er geen vertraging op zat, zouden de explosieven per ongeluk af kunnen gaan.'

'Ik snap het...'

Ze hield het vest omhoog en keek naar het vierkantje. Ze zag eruit alsof ze het wilde gaan onderzoeken.

'Voorzichtig,' waarschuwde Van der Berg.

Het ding gleed uit haar handen en viel bijna op de grond.

Blok vloekte en ving het op. Hij schonk de rechercheurs een geërgerde blik en blafte vervolgens naar een van zijn mannen dat hij het vest moest meenemen.

'Dat was niet echt handig,' zei Bakker met een geforceerd glimlachje. 'We zijn trouwens nog steeds op zoek naar dat meisje. Jullie staan nu bij ons in het krijt.'

Hij schudde zijn hoofd.

'Je denkt toch niet dat hier nog wat te vinden is? Die gasten knijpen ertussenuit en verbranden hun schepen achter zich. Daarom hebben ze Smits vermoord.' Hij knikte naar Khaled, die met een chagrijnig gezicht op de grond lag. 'En daarom hebben ze die idioot hier als cadeautje achtergelaten. Om zo veel mogelijk mensen van ons mee te nemen naar de eeuwige jachtvelden. Sorry…'

'We geven het nog niet op,' onderbrak Bakker hem.

'Nee,' zei hij. 'Dat had ik ondertussen wel begrepen.'

Meer mensen bij de deur. De Groot in een lange mantel. Vos in zijn duffelse jas die meteen vragen begon te stellen.

Toen Hanna Bublik. In een nieuwe jas en met een nieuw kapsel. Ze keek nog steeds boos en verbitterd.

Een blik op haar en Bakker besefte hoe haar dag was verlopen. En die van Vos ook.

Na een kort onderhoud was Vos op de hoogte.

Hij wees op Mirjam Fransen.

'Arresteer haar.'

Bloks mond viel open, maar hij zei niets.

'Kuyper ook,' zei Van der Berg. 'We willen hem ook verhoren.'

Fransen was inmiddels opgestaan. Ze was weer helemaal de oude. Een en al drukte en dreigementen.

'Jullie kunnen niemand arresteren! We zitten midden in een operatie.'

'Niet meer,' zei Vos.

'Jezus!' Ze greep De Groot bij zijn jas en draaide hem om zodat hij haar aan moest kijken. 'Je denkt toch niet echt dat je AIVD-agenten in functie zo kunt behandelen? Eén telefoontje…'

De Groot rolde met zijn ogen.

'Jullie kunnen me niet in de cel gooien,' schreeuwde Fransen. 'Dat laat ik niet gebeuren.'

De commissaris trok een gezicht en draaide zich om naar de politieagenten.

'Regel maar iets comfortabels. En als dat er niet is… jammer dan. Pieter?'

Vos zat op zijn knieën bij de man die op de grond lag en probeerde met hem te praten. Over iemand genaamd Dmitri Volkov. Maar hij kwam niet verder.

'Pieter,' herhaalde De Groot. 'Waar gaan we nu naartoe?'

'Ik ben maar één soldaat van de vele,' brulde de Arabier, en vervolgens spuugde hij Vos vol in het gezicht.

'Baas,' zei Van der Berg.

Vos stond op en veegde met de rug van zijn hand de viezigheid van zijn gezicht. Van der Berg stond bij het bureau. In zijn hand had hij een Saudi-Arabisch paspoort. Op de foto was de man op de grond te zien. Zijn naam: Hakim Fakhouri.

'Hij is Khaled dus blijkbaar ook niet.' Van der Berg smeet het paspoort op het bureau. 'We zijn weer terug bij af.'

'Tweeduizend,' zei Thompson. 'Cash. Het zit in een envelop in de lijkwagen. Boter bij de vis.'

Dmitri Volkov sloeg zijn ogen ten hemel en vouwde zijn handen samen alsof hij ging bidden.

'Alstublieft, Heer. Ik heb gevraagd of U me serieuze mensen wilde sturen. Geen clowns.'

De Belgen zagen de humor er niet van in.

'We verlossen je van een blok aan je been,' zei Thomson.

'Een enorm blok aan je been,' merkte Thompson op terwijl hij naar Natalya Bublik keek, die zwijgend op de stoel zat met de rode sjerp om haar enkels. 'Ze ziet eruit alsof ze erg lastig is. Zo'n kind wil je niet om je heen hebben.'

Dmitri gebaarde met grote, smekende ogen naar de borden.

'Tweeduizend? En dan nog gratis vis ook?'

'De paling was goed,' zei Thomson. 'De zalm niet echt. Laten we zeggen tweeënhalf.'

'In godsnaam.' Dmitri gebaarde naar de deur. 'Wegwezen, jullie. Denken jullie soms dat jullie de enige geïnteresseerden zijn?'

Ze maakten geen aanstalten om op te staan.

Thompson zei: 'Als je een plaatselijke koper had, zou je ons niet bellen.'

'Maar we zijn toch vrienden?' wierp de Rus tegen.

Thomson haalde een grote telefoon uit zijn jas en zette hem aan. Natalya kon het scherm gedeeltelijk zien. Het was een nieuwsitem. Een kop over haar. Iets over een ontvoering. En een foto van haar in het roze jasje op een van de woonboten.

'We hebben in België ook nieuws, Dmitri. Een vriend zou dit soort... complicaties hebben vermeld. De politie kent dit kind. Ze zijn natuurlijk naar haar op zoek.'

'Ze weten niks!' riep Dmitri uit. 'Ze denken dat ze bij een stel gestoorde terroristen zit...'

Thomson en Thompson vouwden hun krijtstreeparmen voor hun borst en zwegen.

'Vijftien mille,' zei Dmitri op smekende toon. 'Jullie krijgen duizend euro korting op de volgende.'
'Drie,' zei Thompson tegen hem.
'Mijn baas heeft me een minimum gegeven. Ik kan niet lager gaan.'
'Dan vul je het toch gewoon aan uit je eigen zak,' opperde de Belg. Hij glimlachte. 'Je hebt genoeg neveninkomsten. Laten we elkaar geen mietje noemen.'
'Acht.'
'Drieënhalf.'
Dmitri pakte een stukje paling, hield het boven zijn mond en liet het vallen.
'Vierenhalf,' zei Thompson. 'Handje contantje. Dat is ons laatste bod.'
'Best,' zei de Rus. 'Maar dan nemen jullie haar meteen mee. Ik wil niet dat dat kreng hier de hele tijd naar me zit te kijken.'
Natalya hield haar hoofd een beetje schuin, wilde iets zeggen, maar bedacht zich vervolgens.
Thompson lachte.
'Waarom denk je dat we met een lijkwagen zijn gekomen?'
Hij keek naar de man die naast hem zat. Ze waren echt broers, dacht Natalya. Misschien wel een tweeling.
'Pak de spuit, Jean. Jij bent daar handiger in dan ik.'
'Waar heb je hem gelaten?' vroeg Thomson.
De ander slaakte een zucht.
'In de kist. Zoals altijd.'
Hij keek naar Natalya.
'Je krijgt binnenkort leuke nieuwe kleren, pop. Maar eerst moet je gaan slapen. En geen gedoe, alsjeblieft.'

Vos belde opnieuw met Lotte de Jonge en zette haar op de luidspreker. Het vertrek was bijna leeg. Alleen Bakker, Van der Berg en Hanna Bublik waren nog aanwezig. De Groot was terug naar de Marnixstraat met de arrestanten. De mensen van de AIVD stonden buiten te wachten op een inlichtingenteam dat het kantoortje zou onderzoeken op documenten en sporen van de verdwenen Barbone.
'We hebben geen adres,' zei Lotte de Jonge. 'En er is niks wat Volkov met Cem Yilmaz in verband brengt. Of eventuele terroristische groeperingen. Het spijt me, maar...'

'Ik heb hem daar gezien,' zei Hanna resoluut. 'Dezelfde man als op jullie foto.'

'Hij is maar een bijfiguur,' zei De Jonge. 'Een homohoer op zijn retour. Echt...'

Bakker begon op haar eigen mobieltje te tikken.

'Als je me nog wat tijd geeft,' zei De Jonge zonder veel enthousiasme.

Niemand zei iets. Bakker was druk bezig tekst in te voeren op haar telefoon. Ze sloegen haar allemaal gade. Plotseling keek ze Hanna Bublik aan en zei: 'Spreek je Russisch?'

'Hoezo?'

'Volkov is Russisch voor wolf. Klopt dat?'

Hanna trok een gezicht.

'Min of meer.'

'En hij is prostitué. Dus hij moet op het internet te vinden zijn. Ik heb hier iets wat erop lijkt...'

Haar duimen dansten over het scherm. Vervolgens hield ze de telefoon omhoog.

De tekst was zo klein dat iedereen om haar heen kwam staan om hem te kunnen lezen. Het was een twitterbericht van een zekere @dimka_volkova. De bijbehorende avatar was een cartoon van een grijnzende wolf en de woorden: 'Heb je geld? Dan heb ik lol voor je.'

'Dimka is een afkorting voor Dmitri,' zei Hanna. 'Volkova betekent vrouwelijke wolf.'

Bakker scrolde omlaag door de tweets totdat ze er een vond met een foto. Ze tikte erop, en de afbeelding vulde het scherm.

Een grijnzende man met een crewcut. Hij had een blikje bier in zijn hand en toonde zijn biceps. In een of andere club.

'Dat is 'm,' zei Hanna.

'Wie van jullie zit er op Twitter?' vroeg Bakker. 'Want ik doe daar niet aan.'

Er viel een korte stilte. Toen slaakte Van der Berg een diepe zucht en haalde zijn telefoon tevoorschijn.

'Het is alleen voor het bier,' zei hij. 'Mijn vrienden en ik willen weten wanneer er iets nieuws opduikt.'

De profielfoto was een fles Chimay Cinq Cents. Zijn gebruikersnaam was @bier_stofzuiger.

Van der Berg haalde diep adem en begon te typen...

@dimka_volkova ik heb geld en ket. Veel. Wil lol. Waar zit je?

Ze keken naar Laura Bakkers telefoon en wachtten.

Thomson haalde niet direct de spuit met het verdovende middel uit de kist. Hij ging voor in de lange lijkwagen zitten om een telefoontje te plegen. Meer dan één. Minstens drie, dacht Dmitri.

'Jullie zouden toch op z'n minst kunnen betalen voordat je haar doorverkoopt,' klaagde de Rus.

'Een zakenman moet altijd vooruitkijken,' antwoordde Thompson. 'Wat had je dan verwacht?'

'Niet veel,' gromde hij. Zijn telefoon maakte een tjirpend geluid.

Hij keek naar de tweet en dacht even na. Een avondje werken leverde misschien wat extra's op. Hij had niet zomaar gezegd dat Yilmaz hem een minimumprijs had gegeven. Vijf mille. Het verschil moest uit zijn eigen zak komen.

Een lijntje ketamine klonk ook niet verkeerd.

Zijn grote duimen stuntelden over het scherm.

@bier_stofzuiger nu even niet. Druk. Kom over een uur bij je terug.

Thomson zat nog steeds voor in de lijkwagen. Hij keek naar zijn telefoon en stond op het punt om nog een gesprek te voeren.

'Volgens mij nemen jullie me in de zeik,' klaagde Dmitri.

Van der Berg las de reactie voor. Vos gaf een trap tegen het bureau. Hanna Bublik vloekte.

Bakker griste de telefoon uit Van der Bergs hand.

Beneden het bericht stond een symbooltje. Een cirkel die van onderen uitliep in een punt.

Ze liep naar de deur. De anderen volgden zonder te weten waarom.

'Hij heeft zijn locatie ingeschakeld,' riep Bakker over haar schouder terwijl ze naar buiten beende.

Ze riep via de tweet de kaart op en stapte achter in de eerste auto. Van der Berg en Hanna Bublik wurmden zich naast haar. Vos ging voorin zitten, naast de bestuurder.

De kaart verscheen op het scherm. Bakker zoomde in.

'Hoe nauwkeurig…?' begon Van der Berg.

Ze liet het hem zien. Een straat. Een speld boven drie huizen.
'Daar zit hij,' zei ze. 'Joop IJisbergstraat.'
De bestuurder zette het zwaailicht en de sirene aan.
'Ik wil alles uit zodra we in de buurt zijn,' zei Vos tegen hem terwijl de auto wegschoot.

Bureau Marnixstraat.
De Groot liet het specialistisch team voor terrorismewerk komen en droeg de man over die ze op het Rapenburg hadden gearresteerd. De AIVD zou hen assisteren.
Kuyper en Mirjam Fransen werden gedurende vijfentwintig minuten in aparte cellen geplaatst. Toen kwam het telefoontje.
Hij zat in zijn kantoor en hield het logboek van de regelkamer in de gaten. Hij was zich ervan bewust dat Vos inmiddels op weg was naar het adres in de buurt van Sloterdijk. Misschien was het hun laatste kans.
Vanuit zijn raam kon hij de Elandsgracht zien. Er kwam een schoolklasje voorbij, giechelende kinderen, niet ouder dan tien, met vrolijk gekleurde pakjes in hun hand.
Hij luisterde naar de gedecideerde stem aan de andere kant van de lijn en besefte dat het zinloos was om in discussie te gaan. Maar misschien was er iets waarover hij kon onderhandelen...
'Er zijn hier misdaden gepleegd,' zei De Groot toen de man uit Den Haag zijn zegje had gedaan. 'Samenzwering. Ontvoering. En we zitten waarschijnlijk met een dood meisje...'
'Des te meer reden om dit te begraven,' zei de stem. 'Wees niet naïef, De Groot. Dit is geen strijd die je kunt winnen.'
'Ik heb één voorwaarde.'
De man kreunde.
'Doe me een lol. Ik heb geen zin in spelletjes.'
'Dit is geen spelletje. Als je niet akkoord gaat, sta ik niet voor de gevolgen in.'
Een korte stilte. 'Wat is die voorwaarde?'
Het was voor hen een kleinigheid. En daarmee was de kous af.
Hij nam contact op met de regelkamer. Vos en het team konden er elk moment zijn.
Ergens wilde De Groot niet meer weten. Hij had een slecht gevoel over deze zaak. Dat was al zo sinds de AIVD hem de zondag ervoor had

gewaarschuwd zich afzijdig te houden, met name van de gebeurtenissen op het Leidseplein. Hij was over het algemeen niet iemand die op zijn intuïtie afging. Dat leidde tot fouten en vergissingen. Maar sinds die eerste dag, toen hij erachter was gekomen dat de veiligheidsdiensten hun schimmige pijlen op Amsterdam hadden gericht, vreesde hij dat dit ging aflopen zoals zulke zaken meestal afliepen. In een grijze mist van onzekerheid, mogelijk met talloze onschuldige slachtoffers.

Hij instrueerde de regelkamer hem te bellen zodra er nieuws was van Vos. Vervolgens nam hij de lift omlaag naar het arrestantenverblijf. Mirjam Fransen was nog steeds aangeslagen, maar kon een triomfantelijke blik niet onderdrukken toen hij haar vrijlating gelastte. Het moest worden gezegd dat Henk Kuyper enigszins beschaamd uit zijn ogen keek. Ze vroegen allebei naar Barbone, maar leken niet verrast toen De Groot zei dat het ernaar uitzag dat de vogel was gevlogen.

Fransen klopte haar mantelpakje af en zei: 'Zo. Nu we al deze nonsens achter de rug hebben, wil ik precies weten hoe ver jullie zijn. Die rechercheurs van je die voor me werkten wil ik terug. En Vos ook...'

'Nee.'

Ze keek hem aan en lachte.

'Je leert het ook nooit, hè?'

Kuyper liet het hoofd hangen.

'Dat zou je nog wel eens kunnen verbazen,' zei De Groot. 'Ik stel voor dat je even met Den Haag belt. Ze hebben een nieuwtje voor je.'

Ze knipperde met haar ogen en zei: 'Een nieuwtje?'

'Je staat bij hen op de loonlijst. Niet bij mij. Zij kunnen je er alles over vertellen.'

Ze priemde haar magere wijsvinger in zijn richting.

'Ik ben het hoofd van de AIVD in Amsterdam. Als ik ergens om vraag...'

'Dat is verleden tijd.' Hij schonk haar en Kuyper een dreigende blik. 'Als ik jullie nog één keer op mijn bureau zie, dan sta ik niet voor de gevolgen in.'

Hij draaide zich om naar de arrestantenbewakers en wierp een blik op zijn telefoon.

'Zet dit stel de deur uit,' zei hij.

Het straatje zag er verlaten uit. Ze bevonden zich in een buitenwijk. Iedereen was naar zijn werk. De locatie van de tweet viel tussen twee rijtjeshuizen. De bestuurder van Vos' auto had sirene en zwaailicht uitgeschakeld voordat ze de hoek omgingen. Ze reden langzaam verder en keken naar de ramen en de tuintjes.

Voor een van beide huizen stond een onhandig geparkeerde, lange, zwarte auto. Het duurde even voor Bakker besefte dat het een lijkwagen was. Toen ze dichterbij kwamen, zagen ze een man bij de achterklep. Hij stond naast een glimmend gepoetste blankhouten lijkkist waarvan het deksel omhoogstond. De kist was duidelijk leeg. Ernaast stond een zwarte dokterstas. De man had een injectiespuit in zijn gehandschoende hand. Uit de naald spoot een straaltje vloeistof.

'Dat zie je ook niet elke dag,' zei Van der Berg. Hij had zijn portier al open voordat de auto stilstond.

De man draaide zich om, keek om zich heen en verstijfde toen hij besefte wat er gebeurde. Hij rende naar de voorkant van het voertuig. Bakker was er als eerste en sloeg haar armen over elkaar. Ze glimlachte.

De man begon in het Frans te ratelen.

Er stopte een tweede politieauto. Bakker droeg de vreemde begrafenisondernemer aan haar collega's over.

Iedereen was inmiddels uitgestapt. Hanna Bublik en de bestuurder ook. Ze haastten zich het tuintje van het dichtstbijzijnde huis in. De deur stond op een kier.

Bakker voegde zich bij hen.

'Trek je wapen,' zei Vos. 'Ik heb dat van mij niet bij me.'

Van der Berg was als eerste bij de deur, eveneens met zijn pistool in de aanslag. Hij schreeuwde: 'Politie.'

Vos zei tegen Hanna Bublik dat ze buiten moest blijven.

Op het gazon lag hondenpoep. De gordijnen waren gesloten, hoewel het midden op de dag was. Bakker was ervan overtuigd dat ze dit beeld nooit zou vergeten.

Het volgende moment waren ze binnen. Van der Berg ging tekeer als een beest. Het was voor het eerst dat ze hem zo zag, en ze besefte dat deze man wel degelijk afschrikwekkend kon zijn.

Net als Vos, als hij wilde.

Twee mannen deinsden terug. Ze keken betrapt en angstig. Een van beiden leek op de begrafenisondernemer die buiten stond. Hij had een theekopje in een bevende hand en een sandwich in de andere.

Binnen een paar stappen was Van der Berg bij de Rus. Hij greep hem vast, duwde hem met zijn gezicht tegen de muur en sloeg hem zo snel in de boeien dat Bakker even jaloezie voelde. Zij was op zulke momenten vaak vreselijk onhandig.

Op een stoel zat een klein meisje.

Ze droeg een groezelig roze jasje en had vuil, blond haar.

Bakker liep op het kind af, boog zich naar haar toe en glimlachte.

'Hoi, Natalya,' zei ze. 'Je moeder staat buiten. We hebben je overal gezocht.'

Geen reactie. Ze wriemelde alleen wat met haar benen. Bakker keek omlaag en zag de rode sjerp om haar enkels. Ze haalde het mes tevoorschijn dat ze in Khaleds kantoor had gebruikt en sneed er de stof mee door.

Het meisje stond op, en Bakker stak haar hand uit. Maar Natalya keek er niet eens naar. Ze liep met rechte rug en een ernstige blik op haar gezicht de kamer uit, de voordeur door en het tuintje in.

Hanna Bublik liep op haar af. Ze had duidelijk een brok in haar keel, maar liet weinig merken.

Bakker keek gefascineerd toe.

In gedachten had ze dit moment al heel vaak afgespeeld. De emotie van de hereniging. De vreugde dat het meisje nog leefde.

Maar dat was niet hun manier. Iets had deze twee mensen al veranderd. Misschien wel voor altijd.

De moeder boog zich voorover en stak haar armen uit. Het meisje beantwoordde de omhelzing, en ze hielden elkaar even zwijgend vast. Vervolgens begonnen ze woorden te fluisteren die Bakker maar net kon horen. Daarbij waren ze in een andere taal.

Ze gaf moeder en dochter even de tijd. Toen ze ten slotte op hen afstapte, gingen ze naast elkaar staan. Hanna nam de hand van haar dochter in de hare. Ze had tranen in haar ogen, maar veegde ze haastig weg.

'We moeten haar door een arts laten onderzoeken,' zei Bakker. 'Om te zien of alles goed is.'

'Alles is goed. Dat heeft ze net gezegd.'

'Maar het is toch beter...'

Vos en Van der Berg loodsten de twee mannen het huis uit. Er arriveerden nog meer politiewagens. Het ging druk worden.

Op dat moment vergat Hanna Bublik haar dochter even. Ze keek naar de Rus en de begrafenisondernemer, die langs haar heen liepen, het hoofd gebogen en de handen geboeid achter hun rug. Het was voor het eerst dat Bakker de werkelijke betekenis begreep van het gezegde 'als blikken konden doden'.

Als het kon, zou dit tweetal ter plekke dood neervallen.

De tranen waren maar van korte duur. Ze waren alweer bijna verdwenen.

Vos kwam terug en keek zoals altijd bij dit soort gelegenheden: een beetje opgelaten.

Hij ging op zijn hurken voor het meisje zitten, stak zijn hand uit en stelde zich voor. Enigszins verbaasd nam ze de hand aan.

'Is er misschien iets wat ik voor je kan doen, Natalya Bublik?'

Ze keek naar het vieze roze jasje en zei: 'Ik wil kleren. Echte kleren. Van mezelf.'

Hanna Bublik keek hem aan. Ongeduldig. En, bij wijze van uitzondering, bijna smekend.

'Vos... kunnen we niet gewoon gaan?'

'Zo dadelijk,' beloofde hij.

6

Vier uur later. Hanna Bublik stond voor een raam op de eerste verdieping van bureau Marnixstraat en zag de laatste restjes van de dag verdwijnen. De getuigenverklaringen waren opgesteld en ondertekend. Er waren artsen, specialisten en sociaal werkers langsgekomen. Welgemeende, maar overbodige bezorgdheid. Ze was van meet af aan heel duidelijk geweest: het enige wat ze nodig hadden was tijd. Ruimte. Ze wilde weg uit dit grauwe, kleurloze gebouw, weg van de bemoeizuchtige vragen van goedbedoelende onbekenden.

Maar Vos' superieuren stonden dat niet toe, en ze stond bij hem in het krijt. Er moesten schulden worden afgelost en er moest geld worden verdiend. Voor niets ging alleen de zon op.

Een kinderarts die Natalya had onderzocht had verklaard dat ze ongedeerd was. Ze had honger en had in de kantine dankbaar een portie viskroketten met friet naar binnen gewerkt, maar daarmee was alles gezegd. Wat haar psychische toestand betrof, had de verbaasde psychiater die ze erbij hadden gehaald tot haar ergernis – zo leek het – moeten concluderen dat er weinig te melden viel.

Een sterk meisje met een eigen wil, zei de vrouw nadat ze Natalya aan een reeks tests had onderworpen en haar vragen had gesteld die ze niet alleen vervelend, maar zelfs vernederend had gevonden.

Als Hanna ervoor in de stemming was geweest, zou ze hebben gelachen en hun verhaal hebben verteld en hebben gevraagd: *Wat had je dan verwacht?*

Toen was Laura Bakker verschenen, samen met Van der Berg, de grote, opgewekte rechercheur. Nog twee mensen die ze het een en ander verschuldigd was.

Vos wilde Hanna onder vier ogen spreken. Bakker en Van der Berg zouden met Natalya een ijsje gaan eten. Als ze terug waren, mochten ze eindelijk naar huis.

Het voelde vreemd om Natalya te zien weglopen met de twee agenten, aarzelend de hand van Bakker accepterend.

Vos had koffie bij zich. Hij nam haar mee naar een leeg kantoor. Ze gingen aan een tafel bij het raam zitten. Buiten zag ze Natalya en de twee agenten de drukke Marnixstraat oversteken en de Elandsgracht op lopen. Hanna wist precies waar ze naartoe gingen.

Ze draaide zich naar hem toe en zei: 'Bedankt.'

Hij knikte.

'Dat zit wel goed. Het is ons werk. En we hebben geluk gehad. Uiteindelijk.'

'Dat heb je van je hond geleerd, hè? Nooit opgeven.'

Vos glimlachte. Hij was een sympathiek ogende man, hoewel hij altijd iets zwaarmoedigs uitstraalde. Ze vroeg zich af waarom.

'Kijk nooit achterom, en denk nooit dat je te onbeduidend bent om er iets toe te doen,' antwoordde hij. 'Vergeet dat ook niet.'

'Heb je het geld gevonden?' vroeg ze met iets vertwijfelds in haar stem.

Hij schudde zijn hoofd. Ze sloot haar ogen en lachte even.

'Waarom vroeg ik dat eigenlijk?' zei ze. 'Ze waren nooit van plan om Natalya te laten gaan, hè? Ze was zelfs niet in de buurt van die mannen in de trein.'

'Ik denk dat het hier om twee verschillende transacties ging,' beaamde hij. 'We zijn nog steeds op zoek.'

'Waarom kijk je dan zo schaapachtig? Wat wil je nou eigenlijk van me, Vos?'

Hij aarzelde. Ze besefte dat er iets was waarover moest worden onderhandeld.

'Je begrip.'

'Ik ben gewoon een goedkoop hoertje en ik probeer in mijn eentje mijn dochter op te voeden. Ik wil niks begrijpen. Ik wil gewoon met rust worden gelaten en verder met mijn leven.'

Er viel een stilte.

'In mijn eentje,' herhaalde ze. 'Als jullie Cem Yilmaz in staat van beschuldiging stellen, ben ik weer vrij, toch? Alleen het brandmerk van die smeerlap op mijn rug zal ik voor altijd met me mee moeten dragen.'

De glimlach verdween van Vos' gezicht.
'Zo simpel ligt het niet.'
Ze voelde een plotselinge rilling, die werd versterkt omdat ze min of meer wist wat er zou volgen.
'Waarom niet?'
'We moeten bewijzen dat hij bij de zaak betrokken was. Van Dmitri Volkov hoeven we niks te verwachten. Die zwijgt als het graf. En die twee Belgen deden alleen maar zaken met hem. Er is niets wat ze in verband brengt met de Turk. Absoluut niets.'
Hanna staarde hem zwijgend aan.
'Als ik die Russische hond niet bij Yilmaz had gezien, zouden jullie hem nooit hebben gevonden.'
Vos knikte.
'Dat is voldoende voor een verdenking, maar nog lang geen bewijs. Zonder extra bewijs kunnen we geen aanhoudingsbevel uitvaardigen. Dat beseft hij ongetwijfeld ook. Yilmaz weet precies hoe hij ons moet ontwijken. Daar is hij een kei in.'
'Die man heeft haar ontvoerd! Hij heeft haar gekocht. Hij heeft meegeholpen om de Kuypers geld afhandig te maken en mij voor de rest van mijn leven als slaaf te kunnen gebruiken. Wat wil je nog meer...?'
'Ik geef het niet op, Hanna,' onderbrak Vos haar. 'We blijven eraan werken. Yilmaz is niet gek. Hij weet precies hoe hij anderen de kastanjes voor hem uit het vuur moet laten halen. Daar worden ze voor beloond. Maar er komt een dag...'
'Wanneer?'
'Misschien over een week. Of over een paar maanden.' Hij keek haar recht in de ogen. 'Misschien wel nooit. Ik kan niks garanderen, en daarom...'
'En hoe zit het met jullie mensen? Kuyper heeft me mijn dochter afgenomen. Dat mens van de AIVD heeft hem ertoe aangezet.'
Opnieuw een stilte.
'Je gaat me toch niet vertellen dat zij er ook zonder kleerscheuren van afkomen? Ik ben hiernaartoe gekomen omdat ik aan die ellende wilde ontsnappen. Niet om nog meer over me heen te krijgen.'
'Het zijn niet onze mensen. We hebben op dat punt geen... volledige vrijheid.'
Ze had met hem te doen, maar ze wilde dat het niet zo was.

'Wat zij hebben gedaan was wreed en weloverwogen. Harteloos...'

Hij sloot zijn ogen even.

'Je hebt een broertje dood aan wreedheid,' vervolgde ze. 'Dat heb ik in je ogen gezien. Al meteen in het begin. Waarom...?'

'Je moet me wat tijd geven,' zei hij ter verdediging. 'Er komt een onderzoek, en als het aan mij ligt ook een aanklacht...'

'Ze hebben mijn dochter ontvoerd!'

'Ik weet het. Maar ze hebben connecties. Ze zeggen natuurlijk dat het nooit de bedoeling was dat haar iets zou overkomen. Als ik niet naar het Westerdok was gegaan om haar te zoeken...'

'En moeten we het er dan maar bij laten? Achteroverleunen en erop vertrouwen dat dat soort lui het beste met ons voor heeft?'

'Er zijn dingen die ik momenteel niet kan doen,' zei Vos tegen haar. 'Ik zou willen dat het anders was.'

Hanna voelde zijn frustratie, maar dat hielp niet.

'Dus ik ben geen stap verder? Ik dacht dat ik wat ik in Georgië was – een eerlijke vrouw zonder geld en zonder toekomst – voor iets beters had ingewisseld. Dat we veilig zouden zijn als ik achter dat verrekte raam ging zitten. Dat Natalya niet hetzelfde zou hoeven doormaken als ik.'

Vos zweeg.

'Ik had het mis, hè?' zei ze zacht. 'Wat ben ik toch een idioot.'

'We kunnen bescherming regelen. Counseling voor Natalya. En ook voor jou, als je dat wilt.'

Ze keek hem recht in de ogen.

'Je hoeft niet voor Cem Yilmaz te werken,' zei hij.

'Hij denkt dat ik van hem ben. Mijn dochter ook. Kun je ons een leven lang veiligheid garanderen?'

Vos wilde iets zeggen, maar bedacht zich.

'Je kunt ook echt niet liegen, hè?' Ze keek om zich heen. 'Wat doe je hier in godsnaam?'

'Mij best,' antwoordde hij. 'De commissaris wil nog even met je praten voor je gaat. Dan komt Natalya terug en doen we een bak koffie of een drankje. Ik heb nog een idee...'

Ze sloeg haar armen over elkaar. De bruine jas stond haar goed. Beter dan dat oude zwarte jack.

'Waar heb ik dat eerder gehoord? O ja. Overal.'

Er werd op de deur geklopt. De Groot kwam binnen en produceerde vriendelijke, verontschuldigende geluiden.

Ze had geen energie meer om nog ergens tegenin te gaan, dus ze luisterde, knikte en schudde zijn hand toen hij weer vertrok.

Vervolgens ging ze met Vos naar beneden.

Toen ze hen lieten gaan en ze naar buiten liepen, deed Henk Kuyper niet eens een poging om met Mirjam Fransen te praten. Ze was te druk met opgewonden telefoontjes naar Den Haag. Naar het nieuwe hoofd van de AIVD in de stad. Naar zijn vader.

Kuyper liep in zijn eentje het centrum in en begaf zich naar een kroeg in de buurt van het Spui.

Hij bestelde een groot glas chianti en staarde naar zijn weerspiegeling in het raam.

Hij kon er niet langer omheen. Dus hij belde haar. Renata zat thuis te wachten. Ze was boos en opgelucht tegelijk.

'Je had het me kunnen vertellen,' zei ze.

'Wat? Dat ik een oplichter was? Een leugenaar?'

Ze slaakte een zucht.

'Ik bedoel dat je me had kunnen vertellen dat je op zoek was gegaan naar dat meisje. Dat zou ik hebben begrepen. Ik heb ook geprobeerd te helpen, weet je nog wel?'

'Maar jij deed dat uit goedheid. Ik deed het uit schuldgevoel.'

Ze kreunde.

'Dat zelfmedelijden helpt niet echt, Henk. Waar zit je?'

Hij gaf haar de naam van het café. Ze zei dat hij moest blijven zitten waar hij zat en niet meer moest drinken. Tien minuten later parkeerde ze de oranje bakfiets die hij voor hen had gekocht voor het raam. De bak was leeg. Ze kwam binnen, bestelde een mineraalwater en ging tegenover hem aan tafel zitten.

'Waar is Saskia?' vroeg hij.

'Die slaapt vanavond bij een vriendinnetje. Lucy. Dat Engelse meisje. Het leek me het beste.'

Renata stak haar hand uit en haalde de chianti weg.

'Het is mooi geweest. Je komt naar huis.'

'Heb je dan geen vragen meer?'

'Niet echt,' zei ze met een schouderophalen.

'Waarom ik...'

'Het waarom doet er niet toe,' onderbrak ze hem. 'Het maakt me niet uit wat je gedaan hebt… het gaat erom dat je naar haar op zoek bent gegaan. Misschien heb ik jou ook uit schuldgevoel dat geld van de bank laten opnemen. En Lucas heeft het betaald. We hebben allemaal fouten gemaakt. Je kunt niet alleen jezelf de schuld geven.'

Stilte. Ze pakte zijn hand en zei: 'Kom op.'

Het was koud buiten. De straten waren vol winkelende mensen die de vrolijk versierde etalages bewonderden en zich op de naderende feestdagen verheugden.

'Jij fietst,' zei ze, en ze wees naar het zadel. 'Ik doe lekker niks.'

Toen hij zat, klom ze in de bak, die eigenlijk te klein was voor een volwassene. Ze sloeg haar armen om haar benen, keek achterom en glimlachte naar hem.

Henk Kuyper voelde zich ineens een stuk beter. Hij keerde de bakfiets en ging op weg naar de Herenmarkt, naar huis.

'Bierstofzuiger?' zei Bakker terwijl ze naar Van der Berg keek, die een glas van een onbekende Belgische tripel onder zijn neus hield en eraan rook.

'Begin nou niet weer,' zei hij tegen haar. 'Maar het kwam best goed uit, toch?'

'Ik snap alleen niet waarom…'

Hij gromde iets, pakte een schaaltje met ijs aan van Sofia Albers, die achter de bar stond, en begaf zich naar de verhoging, waar Natalya met de hond speelde.

'Aardbeien, chocolade en vanille,' zei hij, en hij zette het schaaltje op tafel.

Bakker liep naar hen toe en bestudeerde de behoedzame, geïnteresseerde manier waarop Natalya reageerde. Het was een opmerkelijk meisje. Het was niet zo dat de beproeving geen sporen had achtergelaten. Integendeel. Ze zou counseling krijgen. De deskundigen zouden daarop staan. Maar het kleine, magere kind straalde zo veel veerkracht uit. Ze zag eruit als iemand die altijd weer opstond, hoe hard ze ook gevallen was. Net als haar moeder.

Die onwrikbare veerkracht leek iets positiefs. Maar niet bij een meisje van acht.

'Dank u wel,' zei Natalya, en ze gaf hem het touwbot zodat Sam eraan kon trekken.

Ze lepelde het ijs bedachtzaam naar binnen, alsof elk hapje een geschenk was. Vos was op de weg terug van het huis in Sloterdijk in de Negen Straatjes gestopt en had met haar en haar moeder een van de betere kledingwinkels bezocht. Daar was het groezelige roze jasje in een bewijszak gestopt. Natalya had, ondanks zijn tegenwerpingen, de goedkoopste kleren uitgezocht die ze hadden – hoewel ze niet écht goedkoop waren. Ze hadden gebruikgemaakt van de douches op bureau Marnixstraat. Nu droeg Natalya een blauw denim jack, bijpassende jeans en een rode trui. Haar haar was gewassen en zag er verzorgd uit nu het met een elastiekje in een staart was gebonden.

De gestreepte wollen muts die Vos in de winkel had uitgekozen zat in haar zak. Bakker was ervan overtuigd dat Natalya hem stiekem te kinderachtig vond – en ze was het met haar eens.

'Ik heb gehoord dat je later een hond krijgt,' zei Van der Berg tegen haar, terwijl hij ging zitten en Sam naar het touwbot gromde.

'Dat heeft mama beloofd,' beaamde Natalya.

'En beloofd is...'

Het meisje keek hem zwijgend aan. Hij klonk betuttelend, en daar hield ze niet van.

Bakker trok een stoel naar zich toe. Het was zoals alle stoelen in het café een gammel oud ding van kaal hout dat elk moment uit elkaar kon vallen.

'Je moeder zal de komende tijd wat hulp nodig hebben,' zei ze. 'Van ons. En van jou.'

Natalya Bublik had grote, waakzame ogen. En een blik die niet bij zo'n jong kind hoorde.

'Oké,' zei ze, en ze ging verder met haar ijs.

Vos kwam binnen met Hanna Bublik. Sofia Albers glimlachte naar hen vanachter de bar.

'Ik ben blij dat je je dochter terug hebt,' zei ze, en ze wierp een blik op het groepje aan de tafel op de verhoging. 'Ze is me er eentje.'

'Zeg dat wel,' beaamde Hanna. Ze bestelde koffie, pakte het kopje aan en ging bij Natalya zitten. De anderen lieten het stel even met rust. Ze spraken trouwens toch in het Georgisch.

'Bierstofzuiger?' vroeg Vos.

Van der Berg rolde met zijn ogen.

'Ik wil het er niet over hebben.' Hij keek naar Bakker. 'Ik heb van haar al genoeg te verduren gekregen.'

Vos hief zijn bier en glimlachte.

'Ik vind het gewoon leuk dat er na al die jaren nog steeds dingen zijn die ik niet van je weet.'

Dat leek Van der Berg te ergeren.

'We hebben allemaal onze geheimen, Pieter. Jij ook. Zelfs Laura.'

'Ik?' vroeg Bakker.

Op de bar verscheen een bord met kaas, leverworst en vers gekookte eieren. Sofia zei dat ze hun gang konden gaan. De hapjes waren van het huis.

'Jouw geheim,' verklaarde Van der Berg, terwijl hij een ei pakte en de schaal kapot drukte in zijn vuist, 'is dat je het leuk vindt om met oudere mannen om te gaan. Het zal het eten wel zijn.'

Bakker lachte niet, maar keek naar Vos en zei: 'We moeten praten.'

'Nu?' vroeg Vos. Het klonk meelijwekkend.

'Nu...'

'Ik bedoel... nu meteen?'

'Pieter...'

Ze zweeg. Hanna Bublik kwam naar de bar. Ze keek alsof ze iets nodig had.

'Wat is er?' vroeg Vos.

'Kunnen we buiten even praten?'

De avond was koud en de temperatuur naderde het vriespunt. Vos keek naar zijn woonboot en besefte dat hij een lamp had laten branden. Hij was aangesloten op het gekleurde lichtsnoer dat hij om de hals van de ballerina op de voorsteven had gewikkeld. De oude klipper zag er feestelijk uit.

'Zou je even een half uurtje op Natalya willen passen?'

'Hoezo? Ik dacht dat jullie naar huis wilden.'

Ze had handschoenen aan. Van zwart leer. Die had hij nog niet eerder gezien.

'Ik heb zitten denken. Renata Kuyper heeft ontzettend haar best voor me gedaan. Ze heeft ook een rottijd achter de rug. Ik wil haar even bedanken en mijn excuses aanbieden. Persoonlijk.'

'Dat kan morgen toch ook?'

Er verscheen een glimlach op haar gezicht die iets onverwachts en oprechts uitstraalde. Hij besefte dat hij haar nog nooit had gezien zonder dat ze voor een tragedie hoefde te vrezen. Hier stond een andere vrouw voor hem, een vrouw die tot voor kort verborgen was geweest.

'Klopt. Maar dan lig ik de hele nacht wakker om te bedenken wat ik moet zeggen. Ik wil het nu even doen.'

Op weg van het bureau naar De Drie Vaten had hij met haar besproken wat de mensen van de maatschappelijke organisaties konden doen om haar uit de prostitutie te krijgen. Financiële steun van liefdadigheidsinstellingen. Cursussen om de kans op een baan te vergroten. Ze had geluisterd, maar niet veel gezegd.

'Ben je van plan om naar die afspraak te gaan? Met de mensen die ik heb gesproken?'

'Natuurlijk. En ik wil verhuizen. Ik wil niet in dat hok blijven wonen, niet zolang Cem Yilmaz denkt dat ik van hem ben.'

'Ik heb gezegd dat ik je kan helpen...'

Ze keek hem recht in de ogen.

'Ik weet dat je dat kunt. En ik heb volgens mij een tijdje geleden tegen jou gezegd dat je in dit wereldje – waar ik vandaan kom – altijd op je hoede moet zijn voor mensen die je willen helpen. Zoiets loopt zelden goed af. En dat geldt voor beide partijen.'

Hij knikte en zei dat hij het begreep.

'Goed zo.'

'Heb je al iets in gedachten?' vroeg hij.

Ze stak een hand uit en raakte zijn weerbarstige zwarte haar aan.

'Ik zou kapster kunnen worden. Misschien begin ik wel met jou.'

Ze trok haar hand weg, en hij zei: 'Volgens mij is dat wel wat voor jou.'

'Dat denk ik ook. En er zijn altijd kapsters nodig. Net zoals er altijd hoeren nodig zijn. Nogmaals bedankt. Dertig minuten. Hooguit veertig.'

Ze liep de Berenstraatbrug op, de lichtjes van de Negen Straatjes tegemoet. Even later was ze verdwenen tussen de glans en de glitter.

Hij had zijn uiterlijk laten veranderen bij een kapper in een achterafstraatje in de Chinese buurt. Zijn zwarte haar was grijs geverfd. Daarna was de baard eraf gegaan. Het was twintig jaar geleden sinds de man die Khaled werd genoemd een gladgeschoren gezicht had gehad. Dat betekende dat de stoppels pijnlijk waren en zijn lichtbruine wangen roze en overgevoelig. Maar niet zo geïrriteerd als zijn ego. En de baard zou hij weer laten groeien zodra hij ergens was waar het veilig was. Net als Barbone, die nu aan boord van een vliegtuig naar Caïro zat en onder een valse naam het land was ontvlucht.

Khaled had de Wallen voorgoed achter zich gelaten. Hij liep nu door een ander, beter gedeelte van de stad. Ondertussen dacht hij na over de geschiedenis, en over hoe weinig de wereld was veranderd. Hij had een tas bij zich. Met kleren. Documenten. Vierduizend euro. Vijfduizend Amerikaanse dollars. Drie paspoorten, die er stuk voor stuk heel echt uitzagen, maar dat beslist niet waren.

Hij moest nog een paar uur zien te overbruggen. Vannacht zou hij per auto via België en Frankrijk naar Marseille reizen, naar vrienden. Daar zou hij een boot nemen naar Noord-Afrika. Dan was hij vrij.

Het wapen zou hij moeten achterlaten, en dat deed ook pijn. Het Remington Modular Sniper Rifle, dat in een skitas met wieltjes zat, was gestolen van een dode Amerikaanse verkenner die in 2010 was betrapt in wat voor vijandelijk gebied had moeten doorgaan tijdens de aanval op Marjah in de provincie Helmand. Het was Afghanistan uit gesmokkeld naar Jemen. Vervolgens was het bij Barbone terechtgekomen, die het hem die middag had gegeven.

Het was nooit gebruikt, behalve om te oefenen, toen ze met z'n tweeën in Milaan hadden gewoond en af en toe het Aostadal in waren gereden om een rustig plekje te zoeken en gemzen en herten te schieten.

Maar nu was het tijd om te vluchten. Ze moesten zich hergroeperen. De gevolgen onder ogen zien wanneer ze verslag uitbrachten bij het opperbevel.

Het wapen kon niet mee. Bij zijn vertrek uit Amsterdam zou hij een andere identiteit aannemen en zich gedurende korte tijd als medisch specialist voordoen. Een anesthesist die voor een van de beroemdere ziekenhuizen in Londen had gewerkt.

Zijn leven was, net als de wereld, op leugens gebouwd. Zo veel leugens dat ze na verloop van tijd niet meer te onderscheiden waren van de waarheid, zelfs in zijn ogen.

Het enige wat zeker was, was de geschiedenis. In Amsterdam werd hij erdoor omringd. De geschiedenis herinnerde Khaled – ook niet zijn echte naam – eraan hoe weinig hij er zelf aan kon veranderen.

Toen hij zijn bestemming had bereikt stak hij in het donker een sigaret op.

De skitas en de kostbare Remington zou hij hier achterlaten. Daarna zou hij naar het hotelletje bij het station lopen en zoals afgesproken een auto ophalen.

De klus zat erop, hoewel het werk niet af was. Hij verafschuwde falen, zowel bij zichzelf als bij anderen.

Hij bevond zich op een speelplaatsje in de buurt van een pissoir. Het grote gebouw tegenover hem was nog open. Een vol restaurant. Een binnenplaats met een standbeeld. Een dat hij kende. De zoveelste Nederlander die de wereld over was gereisd in de hoop hem te veroveren. Degenen die hem waren voorgegaan van hun identiteit en hun waardigheid te beroven. De scepter te zwaaien als een koning, alsof dat een taak was die hem door God was gegeven.

Een naam. Hij moest er even naar zoeken.

Stuyvesant.

Een nare, onverzoenlijke man. Ook geen vriend van de Joden.

Dat was eigenlijk best een ironische gedachte, vond hij, en hij gooide zijn half opgerookte Marlboro in de zandbak naast zich.

Hanna Bublik ging niet naar Renata Kuyper. Ze beende haastig de stad door, de rosse buurt in, op weg naar de Spooksteeg.

Een code voor de deur. Een voor de lift.

De met balpen geschreven getallen op haar arm waren nauwelijks vervaagd. En waarom ook? De afgelopen dagen leken een eeuw. Maar als ze uit hun grimmige context werden gehaald waren ze niets. Voor de wereld om haar heen, voor de gewone mensen in de stad, waren het maar een paar dagen. Zondag tot en met donderdag. Een korte periode voor de feestdagen die binnenkort weer was vergeten.

In de Spooksteeg keek ze omhoog. Er brandde een lampje achter het raam. Ze zag niets bewegen.

En als er wel iemand was? Als hij niet alleen was, zoals ze vurig hoopte?

Ze bleef voor de glazen deur staan en dacht daar even over na. Maar het zou niets uitmaken. De reis was begonnen. Door toedoen van een ander. En Cem Yilmaz had hem voortgezet. Ze kon nu niet meer stoppen.

Aangezien hij een zelfverzekerde, arrogante man was, had hij de code niet veranderd. Dat deed hij waarschijnlijk zelden.

Ze duwde de deur open en stapte naar binnen. Het was warm, ondanks de kilte van de avond, zelfs in de hal. Ze vroeg zich af wat er op de verdiepingen beneden de zijne was.

Hanna Bublik liep naar de lift en drukte op de knop.

Ze hoorde hoe boven haar de tandwielen en de kettingen begonnen te zoemen.

Zou hij dat ook horen? En als dat zo was, zou hij dan denken dat dit voor hem was? Of voor iemand die beneden hem woonde?

Zinloze vragen. Vragen die nooit konden worden beantwoord.

De lift was gearriveerd.

De deur gleed open.

Ze stapte naar binnen, keek op haar arm en toetste de code in. Vervolgens drukte ze op de knop voor de bovenste verdieping. In gedachten zag ze de kamer voor zich waar de lift op uitkwam zodat ze meteen in zijn woonkamer stond, als iets uit een film.

Met haar gehandschoende handen haalde ze het pistool uit haar tas en controleerde of het was geladen. Ze probeerde zich de YouTube-video op internet voor de geest te halen. De enige aanwijzing die ze had over hoe ze het moest gebruiken.

De lift ging omhoog. Ze knoopte de bruine jas los en stak de hand met het wapen onder het voorpand.

Toen wachtte ze. Haar ademhaling was snel; haar geest gefocust, alert en vastberaden.

Renata kocht avondeten bij de Marqt. Linguine met zeevruchten. En een fles witte wijn. Ook Italiaans, maar niet zo zwaar. Ze kon hem dat niet meteen afnemen. Maar ze kon wel een begin maken.

Nu Saskia er niet was, zaten ze tegenover elkaar aan de eettafel bij het raam op de eerste verdieping. De feestverlichting twinkelde voor het venster. Twee gezichten werden weerspiegeld in het glas. De lampjes wierpen er speels rode, groene en blauwe vlekken op.

'Het is vroeg donker,' zei hij met een zucht.

Ze stak haar handen uit en zocht naar zijn vingers.

'Ja.'

Ze bracht nu al twee maanden de nacht in de logeerkamer door. Ze ging er altijd naartoe als ze dacht dat Saskia sliep, in de hoop dat zij het niet zou merken.

Wat een idioot idee. Natuurlijk wist ze het.

'Vanavond blijf ik bij je,' zei ze.

Hij legde zijn vork neer en zette het glas wijn op tafel.

'Alleen als je dat echt wilt.'
'Als ik het niet zou willen, zou ik het niet doen.'
'Je hebt gelijk,' beaamde hij met een zuinig glimlachje.
Er waren praktische zaken die besproken moesten worden. Over geld. Over de toekomst. Henk had haar een aantal zaken opgebiecht. Hij had in het geheim voor de AIVD gewerkt sinds hij zogenaamd met werken was gestopt. Het grootste deel van het geld waarvan ze altijd had gedacht dat het van zijn vader kwam, was in werkelijkheid afkomstig van de staat.

Nu ze erover nadacht, besefte ze dat ze altijd al had vermoed dat er iets niet klopte. Door zijn heimelijke manier van doen. Alle half beantwoorde vragen. Nu hij definitief bij de veiligheidsdienst weg was, zouden ze iets moeten bedenken om de eindjes aan elkaar te knopen. En dat ook nog eens zonder enig vooruitzicht op steun van zijn vader. Het beviel Lucas absoluut niet dat zijn zoon bij de dienst wilde vertrekken. Dat had hij al duidelijk gemaakt in een kort en kil telefoontje.
'Wat gaan we doen?' vroeg ze.
'Naar bed,' zei hij. Hij hief opnieuw het glas en knipoogde hoopvol.
'En daarna?'
Hij zette zijn serieuze blik weer op.
'Ik? Proberen weer een echtgenoot te zijn. Een betere vader.'
'Volgens Saskia ben je nu al de beste.'
'Alleen omdat ik jou overal buiten hou. Verdeel en heers. Zo doen we dat. En de Kuypers hebben altijd...'
Zijn ogen dwaalden af naar het grote gebouw tegenover hem, naar het standbeeld van de grimmig kijkende, oude aristocraat op de binnenplaats. De man die Nieuw Amsterdam was kwijtgeraakt en nu begraven lag in een vervallen stenen graftombe niet ver van Wall Street, in de stad die eromheen was opgebouwd, New York.
'Henk,' zei ze. Ze pakte zijn hand vast en kneep zachtjes in zijn vingers.
Hij kon zijn blik niet van het venster losmaken. Het West-Indisch Huis. Het parkje. De bomen. De kinderspeelplaats. Dit was zijn thuis, en hij was het compleet uit het oog verloren.
Even verderop werd hij een gedaante gewaar, vaag zichtbaar in het zwakke schijnsel van de straatlantaarns. Een man, die tegen het metalen hekje van de speelplaats leunde. Hij had iets in zijn hand.

De lichtjes speelden over het raam. Rood, blauw en groen. Ze vormden een betoverend patroon op het glas.

'Henk!'

Haar stem klonk plotseling harder, boos en geërgerd. Zoals die de afgelopen jaren was geweest.

Kuyper staarde naar zichzelf en naar de lichtjes die weerspiegeld werden in het glas.

Rood, groen en blauw.

Een van de rode lichtjes was groter dan de andere. Het danste nerveus op en neer, wat vreemd leek.

Het bewoog over zijn gezicht. Omhoog. In de richting van zijn slaap.

Hanna liep regelrecht de kamer in. Een gestalte op de lederen sofa keek verrast op.

Cem Yilmaz, naakt vanaf zijn middel. Hij had een drankje in zijn hand. Er was niemand anders. Het rook niet naar zweet, alleen naar een of andere aromatische thee.

De oude groene reistas die ze een tijd geleden op de Noordermarkt had gekocht stond naast hem op de grond. De bovenkant was opengeslagen. Het geld dat erin zat lag door elkaar, alsof hij bezig was de biljetten te tellen.

De grote Turk sprong op. Hij was woest, zwaaide met een grote vuist en brulde een of ander scheldwoord.

Hij bleef voor haar staan met een gezicht vertrokken van woede.

'Wie heeft jou hier binnengelaten?'

Ze deed een stap terug zodat hij haar niet kon aanraken.

'Je hebt beloofd dat ik mijn dochter terug zou krijgen,' zei ze tegen hem. 'In plaats daarvan heb je haar ingepikt.'

De woede bekoelde even, om plaats te maken voor geamuseerdheid.

'En wat dan nog?'

'Waarom?'

Hij lachte.

'Waarom niet?'

Ze was zo vastberaden geweest voordat ze hier naar binnen was gegaan. Maar nu ze de beslissing moest nemen, liet haar wilskracht het plotseling afweten.

Ze slaagde er niet in de juiste woorden te vinden.

'Je bent een hoer van niks. Misschien vind je dit werk wel beneden je stand.'

De hand in haar jas beefde, en ze moest moeite doen om het pistool vast te blijven houden.

Hij boog zich naar haar toe.

'Dat is het niet. Je kunt me geloven. Maar...' Hij haalde zijn schouders op. 'Ik heb er zestig mille aan overgehouden. Dmitri houdt zijn mond wel. En jij ook.'

Hij kwam nog dichterbij.

'Geen beschuldigingen over en weer. Geen verplichtingen meer.' Hij stak zijn hand uit. Zijn dikke vingers spreidden zich wijd uit. 'Afgesproken?'

Hanna zei niets.

De grote hand vormde een vuist, en de glimlach verdween van zijn gezicht.

Nog een stap. Zijn onderarm kwam naar haar toe in een poging haar hals klem te zetten. De snelheid waarmee hij zich bewoog leek onwerkelijk.

Ze begon haar grip op het pistool te verliezen en schuifelde naar achteren in de richting van de lift.

Ondertussen trok ze de handschoen uit. Ze omklemde met haar bezwete vingers de kolf en legde haar vinger om de trekker.

Ze probeerde het wapen in de aanslag te brengen en te richten.

Eén schot.

Het geluid galmde over de Herenmarkt en weerkaatste tussen de muren op de binnenplaats van het oude herenhuis, waar de burgers van Amsterdam ooit bijeen waren gekomen om de nieuwe wereld in geschikte, rendabele stukken op te delen.

Renata Kuyper keek toe, niet in staat te bevatten wat ze zag.

Het was als een droom. Een nachtmerrie, samengeperst in een tijdsbestek van enkele seconden.

Er verscheen een barst in het raam. Het geluid van brekend glas.

Hij sloeg naar achteren op zijn stoel en slaakte één enkele, verongelijkte zucht.

Vervolgens viel hij op het pluchen eetkamertapijt. Zijn hoofd was onherkenbaar. Overal zat bloed. En niet alleen dat.

Hij bracht geen geluid voort. Ze had geen tijd om te gillen of te denken.

Ze stond op, sloeg haar hand voor haar mond en liep naar hem toe.

'Henk?' fluisterde ze.

Eén schot.

Ze miste.

Cem Yilmaz brulde. Hij leek even geschrokken, maar wierp zich onmiddellijk op haar. Zijn arm kwam omhoog. Hij was furieus. Dit was een beest, geen mens.

Ze dacht maar één ding.

Dit was Natalya's monster. Hij kwam voor mij, niet voor haar.

De elleboog raakte haar keel. Vingers sloten zich om haar hals. Het was de greep van een vechter, een worstelaar, die van plan was het leven uit haar te persen, terwijl hij met een wellustig genoegen zijn weerzinwekkende adem in haar gezicht pompte.

Hanna dreigde opnieuw haar grip op het pistool te verliezen, dat nu door zijn krachtige lichaam opzij werd geduwd.

Ze hapte naar lucht en zag het duister naderen vanuit de omzoming van de te fel verlichte kamer.

'Je verziekt alles, mens.' Hij spuugde het eruit. 'Alles...'

Renata Kuyper stond aan het hoofd van de tafel en keek naar het geknakte, bebloede lichaam van haar echtgenoot op de grond.

Geen beweging. Geen ademhaling. Ze wist niet wat die kamer even eerder was binnengedrongen, maar het had hem in één klap geveld.

Er stroomde avondlucht naar binnen door het uiteengespatte raam. In het gebroken glas twinkelde de feestverlichting.

Ze vroeg zich af wat ze moest doen. Wat ze moest aanraken. Wie ze moest bellen.

Buiten, aan de overkant van de straat, bij een vieze zandbak op een kinderspeelplaats, hield een man een lang en ingewikkeld geweer tegen een metalen hek.

Zijn gladgeschoren wangen deden pijn. In zijn hoofd brandde een rood vuur.

Binnenkort zou het gedoofd zijn. Geblust door de noodzaak om te vluchten en de loutering van een onverwachte vergelding.

De man die tot voor kort Khaled had geheten tuurde door het vizier van de Remington MSR.

Aan de overkant van de straat zag hij iemand in de kamer, verstijfd en in shock. Hij dacht even na over rechtvaardigheid en fatsoen. Over mensen die het verdienden te sterven. En degenen voor wie dat niet gold.

Hij dacht er niet lang over na.

Tweede schot.

Een vrouw in een dure jurk sprong op als een marionet aan onzichtbare touwtjes.

Hij liet het wapen zakken en gooide het in de zandbak.

Vervolgens liep hij naar de Haarlemmerstraat, waar hij richting Centraal Station ging. Om definitief afscheid te nemen van deze stad.

Tweede schot.

Het wapen ging af terwijl haar trillende wijsvinger worstelde met de trekker. De kogel had alle kanten op kunnen gaan.

Maar Yilmaz wankelde naar achteren. Zijn handen gingen naar zijn buik, zijn mond viel open en zijn ogen straalden ontzetting uit.

Niemand kon de koning vellen. Hij had het eeuwige leven.

Maar daar kwam nu een einde aan.

Derde schot.

De kogel boorde zich in zijn brede borst, en er spatte bloed naar buiten uit een verse, grauwe wond die zich opende als een verblind oog.

Cem Yilmaz viel op zijn knieën. Zijn lippen bewogen zich, maar er kwamen geen woorden uit zijn mond, alleen gegrom, van woede en verbijstering. En pijn.

Vierde schot.

Ze schoot hem opnieuw in de borst. De muur van spieren veerde terug, maar hij bleef op zijn knieën zitten, leunde achterover en staarde haar ongelovig aan.

Monsters gaan niet zomaar dood.

Ze bracht het wapen omhoog en zag hoe zijn bebloede lippen een woord probeerden te vormen, een smeekbede.

Hanna ging vlak voor hem staan en haalde de trekker net zo lang over tot er niets meer gebeurde.

Van der Berg was bij Natalya en Sam gaan zitten. Ze gooiden elkaar het touwbot toe, een spelletje waar de kleine terriër geen genoeg van kon krijgen.

Het dier rende keffend en jankend tussen de gammele stoelen en tafels door. Het interesseerde hem niet waar hij tegenaan botste of hoeveel dingen hij omgooide.

Er leek geen einde aan te komen. Vos en Laura Bakker keken toe vanaf de bar.

Plotseling gleed de hond uit. Hij maakte een schuiver over de gepolijste plankenvloer, maar slaagde er nog net in het speeltje uit de lucht te happen voordat het in Natalya's handen terecht zou komen. Het meisje lachte.

'Godzijdank,' zei Bakker. 'Ik begrijp trouwens niet dat ze haar niet in het ziekenhuis hebben gehouden.'

'Dat wilde haar moeder niet.'

Ze keek hem aan.

'En niemand kan haar iets verbieden.'

Hij hief zijn glas en zei alle dingen die hij zich had voorgenomen. Bedankt. En goed gedaan. En sorry.

'Zul je me ooit vertrouwen?' vroeg ze.

'Dat doe ik al.'

'Waarom heb je me dan niet verteld hoe de vork in de steel zat? Waarom heb je me in de waan gelaten dat Frank je eruit had getrapt?'

Het was een vraag die hij had verwacht. Ze wist inmiddels de juiste te stellen.

'Omdat als het mis was gegaan de gevolgen...'

'Lazer op met je gevolgen, Pieter! Dacht je soms dat ik daarmee zou zitten?'

'Nee. Des te meer reden om te doen wat we hebben gedaan.'

Haar rode haar was netjes samengebonden achter op haar hoofd. Ze stootte nog steeds regelmatig dingen om, maar die gewoonte zou ze waarschijnlijk nooit kwijtraken. Toch was Laura Bakker de afgelopen maanden een stuk rustiger en volwassener geworden.

Ze porde tegen zijn schouder met haar lange wijsvinger.

'Je hoeft me niet in bescherming te nemen. Ik kan heel goed voor mezelf zorgen, als je dat maar weet.'

'Dat heb ik gemerkt,' zei Vos en hij tikte zijn glas tegen het hare.

Een laatste ademtocht. Het klonk als van een razend beest dat het einde voelde naderen. Toen viel de bezwete, bebloede borst van de Turk stil en zakte hij in elkaar op het tapijt.

Ze liet het pistool vallen. De handschoen negeerde ze. Als ze wilden, zouden ze haar toch wel vinden. Ze miste het talent voor dit soort dingen.

Er zat geen spatje bloed op de groene reistas die ze de trein in had gezeuld en onder de bank had achtergelaten. Ze stopte de biljetten die ernaast lagen terug. Zo te zien was alles er nog. Honderdzestigduizend euro.

Vervolgens liep ze naar het bureau. Naar de la waarin hij het wapen had bewaard, samen met het geld en de sieraden.

Hij was nu dicht, maar hij zat niet op slot. Ze trok hem met bevende vingers open en keek naar de stapels bankbiljetten. Euro's. Dollars. Valuta waarvan ze de naam niet kende.

Gedurende al die jaren van strijd, waarin ze van Georgië naar Nederland waren gereisd, had ze nooit iets gestolen. Tot ze deze man had ontmoet. En zelfs het kleine beetje geld dat ze twee dagen geleden had weggenomen, samen met het wapen dat nu zijn dood was geworden, had haar vervuld met schaamte en pijn.

Dat was vroeger.

Ze griste het geld uit de la en legde het boven op de bankbiljetten in de reistas.

Ze wierp een blik op de rest. De sieraden. De horloges.

Ze pakte het kettinkje eruit dat haar echtgenoot haar een leven geleden had gegeven in het huisje aan de rand van Gori, hun thuis. Toen de wereld volmaakt had geleken en Natalya, hun kleine schat, die op hen aangewezen was en een toekomst vol liefde en hoop voor zich had, nog een baby was geweest.

Nu niet huilen. Daar was geen tijd voor.

Hanna Bublik hield het zilveren kettinkje omhoog en keek in de barnstenen hanger.

Hij was echt, had hij gezegd, die avond waarop hij haar met het cadeau had verrast. Een stukje geschiedenis. Hars uit een prehistorische boom die door de eeuwen heen in een kostbaar sieraad was veranderd. Soms waren in het glanzende barnsteen insecten ingesloten. Die stukken waren echter kostbaar. Haar hanger was leeg. Maar niet minder mooi.

Dat was vroeger, dacht ze opnieuw, en ze legde het ding terug in de la.

Dat leven was voorbij.

Hanna liep naar de badkamer en keek naar zichzelf in de spiegel. Ze waste het bloed van haar handen en bette de plekjes op haar bruine jas.

Daarna klemde ze de canvas reistas stevig onder haar arm en vertrok, het wapen, de bebloede handschoen en het lijk van de Turk achterlatend. Ze ging omlaag met de lift, liep het steegje in en haastte zich via de Prinsengracht naar de Jordaan terug.

'Het punt is...' begon Laura Bakker, terwijl ze opnieuw met haar wijsvinger op Vos' jas tikte.

Op dat moment verscheen er een lange, vertrouwde gestalte in de deuropening. Ze zweeg.

Frank de Groot liep glunderend het café binnen, hing zijn lange winterjas aan de kapstok en pakte het biertje aan dat hem door een goedgemutste Vos werd voorgehouden.

Hij keek om zich heen en vroeg: 'Waar is mevrouw Bublik?'

'Ik wil naar mama,' zei Natalya, het gesprek onderbrekend.

'Natuurlijk,' zei Laura tegen haar. 'Ze is...'

'Daar is ze!' riep het meisje uit.

Door het hoge venster was te zien hoe een vrouw de straat overstak in de buurt van Vos' woonboot.

Ze droeg een bruine jas. De bril was verdwenen. Ze zag er afgemat uit en leek in gedachten verzonken.

Vos zag hoe ze nog net een passerende taxi wist te ontwijken. Niets voor haar, dacht hij.

De Groot was een en al vriendelijkheid. Hij opende de deur en wenkte dat ze binnen moest komen.

'Nog één drankje,' zei hij. 'Ik weet dat jullie moe zijn, jij en' – hij schonk Natalya een vrolijke blik – 'je dochter. Maar ik vind...'

Hanna glimlachte even naar Natalya, die bij haar kwam staan en haar hand vastpakte. Toen vroeg ze: 'Hebben jullie nog iemand gearresteerd?'

De opgewekte uitdrukking op De Groots gezicht bleef onveranderd.

'Die Russische crimineel. En die twee Belgen.' Hij knikte en keek ernstig. 'Die drie zien we voorlopig niet meer terug.'

'En verder?'

'Hanna, ik heb toch gezegd dat zoiets tijd kost,' zei Vos haar op vriendelijke toon. 'Morgen...'

'Morgen,' herhaalde ze. 'Natalya?'

Het tweetal liep hand in hand naar buiten, maar het meisje bleef staan op de stoep. Sam was naar de deur gekomen. Hij jankte klaaglijk en kwispelde met zijn staart, teleurgesteld dat het uit was met de spelletjes.

Het was een ongemakkelijk moment, iets wat niet De Groots sterke punt was. Hij zei tegen Vos dat hij het maar verder moest afhandelen en liep terug naar Bakker en Van der Berg, die aan de bar zaten.

Buiten zag Hanna Bublik hoe betoverd haar dochter was door de kleine terriër.

'Op een dag,' zei ze terwijl Vos dichterbij kwam, 'hebben wij er ook een.'

'Daar ben ik van overtuigd.'

Ze keek naar hem. Onzeker. Misschien zelfs wat bezorgd.

'Sorry, Vos. Het was niet onaardig bedoeld. Ik ben gewoon moe. Dat zijn we allebei.'

'Dat geloof ik graag.' Hij knikte naar de reistas. 'Dat lijkt de tas wel die je in de trein hebt achtergelaten.'

Natalya, die de spanning tussen hen voelde, liep terug naar de deur en zakte door haar knieën om de hond te aaien.

'Hè?' vroeg Hanna te snel.

'Dat kan natuurlijk niet,' vervolgde Vos haastig. 'Ik weet...'

'Verdenk jij soms iedereen? Elk moment van de dag?'

Vos bleef naar de tas kijken.

'Sorry. Dom van me.'

Ze slaakte een zucht en sloot haar ogen even.

'Renata Kuyper heeft me wat spullen voor Natalya meegegeven. Speelgoed en kleren die haar dochter niet meer gebruikt.' Ze haalde haar schouders op. 'Deze tas is van haar.'

Er viel een stilte.

'Je bent en blijft een politieman. Wil je hem soms doorzoeken?'

Ze keek hem bijna smekend aan.

'Zou dat moeten?' vroeg hij.

'Ik...' Ze zocht naar woorden en greep de groene reistas steviger vast. 'Laat ons in godsnaam gaan, Vos. Ik heb je nooit ergens om gevraagd. Ik wilde alleen mijn dochter terug. Dit is het laatste.'

Ze wendde haar blik af en riep Natalya. Het meisje kwam onmiddellijk en pakte haar hand. Ze keken hem aan. Ze hoorden bij elkaar. Ze vormden het overgebleven deel van hun gezin.

'Fijne avond,' zei Hanna zo zacht dat hij haar stem nauwelijks herkende. 'Ik weet wat voor ons het beste is. Echt.'

Opnieuw een stilte. Hij verroerde zich niet, en zij ook niet.

Toen stak ze een hand uit en raakte even de revers van zijn verfomfaaide jas aan.

'Alsjeblieft...'

'Fijne avond,' zei hij zo opgewekt als hij kon opbrengen. Hij trok even aan zijn lange donkere lokken. 'Als je zover bent dat je mensen gaat knippen...'

Ze had tranen in haar ogen. Hij voelde zich schuldig dat hij dat op zijn geweten had.

'Jij wordt mijn eerste slachtoffer. Gratis,' zei ze zacht. Ze draaide zich om en vertrok.

Vos keek hen na totdat ze over de Berenstraatbrug waren en ging vervolgens De Drie Vaten weer binnen om zich bij de anderen te voegen.

'Wat was dat allemaal?' vroeg Bakker. 'Of ben ik nu weer nieuwsgierig?'

'Jij bent altijd nieuwsgierig. Het ging over morgen. Ze wil met wat mensen van maatschappelijke organisaties praten over hoe ze een nieuw leven kan opbouwen. Een cursus volgen. Ze wil kapster worden.'

'Goed idee,' zei Van der Berg, en hij hief zijn glas. 'Ze is veel te slim en te fatsoenlijk om zich zo te laten gebruiken. Zeker door een smeerlap als Yilmaz die haar het leven zuur maakt.'

De Groot keek Vos recht in de ogen.

'Is er soms iets wat ik moet weten?' vroeg de commissaris.

'Zoals wat, Frank?'

Sam zat aan De Groots voeten met het touwbot in zijn bek en jankte om aandacht.

'Als ik dat wist, zou ik er niet naar hoeven vragen, nietwaar?' antwoordde de commissaris. Hij begon aan het speeltje te trekken.

'Jouw beurt voor een rondje,' zei Van der Berg tegen hem. 'Zeker weten. Ik kan me niet herinneren wanneer je voor het laatst...'

De Groot bromde iets en haalde wat geld tevoorschijn. Vos bestelde een kleintje pils. Bakker bedankte. Van der Berg stond al achter de tapkast om de flesjes te bestuderen en koos uiteindelijk voor iets duurs van een Belgisch klooster.

'Ik stel voor dat we ons voorlopig richten op die Rus en die twee Belgen,' zei Vos resoluut terwijl De Groot afrekende. 'We stellen ze in staat van beschuldiging en dagen ze voor het gerecht. Met een beetje geluk lappen ze Yilmaz erbij. Kuyper en Mirjam Fransen kunnen nog wel even wachten. En dat geldt ook voor Hanna Bublik en haar dochter. Die kunnen wel wat rust gebruiken.'

'Wat mij betreft geen probleem,' beaamde De Groot.

Vervolgens gaf hij iedereen een schouderklopje en hief zijn glas.

'Op Sinterklaas. Het is ons uiteindelijk toch gelukt. Proost.'

Aan de andere kant van de gracht was een taxi gestopt. Twee gestalten – een lange en een korte – stapten in. Ze hadden één grote tas bij zich.

'Proost,' zei Vos, terwijl hij de wagen langzaam weg zag rijden in de richting die de uitgestrekte arm van de zilverkleurige ballerina op zijn woonboot aangaf.

Achter in de taxi, buiten gehoorsafstand van de chauffeur, pakte Natalya haar moeders hand en vroeg: 'Waar gaan we naartoe?'

'Ergens waar het mooi is,' zei Hanna.

Ze belde een reisbureau dat 's avonds geopend was en vroeg op welke vluchten er nog plaats was.

Vervolgens boekte ze twee tickets die op het vliegveld moesten worden betaald, een op naam van Natalya Bublik, het andere op Hanna's meisjesnaam: Tsiklauri. Het was de naam die in haar tweede paspoort stond, dat ze uit Gori had meegenomen. Een naam die voelde alsof hij aan iemand anders toebehoorde.

'Ergens waar het warm is,' voegde ze eraan toe nadat ze de verbinding had verbroken.

Cyprus. Een land dat ze niet eens op de kaart wist aan te wijzen. Maar wel een land dat niet moeilijk deed over visa. De andere Oost-Europese vrouwen die als raamprostituee werkten hadden haar dat verteld.

Ze had wat gegevens uit het oude paspoort moeten oplezen om de reservering te kunnen maken. De altijd nieuwsgierige Natalya boog zich naar voren om te kijken. Ze staarden allebei naar de vrouw op de foto. Kort bruin haar, zoals het nu was. Een veel jonger gezicht. Voller. Minder door zorgen getekend.

'Wat was je knap,' zei Natalya.

'Was?' zei Hanna met een snik.

Ze wreef met de rug van haar handen over haar wangen en deed alsof ze huilde.

Het was een regelmatig terugkerend plagerijtje tussen hen. Iets wat ze vroeger deden.

'Je bént mooi, mam,' zei het meisje resoluut, en ze omhelsde haar moeder.

Ze trok haar dicht naar zich toe met beide armen om haar middel en haar hoofd tegen de bruine jas. Innig met elkaar verbonden, en warm.

Op Schiphol haalden ze de tickets op, waarna ze door de paspoortcontrole gingen. De waardevolle reistas hield ze krampachtig in haar armen geklemd. Even raakte ze bijna in paniek, en ze nam Natalya mee naar de toiletten, waar ze hun zakken volstopten met geld. Het leek een zinloze wanhoopsdaad. Als de reistas door de beveiliging werd geopend, zouden ze sowieso worden tegengehouden en binnenstebuiten worden gekeerd.

Maar dit was allemaal nieuw. Ze deed wat in haar hoofd opkwam en dacht er pas later over na.

Toen dat gebeurde besloot ze het anders aan te pakken. Ze gingen de toiletten weer binnen en haalden al het geld weer uit hun zakken.

Vervolgens begaven ze zich naar een van de chique luchthavenwinkels, waar ze kleren en toiletbenodigdheden kochten. En een grote koffer. Te groot om als handbagage mee te mogen nemen.

In de winkel openden ze de koffer om er de nieuwe kleren in op te bergen. De vriendelijke verkoopster bood aan hen te helpen om alles als ruimbagage in te checken.

Hanna haalde de tas met al het geld van haar schouder en zei dat het wel zo handig was om het ding ook in de koffer te stoppen.

Vervolgens begaven ze zich met z'n drieën naar de balie van de luchtvaartmaatschappij. De koffer werd probleemloos ingecheckt en kon op de plaats van bestemming worden afgehaald.

Dertig minuten voor vertrek. Een snelle maaltijd. Door de beveiliging. Ze stapten in een halfleeg vliegtuig.

Ze hadden twee plaatsen bij het raam. Op de stoel aan het gangpad zat niemand.

Toen ze naar de startbaan taxieden, legde Natalya haar hoofd op haar arm. Hanna hield haar vast en moest haar best doen om niet te huilen.

Amsterdam was een illusie geweest. Ze had zichzelf voor de gek gehouden door te geloven dat ze zo'n leven kon leiden. Maar het was allemaal een leugen. Misschien was dat waarom het monster hen was komen halen. Om hen te herinneren aan de eeuwige waarheid: het is eten of gegeten worden.

Ze had Pieter Vos ook kunnen 'eten'. Dat zou een fluitje van een cent zijn geweest. Maar wel wreed. Bovendien deed hij dat zelf wel. En wreedheid zat evenmin in haar natuur als in de zijne.

Ze hadden het geld. Misschien kon ze kapster worden. Of lerares. Het maakte niet uit, zolang het maar niet de dode, grauwe nachtmerrie was die ze hiervoor hadden geleefd.

Het vliegtuig raasde over de startbaan, klom de zwarte hemel in en maakte een bocht boven Amsterdam.

Ergens beneden hen lag het bebloede lichaam van een Turkse crimineel, dat over een dag of twee een nietsvermoedende schoonmaakster de schrik van haar leven zou bezorgen.

In een ander deel van de stad, dat Hanna Bublik niet kende, lagen de lichamen van Henk en Renata Kuyper te verstijven in de kou van hun eetkamer op de eerste verdieping terwijl een winters briesje stilletjes langs de twinkelende feestverlichting naar binnen drong door het uiteengespatte venster. Onzichtbaar voor de wereld, tot een bezorgde Lucas Kuyper de ochtend erop zou langskomen omdat zijn telefoontjes niet werden beantwoord.

De voortvluchtige die de veiligheidsdiensten als Khaled kenden, deed ondertussen een dutje in een auto die met een rustig gangetje over de snelweg België binnenreed.

Op hetzelfde moment lag Pieter Vos in zijn vervallen woonboot klaarwakker op bed naar het plafond te staren met Sam snurkend aan zijn voeten.

De altijd nieuwsgierige Natalya tuurde vanuit het vliegtuig naar de lichtjes beneden hen. De grachtengordel met de Herengracht, de Keizersgracht en de Prinsengracht vormde een lichtende ring rond de stad.

Hanna dacht aan de man met zijn hondje en zijn eenzame leven op het water.

Vos wist dat ze ervandoor ging. En toch liet hij haar gaan.

Er was ook goedheid in de stad. Maar die moest je wel zien te vinden voordat het monster je te pakken kreeg. En op dat punt had ze gefaald.

'Waar gaan we naartoe?' vroeg een slaperig, jong stemmetje naast haar.

'Naar het zuiden,' zei ze.

Het meisje draaide het raampje de rug toe en nestelde zich onder haar arm.

Naar het zuiden.

Het maakte niet uit, zolang ze hier maar weg was.

Lees ook

Sinds zijn dochter spoorloos verdween is Pieter Vos een gebroken man. Na zijn werk voor de Amsterdamse politie leeft hij teruggetrokken op een woonboot. Totdat de jonge rechercheur Laura Bakker hem wijst op een nieuwe vermissing met dezelfde kenmerken als de verdwijning van zijn dochter.

Samen met Laura stort hij zich op de zaak en ze ontdekken oude geheimen die al snel bloedige gevolgen krijgen.